JN117894

28言語で読む「星の王子さま」

世界の言語を学ぶための
言語学入門

風間伸次郎・山田怜央 編著

東京外国語大学出版会

28言語で読む「星の王子さま」
世界の言語を学ぶための言語学入門

風間伸次郎・山田怜央 編著

★ 第1部　言語学入門

★ 第2部　28言語の概説と28言語による「星の王子さま」

凡例

装丁・割付　細野綾子

まえがき

　フランス料理や中華料理やタイ料理のお店に行って、いろいろな料理を食べてみることができるように、フランス語や中国語やタイ語など、いろいろな外国語を気軽に学ぶことができたら、どんなに楽しいことでしょう！　この本はそんな思いから作られました。

　同時に、この本は言語学の入門書にもなっています。いろいろな言語のことを効率的にとらえるには、言語学の知識があるとスゴく便利です。一方で、言語学の知識や道具は、いろいろな言語の実際に触れてこそ、よくわかるようになります。そんなわけで、この本は一石二鳥を狙ったちょっと欲ばりな本です。

　目次を見ていただけるとわかりますが、この本は第1部に言語学のトピックについての概説があり、第2部に28の言語についての概説とその言語で書かれた『星の王子さま』の各章の分析がある、という構成になっています。各章の分析とは、原著のフランス語に加えて27の言語に訳された『星の王子さま』から、1章ずつその言語の文を引用し（ただしトルコ語とウズベク語は合わせて1章）、これに音声表記と形態素分析、さらに日本語訳をつけ、これを通して具体的にその言語のしくみと言語学を学べるようにしたものです。28言語の特徴を対照した一覧表もあります。さらに巻末にはおまけとして、28言語での「こんにちは」「ありがとう」と、1から10までの数詞の対照表がついています。

「言語学」のススメ

　語学の勉強は楽器やスポーツの練習に似ています。　もしある言語を上手に「話す・聞く・読む・書く」ことができるようになりたい、と思ったら、たしかにたくさんの反復練習をしなければなりません。けれども、

「別にペラペラにならなくともいい、どんな言語なのか覗いてみたい」と思うのなら、そんなに練習する必要はありません。まずは「言語学」を学ぶことをぜひともオススメします。

　ちょっと唐突かもしれませんが、例えば、「車」というものを例に考えてみましょう。車の運転ができるようになるためには、もちろん練習が必要です。免許を取って、車を買い替えながら2台目、3台目と違う車に乗ってみると、だんだん車というものに共通するシステム、のようなものがわかってきます。つまりはエンジンのしくみや、その力をタイヤに伝えるしくみ、などです。共通点がわかってくると、相違点もわかってきます。軽自動車と大きな四輪駆動車では、たしかにいろいろ違います。私は運転したことがありませんが、トラックやバスならもっと違うでしょう。

　いろいろな言語もこうした車に似ています。「いや、言語は車とはあらゆる点で全然違うよ」と思うかもしれません。この本を開いて、まったく初めて触れる言語の文字を見たり発音を知ったりすると、車を見るのとは違って、「ああ〜、一つもわからない！」と思うでしょう。でも英語のほかに一つでも二つでも別の言語を学んだことのある人なら、言語の間には類似点や相違点があるなあ、と意識したことがあると思います。このような類似点や相違点を整理するのに便利な共通のモノサシが、言語学なのです。言語学の考え方を知って、言語学の便利な道具の使い方をいくつか覚えると、世界中のどんな言語にもうまく対応できるようになります。

　そもそも言語はどの言語も、「考えていることを相手に伝える」という根本的な機能を持っているという点で共通しています。そしてその言語が話されているコミュニティでは、2歳ぐらいの子供でも立派にその言語で意志を疎通させています。だから、どんな言語もそんなに難しいシステムでできているはずはないのです。

　再び車を例に挙げると、色や形やメーカーなど、その車をいくつか違った面からみることができますし、車自体はエンジンやタイヤや座席など、いろいろな部分からできています。言語もやはり音や文法、単語、文字といった面を持っていますし、その四つにはそれぞれの分野を構

成する要素がずらりと揃っています。言語学はそれら構成要素の組み立て方について、世界の言語がさまざまなバリエーションをみせること、それからその根底にいくつかの共通点があることを教えてくれます。このようにして、言語学を通じていくつもの言語を見ると、「言語とは何か?」ということがわかってきて、大きな一つの世界がその扉を開けてくれたような気分を味わうことができます。

　そして言語学がわかってくると、何より語学の勉強がもっと楽しくなり、楽になります。それまでバラバラだった日本語や英語やその他の言語の知識が、生き生きとしたつながったものに変わってきます。他の言語と相対化することによって、日本語も英語もその他の言語も、それがどんな言語なのか、初めて鮮やかにみえるようになります。人間誰しも自分の姿は見えませんが、他の人を観察するうちにだんだんわかってくるのと同じです。日本語母語話者にとって日本語は普段意識することのない空気のような存在ですが、言語学を通じ他の言語と対照することによって、日本語のことがだんだん客観的にみえてきます。それはとても興味深い体験だと思います。

　　この本のなりたち

　この「まえがき」を書いている私・風間伸次郎は東京外国語大学(以下「外語大」とします)で言語学を教えています。外語大には28の専攻語があります。その28の専攻語こそ、この本で扱っている28の言語です。この28の専攻語を1・2年生の間によく勉強した学生たちが、毎年何人か私のゼミに入ってきます。学生たちは自分の学んだ専攻語をよく話したり書いたりできますが、その専攻語がどんな言語であるのか、言語学的にちゃんとわかっているか、というと必ずしもそうとは限りません。語学としてその言語だけを一生懸命勉強すればするほど、つまりその言語が自分にとって当たり前のものになってくればくるほど、最初のうちは新鮮に感じていたその言語の面白さがみえなくなってしまいます。そこで3年生になって私のゼミに入ったら、「自分の専攻語は言語学的にみるといったいどんな言語なのか」というレポートを書いてもらいま

す。その後、自分の知らない言語で書かれた『星の王子さま』の一節を分析してもらったりします。

　この本には28の各言語についてそれぞれ3〜4ページの概説がありますが、それらはまずこうしたレポートや分析をもとにし、私が参考文献で事実を確認し、さらに同僚の各言語の専門家の先生方や、風間ゼミ出身でもう立派な研究者になっているOB・OGの方々に見ていただいて作りました。一部は風間ゼミに専攻する学生のいない言語もありましたが、やはり外語大の学生の中で関心のある人が作成を手伝ってくれました。

　私は以前から世界のいろいろな言語で書かれた『星の王子さま』を趣味で収集していましたが、それがだいぶ集まってきた2016年、外語大の学園祭（「外語祭」といいます）で「世界の言語で読む『星の王子さま』」という企画を行いました。そこでは各国語の『星の王子さま』を展示したり、いろいろな言語の専門家を招いての講演会を開いたりしました。この折には現在外語大のモンゴル語専攻の先生になっている山田洋平さんが中心になって尽力してくれました。なお、その際に日本言語学会の「言語の多様性に関する啓蒙・教育プロジェクト」に応募し採択され、寄付をいただきました。ここに記して感謝申し上げます。山田洋平さんは言語学の普及に強い関心を持っていて、このときに当時の風間ゼミの院生や学生、OB・OGたちに呼びかけ、『星の王子さま』のいくつかの章の各言語による分析のポスター展示を作ってもらいました。そのとき、私は初めて「『星の王子さま』の各章のいろんな言語による分析を作って、1冊の本にしたらどうだろう」ということを考えました。その後、欠けている言語の分析をやはりゼミを中心とした学生に依頼して少しずつ埋めていきました。この本のもう一人の編著者・山田怜央はいろいろな言語を学んできた経験があり、いくつもの言語の分析を書きました。他の言語についても、得意な学生への送付や受け取り、手強い文字のコンピューター上での処理、分析やグロスの見直しや統一、などの手間のかかる仕事を丁寧に進めていきました。さらに分析と概説、そして理解するのに必要な言語学のトピックについて私が書きました。各言語の概説と言語学のトピックについては、風間と山田の間でさん

ざんに議論をし、何度も推敲して原稿を作っていきました。こうして
この本ができあがった、というわけです。

この本で大事にしたこと

　外語大の1年生が、サークルなどで他の専攻語の学生と仲良くなると、
当然「自分のやっている言語はこんな言語なんだよ」と説明しようとし
ます。ところが言語ごとに使っている用語が異なるため（元の英語やラ
テン語では同じ用語だったのに、わざわざ別の日本語に翻訳していることが
よくあります！）、なかなか話が通じません。そこでこの本では、あえて
各言語の語学教育で伝統的に使われてきた用語を用いずに（もしくはカ
ッコ内に示すだけにして）、なるべく共通した用語を使いました（ですか
ら伝統的な日本での「〇〇語学の用語」に慣れた人は、少しびっくりするかも
しれません）。

　語学としてある言語を学んでいると、興味深い現象に出合っても、な
ぜそうなっているかを考える余裕はあまりなく、「とにかくそうなんだ
から暗記しなさい！」「はい暗記します」、ということになりがちです。
この本では、例えば歴史的な変化でその理由が説明できる場合は、な
るべくそれを説明しようと努めました。ほんの3～4ページの概説なので、
必ずしも十分とは言えないかもしれませんが、個々の言語の特徴につ
いては、抽象的な説明だけに終わらないよう、なるべく具体例を挙げて
説明することを心がけました。

　一見して珍しいような現象でも、世界の言語を広く見渡してからも
う一度みると、わりとよくある現象であったということがあります。逆
に、日本語や英語にあって、きわめて身近で当たり前だと思っていたこ
とが、世界の言語全体からみると珍しいことであったということもあり
ます。そこでなるべくこの本では、世界の言語全般からみてどうなのか、
どの言語とどの言語が似ているのか、似ている場合は、なぜ似ているの
か、似ていながら違う点はどこなのか、ということについても取りあげ
るように努めました。

　28もの言語の実際に触れると、どの言語もそれぞれ独自のしくみを

もった、かけがえのない存在であることがわかると思います。本当は28言語なんてまだまだほんの少数で、世界には6,000以上の言語があるといわれています。たしかに英語をはじめ、話者数や、その言語が話されている国の経済力などの点から、重要だと思われている言語がいくつかあります。しかし、言語それ自体には何の優劣もないのです。個々の人間がそれぞれ「世界に一つだけの花」であるように、星の王子さまにとって自分の星の花が「世界に一つだけの花」であるように、どの言語も「世界に一つだけの言語」です。そのことがわかってくるようになれば、つまり世界の多様な言語や文化を相対化してみられるような人が一人でも増えていけば、差別やヘイトスピーチなどはなくなって、本当の平和がやってくるのではないかと私は考えています。

この本の使い方

　はっきりいってこの本はどこから読んでもかまいません。相互参照（クロスリフェレンス）と索引がついていますから、わからない言葉や気になることが出てきたら、あっちへこっちへと飛び回りながら読むことができます。言語というものは、先に述べたように違った四つの側面（音声・文法・語彙・文字）で、そのさまざまな構成要素が互いに精巧に組み合わさって全体としてうまく機能しているシステムなんです。

　ここでは一つのオススメの案として、この本の使い方を紹介しておきましょう。

　例えば英語や日本語など、「よく知っている」と思う言語の概説や『星の王子さま』の分析を読んでみましょう。きっと予想していたのとはだいぶ違ったことが書かれていて、知らない用語もいろいろ出てくると思います。そこで相互参照や索引を使って、その分野の言語学の説明を読んでみましょう。†のマークがついた用語は、やや専門的な言語学の用語です。初出の箇所（主に第1部）に説明がありますので、索引からその箇所を探して読んでみてください。なお初出の箇所には‡のマークがついています。

　逆に今度は自分のまったく知らない言語の概説や『星の王子さま』の

分析を眺めてみましょう。変わった文字の言語なら、まずその言語の文字についての概説や、「文字の系統、翻字」（第1部2章）について読んでみましょう。「どんな風に読むんだろう、どんな音の言語なんだろう？」と思った人は、発音記号を眺めてみましょう。発音記号や音声学のしくみが知りたくなったら、「発音記号概説」（第1部3章）と「結合音声学と音韻論」（第1部4章）にいってみましょう。発音記号を知ることは、英語はもちろん世界中の言語をうまく発音したり聞き取ったりするためのすばらしい近道です。

　語順をはじめとする統語論は比較的わかりやすい言語のしくみです。第2部の各言語の概説の統語論を読んで、ざっとその言語のしくみを知ったら、本当にそうなっているか、『星の王子さま』の分析を見て確かめてみましょう。それから「言語類型論 ── 語順類型論と古典類型論」（第1部5章）や「情報構造」（第1部10章）を読むことをお勧めします。いろいろな言語のしくみの共通点と相違点がわかってきたら、「28言語の特徴 ── 対照一覧表」（第1部13章）を見ることをお勧めします。言語の好きな人なら、いきなり「対照一覧表」を見ても面白いかもしれません。

　外語大の学生で、自分の専攻語がある人は、もちろん自分の専攻語を読んでみることでしょう。その次には、同じ系統（第1部1章参照）や近い地域の言語の概説や『星の王子さま』の分析に進んでみることを勧めます。きっといろいろな発見があって楽しいと思いますよ。

　外語祭では、1年生が各地域の料理店を開き、2年生が各地域の語劇（その言語で演じる劇）を演じます。こうした料理店や語劇をより一層楽しむためのお供としても、とっても便利な1冊になると思います。

第 1 部

言語学入門

1 世界の言語・言語の系統と
歴史、言語接触、類型

世界の言語

　世界には約6,000から7,000の数の言語があると言われています。国の数が200ぐらいなので、それよりも何十倍も多くの言語が話されていることがわかりますね。

　それにしても、どうして1,000も数にひらきがあるのでしょう？　一つにはパプア・ニューギニアや南米のアマゾン河流域など、どんな言語がいくつ話されているのかさえもまだよく調査されていない地域があるためです。もう一つは、言語と*方言の違いを判断するのが難しい、という理由です。例えば、沖縄のことばは東京のことばから見ると、さっぱりわからないくらい違いますが、一つの国の中のことばどうしで、しかも元は同じ起源だからというので、たいていは一つの言語の別の方言として扱っています。一方、例えばスペイン語とポルトガル語、特にその国境あたりの方言どうしは互いに非常によく似ているのですが、別の国で話されているので別の言語とされています。このように違う言語と見るか、それとも同じ言語の方言と見るかは実はきわめて難しい問題なのです。

　この約6,000の言語のうち、話し手が1万人以下の小さな言語は、約半数の3,000を占めるといわれています。一方、話し手が100万人以上のいわゆる「大言語」の数は約250です。この状況は、約4パーセントの言語を約96パーセントの人々が話し、約4パーセントの人々が約96パーセントの言語を話している、ということでもあります。

　小さな言語の話者たちは、たいていが大きな言語とのバイリンガルで、そうした小さな言語は文字で書かれることがなく、子供たちはもはや

大きな言語しか話せない、ということがよくあります（こうした言語を
‡危機言語といいます）。ある統計によれば、いま地球上で話されている
6,000の言語のうち約半数の言語が今世紀中に消滅する、とも言われて
います。このことをイメージするのは難しいかもしれませんが、みなさ
んの周りの日本各地の諸方言のことを思い起こしてみてください。方
言は基本的に文字で書かれることがなく、また方言によってはもうお
年寄りしか話すことができず、若者は共通語しか話せなくなっている、
というような状況がありますよね。

言語の系統と歴史

　世界にはこのようにものすごくたくさんの言語があるわけですが、互
いに似ている言語もあれば、まったく違う言語もあります。二つの言
語が似ている場合、それには三つの理由があるといわれています。

　まずその一つ目の理由は、その二つの言語が互いに‡系統関係にある
場合です。系統とは簡単に言えば親縁関係のことで、その二つの言語は、
歴史的に見て一つの同じ源（‡祖語と言います）にさかのぼります。系統
関係にある言語群のことを‡語族と言います。本書に出てくる28言語は、
それぞれ次のような語族に属しています。なお各語族には、ここに挙
がっている言語以外にも、さらにとてもたくさんの言語が所属してい
ることに注意してください。

‡インド・ヨーロッパ語族（‡印欧語族とも）：英語、ドイツ語、フランス語、
　　イタリア語、スペイン語、ポルトガル語、ロシア語、ポーランド語、
　　チェコ語、ベンガル語、ヒンディー語、ウルドゥー語、ペルシア語
‡シナ・チベット語族：中国語、ビルマ語
‡アフロ・アジア語族：アラビア語
‡オーストロ・アジア語族：カンボジア語、ベトナム語
‡タイ・カダイ語族：タイ語、ラオス語
‡オーストロネシア語族：フィリピン語、マレーシア語、インドネシア
　　語

‡モンゴル語族：モンゴル語
‡チュルク語族：トルコ語、ウズベク語
　系統的に‡孤立した言語：朝鮮語、日本語

　（なおシナ・チベット語族、タイ・カダイ語族に関しては、一語族にまとまるかどうか、一部の言語を含めるか否か、などの点で異論もあります。本書でいう「朝鮮語」は朝鮮民族の言葉という意味で、大韓民国と朝鮮民主主義人民共和国の両方（さらには中国の延辺朝鮮族自治区やアメリカ、日本における朝鮮民族のコミュニティ）で話されている言葉全体を指す用語として用いています。）

　モンゴル語族とチュルク語族は、互いによく似ている上に歴史的にも深い関係があったので、‡アルタイ諸言語と呼ばれることがあります。しかし両語族が系統関係にあるかどうかは、未だ立証できていません。起源は異なるものの影響を与え合ううちに互いに似てきてしまったのかもしれません。
　一方、語族より下位の系統的分類の単位を‡語派と言います。上記の印欧語族の諸言語は次のような語派に分かれます。

‡ゲルマン語派：英語、ドイツ語
‡イタリック語派：フランス語、イタリア語、スペイン語、ポルトガル
　語
‡スラブ語派：ロシア語、ポーランド語、チェコ語
‡インド・イラン語派：ベンガル語、ヒンディー語、ウルドゥー語、ペ
　ルシア語

比較言語学と言語接触

　それでは、「ある言語とある言語が系統関係にあって、同じ語族に属し、同じ源から分かれてきた」ということはどうやって証明するのでしょうか？　それにはまず‡音対応を見つける、という手続きが必要であ

るとされています。例えば、ドイツ語で「2」のことを zwei、「歯」のこと
を Zahn、「10」のことを zehn と言いますが(Z の字は [ts] と発音します)、
これらの語は英語ではそれぞれ two, tooth, ten ですね。 このような状況
を「ドイツ語の [ts] の音は英語の [t] の音と対応する」と言います。 こ
のことは、元は同じだった言語が何らかの理由で二つの集団に分かれ
て暮らすようになり、片方の集団で、ある音がいっせいに別の音に変化
した、とすればうまく説明することができます(なおこの事例で実際には
t > ts の変化が起きました)。こうした組織的な対応は偶然の産物である
とは考え難いため、このような対応をもって問題の二つの言語は同系
統にある、と判断します。 このようにして言語の歴史的関係を考える
分野を‡比較言語学と言います。

　では、言語が似ている二つ目の理由として考えられることは何でし
ょうか? それは‡言語接触による相互‡影響によるものです。 例えば、
インド・イラン語派のうちのインド語派の諸言語は、同じくインドの南
部で話されている別系統の言語群であるドラヴィダ語族の言語ととて
もよく似ています。 これは何千年もの歳月にわたってこれら両語族の
言語を話す人々が交流し、その言語が互いに似てきてしまったためだ
と言われています。 系統による類似がいわば「血のつながり」であると
すれば、言語接触は「似たもの夫婦」のようなものです。 このようにし
て互いに似てきた言語群を‡言語連合(ドイツ語で Sprachbund と言います)
そのような地域を‡言語地域(linguistic area)と言います。言語接触には上
記とは違ったパターンもあります。 政治や経済の面で強い集団が別の
言語を話す集団を支配すると、征服された集団の人々は自分たちの言
語を捨てて支配者たちの言語を話すようになることがよくあります。
その場合、征服された方の言語を‡基層言語といいます。 時には征服者
の言語の中に基層言語からの影響による変化が起きる、もしくは何ら
かの特徴が残ることがあります。 これについてはフランス語やスペイ
ン語の概説(第2部3章、5章)も参照してください。 このほかに、異なる
言語を話す人々が意志疎通のために臨時に簡単な体系の言語を生み出
し、それが慣習化する場合があり、これを‡ピジンと言います。 ニュー
カレドニアのフランス語ピジンやパプア・ニューギニアのトク・ピシン(英

世界における言語の分布

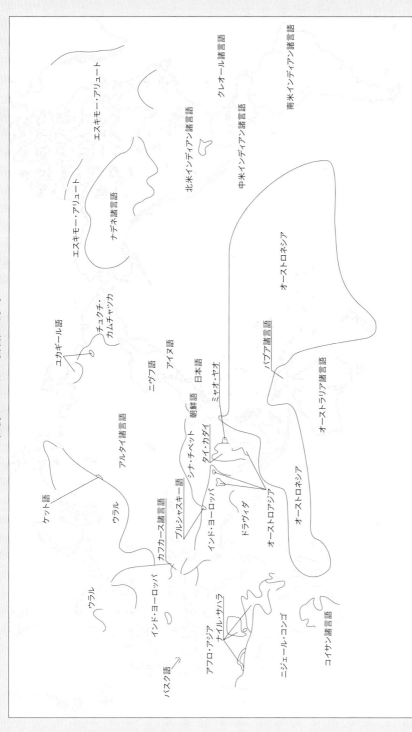

バスク語
インド・ヨーロッパ
ウラル
ケット語
アルタイ諸言語
カフカース諸言語
ブルシャスキー語
インド・ヨーロッパ
シナ・チベット
タイ・カダイ
ドラヴィダ
オーストロアジア
オーストロネシア
アフロ・アジア
ナイル・サハラ
ニジェール・コンゴ
コイサン諸言語

ユカギール語
チュクチ・カムチャツカ
ニヴフ語
アイヌ語
朝鮮語
日本語
ミャオ・ヤオ
パプア諸言語
オーストラリア諸言語
オーストロネシア

エスキモー・アリュート
ナ・デネ諸言語
北米インディアン諸言語
中米インディアン諸言語
クレオール諸言語
南米インディアン諸言語

図 1-1：語族や諸言語の分布（松本 (2007: 192) をもとに作成、第 14 章 5 節参照）

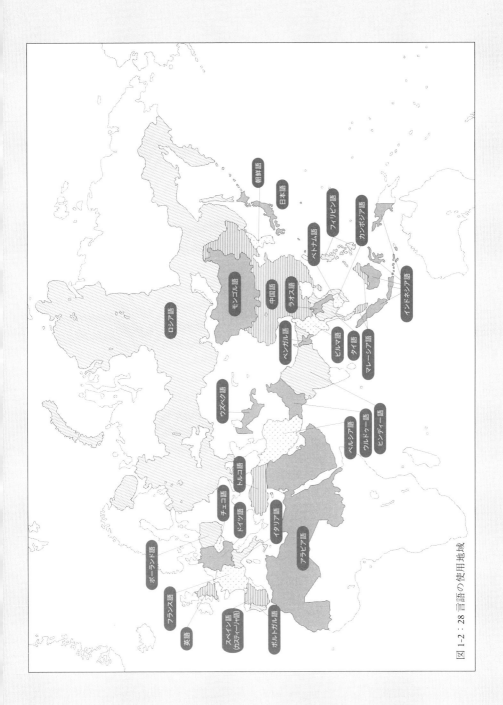

図 1-2：28 言語の使用地域

語ピジン）などが有名です。ピジンが母語化したものを‡クレオール（ク
リオールとも）と言います。

　最後に、言語が似ている三つ目の理由についてですが、これは第5章
でお話ししましょう。

　図1-1は語族や諸言語の分布を示した地図です。この地図では語族
をなしているグループは「語族」を省略して示しています。インド・ヨ
ーロッパ（語族）やウラル（語族）がそうです。ただし語族の中の言語には、
その語族への帰属が疑われているものもあります。次に、系統関係が
なお明らかになっていないものの、地域的な理由や類型的な類似を理
由に一つのグループとして扱われることのあるものを「〜‡諸言語」とし
て示しました。カフカース諸言語やアルタイ諸言語がそれです。こう
した「〜諸言語」の中には、現時点で系統関係が判明したたくさんの語
族が含まれています。最後に系統的に孤立した言語は、「〜語」として
示しました。日本語、朝鮮語、バスク語などがそうです。なお系統的に
孤立した言語は、実際にはもっとはるかにたくさんありますが、ここで
はそのうちのいくつかのみを示しています。

　次に、図1-2では本書で扱った28言語の使用地域の地図を示しました。
なおよく知られているように、上記のうちの一部の言語、特にヨーロッ
パの印欧語の使用地域は図1-2で示した地域だけではありません。以
下ではその主なもののみを示しておきます。

　英語：「第一言語」として使用している国だけでも30弱あり、その中
　　核となっているのは、アメリカ合衆国、カナダ、オーストラリア、
　　ニュージーランド、アイルランドなどです。
　スペイン語：中南米ではブラジル、スリナム、ガイアナ、ベリーズ、
　　カリブ海地域の一部などを除く大部分がスペイン語圏で、18か国
　　の公用語になっています。
　ポルトガル語：南米のブラジルとアフリカの旧ポルトガル植民地諸
　　国（カーボ・ベルデ、ギニア・ビサウ、サントメ・プリンシペ、アンゴラ、
　　モザンビークの5か国）で話されています。

反対に、その国の領土の内側にその国で一番多くの人々が話している言語以外の言語が話されている地域のある場合もあります。例えばロシアにおいては、サハ共和国ではサハ語（チュルク語族）、ネネツ自治管区ではネネツ語（ウラル語族）などがロシア語とともにその地域の重要な言語として話されています。このような場合に、図1-2では国境をそのままその言語の使用地域の境界とはせず、（共和国や自治管区などの）行政区域に従ってそれを除いた地域を示しています。したがって中国ではチベットやウイグルの自治区を、ブリテン諸島ではアイルランドやスコットランドなどを除いた地域を、それぞれ中国語、英語の主要な使用地域としています。

2 文字の系統、翻字

文字の系統

　このように世界には約6,000の言語があり、語族単位で数えても数えきれないほどの語族があります。そのいちばんおおもとの起源はどこのどんな言語だったのか、ということはもはや不可知に近い、たいへん難しい問題です。これに対して世界の‡文字の起源はわずか数種類（！）であることがわかっています。つまり独自に発明された文字は、‡エジプト象形文字、‡インダス象形文字、‡漢字、‡マヤ文字など、ごくわずかしかないのです。他の民族はそれらの文字のどれかを借りたり、少し形を変えたりして使うようになりました。みなさんもご存じの通り、日本語におけるひらがなは漢字を‡草書体で、つまりくずして書いているうちにできたものですし、カタカナは主に僧侶たちが、漢文の行間に書き込むためなどの理由から、漢字の一部をとってきて作ったものです。ですから、「言語の系統と文字の系統はまったく関係がない」ということに注意しましょう。私たちはよく言語と文字を混同しがちですが、文字を持たない言語だってたくさんあるのです。

　英語などで使われている‡ラテン文字も、ロシア語などで使われている‡キリル文字も、ともに‡ギリシア文字からできたものです。びっくりするかもしれませんが、さらにさかのぼるとそのギリシア文字も（‡アラビア文字などとともに）エジプト象形文字に行き当たります。

　この本の28言語の中で、ラテン文字を使っているのは、英語、ドイツ語、フランス語、イタリア語、スペイン語、ポルトガル語、ポーランド語、チェコ語、フィリピン語、マレーシア語、インドネシア語、ベトナム語、トルコ語、ウズベク語ですから、全部で14言語ということになります。

ヨーロッパでラテン文字を使っている言語は、英語を除きたいてい何らかの‡補助記号を加えてこれを用いています（本書にあるドイツ語、フランス語、イタリア語、スペイン語、ポルトガル語、ポーランド語、チェコ語は全部そうです）。

　キリル文字を使っているのは、ロシア語とモンゴル語とウズベク語です。

　アラビア文字およびアラビア文字をベースにした文字を使っているのは、アラビア語、ペルシア語、ウルドゥー語です。

　日本語は漢字だけではなく、ひらがな、カタカナなども使っていますが、中国語とともに漢字を用いている言語であることに違いはありません。

　それ以外の朝鮮語、カンボジア語、タイ語、ラオス語、ビルマ語、ベンガル語、ヒンディー語はその言語独自の文字を使っています。このうち朝鮮語の文字は‡ハングルと呼ばれていますね。

文字の分布とその背景

　このような文字の分布は、何に起因するのでしょう？　どの文字を使っているかは、その言語の系統などより、まず第一に‡宗教と深いつながりがあります。ウルドゥー語が話されているパキスタンやペルシア語が話されているイラン、そしてアラビア語圏の国々はイスラム教のさかんな地域です。そこで読まれるべき重要な聖典コーランはアラビア文字によって書かれています。なおトルコもイスラム教のさかんな国で、かつてはアラビア文字を用いていました。しかし‡アタテュルクが政教分離などの理念に基づく改革を行って、ラテン文字に変えたという経緯があります。ヒンディー語とウルドゥー語、ロシア語とポーランド語は互いに理解が可能なぐらいに近い言語どうしですが、インドではヒンドゥー教が優勢でパキスタンはイスラム教が優勢であり、ロシアでは正教が、ポーランドではカトリックが優勢なので、文字も異なるわけです。ただし、モンゴルは宗教がその理由なのではなく、政治的にロシアの影響下にあった、というのがキリル文字を用いている理由です。ソ連崩壊後いわゆる縦文字（第2部12章のモンゴル語の概説を参照）に戻そ

うとしましたが、一度慣れてしまったものを戻すのはなかなか難しく、そのまま現在に至っています。フィリピン語、マレーシア語、インドネシア語といった島嶼部の言語が‡国語や‡正書法を定めたのは比較的遅い時代のことで、これらの国は利便性を考え、一方では植民地支配を行っていた国からの影響もあって、ラテン文字を採用したといってよいでしょう。

　なお上記のように、言語の境界と文字の境界は一致しません。国境と言語の境界も一致しません。（形質人類学的な）人種の境界も文化の境界も一致しません。日本という国では大部分が日本語母語話者で日本の文字を読み書きし、日本的な文化様式で生活しており、逆に日本国外にいる日本人は少数ですが、このように国・言語・文字・文化の境界が重なっているケースは世界の中ではきわめてまれであることをよく意識しておく必要があります。

インド系の文字

　ベンガル語の文字とヒンディー語の文字はご覧になるとわかるようによく似ています（‡北インド系の文字と呼ばれます）。ぱっと見は大きく違うようですが、カンボジア語、タイ語、ラオス語、ビルマ語の文字も実は表2-1に見るように互いに似ています。これらはすべてインド系の文字で、‡ブラーフミー文字という起源にさかのぼります。特に上記の‡東南アジア大陸部の4言語の文字は‡南インド系の文字と呼ばれるものです。インド系の文字の特徴の一つは、「子音の文字だけを書くと、その子音に『ある決まった母音』が続くものとして読む」です。その母音をなくしたいときや、他の母音などを続けたいときには補助的な符号をその子音の周りにつける必要があります。文字の順序は大雑把にいって「カ・チャ・タナ・パマ・ヤラワ」のような順序になっていて、日本語の‡五十音図の順序に似ていますが、これは‡悉曇学（旧サンスクリット文字学）の影響を受けて五十音図が作られたためです（日本語のサ行とハ行はかつてチャチチュチェチョ、パピプペポのような音だったと推定されています）。子音だけでなく、母音の「アイウエオ」の順序もこの影響による

ものです。

	p/b	m	l	n	k	kaa	kii	kuu	kee	koo
カンボジア文字	ប	ម	ឈ	ឌ	ក	កា	កិ	កូ	កេ	កោ
タイ文字	บ	ม	ล	น	ก	กา	กิ	กู	เก	โก
ラオス文字	ບ	ມ	ລ	ນ	ກ	ກາ	ກິ	ກຸ	ເກ	ໂກ
ビルマ文字	ပ	ဖ	၎	န	က	ကာ	ကိ	ကု	ကေ	ကို

表 2-1：南インド系の文字の形の対応（なおカンボジア文字の現在の母音の発音は異なります）

漢字やハングル

　ベトナムは日本と同じく‡漢字文化圏であり、その語彙には現在もたくさんの‡漢語が含まれています。そしてかつては漢字（および‡^{チュー・ノム}𡨸喃、第2部19章ベトナム語の概説を参照）を用いていましたが、ベトナム戦争終了後、正式にラテン文字を採用しました。なお中国で使っている漢字が簡体字であることはご存じの方も多いと思いますが、台湾は旧字（‡繁体字）であり、繁体字から見れば日本の漢字も簡体字です（第2部10章の中国語の概説を参照）。

　ハングルはどの文字の系統にも属さず、独自に作成した文字と言うことができますが、もちろんまったく無から創造したわけではなく、むしろ漢字をはじめとするさまざまな文字の知識に基づき、それらの利点を生かして作り出されたものです。ハングルが作られたのは15世紀のことです。なお韓国で漢字を用いる場合には繁体字を用います。

表音文字・表意文字・表語文字

　文字には‡表音文字と‡表意文字があると言われることがあります。ですが、音だけを示す文字はあっても、意味だけを示す文字、というものは基本的に存在しません。漢字は一文字でも直接意味を示すことができますが、同時に必ずその読み方も持っています。このことから漢字

のように音と同時に意味も表す文字は‡表語文字と呼ばれています。表語文字を使っているのは、本書の28言語の中では中国語と日本語だけです。なお漢字のうちの約90パーセントは音を示す部分と意味を示す部分の組み合わせでできています。例えば「油」という字は「由」の部分がyuという音を、サンズイが意味を示しています。この原理を‡形声といい、他の五つの制字原理(‡象形・‡指事・‡会意・‡仮借・‡転注)と合わせて‡六書と言います。朝鮮語やベトナム語、日本語には漢語がたくさん入っていて、歴史的に中国語から大きな影響を受けました。このようにある地域で広く通用し、交易をはじめとする交流の場で広く使われる(あるいは、使われていた)言語を‡リンガ・フランカと言います。

翻字について

本書の『星の王子さま』の分析では、ラテン文字以外の文字については、‡翻字の行を加えています。これは発音そのものを示すものではなく、一定の規則によって当該の文字をラテン文字(に若干の記号等をつけ加えたもの)に置き換えたものです。一方、文字そのものであることを示すときは、⟨x⟩のように山型カッコに入れて示しています。世界の言語におけるそれぞれの文字体系は、基本的にその言語において意味の区別に役立つ音の違いを過不足なく示す傾向があります(表音文字の場合)。したがってそれは一種の‡音韻的な表記、つまり‡音素表記ということになります。これらについては第4章の「結合音声学と音韻論」でお話しします。

3 発音記号概説

発音記号とは

　世界の言語を正確に発音できるようになるための早道は、やはり‡発音記号というものに慣れることです。見た目はとっつきにくいかもしれませんが、これがなかなかどうして、よくできた「システム」になっているのです。ぜひそのシステムを学びましょう。新しい言語音が発見されれば、新たな発音記号を足すことになっているので、もし発音記号を完璧にマスターすれば、これまで分析された世界中のどんな言語の音でもすべて、発音したり、どんな音か理解したり、聞き分けたりできるようになるというわけです。なお発音記号は正式には‡国際音声字母（‡IPA: International Phonetic Alphabet）と言います。

　正確な発音をするためには、（口の中の）どの部分を、どのように使って発音するのか、ということをまず頭でよく理解することが大切です。うまく発音できないのは、舌が動かないからではなく、その音を出すやり方を「理解できていない」ことが原因である場合が多いのです。

子音の発音　1 ── 調音位置と無声／有声

　さて‡子音の表（表3-1）を見てみましょう。 表の上には左から順に「‡両唇音」「‡唇歯音」「‡歯音」……などが並んでいます。 これは「どこから音を出すか」ということで、専門用語では‡調音位置と言います（歯や歯茎などは、厳密には「歯と舌」なのですが、「舌」はいちばん動いて使われるのでいちいち言及しません）。 一方、表の左には縦に「‡破裂音」「‡鼻音」「‡ふるえ音」……などが並んでいて、これは‡調音法と言います。つまり

「どうやってその音を出すか」ということです。この両者が交差するところで、「どこでどうやって出す音」であるかが明確に決まる、というシステムになっているのです。さらに表の左上のセルを見てみましょう。$\boxed{\text{p b}}$のように二つの記号が並んでいますが、ここでは左側が‡無声音、右側が‡有声音と言い、両者は‡声帯の振動によって区別されます。pとbでは一瞬すぎて難しいので、sとzで確認してみましょう。喉に指を当ててsssss..., zzzzz...と言ってみると、zでは声帯の振動が指に伝わってくるのがわかると思います。無声／有声は日本語の‡清濁と似ていますが、日本語では歴史的な変化（p > h）があったためにハ行（ハ vs. バ）における清濁の‡対立は、同じ調音位置での無声／有声の対応になっておらず、この点で無声／有声と清濁は異なっています。これとは異なる区別に‡無気音／‡有気音というものがあります。これは例えばp-pʰ, t-tʰ, k-kʰなどのように書かれ、pʰ, tʰ, kʰの方は強い息を伴います（口の前に置いた紙が動くぐらいの息の強さで発音する必要があります）。このような対立は中国語や東南アジア大陸部の諸言語（ベトナム語、ビルマ語）に見られます（タイ語、ラオス語にはこの対立に加えさらに有声音との対立があります）。南アジアの言語（ベンガル語、ヒンディー語、ウルドゥー語）には無声無気／無声有気／有声無気／有声有気の四つの対立があり、朝鮮語には無気／有気の対立に加えてさらに‡濃音（第2部11章朝鮮語の概説を参照）という系列があります。

　調音位置を左から見ていくと、聞きなれない「‡反り舌音」というものが出てきます。これは南アジアの言語（ベンガル語、ヒンディー語、ウルドゥー語）に特徴的な音です。これらの言語ではtとʈ、rとɽなどの違いで、語はまったく別の意味になってしまいます。さらに文字もまったく違う文字で示します（例えばヒンディー語であればड [ɖ], ट [ʈ]のようになります）。反り舌音は舌をスプーンのような形にして出す音で、（「‡摩擦音」や「‡破擦音」であれば）中国語などにもあります。表の反り舌音の欄を縦に見ていくとよくわかりますが、反り舌音の発音記号は右下に向いたシッポがついている点が特徴です。「‡口蓋垂音」はいわゆるノドチンコに舌の根っこの部分がついたり近づいたりして出される音で、フランス語やドイツ語（ʁ~ʀ）、アラビア語（q）などにあります。「‡咽頭音」

はさらに喉の奥から出す音で、アラビア語に特徴的な音です。

子音の発音 2 ── 調音法

　今度は調音法を上から見ていきましょう。「‡破裂音」では「‡内破音」と呼ばれる発音が、特に聞き取りの上で大切です。英語の cap は唇を閉じたままで終わり、cat も舌が上についたところで発音が終わることがあります。音節末の子音を呑み込むように発音するわけですが、朝鮮語や東南アジアの言語はもっぱらこのように発音します。ですから ap̚, at̚, ak̚（ ̚は内破音を示す記号です）を聞き分けられるようになる必要があります（慣れないうちは、日本語母語話者にはどれも「あっ」のように聞こえるかもしれません）。カンボジア語ではさらに ap̚, at̚, ac̚, ak̚ を聞き分けねばなりません。次の「鼻音」でも調音位置の違いは大切で、中国語なら an と aŋ、朝鮮語などでは am と an と aŋ を聞き分けられるようになる必要があります。「‡声門破裂音（‡声門閉鎖音とも）」は、私たちも「いっせーのせっ！」などと言うときに [issɛ:no:sɛʔ] のように無意識に出している音ですが、これを意識して出す必要があります。アラビア語やフィリピン語、タイ語などではこれの有る無しで違う意味になることがあります。

　なお声を出すには‡気流─‡発声─‡調音という三つのプロセスが必要です。このうち気流は「‡肺気流」といって、肺からの‡呼気（吐く息）によるのがふつうです。ところが東南アジア大陸部のベトナム語やカンボジア語、タイ語の有声破裂音には「‡入破音」の [ɓ], [ɗ] という音も聞かれます（ただし [b] や [d] で発音しても意味は変わりません）。これは声門を閉鎖し、調音位置の唇なども閉鎖した状態で、声門のある喉の部分を下げ、口の中の空気を薄くすることによって流入する気流を作って発音する音です。本書の28言語にはありませんが、世界の言語にはさらに違った気流による「‡放出音」や「‡吸着音」という子音を持っている言語があります（表3-2参照）。

　l や r の仲間の子音は「‡流音」、m や n の仲間の子音は「‡鼻音」と呼ばれます。英語で bottle や sudden という語は bɑtl̩, sʌdn̩ などと発音されます

が、このときのlやnはtlやdnという音節の中心になる力を持っています。これはこうした流音や鼻音がよく響く音であるからで、こうした音をまとめて「‡共鳴音」(sonorant)といいます。ビルマ語には共鳴音に無声と有声の対立があるのが特徴的です (つまり、無声の鼻音や流音があるんです)。

共鳴音にはさらに「‡ふるえ音」「‡弾き音」「‡接近音」があります。ふるえ音のrとは、いわゆる‡巻き舌のrというもので、アラビア語やスラブ語派の3言語 (ロシア語、チェコ語、ポーランド語) のrはこれです。これに対して、日本語のラ行の子音のいちばん典型的な発音は弾き音のɾと呼ばれるものです。イタリア語やスペイン語は弾き音とふるえ音の両方を持っています。接近音はヤユヨやワなどの子音の仲間ですが、摩擦が生じないぐらいの隙間を気流が通るときに出る音で、どれも有声音です。舌の横から出す接近音もあり、lの仲間ということになりますが、これは「‡側面接近音」と言います。

†摩擦音は表にたくさんありますね。摩擦音は口の中のある場所で狭めを作り、そこを空気が通るときにそこで空気が擦れて出る音です。アラビア語には喉の奥から出す摩擦音があります。破裂音と摩擦音が連続して起こると、tsやtʃなどの破擦音になります。ドイツ語にはpfという破擦音があります。

母音の発音

次に‡母音を見ましょう。IPAの母音の表 (表3-3) も、子音の表と同じく三つのポイントからなっています。表の上には左から右へと、「‡前舌」「‡中舌」「‡後舌」のようにこちらから見て左を向いた人間の顔の中で、舌のいちばん高い位置がどこであるかを示したものが並んでいます (そういえば子音も顔が左向きなのが前提ですね)。表の左側には「狭」-「半狭」-「半広」-「広」、と口の開き具合が上から並んでいます。さらに1か所にiyのように二つの記号が並んでいますが、これは唇を丸めないで出す母音 (‡非円唇母音) と丸めて出す母音 (‡円唇母音) の対立を示します。この三つのポイントを押さえることによって、例えばiであれば、

非円唇前舌狭母音、のように過不足なく定義することができます。

　さらにこの表を見る際に大事な別の三つのポイントを解説しておきましょう。まずは ‡中舌母音です。ə (‡シュワー) は英語にありますね (インドネシア語やタイ語など、多くの言語にあります)。それより口の開きの狭い i, ʉ の音は、イとウの中間音などとよくいわれますが、日本の東北地方などにあり、「煤」「寿司」「獅子」の母音がみな同じ発音 ([sɨsɨ ~ sʉsʉ]) になるのがこれです。本書の28言語では、ポーランド語やベトナム語、カンボジア語にあります。二つ目のポイントは口の開きが4段階になっていることです。日本語は i~e~a、もしくは u~o~a のように3段階に口が開いていきますが (鏡を見ながら自分で発音して口の開き具合の違いを確かめてみましょう!)、4段階だと、i~e~ɛ~a, u~o~ɔ~a になるので、日本語母語話者にはエに聞こえる音が二つ、オに聞こえる音が二つあることになります。タイ語やイタリア語 (アクセントのある母音でのみ) が4段階の母音の違いを持つ言語です。逆に口の開きに2段階しかない言語もあり、(標準) アラビア語には a と i と u の3母音しかありません (長母音と二重母音を除く)。三つ目のポイントは、‡円唇前舌母音と‡非円唇後舌母音です。口の構造から、一般に前舌の母音は非円唇であるのがふつうで (i や e など)、後舌の母音は逆に円唇であるのがふつうです (u や o など)。ところがその関係が逆になっている母音があるのです。例えばフランス語には y, ø, œ、トルコ語には y, œ という円唇前舌母音があります。一方、日本語のウにはあまり唇の丸めがなく、発音記号では ɯ と書かれる非円唇後舌母音です。これは朝鮮語やタイ語、トルコ語などにもあり、もう少し口の開きの広い ɤ はタイ語とラオス語にあります (音声としては中国語にもあります)。もっと開いた ʌ は英語にあります (but [bʌt] など)。

　このほかに、鼻からも音を出す‡鼻母音というものがあります。フランス語の ɛ̃, œ̃, ɔ̃, ã が有名ですが、ポルトガル語やポーランド語、ベンガル語、ヒンディー語、ウルドゥー語にもあります。

　世界の言語の母音の数は平均すると5～6と言われています。(短い母音だけで見ると) 本書の28言語では、先に述べたアラビア語の3母音体系がもっとも少なく、一方多いものではカンボジア語に36、ポルトガル

語に27、タイ語やラオス語に21の母音があります（第13章参照）。

声調・アクセント・イントネーション

　子音や母音を「‡分節音素」と言うのに対して、‡声調や‡アクセント、‡イントネーションなどを「‡超分節音素」と言います。声調は特に中国語や東南アジア大陸部の言語に広く分布しています（タイ語、ラオス語、ベトナム語、ビルマ語）。日本語における「雨（アメ）」と「飴（アメ）」のような対立をイントネーションの違いだと思っている人がいますが、このような語の意味を変える対立はアクセントの違いです。声調と‡高低アクセントの違いには難しい面もありますが、声調は種類の違い、アクセントは（高低が変わる）位置の違いであるとされています。なおアクセントには日本語にあるような高低アクセントのほかに、英語のような‡強弱アクセント（‡ストレス／‡強勢）があります。イントネーションは疑問や驚き、落胆などの気持ちや、発話が終わるか続くかなどを示すもので、イントネーションが変わっても語の意味は変わりません（例えば、「雨？」「雨！」「雨⁉」のような違いです）。

表 3-1: 子音（肺臓気流）　　　　　　　　　　　　　　　　　　　© 2020 IPA

	両唇	唇歯	歯	歯茎	後部歯茎	反り舌	硬口蓋	軟口蓋	口蓋垂	咽頭	声門
破裂音	p b			t d		ʈ ɖ	c ɟ	k g	q ɢ		ʔ
鼻音	m	ɱ		n		ɳ	ɲ	ŋ	ɴ		
ふるえ音	ʙ			r					ʀ		
弾き音		ⱱ		ɾ		ɽ					
摩擦音	ɸ β	f v	θ ð	s z	ʃ ʒ	ʂ ʐ	ç ʝ	x ɣ	χ ʁ	ħ ʕ	h ɦ
側面摩擦音				ɬ ɮ							
接近音		ʋ		ɹ		ɻ	j	ɰ			
側面接近音				l		ɭ	ʎ	ʟ			

並んでいる記号のうち、右は有声音、左は無声音。網掛け部は調音不可能とされるもの。

表 3-2: 子音（非肺臓気流）

吸着音		有声入破音		放出音	
ʘ	両唇	ɓ	両唇	’	例：
ǀ	歯	ɗ	歯／歯茎	p’	両唇
ǃ	（後部）歯茎	ʄ	硬口蓋	t’	歯／歯茎
ǂ	硬口蓋歯茎	ɠ	軟口蓋	k’	軟口蓋
ǁ	歯茎側面	ʛ	口蓋垂	s’	歯茎摩擦音

その他の記号

ʍ	無声唇軟口蓋摩擦音	ɕ ʑ	歯茎硬口蓋摩擦音
w	有声唇軟口蓋接近音	ɺ	有声歯茎側面弾き音
ɥ	有声唇硬口蓋接近音	ɧ	ʃ と x の同時調音
ʜ	無声喉頭蓋摩擦音		
ʢ	有声喉頭蓋摩擦音	破擦音と二重調音は、必要なら	
ʡ	喉頭蓋破裂音	ば2つの記号を連結記号で結び 示すことも可能。	t͡s k͡p

表 3-3: 母音

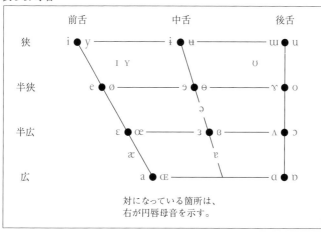

対になっている箇所は、
右が円唇母音を示す。

補助記号

̥	無声	n̥	d̥	̤	息漏れ声	b̤	a̤	̪	歯	t̪ d̪
̬	有声	s̬	t̬	̰	軋み声	b̰	a̰	̺	舌尖	t̺ d̺
ʰ	有気	tʰ	dʰ	̼	舌唇	t̼	d̼	̻	舌端	t̻ d̻
̹	強い円唇	ɔ̹		ʷ	円唇化	tʷ	dʷ	̃	鼻音化	ẽ
̜	弱い円唇	ɔ̜		ʲ	硬口蓋化	tʲ	dʲ	ⁿ	鼻腔開放	dⁿ
̟	前寄り	u̟		ˠ	軟口蓋化	tˠ	dˠ	ˡ	側面開放	dˡ
̠	後寄り	e̠		ˤ	咽頭化	tˤ	dˤ	̚	内破音	d̚
̈	中舌寄り	ë		̴	軟口蓋化または咽頭化	ɫ				
̽	中央寄り	e̽		̝	上寄り	e̝	(ɹ̝ = 有声歯茎摩擦音)			
̩	成節	n̩		̞	下寄り	e̞	(β̞ = 有声両唇接近音)			
̯	非成節	e̯		̘	舌根前進	e̘				
˞	R音性	ɚ a˞		̙	舌根後退	e̙				

いくつかの補助記号は、下に伸びた記号の上に置くことも可能（例：ŋ̊）。

超分節要素

ˈ	第一強勢	例：ˌfoʊnəˈtɪʃən
ˌ	第二強勢	
ː	長	例：eː
ˑ	半長	例：eˑ
̆	超短	例：ĕ
|	小さな切れ目（韻脚）	
‖	大きな切れ目（イントネーション）	
.	音節境界	例：ɹi.ækt
‿	連結（切れ目なし）	

声調と語アクセント

平板			曲線		
e̋	˥	超高	ě	˩˥	上昇
é	˦	高	ê	˥˩	下降
ē または	˧	中	e᷄ または	˦˥	高上昇
è	˨	低	e᷅	˩˨	低上昇
ȅ	˩	超低	e᷈	˧˦˨	昇降
↓		下がり目	↗		全体的上昇
↑		上がり目	↘		全体的下降

4 結合音声学と音韻論

音声と音素

英語でrightと言うのとlightと言うのでは、まったく意味が違ってきますが、日本語で [raːmen] と言って注文しても [laːmen] と言って注文しても（どっちも少し変な発音だなと思われるかもしれませんが）、たぶん「ラーメン」が出てきますよね。ある言語である音声の違いが意味の区別に役立っていても、別の言語では役に立っていなくて、同じ一つのものとみなされる、ということがあります。だから例えば上記のように、rとlを区別しない日本語の音、つまりラ行の子音というものがあるわけです。日本語母語話者の多くはラ行の子音をlでもrでもなく、[ɾ]（†弾き音、第3章参照）で発音していますが、しかし決してこの発音以外では通じないというのではなく、「ラ」はraでもlaでもɾaでもかまわないわけで、いわば「ラ」= {[ra], [la], [ɾa], …} となっています。ここでこの一種の代表形を /ra/ と書くことにしましょう。ここでの /r/ は具体的な音声ではなく、あくまでも代表形であり、ある意味で一つの抽象的存在です。紛らわしいので、実際の具体的な音声の方は [r], [l] など [ ] に入れて書くことにします。[ ] に入れて書く‡音声は第3章で見たように音声学的に調音位置や調音法、口の開きなどによって物理的に定義される具体的なものです。つまり [r] や [l] と書けばその字は発音記号です。一方、/ / に入れた方は‡音素と呼ばれます。

音素を設定する二つの方法

ではこの抽象的存在である「音素」をどうやってとらえればよいので

しょうか？　ここではその方法を二つ紹介します。一つは「明かり」と「上がり」のような二つの語を見つけることです。これを発音記号で書くと [akari] と [agari] です。二つの語は、もちろん意味が違いますが、音が違っているのは1ヶ所だけなので、意味の違いの決め手となっているのは [k] と [g] の音の違いだ、ということになります。このような場合に「日本語において /k/ と /g/ は『⁺対立』する二つの別音素である」という結論が導かれます。そしてこのような語のペアを‡最小対（minimal pair）と言います（したがって、上記の right と light も最小対です）。「そんなの当たり前じゃないか！」と思うかもしれません。でも例えば朝鮮語のように [k] と発音しても [g] と発音しても意味に違いはない、という言語もあるのです。このように言語が違えば、同じ音声のペアでも、意味の区別に役立っている場合もあれば、役立っていないこともあります。言語が違えば、音素の数や種類もまったく異なります。ある言語にどんな音素がいくつあって、その全体がどのようになっているか、ということを、その言語の‡音素体系と言います。

　さて、もう一つの方法を紹介しましょう。「三倍」「三台」「三階」というときの「三」はどんな音になっているでしょうか？　実は私たちは [sambai], [sandai], [saŋkai] と発音しています。でも違う音だとは思っていませんね。なぜ違う「音声」になるのかといえば、それは後ろにある音の影響によるのです。[b] の音は唇を閉じなければ出せないので、その前の音も唇の鼻音 [m] になるというわけです。「千円」[seẽẽ] のように二つのンが鼻母音になることもあります。実は日本語の「ン」は鼻に抜けさえすれば、「これは『ン』だ！」と認識されるような音で、その前後の音の口の構えからもっとも自然に発音される音として現れます。[m] と [n] と [ŋ] のように、「表面上は違った姿で現れていても、それは周りの影響によるものである」という場合には、「その正体は一つの同じ音素だ」と考えます。つまり /N/（ん）= {[m], [n], [ŋ], [ẽ], …} と考えるわけです。ここでの大文字 N は日本語学で慣習的に使われているものです。音素は上で見たように一種の抽象的な代表物ですから、「これで書く」と決めてしまえば、極端な話、何で書いたっていいんですね。上記の状況は次のような表に整理できます（話を簡単にするために、いま

は [ẽ] などは扱わないことにします)。

		bの前など	dの前など	kの前など
	[m]	○	×	×
/N/	[n]	×	○	×
	[ŋ]	×	×	○

　ここで「bの前など」「dの前など」「kの前など」を‡環境もしくは‡条件といい、[m], [n], [ŋ] を音素 /N/ の‡異音と言います。つまり異音とは、ある音素が環境によって違った姿で現れたもの、いわば音素のバリエーションです。このように「ある環境ではAが現れBは現れず、別の環境ではBが現れAが現れない」ことを‡相補分布と言います。ウルトラマンに変身する人と、ウルトラマンの2人が同時に同じ場所に出現することはできませんが、それによって2人が実は同一人物であると推定できます。相補分布もこれと同じ理屈によって同一音素であることを明らかにするのです。つまり先の最小対とは逆の結論が導き出されます。
　最終的にはさらに相補分布している音声の間に何らかの類似があるかどうか、全体の体系はどうなっているかなどを考慮して、対象として分析している言語の音素の‡体系を確定していきます(‡音声的類似のあることが必要なので、先のウルトラマンの例はその点では不適切ということになりますね)。

音韻論の考え方

　このように‡音韻論とは、意味の区別に役立つ音素(の†対立)を取り出そうとする分野ですが、音素自体は母語話者の脳の中にある抽象的な存在と考えられます。したがって音素の体系も上記のような最小対や相補分布を根拠に研究者が提案した仮説ということになります。そのため研究者の考え方や、その音韻論を使用する目的などによって、違った音素体系が設定されることもあります。例えば「ニャ」と聞こえる音について、その現れ方やその他の音素との関係を考慮して、/næ/ と

母音の違いとして解釈したり、/ɲa/ と子音の違いとして解釈したり、/nja/ と‡半母音の音素を立てたりする案が考えられます。‡長母音や‡二重母音を‡短母音の連続と解釈することもあれば、それを独立した別個の音素とすることもあります（例えば、英語ではその現れ方などを根拠に、I /aɪ/ などの二重母音を別個の1音素とします）。

言語の恣意性

　非常に大切なことは、「どんな音素も特定の意味とは結びついていない」ということです。もしどれか一つの音声（またはその連続）がある意味「X」と常に結びついているということになると、他の音素は「X以外の意味」しか表わせなくなり、がんじがらめになって結局全体のシステムが丸ごと使えなくなってしまいます。音素や語形など、カタチの方は意味から自由でなければ言語というものは成り立たないのです（この言語一般に共通する最大の特徴を‡恣意性と言います）。モールス信号なら・（トン）と――（ツー）の2種類の信号の組み合わせですべてのことが表せますが、例えばカラスが、[gaː]「危ない！」と [giː]「腹減った！」と二つの声で二つの意味を伝えられたとしても、その声と意味が結びついてしまっている限り、いくら組み合わせてみたところで、[gaː gaː giː gaː]「危ない！　危ない！　腹減った！　危ない！」にしかならないのです。

結合音声学　―― 同化と異化

　「わからない」「なにするの⁉」などを、話しことばではどんなふうに言うでしょう？「わかんない」「なにすんの⁉」などとなりますね。でもなぜこうなるのでしょう？　太字の「ん」の元の音はそれぞれラ、ルです。もうわかりますね。後ろの音がナやノなので、これらの音はンになったのです。ある音が隣の音と同じ調音位置や同じ調音法に変わることを‡同化と言います。前の音が後ろの音に影響を与える場合は‡順行同化、逆に後ろの音が前の音に影響を与える場合は‡逆行同化と言います。

このように隣り合う音は互いに影響を及ぼします。例えばiの直前の子音はiの口の構えが極端（もっとも前舌で狭い）なので、その影響を受けた音声になりますが（これを‡口蓋化（より正確には‡硬口蓋化）と言います）、これも同化の一種です（日本語ではサは [sa] ですが、シは [si] でなく [ɕi] です）。有声音の前後で無声音が‡有声化したり、逆に無声音の前後や語末で有声音が‡無声化したりするのも同化です。トルコ語やモンゴル語に見られる‡母音調和も同化の一種です（なお母音調和とは、母音がいくつかのグループに分かれていて、あるグループの母音からなる語ではそのグループの母音しか現れない、という現象です）。今度は「やってらんねえ」（＜「やっていられない」）という語句の発音に注目してみましょう。「やっていられない」のイはなくなってしまいました。これは‡脱落と言います。「やってらんねえ」ではナイがネエに、つまりaiがeeに変わっています。これも一種の同化です。このように、特に早口の話しことばでは‡調音器官の動きが少なくて済むほうへ発音が変わることがあります。ただし言語によってそのしくみは異なります。しかも同じ音が連続しそうになると、わざわざ別の音の連続に替えることさえあります（これを‡異化と言います）。当該の言語で、どのようなときにどのような同化や脱落が起こるのかを知ることが大切です。このように連続する音の相互間の影響や変化を観察する分野を‡結合音声学と言います。

音節とモーラ

音素の組み合わせ方は言語によって違いがあり、例えばチェコ語のように子音が四つも五つも並んだって平気な言語もあれば、日本語のように子音1個と母音1個の組み合わせを原則とし、「ん」の後以外には基本的に子音連続のない言語もあります（あんた anta）。どの言語でもふつう、よく聞こえる音である母音を中心としたかたまりができるので、このかたまりを‡音節と言い、当該の言語が示す音節のパターンを‡音節構造と言います。子音（consonant）をC、母音（vowel）をV、半母音（semivowel）をSで書くことにすると、例えば朝鮮語やタイ語の音節構造はC(S)V(C)と書くことができます。半母音も子音である、という考えに

立てば C(C)V(C)、さらに C₁(C₂)V(C₃) と書くことができます（ここで（ ）はその出現が任意であることを示します）。このうち C₁ を ‡頭子音（onset）、C₂ を ‡介音、C₁C₂ を ‡声母、中心となる母音（群）を ‡音節主音（nucleus）、C₃ を ‡末子音（coda）、VC₃ を ‡韻母 と呼ぶこともあります。上述したように、日本語は例えば「ひまわり」/himawari/ のように「ん」がなければ CV CV CV CV... と母音で終わる音節（‡開音節）が続く言語で、このタイプの言語を開音節言語と言います。一方、子音で終わる音節を多用する言語は ‡閉音節言語 と言います。 ‡閉音節が内破音で終わっている場合、日本語母語話者にとって聞き分けが難しいことは第3章で述べた通りです。

　なお母音だけでなく、共鳴音などを中心として音節が形成されることもあります（例えば sudden [sʌ dn] や bottle [bɒ tl] の2音節目です）。このような場合の共鳴音などを、音節をなす子音、すなわち ‡成節子音 と言います。

　これに対して、もっぱら発音するのにかかる時間を基準にした音の単位があります。例えば日本語で「カッター」はカ、ッ、タ、ー、と四つ分の長さをとって発音しないと、「肩」や「勝った」などと聞き間違えられてしまいます。つまる音（ッ）や伸ばす音も一つ分の長さを持っているわけです。このように同じ長さだと知覚される音の単位を ‡モーラ（‡拍）と言います。

5 言語類型論

語順類型論と古典類型論

言語の類型　1 ── 語順類型論

‡言語類型論という分野があって、そこでは言語の‡類型ということが言われます。これは世界の言語を何らかの特徴によって、いくつかのタイプ（類型）に分けようというものです。世界には6,000もの言語がありますから、何らかの基準によって、いま問題にしている言語が（大雑把にでも）どんなタイプの言語かわかれば、とても便利です。

　例えばわかりやすいものに‡語順による類型論があります。ここで‡主語をS、‡目的語をO、動詞をVとしましょう。すると英語や中国語は "I love you."「我爱你」のような語順になりますから、‡SVO語順の言語ということになります。日本語や日本語によく似たタイプの朝鮮語、モンゴル語などは、‡SOV語順の言語です。フィリピン語と標準アラビア語のように‡VSO語順の言語もあります。大雑把にいうと、世界の言語のうち、約50パーセントがSOV語順、約40パーセントがSVO語順、約10パーセントがVSO語順です（実はさらにVOS、OVS、OSVの語順の言語もあるのですが、それはごくわずかです）。つまり、日本語のような語順の言語のほうが、英語や中国語のような語順の言語より数が多いんですね。なおロシア語のように語順がかなり自由な言語もあるし、日本語でも「リンゴを僕は食べた」などと言うことができるので、ここでいう「語順」とはもっともよく現れる語順とされています（‡基本語順と言います）。さらに‡含意法則というものがあり、例えばVSO語順の言語は必ず‡前置詞を用い、‡後置詞を用いない、というようなことがいくつも明らかにされています。つまりある言語がどのタイプの言語であるかを知ることによって、その言語が持つ特徴についてもある程度知ることができるんですね。

言語の類型　2 ——古典類型論

　語の内部の構造による類型論もあり、‡古典類型論と呼ばれています。例えば、"She loves me." の語順だけ変えても "*Me loves she." となってしまい、これは "I love her." と直さなければなりませんね。英語では代名詞に格の変化があり、‡直説法現在で、3人称単数の人や物が主語である場合には動詞に - s がつきます。このように文中での働きに応じて語の形が変化するタイプの言語を‡屈折型の言語と言います（ただし英語は次に説明する‡孤立型の特徴も示します）。ロシア語などでは代名詞だけでなく、ふつうの‡名詞や動詞もめいっぱい変化するので、屈折型の典型的な言語と言うことができます（そのおかげで語順もきわめて自由です）。これに対し、中国語では「她爱我」‘*she love I’ から「我爱她」‘I love she’ とただ語順を変えるだけで上記の英語の意味の違いを示すことができます。このタイプの言語には文法的な要素や変化がほとんどなく、たとえ文法的に働く語があったとしても、たいていそれらの語は別の文脈では具体的な意味の語として使うことができます。このタイプを孤立型の言語と言いますが、東南アジア大陸部の諸言語は孤立型の性格を強く示しています。日本語のような言語は「私 = は あの子 = が 好き = だ」と言う場合に、「私、あの子好き！」と言えることからわかるように、文法的な関係を示している「= は」や「= が」、「= だ」は語にペタッとくっつけてあるような感じで、語自体が変化しているわけではありません。使わなくとも往々にして文は成立します。このようなタイプを‡膠着型（膠で着けるタイプ）の言語と言います（ただし後で見るように日本語にも屈折的な面があります）。このタイプの言語では、一つの形態素（次の第6章を参照）が一つの‡機能を示すことが多く、特に‡動詞語幹にはいくつもの形態素が接続して複雑な構成になることがあります（例えば、日本語の「食べ - させ - られ - な - かった」などがそうです）。これを‡動詞複合体と言います。英語や日本語に関する上記の説明からもわかるように、古典類型論では、ある言語がきれいにどれかのグループに分けられるというわけではありません。ある言語が、どのタイプの特徴を強く持っているかは程度問題ということになります。

6　形態的手法

形態論 と 形態素

「文法」は大きく次の二つの分野に分けることができます。ある単語（以下では‡語と呼びます）がどのような構成になっているのかを考える分野があり、これを‡形態論と言います。さらに、語を組み合わせてどのように文を構成しているかを考える分野を‡統語論と言います。ここではまず形態論について考えていくことにしましょう。

　ある語がいくつかの部分からできている場合に、その語をそれ以上分けると意味がなくなってしまうところまで分けたとき、そのそれぞれの部分を‡形態素と言います。したがって形態素の定義は「意味を持つ最小の単位」、となります。形態素にはいろいろな種類があります。以下ではそれを見ていきましょう。

形態素の種類 —— 接辞・語幹・語根

「お‐弁当」、「不‐完全」のような語において、「弁当」と「完全」という語は独立していて、それだけで使うことができます。しかし「お‐」や「不‐」は別の語の前につけてしか使うことができません。このようなものを‡接辞、その中でもこれらは‡接頭辞と言います。一方、「赤‐さ」、「これ‐ら」の「‐さ」や「‐ら」は後ろにつくので‡接尾辞と言います。フィリピン語やカンボジア語にはさらに語の中間に挿入される‡接中辞というものがあります（第2部13章、16章参照）。では問題です。"un‐natural‐ly"「不自然な」ではどうなっているでしょう？　はい、接頭辞 un‐ と接尾辞 ‐ly が独立語の natural の前後についている、と分析できますね。な

お「食べさせる」tabe-sase-ru の -sase- が接中辞ではないことに注意しましょう。これは接尾辞が二つついているだけです。例えば「˟た〈させ〉べ-る」のように「たべ-」に割って入るようであれば、そういうのが本物の接中辞です。ドイツ語やインドネシア語などではさらに、決まった接頭辞と接尾辞の組み合わせが一定の意味を示す場合があり、これは‡接周辞と呼ぶことができます。

語が文の中で働くためにある形をとるプロセス ── 屈折

「食べる」、「楽しい」はどうでしょう？「こんなの一つの語じゃないの⁉ もうこれ以上分けられないよ」と思うかもしれませんが、「食べ-た、食べ-ろ……」や「楽し-く、楽し-かった……」などと比べると「食べ-る」の「-る」や「楽し-い」の「-い」が [現在] などの意味を持っているということがわかります。このような場合、接尾辞がペタッとくっついて新しい語ができた、という感じではなく、ある語が文の中で働くときにある形をとる、という感じです。このことを‡屈折（もしくは変化）と言い、「食べ-」のように変化しない部分を‡語幹、「-る／-た／-ろ……」のように変化する部分を屈折接辞（もしくは‡語尾）と言います。語幹がさらに分析される場合に、それ以上分析できない共通部分として残るものは‡語根と言います。

新しい語を作るプロセス ──派生

これに対し、新しい語を作るほうのプロセスは‡派生と言います。新しい語を作る方法には、接辞のほかに「車椅子」、「山桜」のような方法があります。これは独立した語どうしを組み合わせるという方法で、‡複合と言います。ここで「山桜」は [yama-sakura] でなく、[yama-zakura] と発音され、s が z に変わっていますね（この現象を‡連濁と言います。ビルマ語によく似た現象があります、第2部20章参照）。このとき、/sakura/ と /zakura/ は同じ形態素が少し違った姿で現れているものと考え、そのそれぞれを‡異形態と言います。そう、先に見た「音素」・「異音」と同じ関

44

係ですね。なおたくさんの語を作ることのできる接辞のことを‡生産性が高い接辞、あまり多くの語を作ることができないものを生産性が低い接辞、と言うことがあります。形態素を組み合わせて語を作ることは‡語形成と言います。

さまざまな形態的手法

　屈折や派生において、語を形作る方法を‡形態的手法と言いますが、これにはさらにいろいろな種類があります。複合に似ていますが、「山々」、「人々」のような場合には、同じ独立の語を繰り返しています。これを‡重複と言います。重複にはまるで接頭辞や接尾辞のように、語幹の一部分だけを前や後ろに重複するタイプもあります（‡部分重複と言います）。繰り返した語の頭の部分などを別のものに取り換えるタイプをさらに‡反響語（echo-word）と言います（モンゴル語やトルコ語、インドの言語などにあります、第2部12章、26章、22章などを参照）。反響語は日本語にはありませんが、形の上で「しどろもどろ」や「しっちゃかめっちゃか」のような構成になっているものだと想像してください。

　さらにもっとも例外的な手法として、‡補充法（suppletion）というものがあります。英語の動詞 "go" の過去形は "go" とは似ても似つかない形 "went" ですが、歴史的にみると "went" は "wend"「回る」というまったく別の動詞の古い過去形でした。しかし現在の体系の観点からは、動詞 "go" の過去形の働きをする形として「補充」されたと説明されます。このような現象を補充法と言います。

　同じような内容の表現を作るのに、ある言語では独立した語の連続で表現するのに、別の言語では接辞によって表現する、というような違いが生じることがあります。そのような場合、前者を‡分析的な表現（analytic expression）、後者を‡統合的な表現（synthetic expression）、と言います。孤立型の言語は分析的表現になりがちで、膠着型や屈折型の言語は統合的な表現を好む傾向があります。

7 品詞
（特に形態的な基準で分ける）語のグループ

線条性と二重分節

　前章では、一つの語がさらにいくつかの形態素に分解できることを見ました。人間は一つの口から二つの音を同時に出すことができないので、音素にしろ形態素にしろ、時間の流れの中でそれらを順々に発音していくことによって、お互いに意志を通じさせています。これがつまりは「話して」いる、ということです。un-natural-ly や tabe-ta、kuruma-isu における各形態素（や音素）は、話しことばであれば時間に沿って、ラテン文字など左から右へと書く書きことばであれば左から右へと連続していって全体を構成しています（このような言語の性質を‡線条性と言います、この線条性は第4章で見た「恣意性」とともに言語の2大特徴をなしています）。

統合関係と連合関係

　このような構成における形態素の関係を、‡統合関係と言います。人間の言語は有限の数の音素を組み合わせて形態素を作り、形態素を組み合わせて語や文を作ることによって、世の中の森羅万象のすべてを表現しているのです。このような二重の組み合わせの原理を‡二重分節と言います。

　これに対し、natural を common や fortunate に替えたり、-ta を -ru や -ro や -te に替えたり、-isu を -ebi に替えたりすることによって、un-natural-ly、tabe-ta、kuruma-isu から、un-common-ly や un-fortunate-ly、tabe-ru、tabe-ro、tabe-te、kuruma-ebi を作ることができます。このとき、natural〜

common ~ fortunate の関係、-ta ~ -ru ~ -ro ~ -te の間の関係を‡連合関係と言います。一方、*un-make-ly や *tabe-katta、*kuruma-ika などという語は作ることができませんね。つまり連合関係をなしていない形態素に取り替えることはできないということです。母語話者の頭の中には、連合関係をなす形態素のグループがまとめられて入っていて、適宜取り出し、一定の正しいルールのもとで統合関係の中に組み合わせることができるようになっています（なお音素のレベルでも、音素の体系における音素の対立関係は一種の連合関係です。一方、音素の時間軸上での組み合わせ、つまり音節構造は統合関係において連続するものです）。

品　詞

ここで natural や common は「‡形容詞」と呼ばれるグループ（‡品詞）で、-ta や -ru は動詞の変化語尾というグループになっています。逆に言うと、-ta や -ru をとる語幹を持つ語のグループが「‡動詞」ということになります。したがって変化が少し異なれば、さらにその品詞を下位分類する、ということもあり得ます。例えば英語の be 動詞は他の動詞とはその変化が大きく異なるので、これを動詞の下位分類に立てることができます。なお be 動詞は、機能的に見ても‡名詞と名詞をつないで‡名詞述語文を作るという特別な働きを持っていますが、このような働きをする語を一般に‡コピュラと言います。

品詞には、限られたメンバーによるこじんまりとしたグループ（‡閉じたグループと言います）をなすものもあれば、ものすごくたくさんのメンバーからなっていて、新しいメンバーを自由に増やすことのできるグループ（‡開いたグループと言います）もあります。例えば印欧語などの‡人称代名詞は、閉じたグループをなしています。これに対してベトナム語では相手を呼んだり、相手のことを指すのにいろいろな‡親族名称や役職名などを使います（考えてみると、日本語もそうですね）。インドネシア語や中国語では「あなたを含まない私たち」と「あなたを含む私たち」を区別します（1人称複数‡除外形と‡包括形と言います。ちなみにこの区別は世界の言語の約 1/3 に見られると言われています）。つまり「（親に向かっ

て）私たち結婚します」の「私たち」（除外形）と、「（プロポーズで）私た
ち結婚しよう」の「私たち」（包括形）には違う語を使う言語がある、と
いうことですね。

‡指示代名詞も英語のように this と that の二つの言語、フランス語やロ
シア語のように一つの言語、朝鮮語や日本語（これ・それ・あれ）のよう
に三つの言語、などとさまざまです。指示代名詞は便利ですが、よく考
えると不思議なものです。「本」や「走る」のような語と違って、具体的
な意味内容を持ちません。「本」を指さして「これ」と言えば「これ」は
「本」だし、「机」を指さして「これ」と言えば「これ」は「机」になります。
このように具体的な場面に位置づけると指し示すものが決まる（／位置
づけないと指し示すものが決まらない）というシステムのことを‡ダイクシ
ス（deixis）と呼ぶことがあります。

　品詞は意味によって決まるものではないことにも注意しましょう。
例えば英語では "young" も "old" も形容詞ですが、日本語では「若い」は
形容詞であっても「年とった、年とっている、年老いた……」はどれも
動詞です。決して「ものの名前」が名詞で、「様子を示す語」が形容詞で、
「動きを表わす言葉」が動詞、となっているわけではありません。意味
と品詞は、単純に対応しているわけではないのです。言語によって形
容詞的な意味の語が名詞に近い振る舞いを見せる言語（英語、ドイツ語、
フランス語、イタリア語、スペイン語、ポルトガル語、ロシア語、ポーランド語、
チェコ語、モンゴル語、ベンガル語、ヒンディー語、ウルドゥー語、ペルシア語、
アラビア語、トルコ語、ウズベク語）もあれば、動詞に近い振る舞いをする
言語（中国語、朝鮮語、フィリピン語、マレーシア語、インドネシア語、カンボ
ジア語、タイ語、ラオス語、ベトナム語、ビルマ語）もあります。日本語で
は形容詞は、その変化のしかたが動詞的ですが、‡形容動詞は名詞的で
す。さらに言えば、名詞だの動詞だのと、たとえ同じ品詞で呼ばれてい
ても、言語が違えばかなり違った働きを示すこともある、という点が重
要です。

8 性数格
名詞の文法的カテゴリー

文法カテゴリー

ある語が文の中で働くときにある形をとることを「屈折」と呼ぶ、ということは先にお話ししました。例えばロシア語のように変化の多い屈折型の言語（第5章参照）の名詞はこんな風になります（knig-u「本 -F.SG. ACC（女性名詞・単数・対格）」）。このような言語では名詞に（文法）‡性・‡数・‡格のような‡文法カテゴリーがあって、そのうちの数と格について文の中では必ずどれかの形をとることになります。つまり連合関係（第7章参照）で対立するいくつかの形からなる1セットを持っていることになります。

性

英語でも船や台風は she で受けることがあるのを知っていますか？一般名詞のすべてに he/she のような区別がある言語があります。フランス語、イタリア語、スペイン語、ポルトガル語、ヒンディー語、ウルドゥー語、アラビア語などがそうで、すべての名詞は‡男性名詞と‡女性名詞に分かれます。名詞につく‡冠詞や形容詞があれば、男性名詞には男性形、女性名詞には女性形をつけます。このようなことを‡一致と言います。英語で単数なら "this book" なのに、複数では "*this books" は間違いで、"these books" としなければなりませんね。これも数に関する一致です。このように、人間や動物だけでなく、すべての名詞に性のある言語で男性名詞／女性名詞を受けるときには、たとえ「物」であっても、he/she にあたる‡代名詞で受けなければなりません。ドイツ語、ロシア語、

ポーランド語、チェコ語にはさらに‡中性名詞というものがあります（物を示す名詞だけでなく、人を示す名詞でも中性名詞である語があります）。どの名詞がどの性を持つかは言語によって勝手気ままに決まっている面があり、例えば「太陽」はドイツ語では "die Sonne" と女性名詞ですが、フランス語では "le soleil" と男性名詞、ロシア語では "solnce" と中性名詞です（die と le はそれぞれ女性と男性の冠詞ですが、ロシア語には冠詞がありません）。サンスクリット語や‡ラテン語など、印欧語族（第1章参照）の‡古典語には男女中の三つの性があり、ヒンディー語やウルドゥー語、‡ロマンス諸語では主に男性名詞と中性名詞の変化が同じになってしまったために、二つしか性がないということになりました。さらに同じ印欧語族でも英語やペルシア語は性の区別を完全に失ってしまいました（昔はあったんです）。

　日本語をはじめとするアジアの多くの言語にはこうした性による語形の区別や変化はありませんが、特に名詞を数えるときには形状などによる（名詞）‡類別があり、例えば日本語ならご存じのように、細長いものは1本、2本……薄っぺらいものは1枚、2枚……大きな動物は1頭、2頭……などと使い分けています（中国語、朝鮮語、マレーシア語、インドネシア語、カンボジア語、タイ語、ラオス語、ベトナム語、ビルマ語など、特に東南アジアの言語に広くあります）。「鉛筆」がくれば「〜本」と合わせなければならないので、一種の一致を要求していると見ることができます。タイ語をはじめ東南アジアの言語では‡指示詞や形容詞が名詞を修飾する場合にも‡類別詞を使います。日本語や朝鮮語ではもっぱら数えるときにのみ用いますので、特にこれを‡助数詞と言います。

　　数

　（ヨーロッパから）インドに至る印欧諸語と、アラビア語に数の一致が見られます。古典アラビア語（‡フスハー）の名詞には単数形／複数形のほかに‡双数形（二つある場合の形、DUAL）というものがあり、したがってアラビア語の名詞の複数形は三つ以上ある場合に使われます。古い印欧語にもやはり双数があり、本書の28言語には含まれていませんが、ス

ロベニア語（スラブ語派）などにはいまも見られます。これに対し、アジアを中心とする上記以外の言語では、数はあまり一致の対象となりません。つまり、日本語で言えば「3人の人」でも「3人の人たち」でもどちらでもかまわない、ということです。モンゴル語やトルコ語では、†数詞が修飾している場合、複数であることは数詞によってわかっているので、名詞は複数形にはなりません。つまり一致とは逆の原理が働いているのです。さらにこんな違いもあります。日本語で「人たち」と言いますが、「椅子たち」とは言いませんね。数の表示が義務的ではない言語では、もっぱら人間を指す名詞にしか複数接辞を使わない、ということもあります。

格

「3時 たけし ゆうこ 家 おやつ ケーキ フォーク 食べました」という文があると、語の間の関係がどうなっているのかよくわかりませんが、これを「3時にたけしとゆうこが家でおやつのケーキをフォークで食べました」とすれば、よくわかるようになりますね。「誰が食べるか」「何を食べるか」「何で食べるか」のように主に名詞と†述語の関係を明確にするために働く形式を格といいます（ただし「おやつのケーキ」のように名詞と名詞の関係を示すものも格に含めることがあります）。朝鮮語、モンゴル語、トルコ語などは日本語と同じように名詞の後ろにこのようなさまざまな働きの格の形式をつけて文法関係を示します。このタイプの言語（膠着型の言語、第5章参照）は比較的格の数が多く、さらに格であるのかないのか判断が難しいこともあるので、格がいくつあるのか、はっきり決まらない面があります。一般に、日本語の「で」「から」のような†場所を示す格があると格の数は多くなります。

　一方、ロシア語、ポーランド語、チェコ語などでは名詞自体が変化して格を示します。この場合、何もつけないとか、どの格にもならない、というわけにはいきません。ドイツ語にも名詞の†格変化がありますが、実際には名詞自体の変化はわずかで、主に名詞の前に現れる冠詞などが格を示しています。このようなタイプ（屈折型）の言語（第5章参照）

では格の数がきちんと決まることになります。本書の28言語中、屈折型で格がいちばん多いポーランド語とチェコ語では、七つの格があります。なお主格以外の格をまとめて‡斜格と言うことがあります。

ヒンディー語の西方言およびウルドゥー語には‡能格絶対格と呼ばれるシステムがあります。これは‡自動詞の主語と‡他動詞の目的語が同じ格標示（‡絶対格）を受け、他動詞の主語は別の標示（‡能格）を受けるというシステムで、［彼△行く／彼◆本△読む］のようになります（△が絶対格、◆が能格）。日本語などは自動詞と他動詞の主語が同じ格標示（主格）を受け、他動詞の目的語が別の標示（対格）を受けますが［彼が行く／彼が本を読む］、このような言語は‡主格対格のシステムということになります。

東南アジア大陸部を中心とした孤立型の言語には基本的に格がなく、動詞の前に位置する名詞は主語、後ろに位置する名詞は目的語という風に区別されます（つまりSVO語順をとるということです）。英語も昔は主格や対格という格を持ち、語順ももっと自由だったのですが、アクセントの位置が語頭に固定し、語尾が弱化するにつれ、孤立型の言語のようになってきました。その一方で語順はSVOに固定してきました。なおそうした言語では、日本語の「（道具）で」や「（場所）から」のような意味が前置詞などで表されることがよくありますが、これらは格とは呼びません。孤立型の言語で、そのような語は独立した語としての意味をちゃんと持っているためです。

譲渡可能性

「私の母」「私の手」などにおける所有と、「私の本」「私のみかん」などにおける所有を、形の上で区別する言語もあります。このような対立を‡譲渡可能性（alienability）による対立、と言います（第2部19章ベトナム語の概説参照）。

指小性

　屈折ではなくふつう派生ですが、名詞に標示されることの多いもの
に†指小性があります。日本語標準語には典型的なものがありませんが、
東北方言で「飴コ」「石コ」「どじょっコ」、などと言うときの接尾辞 - コ
がそれで、指小の接辞を†指小辞と言います。英語の "book-let" の -let や、
日本語の「- ちゃん」も指小辞の一種です。指小辞は印欧語族のロマン
ス語派やスラブ語派の言語によく観察されます。

9 TAM
動詞の文法的カテゴリー

ヴォイス（態）——受身・使役・再帰・相互・適応

　日本語の「遊ばせていなかっただろうね」という表現を考えてみましょう。これは「遊ぶ」という動詞の［‡使役で‡進行で‡否定で‡過去で‡推量で確認］というべき形になっています。このように名詞同様、動詞にもさまざまな文法カテゴリーがあることがわかります。

　英語や日本語で "She hit him."「あの娘があいつを叩いた」を‡受身（受動とも）にすると、"He was hit by her."「あいつがあの娘に叩かれた」となりますね。主語だった "she" と「あの娘が」は by her と「あの娘に」になって後ろの位置に下がり、目的語だった him と「あいつを」は he と「あいつが」のように主語になっています。このように、動詞が［be ＋過去分詞］や「〜られる」のように形を変えるとき、名詞が増えたり減ったり、名詞についている格や前置詞が変わったりするものを‡ヴォイス（‡態）と呼びます（ただし、違う定義を考える研究者もいます）。日本語では「弟がケーキを食べた」に対して、受身は「（ボクは）弟にケーキを食べられた」、使役は「（ボクは）弟にケーキを食べさせた」になり、両者は同じような構文の交替を引き起こしますから、使役もヴォイスと考えます。ヨーロッパの言語には、‡再帰（自分の行為が自分に戻ってくること）を動詞や代名詞によって明確に表示する傾向があります。再帰については、イタリア語の概説（第2部4章）を参照してください。「殴り合う」のような表現は‡相互のヴォイスの形と分析されます。インドネシア語などには、「文に名詞を一つ増やしますよ」ということを動詞に標示する態があります（‡適用態（applicative）と呼ばれています）。このように、言語によってどんなヴォイスがいくつあるかは異なります。さらに、同じ名前で説明さ

れるヴォイスであっても、言語によってその適応可能な範囲は違います。英語では［be ＋過去分詞］で表現できないような文が日本語では受身で表現できる、ということがあります。例えば上記の日本語の受身文に倣って "*I was eaten my cake by my brother." という文を作ることはできません。"I had my cake eaten by my brother." や "My cake was eaten by my brother." なら言えます。言語によって「受身」の形でカバーできる範囲が異なっているのです。

アスペクト

　次に "He is reading a book." や「読んでいる」を見ると、［be ＋〜ing］や「〜ている」の形が動作の進行を示していることがわかります。しかし、「倒れている」は "He is falling down." ではなく、"He has fallen down." で‡完了形になります。日本語では「倒れる」などの動詞を「〜ている」の形にすると、進行ではなく「（倒れた）結果がそのまま残っている」ことを示します。これらの形はある種の時間的な状況の違いを示していますが、"He **was** reading a book." や「倒れていた」のようにその全体を過去にすることができるので、［be ＋〜ing］や「〜てい（る）」は［過去／現在／未来］という違いを示しているわけではありません。このように「時間の中である動作のうちのどういう段階が実現しているか」「時間の中で話し手がその動作をどういうものとしてとらえているか」を示す文法カテゴリーを‡アスペクト（‡相）と言います。どのようなアスペクトの対立があるか、ということも言語によって異なります。ロシア語をはじめとするスラブ語派の言語ではアスペクトが非常に重要な働きをしています。

テンス

　一方、［過去／現在／未来］のように、話し手がその文を発話した時点から見て「いつ」のことかを示す形は‡テンス（‡時制とも）と呼ばれます。日本語では「昨日テレビを見」と来れば、「た」となりますし、「明日テレビを見」と来れば、「る」となります。どちらも選びたくない、選ばな

いで済ます、というわけにはいきません。しかし東南アジアの孤立型言語ではどちらも選ばないで済ます、ということができます。「昨日」や「明日」という語から過去のことなのか未来のことなのかはわかるので、動詞の形をかえなくてもよい、という理屈です。このような言語には（動詞の文法カテゴリーとしての）「テンスは存在しない」ということになります。

法とモダリティ

「明日は雨が降る」と言っても、神様じゃないので絶対のこととして言い切ることはできませんね。たいていは「[明日は雨が降る]ニチガイナイ／ダロウ／ラシイ／ソウダ／カモシレナイ／ンジャナイカナ」などと言いますね。それが事実なのか、それが起こる可能性がどのくらいなのか、どこからその情報を知ったのか、などに応じてある形を選びます。このようなものを‡判断のモダリティと言います。一方、「来る」という動作について、相手に何らかの態度を伝えようというときには、「来い！／来て！／来よう／来るか？／来るな！／来るよ／来るね／来るぞ／来るわ」などの形を使います。つまり‡命令にしたり、‡疑問にしたりすることができますね。このようなものを‡働きかけのモダリティと言います（ただし疑問などに関しては‡発話内行為という別の文法カテゴリーに入れる考えもあります）。英語の may, must, can, will, shall など、いわゆる‡法の助動詞と呼ばれるものは、上記の二つのモダリティにまたがった（さらにはそれ以上の）働きをしています。そのほかに、多くのヨーロッパの言語では、特にいま話していることが事実なのかそうでないのかを問題にして、異なった動詞の形を使うことがあります。例えば英語で事実に反する仮定を表現するときに "If I were a bird, I would fly to you." などと言うもので、これは‡接続法（もしくは‡仮定法）と呼ばれます。言語によって形の対立の様相や、定義が少しずつ異なっていますが、できごとや聞き手に対する話し手の（心的な）判断や態度を示す文法カテゴリーを広く‡ムード（法）／‡モダリティと言います（語形変化などで義務的に表示されるものをムード、そうでないほうを広くモダリティと呼んで区

別していますが、機能の面で両者は共通しています）。

TAM

　現代の言語学の枠組みや用語は、ギリシア人たちが考えたものが基になっています。ギリシア語をはじめとするヨーロッパの多くの言語では、例えば英語で「現在（テンス）・完了（アスペクト）・直説法（ムード）」というようにテンス（Tense）とアスペクト（Aspect）とムード（Mood）によって動詞の変化形が決まります。それで動詞の文法カテゴリーのことを、これらの頭文字をとった‡TAMという用語によって代表させることがあります。

人称変化と主要部標示型／従属部標示型

　動詞が標示する文法カテゴリーには、さらに‡人称があり、動詞の‡人称変化と呼ばれます。"He runs well." の - s は主語が3人称単数であることを示しています。全部の人称と数でしっかり動詞が変化する言語では、‡主語がなくとも大丈夫です（イタリア語やロシア語などがそうです）。本書の28言語にはありませんが、主語だけでなく、‡目的語の人称も動詞に標示する言語があります。そのように文の構造をもっぱら動詞の方に標示するタイプの言語は‡主要部標示型の言語と呼ばれます。これに対して日本語は格を用いてもっぱら名詞のほうに文の構造を標示する言語なので、‡従属部標示型の言語と呼ばれます。ちなみに、どちらにも標示のないタイプは‡無標示型（孤立型の言語がそうです）、両方に標示のあるタイプは‡二重標示型です。

証拠性と極性

　動詞の文法カテゴリーとしては、さらにトルコ語や日本語の古文に見られる‡証拠性（evidentiality）があります。これはどのような経路や感覚を通してその情報を得たかを示すものです。古文の「き」と「けり」の例

を見ましょう。「人影はなかりき」（人影はなかった）では語り手がその
ことを実体験した過去のことであるのに対し、「昔、男ありけり」（昔、
男がいたそうだ）では⁺伝聞の過去に解釈されます（第2部26章トルコ語の
概説参照）。現代語の「らしい」や「そうだ」も証拠性の機能を持つ形式
です。否定は肯定と対立しますから、連合関係で対立する1セット（つ
まり文法カテゴリー）をなすと考えて、⁺極性という文法カテゴリーを設定
する考えもあります。

10　情報構造

主題と題述

　日本語学習者にとってもっとも難しい文法の問題に、ハとガの使い分けがあります。「たけしは来た」と「たけしが来た」はどう違うのでしょうか？　日本語母語話者としては「だいたい同じだよ」と答えたくなりますよね。では「ボクはたけしです」と「ボクがたけしです」ではどうでしょう？　「(あなたの) 名前は何？」と「たけしってどの人？」という問いがあったとき、答えになるのはどちらでしょう？　「(あなたの) 名前は何？」なら「ボクはたけしです」、「たけしってどの人？」なら「ボクがたけしです」と答えるのが自然ですね。さらに「おまえ昼飯は？」と聞かれた場合に対しての、「オレは食ったよ」と「昼飯は食ったよ」という答えを考えてみましょう。「オレは」は動作主を示していますが、「昼飯は」は動作主ではなく、動作の対象です。　ガはたいてい†主語を表し、‡主格と呼ばれる†格の仲間ですが、ハのついた名詞の役割は決まりません。ハは「ここにはない」とか「教えはしたけど」のように‡格助詞の後ろや動詞の後ろに現れることもできます (なおこのような位置にはモなども来ることができるので、ハやモなどの仲間をまとめて「‡とりたて」と言うことがあります)。ハは、その文で「何について述べるか」、つまりその文の†主題 (topic) を示すものだと言われています。一方、主題の後ろに来て、相手に情報を伝える部分を‡題述 (comment)」と言います。

主題と主語の関係

　英語などにはこのようにはっきりと主題を示す形式はありません。

たいていの場合、文頭で動詞の前の位置に現れる（代）名詞は主題と主語の役割を兼ねていて、両方の意味で "subject" と呼ばれています。日本語や英語ばかりでなく一般にどんな言語でも、文はふつう、ある「主題」について何かを「述べる」、という風に展開していきます。

　しかし、主題のない発話、というものもあります。突然その場で何かが起きた場合には、例えば「あっ、雨が降ってきた！」などと言いますが、この文に主題はありません。だから「?? 雨は降ってきた」と言うとすごく変ですね。英語では "It rains." などとなって主題兼主語の位置、つまり動詞の前の位置には意味のない "it" が置かれます。中国語では「下雨了」のように「雨」は動詞「下」（降る）の後ろに現れます。「その本は机の上にある」における本は主題なので、"The book is on the table." と言えます。しかし「机の上に本がある」という文では、「本」は主題ではないので、主題兼主語の位置、つまり動詞の前に現れることはできず、"??A book is on the table." ではなく、"There is a book on the table." と be 動詞の後ろの位置に下がります。中国語では「那本书在桌子上」「その本は机の上にある」（〈书〉は〈書〉の†簡体字です）、「桌子上有一本书」「机の上に本がある」となり、名詞の位置も後ろに下がりますが、動詞も別のものに替えることになります（「在」が「有」になっています）。動詞の前の位置で主題兼主語を示す言語（主に SVO 語順の言語です）では、主題のない場合にこのような特別な操作が必要になってきます。

焦点と前提

　ロシア語のように語順が自由な言語だと、例えば "I love you." は "Ja ljublju tebja." と言うのですが、「おまえのことを好きなのはオレだ」なら "Tebja ljublju ja."、「オレはおまえのことが、好きなんだ」なら "Ja tebja ljublju." となり、主題を前に、題述を後ろに持っていきます。さらに別の観点から、もっとも強調される部分を†焦点（focus）といい、それ以外の部分を†前提（presupposition）と言います。

定と不定と特定

　このように「何について」言うか、「何をいちばん伝えたいこととして」言うか、さらには相手も知っているものについて言うか（‡定（definite）と呼びます、英語なら‡定冠詞を用いて示されます）、相手の知らないものとして言うか（同じく‡不定（indefinite）、英語なら不定冠詞を用いて示されます）、というようなことも、文の作り方において重要な役割を果たします。さらに聞き手が知らないものでも話し手にはそれだかわかるものを‡特定（specific）と言うこともあります。この章で見てきたようなさまざまなしくみは広く‡情報構造の問題として取り扱われています。

11 連接／複文

動詞と動詞をつなぐには

この章では、さらに複雑な文の作り方について考えてみましょう。
「家に帰って、ご飯を食べて、少しテレビを見てから寝ました」──
── これはごくごくふつうの日本語の文ですね。これが英語だと次の
ようになります。"I came back home, ate, watched TV for a while and went to
bed." 英語の "I came back home." はそれで文になりますが、日本語の「家
に帰って」ではまだ文の途中という感じがします（依頼の意味なら言え
ますが、意味は変わってしまいます）。言語によって、またそのタイプによ
って、このような長い文の組み立て方も異なります。ヨーロッパの屈
折型の言語では、基本的に上の英語の例と同じように独立した文を ‡接
続詞でつないでいくやり方になります。独立した文に出てくる動詞の
形は ‡定形 (finite form) と呼ばれるので、このタイプはもっぱら定形の述
語を接続詞でつないでいくタイプ、ということになります。接続の意味
関係によっては、さらに if や when や because など、いろいろな接続詞が
使われることになります。

　一方、日本語のようなタイプでは［食べ - る／食べ - て／食べ - ながら
／食べ - たら……］のように述語自体の変化形によって、次の述語へと
掛かっていく「つなぎの形」を作ります。これを ‡連用的な諸形と呼び
ます。‡副動詞形という用語も使われることがあります。トルコ語やモ
ンゴル語や朝鮮語にはこうした形がたくさんあります（インドの言語に
も少しあります）。これらの諸形の対立による文法カテゴリーを ‡連接と
呼びます。このタイプの言語には「（～して）みる」、「（～して）おく」、「（～
して）しまう」のように文法的な働きをするようになった動詞を連用的

な形に後続させているものもよく観察されます。このような動詞を‡補助動詞と言い、語彙的な意味の語が文法的な意味を示すようになることを‡文法化（grammaticalization）と言います。

　上記の2タイプに対し、孤立型の言語では、接続詞も使わず、つなぎの形も使いません。基本的に時間の流れの中で起きた順序に従って、単に述語だけを並べていくのです。これを‡動詞連続（verb serialization）と言います。孤立型言語の動詞連続を形成する動詞の中にも文法化しているものが観察されます。

動詞と名詞をつなぐには

　英語には‡関係代名詞というものがあり、‡関係節が後ろに置かれるので、日本語母語話者にとってはなかなか面倒です。日本語では「おやつを食べた子供」、「子供が食べるおやつ」のようになりますが、これは「おいしいおやつ」と同じような一種の‡修飾表現ですね。先に見たのは連用的な諸形でしたが、今度の形は‡連体形ということになります。モンゴル語やトルコ語などでは‡形動詞形という用語が使われることもあります。‡分詞という用語を使う言語もあります。

連接と複文

　日本語は第5章で見たようにSOV語順の言語ですが、一般に動詞は文の中で中心的な役割をするので、SOV語順の言語において主語や目的語は文末にある動詞に掛かっていく形になっています。中心になるものが後ろに来るような語順になっているわけで、つまり［修飾語‐被修飾語］の語順がこのタイプの言語の原則となっているのです（‡主要部後置型（head-final）の言語と言います）。このタイプの言語は、次のどんな品詞の語にどんな風につながっていくかを示す形を豊富に持っています。それが上で見た連用的な諸形や連体形で、これらが終止形などとともに連合的に対立して一つのセットをなしています。つまり一つの文法カテゴリー「連接」をなしています。連用的な諸形や連体形、終

止形は連接の諸形ということになります。これに対し英語などヨーロッパの言語はもっぱら定形述語による「文」を関係代名詞や接続詞など「接続」専用の「語」によってつなぐので、そうした一連の表現は‡複文と言います（さらに細かくは‡重文と複文を区別します）。複文と対比させて考えると、日本語のようなタイプの言語における複雑な文の作り方は、いわば‡単文の拡張です。

12　形態素分析の方法論

グロスとは

　自分が勉強したことのない言語をいきなり見ても、何が何だかわかりませんね。たとえ訳があっても、日本語と語順のしくみが大きく違う言語だと、どれが主語でどれが動詞だかわかりません。そこでたいへん役に立つのが‡グロス (gloss)、つまり‡逐語訳です。

　本書の『星の王子さま』の分析では、語形変化のない語（日本語で言えば「雨 ame」のような語）にはまずその語の意味をグロスとしてつけています。中国語など、孤立型の言語は語形変化がほとんどないので、多くの語がこのパターンです。次に語形変化のある語（日本語の「見る miru」のような語）は mi-ta ［見る -PST］のようなグロスがつきます。膠着型の言語の場合、形態素の切れ目はわりとはっきりしているので、音素表記を - (ハイフン) などで切って、対応する数の形態素がグロスに並びます。さらに語彙としての意味、つまり語幹の意味は日本語で、文法的な変化語尾の働きは英語による略称 (小型英大文字) でつけてあります（第2部凡例にその一覧があります）。最後に、一つの形態素が複数の機能を兼ねている場合には、. (ドット) を使います。英語の "He run-s" の - s は「(直説法)・3人称・単数・現在」の機能を持っているので、"He runs" は ［彼走る -PRS.3SG］になります。これは屈折型の言語でよくあるパターンです。

　さまざまな‡形態的手法の違いについても説明しておく必要があります。接頭辞や接尾辞はハイフンでよいのですが、さらに接中辞というものがありましたね。語幹に割って入るものです。これには〈 〉という記号を使います。フィリピン語の接中辞〈um〉の例を挙げると b〈um〉ili ［〈AF〉買う］(< bili「買う」) のようになります。 重複には ~ を使い、

「山々」は yama~yama のようになります。

　単に語の一部をなす形態素よりももっと独立性の高い形態素があり、これは‡付属語と呼ばれています。付属語と言うくらいですから、語の一種で、‡接語とも言います。付属語は基本的に独立では使えませんが、（品詞などが異なる）いろんな語に自由につく性質を持っています。例えば日本語の「〜も」や「〜だろう」は「本も」「高くも（ない）」「歩きも（しない）」、「本だろう」「高いだろう」「歩くだろう」のようにいろんな品詞の語につきます。ここで「本」は名詞、「高い」は形容詞、「歩く」は動詞ですね。ですから名詞や動詞自体の‡語形変化と見ることはできず、接辞よりも独立性が強いので、それらの語の外にくっついている別の語だ、と考えます。こうした付属語には =（ダブルハイフン）を使うので、例えば「食べるだろう」は［tabe-ru=daroR 食べる -NPST=INFR］となります。これに近い概念を‡クリティック（clitic）と呼ぶこともあります。前置詞や後置詞と呼ばれているものも、もし独立して現れることができなければ、付属語の一種に分析されることがあります。なお語の前にあって後ろへ向かって接続する付属語を‡後接語（proclitic）、語の後ろにあって前へ向かって接続する付属語を‡前接語（enclitic）と言います。

　さらに厄介なものに‡ゼロがあります。ロシア語で「本」は "kniga" ですが、その複数属格形は "knig" となるのでそのグロスは［knig-Ø 本 .F-PL. GEN］となります。つまり -Ø は「形はないけれど機能を持つ形態素」を示します。ただこの -Ø を設定するかどうかは難しい問題で、その設定があまりに経済的でない場合や、義務的でない場合などには -Ø を設定しないほうがふつうです。例えば日本語のように「3 人の学生たち」と言える一方で「3 人の学生」と言ってもまったく問題のない言語では、［3 人の 学生 -Ø］（-Ø が単数を示している）と分析することはありません。

13　28言語の特徴
対照一覧表

　音素体系は、どのような考え方の音韻論に基づくかによって少しずつ違ってきますので（例えば、‡外来語を考慮に入れるか否か、などによって）、詳しくは第2部の各言語の概説をよく読んでください。

　形態的手法のうち、（　）に示しているものは、それほど出現頻度の高くない手法などです。文法カテゴリーとしたものは、語彙的な意味も持つ語によるのではなく、接辞や文法的な機能を示す語（‡機能語と言います）で表されるものを取り上げました。

　AN／NA は形容詞（Adjective）が名詞（Noun）を、前から修飾するか／後ろから修飾するか、を示しています。（　）はマイナーなパターン、/ の前後は両方同じようにあり得ることを示しています。

	音　　素	形態的手法	主な文法カテゴリー	語　順
英語	/p, t, k, b, d, g, m, n, ŋ, f, θ, s, ʃ, h, v, ð, z, ʒ, tʃ, dʒ, r, l, w, j/ (24)	接頭辞 接尾辞 母音交替 複合	数 定不定人称 TAM	SVO AN
	/ɪ, e, æ, ɒ, ʌ, ʊ, ə, iː, ɑː, ɔː, uː, ɜː, ɪə, eɪ, eə, aɪ, aʊ, ɑʊ, ɔɪ, ʊə, əʊ/ (21)			
ドイツ語	/p, t, k, b, d, g, m, n, ŋ, f, s, ʃ, ç-x, h, v, z, pf, ts, r, l, j/ (21)	接頭辞 接尾辞 母音交替 複合	性数格 定不定人称 TAM	定形の V が 2番目（SVO／ SOV） AN
	/ɪ, y, ɛ, œ, a, ɔ, ʊ, ə, iː, yː, eː, øː, ɛː, aː, oː, uː, aɪ, aʊ, ɔʏ/ (19)			
フランス語	/p, t, k, b, d, g, m, n, ɲ, f, s, ʃ, v, z, ʒ, r, l, w, j, ɥ/ (20)	接頭辞 接尾辞	性数 定不定人称 TAM	SVO NA (AN)
	/i, y, e, ø, ɛ, œ, a, ɑ, ɔ, o, u, ə, ɛ̃, œ̃, ɑ̃, ɔ̃/ (16)			
イタリア語	/p, t, k, b, d, g, m, n, ɲ, f, s, ʃ, v, z, ts, tʃ, dz, dʒ, r, l, ʎ, w, j/ (23)	接頭辞 接尾辞	性数 定不定人称 TAM	SVO NA (AN)
	/i, e, ɛ, a, ɔ, o, u/ (7)			

	音素	形態的手法	主な文法カテゴリー	語順
スペイン語	/p, t, k, b, d, g, m, n, ɲ, f, θ, s, x, j, tʃ, r, ɾ, l, ʎ/ (19) /i, e, a, o, u/ (5)	接頭辞 接尾辞	性数 定不定 人称 TAM	SVO NA (AN)
ポルトガル語	/p, t, k, b, d, g, m, n, ɲ, f, s, ʃ, v, z, ʒ, ɾ, ʀ, l, ʎ/ (19) /i, e, ɛ, a, ɐ, ɔ, o, u, iu̯, ei̯, eu̯, ɛi̯, ɛu̯, ai̯, au̯, ɔi̯, oi̯, ui̯, ĩ, ẽ, ɐ̃, õ, ũ, ẽi̯, ɐ̃u̯, õi̯, ũi̯/ (27)	接頭辞 接尾辞	性数 定不定 人称 TAM	SVO NA (AN)
ロシア語	/p, t, k, b, d, g, pʲ, tʲ, kʲ, bʲ, dʲ, gʲ, m, n, mʲ, nʲ, f, s, ʃ, x, v, z, ʒ, fʲ, sʲ, vʲ, zʲ, ts, tʃ, r, l, rʲ, lʲ, j/ (34) /i, e, a, o, u/ (5)	接頭辞 接尾辞	性数格 人称 TAM	自由（SVO） AN (NA)
ポーランド語	/p, t, k, b, d, g, pʲ, kʲ, bʲ, gʲ, m, n, ɲ, mʲ, f, s, ɕ, ʃ, x, v, z, z, ʑ, fʲ, xʲ, ts, tɕ, tʃ, dz, dʑ, dʒ, r, l, w, wʲ, j/ (36) /i, ɛ, a, ɔ, u, ɨ, ɛ̃, ɔ̃/ (8)	接頭辞 接尾辞	性数格 人称 TAM	自由（SVO） AN (NA)
チェコ語	/p, t, k, b, d, g, cʲ, ɟʲ, m, n, nʲ, f, s, ʃ, x, v, z, ʒ, ɦ, ts, tʃ, r, r̝, l, j/ (25) /i, e, a, o, u/ (5)	接頭辞 接尾辞	性数格 人称 TAM	自由（SVO） AN(NA)
中国語	/p, t, k, pʰ, tʰ, kʰ, m, n, ŋ, f, s-ɕ, ʂ, x, ts-tɕ, tʂ, tsʰ-tɕʰ, tʂʰ, ɻ, l, w, j/ (21) /i, y, e, a, o, u/ (6) 声調 (4)	重複 複合 （接尾辞）	類別 AM	SVO AN
朝鮮語	/p, t, k, pʰ, tʰ, kʰ, ʔp, ʔt, ʔk, m, n, ŋ, s, h, ʔs, tɕ, tɕʰ, ʔtɕ, r, w, j/ (21) /i, ɛ, a, ɔ, o, u, ɯ, ɰi/ (8)	接尾辞 複合	格 とりたて 類別 態 TAM 連接	SOV AN
モンゴル語	/p, t, b, d, g, ɢ, m, n, ŋ, s, ɬ, x, ts, tʃ, dz, dʒ, r, l, j/ (19) /i, e, a, ɔ, o, u, ɵ/ (7)	接尾辞 （重複）	格 態 TAM 連接	SOV AN
フィリピン語	/p, t, k, ʔ, b, d, g, m, n, ŋ, s, h, r, l, w, j/ (16) /i, e, a, o, u/ (5)	重複 接頭辞 接中辞 接尾辞 接周辞	数 格 人名／非人名 焦点 AM	VSO AN/NA

	音素	形態的手法	主な文法カテゴリー	語順
マレーシア語	/p, t, k-ʔ, b, d, g, m, n, ɲ, ŋ, f, s, ʃ, x, h, v, z, tʃ, dʒ, r-ɣ, l, w, j/ (23) /i, e, a, o, u, ə, ai, au, oi/ (9)	重複 接頭辞 接尾辞 接周辞	類別 AM	SVO NA
インドネシア語	/p, t, k-ʔ, b, d, g, m, n, ɲ, ŋ, f, s, ʃ, x, h, v, z, tʃ, dʒ, r-ɣ, l, w, j/ (23) /i, e, a, o, u, ə, ai, au, oi/ (9)	重複 接頭辞 接尾辞 接周辞	類別 AM	SVO NA
カンボジア語	/p, t, c, k, ʔ, b, d, m, n, ɲ, ŋ, s, h, v, r, l, j/ (17) /i, e, ɛ, a, ɔ, o, u, ə, ii, ee, aa, ɔɔ, oo, uu, ɯɯ, əə, iə, ae, ao, aə, ɔɔ, uo, ɯə, è, ɛ̀, à, ɔ̀, ò, èe, ɛ̀ɛ, àa, ɔ̀ɔ, òo, ɛ̀ə, èə/ (36)	重複	類別 AM	SVO NA
タイ語	/p, t, c, k, ʔ, pʰ, tʰ, cʰ, kʰ, b, d, m, n, ŋ, f, s, h, r, l, w, j/ (21) /i, e, ɛ, a, ɔ, o, u, ɯ, ə, iː, eː, ɛː, aː, ɔː, oː, uː, ɯː, əː, ia, ua, ɯa/ (21) 声調 (5)	重複 複合	類別 AM	SVO NA
ラオス語	/p, t, c, k, ʔ, pʰ, tʰ, kʰ, b, d, m, n, ɲ, ŋ, f, s, h, l, w, j/ (20) /i, e, ɛ, a, ɔ, o, u, ɯ, ə, iː, eː, ɛː, aː, ɔː, oː, uː, ɯː, əː, ia, ua, ɯa/ (21) 声調 (5)	重複 複合	類別 AM	SVO NA
ベトナム語	/p, t, k, tʰ, ɓ-b, ɗ-d, m, n, ɲ, ŋ, f, s, x, h, v, z, ɣ, tɕ, l, w, j/ (21) /a, ə, iː, eː, ɛː, aː, ɔː, oː, uː, ɯː, əː, iə, uə, ɯə/ (14) 声調 (6)	重複 複合	類別 AM	SVO NA
ビルマ語	/p, t̪, t, k, ʔ, pʰ, tʰ, kʰ, b, ɗ, d, g, m, n, ɲ, ŋ, m̥m, n̥n, ɲ̥ɲ, ŋ̥ŋ, ɴ, f, s, ɕ, h, sʰ, z, tɕ, tɕʰ, dz, r, l, l̥l, w, j, ʍw/ (36) /i, e, ɛ, a, ɔ, o, u, ei, ai, au, ou/ (11) 声調 (3)	接尾辞 重複 複合	格 類別 とりたて TAM	SOV AN
ベンガル語	/p, t, ʈ, k, pʰ, tʰ, ʈʰ, kʰ, b, d, ɖ, g, bʱ, dʱ, ɖʱ, gʱ, m, n, ŋ, s, ʃ, ɦ, tʃ, tʃʰ, dʒ, dʒʱ, r, ɽ, ɽʱ, l/ (30) /i, e, æ, a, ɔ, o, u/ (7)	接尾辞 重複	格 定不定 TAM 人称	SOV (/SVO) AN
ヒンディー語	/p, t̪, ʈ, k, pʰ, t̪ʰ, ʈʰ, kʰ, b, d̪, ɖ, g, bʱ, d̪ʱ, ɖʱ, gʱ, m, n, s, ʃ, ɦ, tʃ, tʃʰ, dʒ, dʒʱ, ɾ, ɽ, l, v-w, j/ (30) /ɪ, ʊ, ə, iː, eː, ɛː, aː, ɔː, oː, uː, x̃/ (11)	接尾辞 重複	性数格 TAM 人称	SOV AN

	音　　素	形態的手法	主な文法カテゴリー	語　順
ウルドゥー語	/p, ʈ, ʈ, k, q, pʰ, tʰ, ʈʰ, kʰ, b, d̪, ɖ, g, bʰ, d̪ʱ, ɖʱ, gʰ, m, n, f, s, ʃ, x, z, ʒ, ɦ, tʃ, tʃʰ, dʒ, dʒʱ, ɾ, ɽ, ɽʱ, l, w, j/ (37) /ɪ, ʊ, ə, iː, eː, ɛː, ɑː, ɔː, oː, uː, x̃/ (11)	接尾辞 重複	性数格 TAM 人称	SOV AN
ペルシア語	/p, t, k, q, ʔ, b, d, g, m, n, f, s, ʃ, x, h, z, ʒ, tʃ, dʒ, r, l, v~w, j/ (23) /i, e, a, ɑ, o, u/ (6)	接尾辞 接頭辞 複合	数格 TAM 人称	SOV NA (/AN)
アラビア語	/t, k, q, ʔ, b, d, tˤ, dˤ, m, n, f, θ, s, ʃ, x, ħ, h, ð, ɣ, ʕ, sˤ, zˤ, dz, dʒ, r, l, w, j/ (28) /a, i, u, aː, iː, uː, aj, aw/ (8)	母音交替 接頭辞 接尾辞	性数格 態 TAM 人称	VSO NA
トルコ語	/p, t, k, b, d, g, m, n, f, s, ʃ, h, v, z, tʃ, dʒ, r, l, j, ː/ (20) /i, y, e, ø, a, o, u, ɯ/ (8)	接尾辞 （重複）	数格 態 TAM 人称 連接	SOV AN
ウズベク語	/p, t, k, q, b, d, g, m, n, ŋ, f, s, ʃ, x, h, z, ʒ, ɣ, ts, tʃ, dʒ, r, l, w, j/ (25) /i, e, a, ɔ, o, u/ (6)	接尾辞 （重複）	数格 態 TAM 人称 連接	SOV AN
日本語	/p, t, k, b, d, g, m, n, s, h, z, ɾ, w, j, Q, N, R/ (17) /i, e, a, o, u/ (5)	接尾辞 複合 （重複、接頭辞）	格 とりたて 類別 態 TAM 連接	SOV AN

14 文 献

　以下の文献のうち、特に第1節の①〜⑩については、第2部の28言語の概説をまとめる際に確認し、参考にさせていただきました。各言語の概説の末尾ではこの①〜⑩の数字を用いて出典を示しています。

1　世界の言語を知るために

① 東京外国語大学語学研究所 (編)『世界の言語ガイドブック 1 ヨーロッパ・アメリカ地域』『世界の言語ガイドブック 2 アジア・アフリカ地域』(三省堂 1998)
　　外語大の教員が中心になって作った本です。音声や文法のしくみのみならず、名前のつけ方や挨拶、数詞のことも言語ごとに触れています。

②『○○語のしくみ』(白水社 言葉のしくみシリーズ)
　　もっとも気楽に、しかし世界の言語のうちのある言語についてある程度その全体像が知りたい、語学的にも知りたい、という人にお勧めです。

③ 柴田武 (編)『世界のことば小事典』(大修館書店 1993)
　　全部で128の言語について、一つの言語ごとに4ページで文字と発音、ことばの背景、日常表現、文化情報まで解説しているすぐれものです。

④ 梶茂樹・中島由美・林徹 (編)『事典 世界のことば141』(大修館書店 2009)
　　上記の『世界のことば小事典』をベースに、あらためて言語を選び、新しい情報を取り入れて全面的に書き改めたものです。どの言語の記述も必ず4ページで、ある言語の背景情報をつかむのに最適です。言語ごとにつけてある地図も便利です。

⑤ 千野栄一 (監修)『世界ことばの旅 (地球上80言語カタログ)』(研究社出版 1993)

世界の 80 の言語の話者から録音した生の音声を聞くことができます。
外語大の学生（当時）が留学生会館や大使館を回って録音したもので、
話者はまず 10 まで数え、挨拶をしゃべり、それから思い思いに話して
います。

⑥ 東京外国語大学語学研究所 (編)『言葉とその周辺をきわめる』1〜4 (東
京外国語大学オープンアカデミー教養講座 2012〜2015 年度後期開講講座活動報告
書)

外語大の教員を中心とした講師陣がオープンアカデミーで語った講義
の内容をブックレットとして刊行したものです。

⑦ 亀井孝・河野六郎・千野栄一 (編)『言語学大辞典』第 1〜4 巻 [世界言
語編]、第 5 巻 [補遺・言語名索引編]、第 6 巻 [術語編] (三省堂 1988, 1989,
1992, 1992, 1993, 1996)

とにかくまずは一度図書館に行って手にとって広げてみてほしい本で
す。どの本も 2,000 ページ近くあり、3,200 もの言語がとりあげられて
います。6 巻は術語編で、随時参照すると言語学の力がつきます。新
しい知見も多く、思いがけない言語や用語の項目もあります。各国の
言語学の伝統・発展状況についても書かれているし、巻末の人名解説
も便利です。

⑧ 斎藤純男・田口善久・西村義樹 (編)『明解言語学辞典』(三省堂 2015)
上記の『言語学大辞典 第 6 巻 [術語編]』を補うような辞典がこれです。
[術語編] が 1996 年に出てから 20 年近い歳月が経ったので、言語学に
もいろいろと新しい発展がありました。『言語学大辞典』の [術語編]
でとりあげられていなかったような項目が詳しく扱われています。

《サイト》

⑨ 東京外国語大学言語モジュール (www.coelang.tufs.ac.jp/mt/)
東京外国語大学大学院の 21 世紀 COE プログラム「言語運用を基盤と
する言語情報学拠点」の研究成果を活かして開発された、インターネ
ット上の言語教材です。本書で扱っている 28 言語のそれぞれについて、
発音、会話、文法、語彙の四つのモジュールから教材が構成されてい

ます（ただし現時点ではまだ欠けているモジュールのある言語もあります）。各モジュールはある程度まで互いに独立しながら、全体として一つのまとまりをもってゆるやかにリンクされています。さらに、音声学や発音記号とその発音について学びたい人にはIPAモジュール（http://www.coelang.tufs.ac.jp/ipa/）がお勧めです。

⑩ The World Atlas of Language Structures Online（https://wals.info/）

専門的ではありますが、世界中の言語のさまざまな特徴について分析し、特徴ごとにその分布地図を示しています。

⑪『語学研究所論集』（http://www.tufs.ac.jp/common/fs/ilr/contents/ronshuu.html）

これは研究紀要ですが、2009～2021年の号には28言語を中心とする諸文法カテゴリーの例文が収集され、分析されています。

2　世界の言語の文字を知るために

・ 東京外国語大学アジア・アフリカ言語文化研究所（編）『図説 アジア文字入門』（河出書房新社 2005）

何しろ豊富な絵と写真と図で、アジアの文字の世界が楽しめる、とっても楽しい本です。インド系の文字が旅をしながら形を変えてくる様子や、その分布図、西夏文字などの†擬似漢字や美しいアラビア系の文字などは見ていて興奮しますよ。アイウエオのインドから日本への旅など、ぜひこの本を読んで楽しく学んでみてください。

・ 町田和彦（編）『図説 世界の文字とことば』（河出書房新社 2009）

上記の続編とも言うべき本。文字とともに、その文字を使用する言語について専門家が急所をおさえた記述を読ませてくれます。ヨーロッパの文字や言語に関心のある人に特にお勧めです。

・ 世界の文字研究会（編）『世界の文字の図典』（吉川弘文館 1993）

これも読んでも見ても楽しい本で、古今東西世界中の文字を解説してくれます。個々の文字の読み方も書き方もとても詳しくて、世界の文字の豊富さとそれぞれの文字がたどってきた歴史を知ることができます。

3 言語学を知るために

・ 風間伸次郎 (監修・著)『世界のなかの日本語 ④ くらべてみよう、言葉
と発音』『世界のなかの日本語 ⑤ くらべてみよう、文のしくみ』(小峰書
店 2006)

　　小学生向けに書かれた本ですが、内容はぎっしりと、音声・音韻から
　　形態論、統語論に至るまで詰まっています（しかし難しい用語は使っ
　　ていません）。日本語のことを中心にしつつも、世界の言語から例を
　　ひいて言語学のもろもろについて説明しています。

・ 西江雅之『新「ことば」の課外授業』(白水社 2012)

　　世界に言語はいくつあるの？　どれぐらいできればバイリンガルって
　　いえるの？　などなど、言語に関するいろいろな素朴な疑問に対して、
　　話しかけるようにわかりやすく答えてくれる本です。

・ 斎藤純男『言語学入門』(三省堂 2010)

　　とにかく広く浅く平易に書かれた本。各項目の記述は短いけれど、
　　それだけに楽に読めます。言語学のほとんど全範囲がカバーされてい
　　て、それにしては安い！　という、とても便利な本です。まずはこれ
　　を読んで、ざっと言語学がどういう広がりを持った学問分野なのかを
　　知るとよいと思います。

・ 黒田龍之助『はじめての言語学』(講談社現代新書 2004)

　　上記の『言語学入門』はちょっと受験参考書のようで、もっと読み物
　　のように楽しんで読みたい、という人にはこちらがお勧めです。専門
　　用語をあまり使っていないので、用語を多く覚えるには向いていませ
　　んが、「なぜそうなのか」ということを丁寧に説明してくれる本です。

・ イアン・アーシー『怪しい日本語教室』(毎日新聞社 2001)

　　言語オタクで、日本語翻訳家でもあったあるカナダ人が毎日新聞に連
　　載したエッセイです。抱腹絶倒、思わず言語学や日本語学に引きこま
　　れてしまう、という最高にステキな本です。身近な日本語からマヤ文
　　字にいたるまで、話題も多岐にわたっています。連載時のイラストも
　　そのまま入っていて楽しく読めます。でもそれだけでなく、とてもた
　　めになる本です。

- 中島平三 (編)『ことばのおもしろ事典』(朝倉書店 2016)

  身近にある「ことば」、例えばことば遊びや広告のことばからスタートとして、音韻論、形態論、意味論などのことばの基礎を知り、さらに世界の言語や手話、動物のコミュニケーションなどのことばの広がりを知る、という3部構成になっています。高校生にもわかるようにというコンセプトで作られた本です。風間もこの中の2章分を書いています。

- 風間喜代三・上野善道・松村一登・町田健『言語学 第2版』(東京大学出版会 2004)

  いろいろな人が書いているので、章によって偏りがありますが、東大出身の諸先生が著した本格派の入門書です。特に後半の類型や歴史、音声・音韻の章は深い問題に触れていて、ためになります。

- 千野栄一『言語学への開かれた扉』(三省堂 1994)

  ‡言語調査や音韻論からはじまって、言語学の各分野がそれぞれ7、8ページで紹介してあり、その分野のもっとも良い参考文献も挙げてあります。つまり入門書の入門書、というわけです。後半には偉大な言語研究者たちの列伝が4ページずつあって、彼らの人生や努力の軌跡が、私たちの心を励ましてくれます。

- 千野栄一『言語学の散歩』(大修館書店 1975)

  男性名詞や女性名詞なんてなぜあるんだろう？ 本当のバイリンガルっているんだろうか？ そんな問いに答えを与えてくれたり、もっとすごい例を示してくれたりするのがこの本です。色の名前が二つしかない言語や2進法の数詞を持つ言語、なんてのも登場します。類型論や比較言語学、日本語系統論など、興味をそそる分野についても教えてくれます。

4　音声学を知るために

- 川端いつえ『英語の音声を科学する』(大修館書店 1999)

  図が多くてわかりやすく、例やコラムも楽しく読めるように考えられています。‡形態音素や同化の章もお勧めです。

- 斎藤純男『日本語音声学入門』（三省堂 1997）

    さまざまな言語からの例が挙がっていて、調音の仕方を示す図も豊富
    です。音響音声学的な分析も示されています。インターネットやテー
    プでさらに学ぶ方法についても書いてあるのがとても参考になります。
- 英語音声学研究会『大人の英語発音講座』（NHK 出版 生活人新書 2003）

    もっと気楽に音声の勉強をしたい、という人にお勧めするのが
    これです。しかし、題名や見た目の軽さとは違って、すごく本格
    的な本です。これ 1 冊読めば、だいぶ「音」についての見方が変わ
    ってくるでしょう。

5　その他の本書が参考にさせていただいた文献

宇佐美洋 (1998)「タイ諸語」新谷忠彦（編）『黄金の四角地帯 —— シャ
　ン文化圏の歴史・言語・民族』27-46. 東京：慶友社

牛江清名 (1975)『インドネシア語の入門』東京：白水社

加藤昌彦 (2019)『ニューエクスプレスプラス　ビルマ語』東京：白水社

島田志津夫 (2019)『大学のウズベク語』東京：東京外国語大学出版会

畠山雄二（編）(2011)『大学で教える英文法』東京：くろしお出版

橋本萬太郎 (1978)『言語類型地理論』東京：弘文堂

松本克己 (2007)『世界言語のなかの日本語系統論の新たな地平』
　東京：三省堂

藤堂明保・相原茂 (1985)『新訂 中国語概論』東京：大修館書店

E. Sapir (1916) *Time perspective in aboriginal American culture: a study in method.*
Geological Survey Memoir 90: No. 13, Anthropological Series. Ottawa: Gov-
ernment Printing Bureau.

6　「星の王子さま」テキスト　文献情報一覧

フランス語

de Saint-Exupéry, Antoine (1946) *Le Petit Prince.* Paris: Gallimard.

英語

    Woods, Katherine (1943, 1971) (tr.) *The Little Prince*. San Diego; New York; London: Harcourt Brace Jovanovich, Publishers.

ドイツ語

    Leitgeb, Grete und Josef Leitgeb (1956) (tr.) *Der Kleine Prinz*. Düsseldorf: Karl Rauch Verlag.

イタリア語

    Bompiani Bregoli, Nini (1949, 2013) (tr.) *Il Piccolo Principe*. Milano: Bompiani/RCS Libri S.p.A.

スペイン語

    del Carril, Bonifacio (1971, 1997) (tr.) *El Principito*. Madrid: Alianza Editorial SA.

ポルトガル語

    Morais Varela, Joana (1987) (tr.) *O Principezinho*. Lisboa: Editora Caravela LDA.

ロシア語

    Шаров, Андрей Сергеевич (2000) (tr.) *Маленький принц*. Москва: Мир Искателя. pp.25-29.

ポーランド語

    Malicka, Marta (2000) (tr.) *Mały Książę*. Wrocław: Wydawnictwo Siedmioróg.

チェコ語

    Sasák, Martin (1998) (tr.) *Malý princ*. Praha: Cesty.

中国語

    許碧端 (1983) (tr.) 中野達 (ed.) 小王子. 東京: 駿河台出版社.

朝鮮語

    김경미 (2002) (tr.) 어린 왕자. 서울: 책만드는집.

モンゴル語

    Цэгмидийн Сүхбаатар (2001) (tr.) *Бяцхан Хунтайж*. Улаанбаатар: Цоморлиг Хэвлэл XXK.

フィリピン語

    Ching, Desiderio (1991) (tr.) *Ang Munting Prinsipe*. Quezon City: Claretian Publications.

マレーシア語

    Ezzah Mahmud (2015) (tr.) *Putera Cilik*. Shah Alam: Peanutzin.

インドネシア語

Listiana Srisanti (2003) (tr.) *Pangeran Kecil*. Jakarta: Penerbit PT Gramedia Pustaka Utama.

カンボジア語

ទ្រីសួហ្វ ម៉ាក់គេ (2003) (tr.) ព្រះអង្គម្ចាស់តូច. ភ្នំពេញ: គ្រឹះស្ថានបោះពុម្ពផ្សាយស៊ីប៉ា.

タイ語

พงาพันธุ์ โบบิเยร์ (1997) (tr.) เจ้าชาย น้อย. กรุงเทพฯ: บริษัท ศรีสารา จำกัด.

ラオス語

ສິນະຫຼຽວ ສະແຫວງສີຫາລາ (2002) (tr.) ທ້າວນ້ອຍ. ວຽງຈັນ: ASPB.

ベトナム語

Nguyễn Trường Tân (2008) (tr.) *Hoàng tử Bé*. Hà Nội: Nhà Xuất Bản Văn Hoá - Thông Tin.

ビルマ語

ခင်လေးမြင့် ဒေါက်တာ (2001) (tr.) မင်းသားလေး။ ရန်ကုန်. ရာပြည့်စာအုပ်တိုက်။

ベンガル語

রতন বাঙালী (2000) (tr.) ছোট্ট এক রাজকুমার. ঢাকা: জাগৃতি প্রকাশনী

ヒンディー語

बलबीर, जगवंश किशोर (1995) (tr.) छोटा राजकुमार. नई दिल्लीः हिन्द पॉकिट बुक्स.

ウルドゥー語

ناز، تفنی اور بلقیس ناز (2003) (tr.) نخما شہزادہ. اسلام آباد: الحمرا پبلشگ.

ペルシア語

شاملو، احمد (2002-2001) (tr.) شهریار کوچولو. تهران: مؤسسهٔ انتشارات نگاه.

アラビア語

التهامي العماري، محمد (2011) (tr.) الأمير الصغير. الدار البيضاء: المركز الثقافي العربي.

トルコ語

Erdoğan, Fatih (1987) (tr.) *Küçük Prens*. İstanbul: Mavibulut Yayıncılık.

ウズベク語

Султонов, Хайриддин (1988) (tr.) *Кичкиа шаҳзода*. Тошкент: Ғафур Ғулом номидаги Адабиёт васанъат нашриёти.

日本語

内藤濯 (1962) (tr.)『星の王子さま』東京: 岩波書店.

第 2 部

28 言語の概説と
28 言語による「星の王子さま」

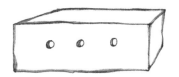

凡　例

　ここにはかなり専門的なことが書かれていますので、気になる方以外は
読み飛ばしていただいてかまいません。

1　テキストの構成・表記

ラテン文字の言語

　本書の『星の王子さま』の各国語テキストは以下のような構成になってい
ます。まずラテン文字の言語では挿絵の入るところまで、次のようになっ
ています。

1行目：その言語での正書法による表記
2行目：音声表記（実際の音声が分かるよう、可能な限り音声記号を用い
　　　ていますが、ただし完全な音声表記というわけではなく、基本的に音韻
　　　体系に基づいたものです）
3行目：形態素分析
4行目：グロス（逐語訳）・文法的要素（語彙的な部分は日本語で、文法的
　　　な部分は小型英大文字の略称で示しています）
5行目：日本語訳

　　［例1：フランス語］

正書法による表記 音声表記	**Puis il ajouta** [pɥi il aʒuta]
形態素分析 グロス・文法的要素	puis　　　il　　　ajout-a-Ø それから　彼.M.SG.NOM　付け加える-PST-3SG
日本語訳	それから、彼は付け加えました。

挿絵以降は次のような簡易的な表記になります。

1行目：正書法
2行目：逐語訳（できるだけ文法的要素も含んだ主に日本語による訳）
3行目：日本語訳

［例2：フランス語］

正書法	— L'attacher?	Quelle	drôle	d'	idée!
逐語訳	彼を つなぐこと	どんな	おかしなこと	〜の	考え

日本語訳　「彼をつないでおくって？　なんておかしな考えなんだ！」

ラテン文字以外の言語

　次にラテン文字以外の言語では、その文字をラテン文字に「翻字」して形態素分析をおこなっています。さらに形態素分析の行との対応関係を示すため、正書法の表記をもう一度示しています。なおラテン文字の言語の場合と同様に、挿絵の入るところ以降は簡易的に表記しています。

［例3：ロシア語］

正書法による表記	**Это мне было неведомо.**			
音声表記	[ˈetə mɲe ˈbilə nʲɪˈvʲedəmə]			
形態素分析	это	мне	было	неведомо
翻字	èt-o	mne	by-l-o	nevedomo
グロス・文法的要素	それ-N NOM	私 SG DAT	〜だ-PST-N	不明だ
日本語訳	そんなことは、私は知りませんでした。			

アラビア文字ベースの言語

　アラビア文字ベースの言語では右から左へと表記します。その文字をラテン文字に「翻字」して形態素分析をおこなうという点では同じですが、そ

の際単語ごとに左から右へと並べ直してあります。1行目の正書法による表記と、それ以後の音素表記、分析、グロスなどとは並びが違っていることに注意してください。

[例4：アラビア語]

正書法による表記	قال الأمير الصغير:
音声表記	[qa:la l ʔami:ru sˤsˤaʁi:ru]
形態素分析	قال　　　الأمير　　　الصغير
翻字	qāl-a [q-w-l]　lˤʔamīr-u [ʔ-m-r]　ṣ-ṣaġīr-u [s-ġ-r]
グロス・文法的要素	言う.PFV-3SG.M　DEF=王子.M.SG-NOM　DEF=小さな.M.SG-NOM
日本語訳	小さな王子さまは言いました。

なおそれらの言語では、左から右へと並べ直したものだけでは読みにくくなってしまうため、挿絵の入るところ以降の簡易表記においても、1行目に右から左へと進む正書法による表記を加えてあります。

2　分析の記号

なおハイフンは接辞境界、ダブルハイフンは接語境界を示しています（第1部12章参照）。ただし屈折型の言語では、語幹と語尾の間がより分かち難くなっているため、形態素に分析することには多少なりとも無理のある場合があります。しかし本書では変化する部分に注目してあえて分析を行っています。

＜　＞は本来フィリピン語などにある接中辞を示すのに使う記号ですが、ゲルマン語派の言語（英語とドイツ語）にある‡内部屈折もこれで示しています。

[例5：ドイツ語]

s‹a›h-∅	war-ë-∅
見る‹PST›-1SG	～だ.PST-SBJV-3SG

3 分析の方針

屈折型の言語については、本書のように形態素に分けて記述する、ということはあまり行われません（例えば上記のドイツ語では、sah 見る .PST.1SG のようにドットで文法機能を示すのが通例となっています）。これは膠着型の言語などと比べて、語幹と語尾との融合度が高く、明確な切れ目を見出すのが難しいことによります。しかしそうした言語でも、全く形を変えてしまうような不規則動詞を除けば、ある程度の分析が可能です。本書では屈折型の言語についても、ある種の新しい試みとして、可能な限り語幹と語尾を定め、そのように記述するという方針を採っています。特にフランス語においては、その正書法を基準に形態素分析をおこなっているため、音声言語としての解釈とはまた異なっている可能性があることもここに記しておきます。以下では上記の方針に関して問題となるいくつかの具体的な点について説明を加えておきます。

なお挿絵以降の簡易表記において、不定詞の訳を「～すること」としたものが多くあります。不定詞を持つ言語において、必ずしもこの形式が単独で名詞的に用いられるとは限りませんが、述語動詞と区別する意味でそのような表記を採用しました。

語幹と語尾

まず、語幹となる部分を可能な限り統一するようにしました。ただし現在と過去とで語幹が異なる場合などはその限りではありません（フランス語 **vien**-s 来る .PRS-1SG に対して ven-ai-s 来る -IMPF-1SG となっているような場合）。次に、語尾にあたる部分は、たとえ不規則変化の語であっても、規則的な語尾が見られる限り屈折語尾として分析しています。例えば、ドイツ語の be 動詞は ich bin 'I am', du bist 'you (SG) are', er ist 'he is'... のように活用しますが、この場合でも規則動詞と同様の2人称単数の語尾 -st 及び3人称単数の語尾 -t が見られるため、それを形態素として分析し、bi-**st** ～だ .PRS-2SG、is-**t** ～だ .PRS-3SG のようにしています。対してドイツ語の1人称単数には通常 -n という語尾は認められないため、本書ではこれを分析せずに bin ～だ .PRS.1SG としています。

　語尾を認定する際に、性や格、人称などの対立の一方に具体的な形がない場合、便宜上ゼロ（-Ø）を立てることで語尾としています。例えばロシア語の動詞の過去形では男性形 узнал uznal に対して女性形 узнала uznala となりますが、この場合は男性形を uzna-l-Ø 知る .PFV-PST-M、女性形を uzna-l-a 知る .PFV-PST-F のように分析しています。このように分析するのは、文法的な性というものが必ずどれか1つの形を取らなければならず、形式の側（実際の音声あるいは表記）には何も現れていなくとも、機能面での分析ではその一方を基本形とするわけにはいかないからです。

　ただし、名詞や形容詞の数については、単数を基本形として、複数のみに語尾を認めている場合があります（英語 year 年 に対して year-s 年 -PL）。多くのヨーロッパの印欧語などでは数が義務的な文法カテゴリーであり、性における場合と同様、やはり単数か複数か（あるいは双数か）を選ばなければならないものです。したがってこの場合も、何も付けていないものは数の情報を持たないのではなく、機能上は単数形を表すものだと考えてください。一方で、性に比べて、数における「単数」は機能の面でもよりデフォルトな性質を持っているという問題もあります。動詞における「現在」時制についてもデフォルトの形と考えることができるかもしれませんが、本書の分析では該当する語のどこかに現在を表す PRS を示すようにしました。

ドイツ語のウムラウト

　上記の方針に従う場合、ドイツ語の分析ではさらに複雑な問題があります。便宜上、ドイツ語の分析においてはウムラウト記号 ¨ を接尾辞扱いしたものがあります。例えば上記の例ではコピュラの接続法過去3人称単数形 wäre を war-¨e-Ø と分析していますが、このウムラウト記号は語幹の母音をウムラウト化するということを意味します。このように接尾辞扱いしたウムラウトは、あくまで‡共時的な分析（その言語の現在の体系に基づいた分析）に基づいたものであって、‡通時的な事情（歴史的な変化など）を考えているわけではありません。つまり、かつて語尾として存在し、ウムラウトの引き金

となった前舌母音を想定しているわけではありません。

ドイツ語の分離前綴り

　ドイツ語における「分離前綴り」は副詞や前置詞などと区別するため、動詞本体から離れていたとしても = を付しています。

アラビア語の内部屈折

　アラビア語の内部屈折については、語彙的意味を担う「3子音語根」の部分を［　］内に示しています。したがってそれらの子音以外の部分が文法的な変化を示しているということになります。

[例 6：アラビア語]

ضحك
ḍaḥik-a [d-ḥ-k]
笑う PFV-3SG.M

4　漢字表記

　漢字文化圏のうち、現在では漢字を日常的に使用しない朝鮮語とベトナム語については、漢字表記を［　］内に示しています。朝鮮語で一語と分析されるものの中に、漢字語と助詞や하다動詞（「～する」）などが同時に含まれる場合、漢字語でない部分（‡固有語といいます）はそのままハングルで示しています。

[例 7：朝鮮語]

왕자가 [王子가]
wangca=ka
王子-NOM

[例 8：ベトナム語]

hoàng tử [皇子]
皇子

略号一覧（グロスの文法的要素の略号）

.		機能の兼担	ATTR	attributive	連体形	EXP	experiential	経験
-		接辞境界	AUX	auxiliary	助動詞	EZ	ezafe	エザーフェ
=		接語境界	CAUS	causative	使役	F	feminine	女性
~		重複境界	CF	circumstantial focus	状況焦点	FOC	focus	焦点
⟨ ⟩		接中辞境界	CL	classifier	類別詞	FS	future stem	未来幹
+		融合	CLT	clitic	接語	FUT	future	未来
*		非文／再建形	CMPL	complimentizer	補文標識	GEN	genitive	属格
??		やや変	COM	comitative	共格	GER	gerund	動名詞
‖		言語間対応	COMP	comparative	比較級	HAB	habitual	習慣
1	1st person	1人称	CONC	concessive	譲歩	HON	honorific	尊敬
2	2nd person	2人称	COND	conditional	条件（法）	IMD	immediate	暫時
3	3rd person	3人称	CONV	converb	副動詞	IMP	imperative	命令法
ABL	ablative	奪格	CSL	causal	理由	IMPERS	impersonal	非人称
ABST	abstract noun	抽象名詞	CUM	cumulative	累加	IMPF	imperfect	未完了
ACC	accusative	対格	DAT	dative	与格	IND	indicative	直説法
ADNF	adnominal verb form	連体形	DC	declarative	断定	INDEF	indefinite	不定
ADV	adverb	副詞	DEF	definite	定	INF	infinitive	不定詞
ADVF	adverbial verb form	連用形	DEM	demonstrative	指示詞	INFER	inferative	推量
ADVLZ	adverbializer	副詞化	DF	direction focus	方向焦点	INS	instrumental	道具格
AF	actor focus	行為者焦点	DIM	diminutive	指小辞	INT	intimate	親密
ALL	allative	向格	DIR	direct	直接	INTER	interrogative	疑問
ANIM	animate	活動体	DN	dummy noun	形式名詞	IPFV	imperfective	不完了体
ANT	anterior	先行	DR	directional	方向	IPST	imperfect past	未完了過去
AOR	aorist	アオリスト	DUR	durative	継続	IRR	irrealis	非現実
APP	apperceptive	知覚	EMP	emphatic	強調	ITER	iterative	反復
APPL	applicative	適用	EQU	equative	同等	JUSS	jussive	短形
APPR	approximate	近似	ERG	ergative	能格	LF	locative focus	場所焦点

LIG	ligature	リガチャー	PF	patient focus	被動者焦点	REFL	reflexive	再帰
LK	linker	リンカー	PFV	perfective	完了体	REL	relative	関係
LOC	locative	処格	PL	plural	複数	RLS	realis	現実
M	masculine	男性	POL	polite	丁寧	SBJV	subjunctive	接続法
N	neuter	中性	POSS	possessive	所有	SEQ	sequential	継起
NC	noun clause marker	名詞節標識	POT	potential	可能	SFP	sentence final particle	文末小辞
NEG	negative	否定	PP	past participle	過去分詞	SG	singular	単数
NM	non-masculine	非男性	PREP	prepositional	前置格	SH	subject honorific	主語尊敬
NMLZ	nominalizer	名詞化	PRN	pronoun	代名詞	SIM	simultaneous	同時
NOM	nominative	主格	PROG	progressive	進行	SPON	spontaneous	自発
NPST	non-past	非過去	PROS	prospective	将然	STAT	static	状態的
OBJ	objective	目的格	PRS	present	現在	SUP	superlative	最上級
OBL	oblique	斜格	PST	past	過去	SUPP	suppositive	推測
OF	object focus	目的格焦点	PTCP	participle	分詞	TOP	topic	主題
ORD	ordinal	序数	PURP	purposive	目的	VI	intransitive verb	自動詞
PART	particle	小辞	Q	question marker	疑問標識	VN	verbal noun	動名詞
PASS	passive	受動	QUOT	quotational	引用	VOL	volitional	願望
PERF	perfect	完了	RD	reduplication	重複	VT	transitive verb	他動詞
PERL	perlative	通格	RECIP	reciprocal	相互			

本書では国際標準化機構 (ISO) による下記の言語の略称を使うことがあります。ただし、カンボジア語はISOではkhm (クメール語からの略) となっていますが、本書ではcamとしました。

略称［ISO 言語コード］

英語	（eng）	ポーランド語	（pol）	インドネシア語	（ind）	ヒンディー語	（hin）
ドイツ語	（deu）	チェコ語	（ces）	カンボジア語	（cam）	ウルドゥー語	（urd）
フランス語	（fra）	中国語	（zho）	タイ語	（tha）	ペルシア語	（per）
イタリア語	（ita）	朝鮮語	（kor）	ラオス語	（lao）	アラビア語	（ara）
スペイン語	（spa）	モンゴル語	（mon）	ベトナム語	（vie）	トルコ語	（tur）
ポルトガル語	（por）	フィリピン語	（fil）	ビルマ語	（bur）	ウズベク語	（uzb）
ロシア語	（rus）	マレーシア語	（may）	ベンガル語	（ben）	日本語	（jpn）

1　英　語　English

　英語は、†系統的には†印欧語族†ゲルマン語派の言語です。大陸にいた
アングロ・サクソンの人々がブリテン島に渡って成立した言語なので、
ドイツ語に近く、オランダ語はさらに近い親戚の言語ということにな
ります。ただ英語は1066年のノルマン征服以降、フランス語の強大な
影響を受けました。英語は語形変化の大部分を失う一方で†SVO†語順
が固定化し、†類型的には†屈折型から†孤立型の言語に近づいています。

音韻論と文字体系

　14世紀後半から18世紀前半にかけて†大母音推移と呼ばれる変化が起
こり、玉突きのように一連の母音が口の開きの狭い方へとズレました。
しかし綴りはすでにその変化が起きる以前に成立しており、音が変化
しても綴りは変わりませんでした。そのため現代英語では発音と綴り
の間に大きなズレが生じています（feel[fiːl], cool[kuːl]）。他のヨーロッパ
の諸言語と比べても、英語の綴りは圧倒的に不規則なものになってい
ます。
　†子音音素は /p, t, k, b, d, g, m, n, ŋ, f, θ, s, ʃ, h, v, ð, z, ʒ, tʃ, dʒ, l, r, w, j/ の
24個、母音音素は /ɪ, e, æ, ʌ, ɒ, ʊ, ə, iː, ɑː, ɔː, uː, ɜː, eɪ, aɪ, ɔɪ, əʊ, aʊ, aʊ, ɪə, eə,
ʊə/ の21個ですが、方言によって（特に母音に関して）違いがあります。
子音に多くの種類の†摩擦音があります（f, v, θ, ð, s, z, ʃ, ʒ, h）。これは†グリ
ムの法則の結果の1つ（†無声破裂音が摩擦音に変化した結果）です（fra.
trois ‖ eng. three）。母音も比較的たくさんあります。ゲルマン諸語は基本
的に語頭に†アクセントを持ちます（これはフィンランド語などが属し、一
貫して語頭にアクセントを持つウラル語族の言語と接触したため、とする説
があります）。しかし英語にはたくさんのラテン語の語彙が流入したので、

語頭以外にアクセントがある語も多く存在します。

形態論

　昔の英語は同じゲルマン諸語で北欧にあるアイスランド語のような言語だったと言われています。アイスランド語の名詞には今でも男女中の3つの†性があります。これに対し、英語は名詞の性の区別を失い、人称代名詞を除き、†格変化もなくなりました（ただし 's は属格の名残りと見ることもできます）。ゲルマン諸語ではアクセントの位置が語頭に移動しましたが、このため語尾が†弱化して変化形が失われてきたと考えられます。一方で語尾にあった†前舌母音は消滅する代わりに先行する母音を前舌化することもありました。これを†ウムラウトと言います（foot-i > föt > fêt > ⟨feet⟩ [fiːt]）。

　†数はありますが、数の一致は指示代名詞と名詞の間にのみわずかに残っています（**this** book vs. **these** books）。フランス語の影響で大部分の名詞は -s によって複数形を作ります。ゲルマン語本来の複数形の作り方は、むしろ現在は不規則とされるものの方に多く残っています（ox-ox**en**, man-m**en**）。

　人称代名詞について他のヨーロッパの諸言語と比べると、2人称で敬意に基づく使い分けがないことが特徴的です。これは、以前は単数形の thou [ðəʊ] があったのにこれが滅びてしまい、複数で丁寧も示した you が敬意に関わらず単複両方に用いられるようになったためです。最近のアメリカ英語の口語では複数を明示するために（性別に関係なく）you guys や y'all という言い方が使われます。

　名詞は複数形と不可算名詞以外では、冠詞によって†定†不定を示すか、my/your... などの代名詞の属格によって所有されていることを示さなければなりません。なお不定冠詞は one「1」からできました（このことは以下の章でみる他のヨーロッパの言語の不定冠詞でも同じです）。したがって母音の前に現れる an の方がむしろその起源に近い形をしています。

　動詞は†テンスや†ムードによって変化しますが、ムードは他のヨーロッパの言語に比べ、†接続法（仮定法）には独自の形式が見られないなど、

かなり衰退しています。過去形と過去分詞には（ゲルマン諸語の特徴で）†強変化と呼ばれる母音交替による変化があります（come-came-come, sing-sang-sung）。テンスでは†現在進行形があるのが他のヨーロッパの言語に比べて特徴的です（他の言語では、一般に現在形で現在進行の意味を示します）。be動詞を除けば、直説法現在の3人称単数だけに人称変化形の-sが残っています。その代わり主語は義務的で、It rains. の表現のように一見すると意味のないようなit も用いられます。

　名詞をそのままの形で簡単に動詞として使うことができるのも、反対に動詞を名詞として使えるのも、孤立型の言語的な性格の現れの1つと言えるでしょう（butter「バター、バターを塗る」、eye「目、じろじろ見る」、fish「魚、釣る」、go「行く、行くこと」、paper「紙、～に（紙を）貼る」、He papered the wall pink.「彼は壁にピンク色の壁紙を貼った」）。フランス語経由のラテン語を語源とした語では、アクセントの位置が前なら名詞、後ろなら動詞であるものが多く存在します（absent, contrast, import, record など）。これはもともと古英語にあった傾向が†外来語に適用されたものと考えられます。様態を表す移動動詞など、典型的には†自動詞と考えられている動詞もそのままの形で目的語をとることがあります（Tom **jumped the horse** over the fence.「トムは馬に柵を越えさせた」（畠山（2011: 2）による））。

統語論

　SVO の語順はかなり固定的ですが、文全体が新しい情報を述べるときや強調がかかったときなどに、主語と動詞の位置が入れ替わることもあります（In a little house lived an old man and an old woman.）。ゲルマン語派的な VS の語順による†疑問も見られますが、英語は†代動詞 do もしくは†助動詞と主語の語順の逆転という形になっています。存在文では主語の位置に名詞を置くとそれが†主題になってしまうので（The book is on the table. ??A book is on the table.）、情報構造上の理由から特殊な構文が現れます（There is a book on the table.）。これは一見語順の倒置のようですが、疑問文では Is there ...? となるので、there には主語としての性質があります。なお口語では be 動詞の部分が後続の†複数名詞と一致しない There's many books. のような言い方もかなり一般的です。

畠山（2011）（第 1 部 14 章 5 節参照）

The Little Prince

1

Once when I was six years old I saw a magnificent picture in a book,
called *True Stories from Nature*, about the primeval forest.
[wʌns ʍen aɪ wəz sɪks jɪəz oʊld aɪ sɔː ə mæˈɡnɪfɪsnt ˈpʰɪktʃə ɪn ə bʊk kɔːld tɹuː ˈstɔːɹiz meɪd zˈneɪtʃə ˈbaʊt ðə pɹaɪˈmiːvl ˈfɔːɹɪst]

once	when	I	was	six	year-s	old	I	s‹a›w	a
かつて	〜する時	私.SG.NOM	〜だ.PST.SG	六	年-PL	古い	私.SG.NOM	見る.(PST)	INDEF

magnificent	picture	in	a	book	call-ed	True	Stori-es
壮大な	絵	〜の中に	INDEF	本	呼ぶ-PP	本当の	話-PL

from	Nature	about	the	primeval	forest
〜から	自然	〜について	DEF	原始的な	森林

昔、私が6歳であったとき、私は「自然からの実話」と呼ばれる、原生林のことを
書いたとある本の中で、1枚の壮大な絵を見ました。

It was a picture of a boa constrictor in the act of swallowing an animal.
[ɪt wəz ə ˈpʰɪktʃə əv ə ˈboʊə kənˈstɹɪktə ɪn ðɪ ækt əv ˈswɑloʊɪŋ ən ˈænɪml]

it	was	a	picture	of	a	boa	constrictor	in	the	act
それ.SG.NOM	〜だ.PST.SG	INDEF	絵	〜の	INDEF	ボア	絞め殺すもの	〜の中に	DEF	行動

of	swallow-ing	an	animal
〜の	飲み込む-GER	INDEF	動物

それは、ボア・コンストリクター［大蛇のこと］が動物を飲み込んでいるところを描いた
絵でした。

Here is a copy of the drawing.
[hɪə ɪz ə ˈkʰɑpi əv ðə ˈdɹɔːɪŋ]

here	is	a	copy	of	the	drawing
ここに	〜だ.PRS.3SG	INDEF	複製	〜の	DEF	絵

ここにその絵の複製があります。

In the book it said:

[ɪn ðə bʊk ɪt sed]

in	the	book	it	sai-d
～の中に	DEF	本	それ SG.NOM	言う-PST

その本の中ではこう書かれています。

"Boa constrictors swallow their prey whole, without chewing it.

[ˈboʊə kənˈstɹɪktəz ˈswɑloʊ ðeə pɹeɪ hoʊl wɪˈðaʊt ˈtʃuːɪŋ ɪt]

boa	constrictor-s	swallow	their	prey	whole	without
ボア	絞め殺すもの-PL	飲み込む PRS	彼らの	獲物	全体	～なしに

chew-ing	it
噛む-GER	それ SG.OBJ

「ボア・コンストリクターは獲物を噛まずに丸飲みしてしまう。

After that they are not able to move, and they sleep through the six months that they need for digestion."

[ˈæftə ðæt ðeɪ ə nɑt ˈeɪbl tə muːv ən ðeɪ sliːp θɹuː ðə sɪks mʌnθs ðət ðeɪ niːd fə dɪˈdʒɛstʃən]

after	that	they	are	not	able	to	move	and	they	sleep
～の後で	それ	彼 PL.NOM	～だ PRS.PL	NEG	能力がある	～に	動く INF	そして	彼 PL.NOM	眠る PRS

through	the	six	month-s	that	they	need	for	digestion
～を通じて	DEF	六	月-PL	REL	彼 PL.NOM	必要とする PRS	～のために	消化

その後、彼らは動くことができなくなってしまう。そして、消化にかかる
6ヶ月間丸々眠ってしまうのだ」

I pondered deeply, then, over the adventures of the jungle.

[aɪ ˈpʰɑndəd ˈdiːpli ðen ˈoʊvə ði ədˈventʃəz əv ðə ˈdʒʌŋgl]

I	ponder-ed	deeply	then	over	the	adventure-s	of	the
私 SG.NOM	考える-PST	深く	その時	～について	DEF	冒険 PL	～の	DEF

jungle
ジャングル

それから私は、ジャングルの冒険のことを深く考えました。

And after some work with a colored pencil I succeeded in making my first drawing.

[ənd ˈæftə səm wək wɪð ə ˈkʰʌləd ˈpʰensl aɪ səkˈsiːdɪd ɪn ˈmeɪkɪŋ maɪ fəst ˈdʒɔːɪŋ]

and	after	some	work	with	a	colored	pencil	I
そして	～の後で	いくつかの	仕事	～を使って INDEF		色付きの	鉛筆	私 SG.NOM

succeed-ed	in	mak-ing	my	first	drawing
成功する -PST	～の中に	作る -GER	私の	最初の	絵

色鉛筆を使ってしばらく絵を描いた後、私は最初の絵を描き上げることに成功しました。

My Drawing Number One. It looked like this:

[maɪ ˈdʒɔːɪŋ ˈnʌmbə wʌn ɪt lʊkt laɪk ðɪs]

my	Drawing	Number	One	it	look-ed	like	this
私の	絵	番号	一	それ SG.NOM	見える -PST	～のように	これ

私の絵・その1。それはこんな感じに見えました。

I showed my masterpiece to the grown-ups, and asked them whether the drawing frightened them.

[aɪ ʃoʊd maɪ ˈmæstəpiːs tə ðə ˈɡɹoʊnʌps ənd æskt ðəm ˈweðə ðə ˈdʒɔːɪŋ ˈfɹaɪtnd ðəm]

I	show-ed	my	masterpiece	to	the	grown_up-s	and
私 SG.NOM	見せる -PST	私の	傑作	～に	DEF	大人 -PL	そして

ask-ed	them	whether	the	drawing	frighten-ed	them
尋ねる -PST	彼 PL.OBJ	～かどうか	DEF	絵	怖がらせる -PST	彼 PL.OBJ

私は大人たちに、私の傑作を見せました。そして、その絵が怖いかどうかを彼らに尋ねました。

But they answered: "Frighten? Why should any one be frightened by a hat?"

[bət ðeɪ ˈænsəd ˈfɹaɪtn waɪ ʃəd ˈeni wʌn bi ˈfɹaɪtnd baɪ ə hæt]

but	they	answer-ed	frighten	why	should	any	one	be
しかし	彼 PL.NOM	答える -PST	怖がらせる INF	なぜ	～すべきだ	どの	人	～だ INF

frighten-ed	by	a	hat
怖がらせる -PP	～によって	INDEF	帽子

でも、彼らはこう答えました。「怖いかって？　どうして帽子なんかを怖がる奴がいるんだい？」

My drawing was not a picture of a hat.

[maɪ ˈdɹɔːɪŋ wəz nɑt ə ˈpʰɪktʃə əv ə hæt]

my	drawing	was	not	a	picture	of	a	hat
私の	絵	~だ PST.SG	NEG	INDEF	絵	~の	INDEF	帽子

私の絵は帽子の絵ではありませんでした。

It was a picture of a boa constrictor digesting an elephant.

[ɪt wəz ə ˈpʰɪktʃə əv ə ˈboʊə kənˈstɹɪktə daɪˈdʒestɪŋ ən ˈɛlɪfənt]

it	was	a	picture	of	a	boa	constrictor	digest-ing
それ SG.NOM	~だ PST.SG	INDEF	絵	~の	INDEF	ボア	絞め殺すもの	消化する PTCP.PRS

an	elephant
INDEF	象

それは、ボア・コンストリクターが象を消化しているところを描いた絵でした。

But since the grown-ups were not able to understand it, I made another drawing:

[bət sɪns ðə ˈgɹoʊnʌps wə nɑt ˈeɪbl̩ tə ʌndəˈstænd ɪt aɪ meɪd əˈnʌðə ˈdɹɔːɪŋ]

but	since	the	grown_up-s	were	not	able	to	understand
しかし	~だから	DEF	大人 PL	~だ PST.PL	NEG	能力がある	~に	理解する INF

it	I	ma-de	another	drawing
それ SG.OBJ	私 SG.NOM	作る PST	もう一つの	絵

でも、大人たちにはそれが理解できなかったので、私はもう1枚絵を描きました。

I drew the inside of the boa constrictor, so that the grown-ups could see it clearly.

[aɪ dɹuː ðɪ ɪnˈsaɪd əv ðə ˈboʊə kənˈstɹɪktə soʊ ðət ðə ˈgɹoʊnʌps kəd siː ɪt klɪəli]

I	dr‹e›w	the	inside	of	the	boa	constrictor	so	that	the
私 SG.NOM	描く PST	DEF	内側	~の	DEF	ボア	絞め殺すもの	だから	CMPL	DEF

grown_up-s	coul-d	see	it	clearly
大人 PL	できる PST	見る INF	それ SG.OBJ	はっきりと

私は、ボア・コンストリクターの中を描いたのです。大人たちがはっきりと見てとれるように。

They always need to have things explained.

[ðeɪ ˈɔːlweɪz niːd tə hæv θɪŋz ɪkˈspleɪnd]

they	always	need	to	have	thing-s	explain-ed
彼 PL.NOM	いつも	必要とする PRS	～に	～させる INF	物事-PL	説明する-PP

彼らは、いつも物事に対して説明を求めます。

My Drawing Number Two looked like this:

[maɪ ˈdrɔːɪŋ ˈnʌmbə tʰuː lʊkt laɪk ðɪs]

my	Drawing	Number	Two	look-ed	like	this
私の	絵	番号	二	見える-PST	～のように	これ

私の絵・その2は、こんな感じでした。

The grown-ups' response, this time, was to advise me to lay aside my drawings of boa constrictors, whether from the inside or the outside, and devote myself instead to geography, history, arithmetic and grammar.

[ðə ˈɡrəʊnʌps rɪˈspɒns ðɪs tʰaɪm wəz tə ədˈvaɪz miː tə leɪ əˈsaɪd maɪ ˈdrɔːɪŋz əv ˈbəʊə kənˈstrɪktəz ˈweðə frəm ði ɪnˈsaɪd ə ði aʊtˈsaɪd ənd dɪˈvəʊt maɪˈself ɪnˈsted tə dʒɪˈɒɡrəfi ˈhɪstri əˈrɪθmətɪk ənd ˈɡræmə]

the	grown_up-s-'	response	this	time	was	to	advise	me	to
DEF	大人-PL-POSS	反応	この	回	～だ PST.SG	～に	助言する INF	私 SG.OBJ	～に

lay	aside	my	drawing-s	of	boa	constrictor-s	whether	from
置く INF	わきに	私の	絵-PL	～の	ボア	絞め殺すもの-PL	～かどうか	～から

the	inside	or	the	outside	and	devote	my=self	instead	to
DEF	内側	または	DEF	外側	そして	捧げる INF	私 SG-REFL	代わりに	～に

geography	history	arithmetic	and	grammar
地理学	歴史学	算術	そして	文法

今度の大人たちの反応は、内側の絵だか外側の絵だか知らないが、ボア・コンストリクターの絵など捨ててしまえというものでした。そして、その代わりに、地理学や歴史学、算術、文法の勉強にすべてを捧げよというのでした。

That is why, at the age of six, I gave up what might have been a magnificent career as a painter.

[ðæt ɪz waɪ ət ði eɪdʒ əv sɪks aɪ ɡeɪv ʌp wʌt maɪt həv bɪn ə mæɡˈnɪfɪsnt kəˈrɪə əz ə ˈpʰeɪntə]

that	is	why	at	the	age	of	six	I	g‹a›ve	up	what
それ	～だ PRS.3SG	なぜ	～で	DEF	年齢	～の	六	私 SG.NOM	諦める	上に	もの REL

migh-t	have	bee-n a	magnificent	career	as	a	painter
～かもしれない-PST	持つ AUX.INF	～だ-PP INDEF	壮大な	経歴	～として	INDEF	画家

そういうわけで私は、6歳にして、画家としての壮大な経歴となりえたかもしれないものを、諦めたのです。

I	had	been	disheartened	by	the	failure	of	my
私は	持った AUX	～だった	落胆させられる	～によって	その	失敗	～の	私の

Drawing	Number	One	and	my	Drawing	Number	Two.
絵	番号	一	そして	私の	絵	番号	二

私の絵・その1とその2が失敗したことで、私はすっかり落胆してしまいました。

Grown-ups	never	understand	anything	by	themselves,
大人たち	決して～ない	理解する	何でも	～によって	彼ら自身

and	it	is	tiresome	for	children	to	be	always
そして	それが	～だ	退屈な	～にとって	子供たち	～に	～であること	いつも

and	forever	explaining	things	to	them.
そして	永遠に	説明している	物事	～に	彼ら

大人というのは、自分では何も理解しないものです。子供にとって、いつでも、そして永遠に、彼らに物事を説明しなければならないのは、面倒なことなのです。

So	then	I	chose	another	profession,	and	learned	to
だから	その時	私は	選んだ	別の	職業	そして	学んだ	～に

pilot	airplanes.
操縦すること	飛行機

だから、私はそれから、別の仕事を選んだのです。そして、飛行機を操縦できるようになりました。

I	have	flown	a	little	over	all	parts	of	the	world;
私は	持った AUX	飛んだ	一つの	少し	~を越えて	すべての	部分	~の	その	世界

and	it	is	true	that	geography	has	been	very
そして	それが	~だ	本当の	~ということ	地理学	持った AUX	~だった	とても

useful	to	me.
役に立つ	~に	私

私は世界中の地を少しだけ飛んだことがあります。たしかに、地理学がとても役に立っているのは事実です。

At	a	glance	I	can	distinguish	China	from	Arizona.
~で	一つの	見ること	私は	~できる	区別すること	中国	~から	アリゾナ

私は一目で中国とアリゾナを見分けることができます。

If	one	gets	lost	in	the	night,	such	knowledge	is
もし	人	なる	失った	~の中で	その	夜	そのような	知識	~だ

valuable.
価値がある

誰かが夜中、道に迷ったとしても、そういう知識が役に立ちます。

In	the	course	of	this	life	I	have	had	a
~の中で	その	道	~の	この	生活	私は	持った AUX	持った	一つの

great	many	encounters	with	a	great	many	people	who
大きな	多くの	偶然の出会い	~と	一つの	大きな	多くの	人々	REL

have	been	concerned	with	matters	of	consequence.
持つ AUX	~だった	関心のある	~と	問題	~の	結果

こういう人生の中で、私は結果にしか関心のないたくさんの大人たちに、何度となく出会ってきました。

I have lived a great deal among grown-ups.
私は 持ったAUX 生きた 一つの 大きな 量 ～の間で 大人たち

私は、大人たちのいる中で長時間暮らしてきました。

I have seen them intimately, close at hand.
私は 持つAUX 見た 彼らを 親密に 近く ～で 手

私は、彼らを間近に見てきました。

And that hasn't much improved my opinion of them.
そして それ 持つAUX.NEG 多く 改善した 私の 意見 ～の 彼ら

でも、大人たちへの気持ちは大して変わっていません。

Whenever I met one of them who seemed to me at
～する時はいつも 私が 会った 一つ ～の 彼ら REL 見えた ～に 私 ～で

all clear-sighted, I tried the experiment of showing
全て 眼識が鋭い 私は 試した その 実験 ～の 見せること

him my Drawing Number One, which I have always kept.
彼に 私の 絵 番号 一 REL 私が 持つAUX いつも 保った

私は、眼識の鋭いと見える人に会うといつでも、私がいつも持っていた絵・その1をその人に見せるという実験をしました。

I would try to find out, so, if this
私は ～したものだ ～しようとする ～に 見つけること 外に そうして ～かどうか これ

was a person of true understanding.
～だった 一つの 人 ～の 本当の 理解すること

そうして私は、この人が本当に理解のある人かどうかを見極めようとしたものです。

But, whoever it was, he, or she, would always say:
しかし 誰でも それが ～だった 彼が または 彼女が ～したものだ いつも 言う

でも、それが誰であろうと、その人はいつもこう言ったものです。

"That is a hat."
それ　〜だ　一つの　帽子

「それは帽子だね」

Then I would never talk to that person about
その時　私は　〜しようとした　決して〜ない　話すこと　〜に　その　人　〜ついて

boa constrictors, or primeval forests, or stars.
ボア　絞め殺すもの　または　原始的な　森林　または　星

すると私は、その人にはボア・コンストリクターや原生林、星の話は一切しませんでした。

I would bring myself down to his level.
私は　〜したものだ　持ってくる　私自身　下に　〜に　彼の　レベル

私は自分のレベルをその人のレベルに合わせて下げようとしました。

I would talk to him about bridge, and golf, and
私は　〜したものだ　話す　〜に　彼に　〜について　ブリッジ　そして　ゴルフ　そして

politics, and neckties.
政治　そして　ネクタイ

私はその人に、ブリッジやゴルフ、政治やネクタイの話をしたものです。

And the grown-up would be greatly pleased to have
そして　その　大人　〜したものだ　〜だ　大いに　喜んだ　〜に　持つ.AUX

met such a sensible man.
会った　そうした　一つの　分別のある　人間

そして、大人はそういう分別のある人間に出会って大喜びしたものです。

Woods, Katherine (1943, 1971) (tr.) *The Little Prince*. San Diego; New York; London: Harcourt Brace Jovanovich, Publishers. pp.3-5.

2 ドイツ語

　ドイツ語も、系統的には†印欧語族†ゲルマン語派の言語です。ゲルマン語派には他に‡ノルド諸語とも呼ばれる北欧の諸言語（アイスランド語、ノルウェー語、スウェーデン語、デンマーク語）も属しています。ドイツでも北に行くほど段階的にいくつかの特徴が違っていってオランダ語に近くなり、さらに英語にも近くなっていきます。ライン河を北上するにつれて言葉が変わっていくので、「ラインの扇」と呼ばれています（例えば、南で ich 'I', was 'what', Apfel 'apple' というような語彙を北では ik, wat, Appel と言います（橋本 (1989: 1202) による））。

音韻論と文字体系

　†子音音素は /p, t, k, b, d, g, m, n, ŋ, f, s, ʃ, ç~x, h, v, z, j, pf, ts, l, r/ の21個、母音音素は /ɪ, ɛ, a, ɔ, ʊ, œ, ʏ, ə, iː, eː, ɛː, aː, oː, uː, øː, yː, aɪ, aʊ, ɔʏ/ の19個（短母音8個、長母音8個、二重母音3個）です。音素 /ç~x/ は /a, aː, ɔ, oː, ʊ, uː, aʊ/ の直後では†異音 [x] で、それ以外の位置では異音 [ç] で実現します（acht [axt]「8」、ich [ɪç]「私」、durch [dʊrç]「～を通って」）。

　アルファベット26文字に加えて、†ウムラウト（交替によって現れる†前舌母音、その歴史については第1章英語の概説参照）の ä [ɛ, ɛː], ö [œ, øː], ü [ʏ, yː] とエスツェットと呼ばれる ß [s]（s と z がくっついてできた文字で、現在の正書法では長母音または†二重母音の後に書かれます）があります。ウムラウトの点々は、もとは e の字を小さく書いていたものです。名詞は語頭を大文字で書きます。発音と綴りの対応はかなり規則的です。[k] は基本的に c でなく、k で書きます。v [f], w [v], z [ts], sch [ʃ], ei [aɪ], eu [ɔʏ] などの綴りと発音の対応に注意が必要です。r で書く子音 /r/ はフランス語と同じく北ヨーロッパに広がった口蓋垂音 [ʀ~ʁ] です。南

部の方言では†歯茎ふるえ音で現れますが、意味に違いは起きません。母音で始まる語は、母音の前に†声門破裂音を伴って発音されます（そのような条件下でのみ現れるので、声門破裂音自体は音素ではありません）。これはドイツ語のもつ硬い響きの一因となっています。フランス語で3種類区別される前舌円唇母音は、ドイツ語には4種類あります（/y/, /yː/, /œ/, /øː/）。前舌円唇母音は北ヨーロッパの言語に特徴的ですが、これをウラル語族の影響とする説があります。/pf/ や /ts/ のような†破擦音音素を持っています（ゲルマン語派でも、南のドイツ語だけに起きた変化の結果です）。音節構造は (C)(C)(C)V(C)(C)(C)(C) で、もっとも複雑な構造の語は schrumpfst「縮む .2SG」などです（橋本 (1989: 1194) による）。有声破裂音は語末もしくは無声子音の前で†無声化します（Kind [kɪnt]「子供」）。†アクセントは強弱アクセントで、†固有語では多くの場合語頭（より正確には語幹の先頭）に置かれる一方、†外来語では†派生†接尾辞に来ることもあります。

形態論

　名詞は、2つの†数（単複）、†3つの性（男女中）、†4つの格（主格／属格／与格／†対格）の文法カテゴリーを持っています。派生した名詞などはその派生接辞によって性がわかるものもありますが、基本的に名詞の単数主格の音形からその名詞の性を判断することは困難です。ゲルマン語派の言語の1つとしてドイツ語も、アクセントが語頭に固定化された結果、名詞自体の語尾は衰退しました。しかし英語と違い、性数格の変化は†冠詞へと受け継がれ、生き残りました。ただし格の範疇のうち属格は、口語を中心に使われなくなってきており、[von ('of/from') ＋ 名詞（与格）]で表現されることが多くなっています。

　ドイツ語ではウムラウトが文法的な変化の一部となりました（例えば名詞の複数形や動詞の人称変化形に観察されます。Apfel (SG) - Äpfel (PL)「りんご」、Haus (SG) - Häuser (PL)「家」、fahren (INF) - fährst (2SG) - fährt (3SG)「乗り物で行く」など）。

　†前置詞の†格支配という現象があり、どの前置詞が属格をとるか、与

格をとるか、対格をとるかが決まっています。同じ前置詞が与格も対格もとることがあり、その場合、動きのない方には与格、動きのある方には対格が現れます（auf dem Tisch 'on the.M.DAT table'「机の上に（ある）」、vs. auf den Tisch 'on the.M.ACC table'「机の上へ（置く）」。これはスラブ語派の言語でも同様です）。数詞では例えば zwei-und-zwanzig 'two and twenty'「22」（実際はハイフンなしで書きます）のように、一の位を十の位より先に言うことに慣れる必要があります。

　動詞の†テンスは助動詞を用いた複合的なものを含め、6つ（現在／過去／現在完了／過去完了／未来／未来完了）あり、†ヴォイスには受動態があります。テンスのうち現在と過去はゲルマン語派にもとからありましたが、現代のドイツ語（特に口語）では過去形が衰退していて、過去を示すのにもっぱら現在完了の形が使われています。現代英語以外のヨーロッパの言語で一般的なことですが、†完了形では英語でいう be と have の使い分けがあって、一部の†自動詞では be の方を使って完了形を作ります（ich **habe** gezeichnet 'I have drawn'「私は絵を描いた」vs. ich **bin** eingeschlafen 'I have slept'「私は眠り込んだ」）。2つの†接続法（現在と過去）があり、それぞれ引用（... sagte ..., daß ich nicht zeichnen **könne** '... said ..., that I not draw.picture could'「……こう言いました。私には絵を描くことができないと」）と†反実仮想（... als **wäre** der Blitz in mich gefahren 'as was the lightning in me gone'「まるで、体の中を稲妻が走ったかのように……」）を示すのに使われます。

　†語形成の面では、いくつもの要素からなる長い複合語を作ることができる点が特徴的です（Kern-waffen-versuchs-stopp「核‐兵器‐実験‐停止」（橋本 (1989: 1199) による。なお実際はつなげて書きます））。

統語論

　語順の規則はなかなか複雑です。まず†定形第二位といわれる原則があり、定形の動詞の前の文頭位置には文の†主題が来ます。†主語も来ますが（**Ich** brauche ein Schaf. 'I need a sheep'「ぼくには羊が要るんだ」）、主題でありさえすれば、他のいろいろな要素も来ます。その場合、動詞が主題直後の第二位に繰り上がり、主語はこれに続きます（So machte **ich** die

Bekanntschaft ... 'so did I the acquaintance ...'「こうして……と知り合ったのです」)。次に枠構造というものがあり、助動詞が定形第二位を占めると、本動詞の⁺過去分詞や⁺不定詞は文末に来ます（Ich **habe** dir ein ganz kleines Schaf **geschenkt**. 'I have you a entirely small sheep given'「私が君にプレゼントしたのはほんの小さな羊だからね」）。⁺分離動詞と呼ばれる、英語の句動詞（例えば look after など）に似た表現でも、動詞本体が定形第二位を占めた場合、分離前綴りが文末に置かれます（Sie **zieht** nach Köln **um**. 'She moves to Cologne.'「彼女はケルンに引っ越す」vs. Sie muss nach Köln **umziehen**. 'She must move to Cologne.'「彼女はケルンに引っ越さなければならない」）。⁺Yes/No 疑問文は、動詞で文を開始しますが（**Meinst** du, dass ...? 'think you that ...'「（君は）……と思う？」）、これはゲルマン語派的な特徴です（ただし、フランス語にも見られます）。疑問詞付き疑問文では、文頭に疑問詞の表現を置きます（**Warum** fragst du das? 'why ask you that'「なぜそんなことを聞くの？」）。以上は主節の語順についての話ですが、従属節では⁺SOV の順序になり、助動詞があれば本動詞（過去分詞 / 不定詞）- 助動詞の順で節が終わります（(...), wie ich es mir **gewünscht habe**. '(...), as I it for myself wanted have'「ぼくが望んでいたとおり」）。

　なお次ページ以降に引用したドイツ語版の『星の王子さま』のテキストは 1956 年刊行のものであるため、旧正書法に拠っています（例えば新正書法の dass は旧正書法で daß と書かれています）。

橋本 (1989)「ドイツ語」(⑦所収)

Der Kleine Prinz

2

Ich blieb also allein, ohne jemanden, mit dem ich wirklich hätte sprechen können, bis ich vor sechs Jahren einmal eine Panne in der Wüste Sahara hatte.

[ɪç bliːpʰ ˈalzo aˈlaɪn ˈoːnə ˈjeːmandən mɪtʰ deːm ɪç ˈvɪʁkʰlɪç ˈhɛtʰə ˈʃpʁɛçən ˈkʰœnən bɪs ɪç foːɐ̯ zɛkʰs ˈjaːʁən ˈaɪnmaːl ˈaɪnə ˈpʰanə ɪn deɐ̯ ˈvyːstə zaˈhaːʁa ˈhatʰə]

ich	bl‹ie›b-Ø	also	allein	ohne	jemand-en	mit	d-em
私 SG.NOM	～のままである‹PST›-1SG	それゆえ	一人きりで	～なしで	誰か M-ACC	～と	REL-M.DAT

ich	wirklich	hat-te-̈-Ø	sprech-en	könn-en	bis	ich	vor	sechs
私 SG.NOM	本当に	持つ-PST-SBJV-1SG	話す-INF	できる-PP	～まで	私 SG.NOM	～前に	六

Jahr-e-n	einmal	ein-e	Panne-Ø	in	d-er	Wüste-Ø	Sahara-Ø
年 N-PL-DAT	一度	INDEF-F.ACC	故障 F.ACC	～の中で	DEF-F.DAT	砂漠 F-DAT	サハラ F.DAT

hat-te-Ø
持つ-PST-1SG

だから私は、本当に一緒に話すことのできる人もなく、6年前に、サハラ砂漠で事故が起こるまで、一人きりのままでした。

Etwas an meinem Motor war kaputtgegangen.

[ˈɛtvas an ˈmaɪnəm ˈmoːtʰɔɐ̯ vaːɐ̯ kʰaˈpʰʊtʰɡəɡaŋən]

etwas	an	mein-em	Motor-Ø	war-Ø	kaputt=ge-g‹a›ng-en
何か	～の際で	私の-M.DAT	エンジン M.DAT	～だ AUX.PST-3SG	壊れた=PP-行く‹PP›-PP

私のエンジンの何かが故障してしまいました。

Und da ich weder einen Mechaniker noch Passagiere bei mir hatte, machte ich mich ganz allein an die schwierige Reparatur.

[ʊntʰ da: ɪç ˈveːdɐ̯ ˈaɪnən meˈçaːnikʰɐ̯ nɔx pʰasaˈʒiːɐ̯ə baɪ miːɐ̯ ˈhatʰə ˈmaxtʰə ɪç mɪç ɡantsʰ aˈlaɪn an di: ˈʃviːʁɪɡə ʁepʰaʁaˈtʰuːɐ̯]

und	da	ich	weder	ein-en	Mechaniker-Ø	noch	Passagier-e-Ø
そして	～だから	私 SG.NOM	～もない	INDEF-M.ACC	機械工 M-ACC	～も	乗客 M-PL-ACC

bei	mir	hat-te-Ø	mach-te-Ø	ich	mich	ganz	allein
〜のそばで	私.SG.DAT	持つ-PST-1SG	作る-PST-1SG	私.SG.NOM	私.REFL.SG.ACC	完全に	一人きりで

an	d-ie	schwierig-e	Reparatur-Ø
〜の際に	DEF-F.ACC	難しい-F.ACC	修理-F.ACC

そばには、機械工もいなければ、乗客もいなかったので、私はまったく一人きり
で難しい修理にとりかかりました。

Es war für mich eine Frage auf Leben und Tod.

[ɛs vaːɐ̯ fyːɐ̯ mɪç ˈaɪnə ˈfʁaːɡə aʊf ˈleːbən ʊntʰ tʰoːtʰ]

es	war-Ø	für	mich	ein-e	Frage-Ø	auf	Leben-Ø
それ.N.SG.NOM	〜だ.PST-3SG	〜にとって	私.SG.ACC	INDEF-F.NOM	問題.F-NOM	〜の上へ	命.N-ACC

und	Tod-Ø
そして	死.M-ACC

それは私にとって生死に関わる問題でした。

Ich hatte für kaum acht Tage Trinkwasser mit.

[ɪç ˈhatʰə fyːɐ̯ kʰaʊm axt ˈtʰaːɡə ˈtʰʁɪŋkʰvasɐ̯ mɪtʰ]

ich	hat-te-Ø	für	kaum	acht	Tag-e-Ø	Trinkwasser-Ø	mit=
私.SG.NOM	所持する-PST-1SG	〜のために	かろうじて	八	日.M-PL-ACC	飲み水.N-ACC	一緒に=

私は、かろうじて8日間生きられるくらいの飲み水しか持っていませんでした。

Am ersten Abend bin ich also im Sande eingeschlafen, tausend Meilen von jeder bewohnten Gegend entfernt.

[am ˈeːɐ̯stən ˈaːbənt bɪn ɪç ˈalzoː ɪm ˈzandə ˈaɪŋəʃlaːfən ˈtʰaʊzəntʰ ˈmaɪlən fɔn ˈjeːdɐ̯ bəˈvoːntʰən ˈgeːɡənt ɛntʰˈfɛɐ̯ntʰ]

an+d-em	erst-en	Abend-Ø	bin	ich	also	in+d-em
〜のきわで+DEF-M.DAT	第一の-M.DAT	晩.M-DAT	〜だ.AUX.PRS.1SG	私.SG.NOM	こうして	〜の中で+DEF-M.DAT

Sand-e	ein=ge-schlaf-en	tausend	Meile-n	von	jed-er
砂.M-DAT	中へ=-PP.眠る-PP	千	マイル.F-PL	〜から	どの-F.DAT

bewohn-t-en	Gegend-Ø	entfern-t
住む-PP-F.DAT	地域.F-DAT	離す-PP

こうして、最初の晩、私は、人の住んでいるいかなる地域からも1000マイル離れ
た、砂地の中で眠りに落ちました。

Ich war viel verlassener als ein Schiffbrüchiger auf einem Floß mitten im Ozean.

[ɪç vaːɐ̯ fiːl fɛɐ̯ˈlasəng als aɪn ˈʃɪfbʁʏçɪgɐ aʊf ˈaɪnəm floːs ˈmɪtʰən ɪm ˈoːtsʰean]

ich	war-Ø	viel	verlassen-er	als	ein-Ø	Schiffbrüchig-er
私.SG.NOM	～だ.PST-1SG	大いに	孤独な-COMP	～より	INDEF-M.NOM	難船者-M.NOM

auf	ein-em	Floß-Ø	mitten	in+d-em	Ozean-Ø
～の上で	INDEF-N.DAT	いかだ.N.DAT	真ん中で	～の中で+DEF.M.DAT	海.M-DAT

私は、海の真ん中でいかだに乗っている難船者よりもずっと孤独でした。

Ihr könnt euch daher meine Überraschung vorstellen, als bei Tagesanbruch eine seltsame kleine Stimme mich weckte:

[iːɐ̯ kœnt ɔyç ˈdaheːɐ̯ ˈmaɪnə ˈyːbɐʁaʃʊŋ ˈvoːɐ̯ʃtɛlən als baɪ ˈtʰaːgəsanbʁʊx ˈaɪnə ˈzɛltʰzaːmə ˈkʰlaɪnə ˈʃtɪmə mɪç ˈvɛkʰtʰə]

ihr	könn-Ø-t	euch	daher	mein-e	Überraschung-Ø	vor=stell-en
君.PL.NOM	できる-PRS-2PL	君.PL.DAT	そこから	私の-F.ACC	驚き-F.ACC	前に=立てる-INF

als	bei	Tagesanbruch-Ø	ein-e	seltsam-e	klein-e
～した時	～のそばで	夜明け.M-DAT	INDEF-F.NOM	奇妙な-F.NOM	小さな-F.NOM

Stimme-Ø	mich	weck-te-Ø
声.F-NOM	私.SG.ACC	起こす-PST-3SG

そのことから、あなたたちは、夜明け近くに、奇妙な小さな声が私を目覚めさせたとき、私がどれほど驚いたかを想像できるでしょう。

„Bitte . . . zeichne mir ein Schaf!"

[ˈbɪtʰə ˈtsʰaɪçnə miːɐ̯ aɪn ʃaːf]

bitte	zeichn-e	mir	ein-Ø	Schaf-Ø
どうぞ	描く-IMP.2SG	私.SG.DAT	INDEF-N.ACC	羊.N-ACC

「お願い……ぼくのために、羊の絵を描いて！」

„Wie bitte?"

[viː ˈbɪtʰə]

wie	bitte
どのように	どうぞ

「何だって？」

„Zeichne mir ein Schaf . . .“

[ˈtsʰaɪçnə miːɐ̯ aɪn ʃaːf]

zeichn-e	mir	ein-Ø	Schaf-Ø
描く-IMP.2SG	私.SG.DAT	INDEF-N.ACC	羊-N.ACC

「ぼくのために、羊を描いて……」

Ich bin auf die Füße gesprungen, als wäre der Blitz in mich gefahren.

[ɪç bɪn aʊf diː ˈfyːsə ɡəˈʃpʁʊŋən als ˈvɛːʁə deɐ̯ blɪtsʰ ɪn mɪç ɡəˈfaːʁən]

ich	bin	auf	d-ie	Fuß-¨e-Ø	ge-spr‹u›ng-en	als
私.SG.NOM	~だ.AUX.PRS.1SG	~の上に	DEF-PL.ACC	足.M-PL.ACC	PP-跳ぶ‹PP›-PP	~のように

war-¨e-Ø	d-er	Blitz-Ø	in	mich	ge-f‹a›hr-en
~だ.AUX.PST-SBJV-3SG	DEF-M.NOM	稲妻.M-NOM	~の中に	私.SG.ACC	PP-乗る‹PP›-PP

私はまるで、体の中を稲妻が走ったかのように跳び起きました。

Ich habe mir die Augen gerieben und genau hingeschaut.

[ɪç ˈhaːbə miːɐ̯ diː ˈaʊɡən ɡəˈʁiːbən ʊntʰ ɡəˈnaʊ ˈhɪnɡəʃaʊtʰ]

ich	hab-Ø-e	mir	d-ie	Auge-n-Ø	ge-r‹ie›b-en	und
私.SG.NOM	持つ.AUX.PRS-1SG	私.REFL.SG.DAT	DEF-PL.ACC	目-N-PL.ACC	PP-こする‹PP›-PP	そして

genau	hin=ge-schau-t
ちょうど	向こうへ=PP-目を向ける-PP

私は目をこすり、そちらへ目を向けました。

Da sah ich ein kleines, höchst ungewöhnliches Männchen, das mich ernsthaft betrachtete.

[da: za: ɪç aɪn ˈkʰlaɪnəs høːçst ˈʊŋɡəvøːnlɪçəs ˈmɛnçən das mɪç ˈɛʁnstʰhaft bəˈtʰʁaxʰtətʰə]

da	s‹a›h-Ø	ich	ein-Ø	klein-es	hoch-¨st	ungewöhnlich-es
そこに	見る‹PST›-1SG	私.SG.NOM	INDEF-N.ACC	小さな-N.ACC	高く-SUP	普通でない-N.ACC

Mann-¨chen-Ø	da-s	mich	ernsthaft	betracht-ete-Ø
男.M-DIM.N-ACC	REL-N.NOM	私.SG.ACC	まじめに	じっと見る-PST-3SG

そこに私は、私をまじまじと見つめ、小さくてたいそう奇妙な1人の小人を見ていました。

Hier das beste Porträt, das ich später von ihm zuwege brachte.

[ˈhiːɐ̯ das ˈbɛstə pɔɐ̯ˈtʰʁɛː das ɪç ˈʃpɛːtʰɐ fɔn iːm tsʰuˈveːɡə ˈbʁaxtə]

hier	d-as	best-e	Porträt-Ø	d-as	ich	später	von	ihm
ここに	DEF-N.NOM	良い SUP-N.NOM	肖像画-N.NOM	REL-N.ACC	私 SG.NOM	後で	～の	それ N.SG.DAT

zuwege	br‹a›ch-te-Ø
うまく	持っていく ‹PST›-PST-1SG

ここに、私が後に書き上げたその子の最高の肖像画があります。

Aber das Bild ist bestimmt nicht so bezaubernd wie das Modell.

[ˈaːbɐ das bɪltʰ ɪst bəˈʃtɪmtʰ nɪçt zoː bəˈtsʰaʊbɐ̯ntʰ viː das moˈdɛl]

aber	d-as	Bild-Ø	is-t	bestimmt	nicht	so	bezaubernd
しかし	DEF-N.NOM	絵-N.NOM	～だ PRS-3SG	きっと	NEG	そのように	魅力的な

wie	d-as	Modell-Ø
～のように	DEF-N.NOM	モデル-N.NOM

しかし、この絵はモデルほど魅力的ではありません。

Ich kann nichts dafür.

[ɪç kʰan nɪçtsʰ ˈdaːfyːɐ̯]

ich	k‹a›nn-Ø	nichts	da=für
私 SG.NOM	できる ‹PRS›-1SG	何も～ない	それ=～のために

それをどうにかしようとしても、私にはどうにもできません。

Ich	war	im	Alter	von	sechs	Jahren	von	den	großen
私は	〜だったAUX	その〜の中で	年齢	〜の	六	年	〜によって	その	大きい

Leuten	aus	meiner	Malerlaufbahn	geworfen	worden	und
人々	〜から	私の	画家の経歴	投げた	〜された	そして

hatte	nichts	zu	zeichnen	gelernt	als	geschlossene	und
持ったAUX	何も〜ない	〜に	描くこと	学んだ	〜より	閉じた	そして

offene	Riesenschlangen.
開いている	大蛇

私は、6歳のとき、大人たちに画家への道を閉ざされました。そして、閉じられた大蛇と開かれた大蛇よりほかに、何も描けるようになりませんでした。

Ich	schaute	mir	die	Erscheinung	also	mit	großen,
私が	目を向けた	私自身に	その	幻影	それゆえ	〜で	大きい

staunenden	Augen	an.
驚いている	目	そちらに

それゆえ、私は驚いて、目を大きく見開いてその幻影を見つめました。

Vergeßt nicht,	daß	ich	mich	tausend	Meilen	abseits
忘れろ NEG	〜ということ	私が	私自身を	千	マイル	〜から離れて

jeder	bewohnten	Gegend	befand.
どの	住まれている	地域	いた

私が人の住む地から1000マイル離れたところにいることを忘れないでください。

Auch	schien	mir	mein	kleines	Männchen	nicht	verirrt,	auch
さらに	見えた	私に	私の	小さな	小人	NEG	道に迷う	さらに

nicht	halbtot	vor	Müdigkeit,	Hunger,	Durst	oder	Angst.
NEG	半死半生の	〜のために	疲れ	空腹	喉の渇き	あるいは	不安

私には、小人が道に迷ったようにも、疲れたり、おなかが空いていたり、喉が渇いていたり、あるいは不安だったりして、死にかけているようにも見えませんでした。

Es machte durchaus nicht den Eindruck eines mitten in
それは 作った まったく NEG その 印象 一つの 真ん中で ～の中で

der Wüste verlorenen Kindes, tausend Meilen von jeder
その 砂漠 失われた 子ども 千 マイル ～から どの

bewohnten Gegend.
住まれている 地域

彼が人の住む地から1000マイル離れた砂漠のど真ん中で迷子になった、という印象はまったく受けませんでした。

Als ich endlich sprechen konnte, sagte ich zu ihm :
～した時 私が やっと 話すこと できた 言った 私が ～に 彼

私がやっと話せるようになると、私は彼に言いました。

„ Aber ... was machst denn du da ?"
しかし 何 する いったい 君は ここで

「でも、君こそいったいここで何をしているの？」

Da wiederholte es ganz sanft, wie eine sehr ernsthafte
そこで 繰り返した 彼は 完全に 穏やかに ～のように 一つの とても 重大な

Sache:
こと

そして、彼はとても穏やかに、とても重大なことであるかのように、繰り返しました。

„ Bitte ... zeichne mir ein Schaf ..."
どうぞ 描け 私に 一つの 羊

「お願い……ぼくのために、羊の絵を描いて……」

Wenn das Geheimnis zu eindrucksvoll ist, wagt man
もしも その 不思議 あまりに 印象的な ～だ あえてする 人は

nicht zu widerstehen.
NEG ～に 抵抗すること

あまりに不思議なことが起こると、人はあえて抵抗したりはしないものです。

So absurd es mir erschien — tausend Meilen von
~だとしても　ばかげた　それが　私に　思われた　　　　千　　　マイル　～から

jeder menschlichen Behausung und in Todesgefahr —, ich
　どの　　　　人間の　　　　住居　　そして ～の中で　死の危険　　私は

zog aus meiner Tasche ein Blatt Papier und eine Füllfeder.
引いた　～から　私の　　ポケット　一つの　紙　　紙　　そして　一つの　　万年筆

どれほどばかげていると思われても —— 人の住む場所から1000マイルも離れた
場所で、死の危険にさらされているのです —— 私はポケットから1枚の紙と万年
筆を取り出しました。

Dann aber erinnerte ich mich, daß ich vor
それから　しかし　思い出させた　私は　私自身を　～ということ　私が　～の前に

allem Geographie, Geschichte, Rechnen und Grammatik studiert
全て　　地理学　　　　歴史学　　　　計算　　そして　　文法　　　勉強した

hatte, und mißmutig sagte ich zu dem Männchen,
持った.AUX　そして　不機嫌に　言った　私は　～に　その　　小人

daß ich nicht zeichnen könne.
～ということ　私は　NEG　　描く　　　できる

しかし、それから私は思い出しました。私は地理学、歴史学、計算、そして文法
くらいしか学んでいないということを。そして不機嫌になり、その小人に向かっ
てこう言いました。私には絵を描くことができない、と。

Es antwortete :
彼が　　答えた

彼は答えました。

„ Das macht nichts. Zeichne mir ein Schaf. “
　それは　作る　何も～ない　描け　私に　一つの　　羊

「そんなことはどうでもいいから。ぼくのために羊の絵を描いて」

Da ich nie ein Schaf gezeichnet hatte, machte
～なので　私は　決して～ない　一つの　　羊　　　描いた　　持った.AUX　作った

ich ihm eine von den einzigen zwei Zeichnungen, die ich
私は　彼に　一つの　～から　その　唯一の　　二　　デッサン　　REL　私が

zuwege   brachte.
うまく   持って行った

私は羊を描いたことがなかったので、私がうまく描けるたった二つのデッサンのうちの一つを、彼のために描いてあげました。

Die   von   der   geschlossenen   Riesenschlange.
その   ～の   その   閉じられた   大蛇

閉じられた大蛇の絵でした。

Und   ich   war   höchst   verblüfft,   als   ich   das   Männchen
そして 私は ～だった 非常に   唖然とした ～した時 私が その   小人

sagen   hörte :
言うこと   聞いた

そして、私は、その小人がこう言うのを聞いたとき、本当に唖然としてしまいました。

„ Nein ! Nein ! Ich   will   keinen   Elefanten   in   einer
  いいえ   いいえ   私は   欲する 一つも～ない   象   ～の中で 一つの

Riesenschlange.
大蛇

「いや！　いや！　大蛇の中に象がいる絵なんていやだよ。

Eine   Riesenschlange   ist   sehr   gefährlich   und   ein   Elefant
一つの   大蛇   ～だ   とても   危険な   そして 一つの   象

braucht   viel   Platz.
必要とする 多くの   場所

大蛇はとても危険だし、象はすごく場所をとるから。

Bei   mir   zu   Hause   ist   wenig   Platz.
～の所に 私   ～で   家   ある ほとんど～ない 場所

ぼくの家には、ほとんど場所がないんだ。

| Ich | brauche | ein | Schaf. | Zeichne | mir | ein | Schaf. "
| 私は | 必要とする | 一つの | 羊 | 描け | 私に | 一つの | 羊

ぼくには羊がいるんだ。羊を描いて」

| Also | habe | ich | gezeichnet. |
| こうして | 持つ AUX | 私が | 描いた

言われるがまま、私は描きました。

| Das | Männchen | schaute | aufmerksam | zu, | dann | sagte es :
| その | 小人 | 眺める | 注意深く | ～に= | それから | 言った 彼は

小人は注視しました。それから、こう言いました。

| „ Nein！ | Das | ist | schon | sehr | krank. | Mach | ein | anderes. "
| いいえ | それが | ～だ | 既に | とても | 病気の | 作れ | 一つの | 別のもの

「いや！ それはもう病気の羊だよ。もう一つ描いて」

| Ich | zeichnete. |
| 私は | 描いた

私は描きました。

| Mein | Freund | lächelte | artig | und | mit | Nachsicht :
| 私の | 友達 | ほほえんだ | 行儀よく | そして | ～を持って | 思いやり

私の友達は行儀よく、優しくほほえみました。

| „ | Du | siehst | wohl... | das | ist | kein | Schaf, | das | ist
| | 君は | 見える | 確かに | それは | ～だ | 一つも～ない | 羊 | それは | ～だ
| ein | Widder. | Es | hat | Hörner... "
| 一つの | 雄羊 | それが | 持つ | 角

「わかるでしょう……それは羊じゃないよ。雄羊だよ。それには角があるもの
……」

Ich machte also meine Zeichnung noch einmal.
私は 作った だから 私の デッサン さらに 一度

だから、私はもう一度デッサンを描きました。

Aber sie wurde ebenso abgelehnt wie die vorigen:
しかし それは ～された 同様に 拒否した ～のように その 前のもの

でも、それは先ほどのものと同様に、認めてもらえませんでした。

„ Das ist schon zu alt. Ich will ein
それは ～だ 既に あまりにも 年を取った 私は 欲する 一つの

Schaf, das lange lebt. "
羊 REL 長い間 生きる

「それじゃああまりにも年寄りすぎるよ。ぼくはこれから長生きする羊がほしいんだ」

Mir ging die Geduld aus, es war höchste Zeit, meinen
私に 消えた その 根気 ～から それは ～だった 極度な 時 私の

Motor auszubauen, so kritzelte ich diese Zeichnung
エンジン 撤去すること だから 走り書きした 私は この デッサン

da zusammen und knurrte dazu:
そこで 一緒に そして ぶつぶつ言った それに加えて

根気が失せようとしていました。まさにエンジンの撤去をすべきときでした。だから、描いてあった絵をガリガリと塗りつぶし、そして、ぶつぶつとこう言いました。

„ Das ist die Kiste. Das Schaf, das du willst, steckt da
それは ～だ その 箱 その 羊 REL 君が 欲する ある そこに

drin. "
その中に

「箱だよ。君が欲しがっている羊が、その中に入っているから」

Und ich war höchst überrascht, als ich das Gesicht
そして 私は 〜だった 非常に 驚いた 〜した時 私が その 顔

meines jungen Kritikers aufleuchten sah:
私の 幼い 批評家 ぱっと輝くこと 見えた

そして、幼い批評家の顔がぱっと輝くのが見えると、私はたいへん驚きました。

„ Das ist ganz so, wie ich es mir
それは 〜だ 完全に そのように 〜のように 私が それを 私自身に

gewünscht habe.
望んだ 持つ.AUX

「これはまさにぼくが望んでいたとおりだよ。

Meinst du, daß dieses Schaf viel Gras braucht？"
思う 君は 〜ということ この 羊 多くの 草 必要とする

この羊には草がたくさんいると思う？」

„ Warum？"
なぜ

「どうして？」

„ Weil bei mir zu Hause alles ganz klein ist...“
〜だから 〜のそばで 私 〜で 家 全て 完全に 小さな 〜だ

「ぼくの家は、何もかもが小さいから……」

„ Es wird bestimmt ausreichen.
それは 〜だろう きっと 足りること

「それでもきっと大丈夫だよ。

Ich habe dir ein ganz kleines Schaf geschenkt. "
私は 持つ.AUX 君に 一つの 完全に 小さな 羊 贈った

私が君にプレゼントしたのはほんの小さな羊だからね」

Er neigte den Kopf über die Zeichnung:
彼は 傾けた その 頭 ～の上に その デッサン

彼はそのデッサンを覆うように頭を傾けました。

„ Nicht so klein wie... Aber sieh nur ! Es ist
NEG そのように 小さな ～のように しかし 見ろ とにかく それは ～だ AUX

eingeschlafen... "
眠り込んだ

「そこまで小さくはないけど……でも、見て！ 眠ってしまっているよ……」

So machte ich die Bekanntschaft des kleinen Prinzen.
そのように 作った 私は その 面識 その～の 小さな 王子

こうして、私は小さな王子さまと知り合ったのです。

Leitgeb, Grete und Josef Leitgeb (1956) (tr.) *Der Kleine Prinz.* Düsseldorf: Karl Rauch Verlag. pp.7-10.

3　フランス語

　イタリア語、スペイン語、ポルトガル語とともに、†印欧語族の†イタリック語派の言語です。かつてのイタリック語派は、ラテン語を含むいくつかの言語から構成されていましたが、このうちラテン語以外は早くに消滅しました。ローマ人たちの話したラテン語（ただし俗ラテン語と呼ばれるもので、文献に残っている言語とは異なる話し言葉です）は、その後のローマ人の進出に伴い、ヨーロッパの各地に広がり、上記の現在の諸言語（fra, ita, spa, por）へと分かれましたが、これは‡ロマンス諸語と呼ばれています。ロマンス諸語の言語には、他にサルデーニャ語や、アルプスおよびその周辺のレト・ロマンス諸語、ルーマニア語などがあります。現在フランス語が話されているガリア地方には、ローマ人が侵攻する以前は、ケルト人が住んでいました。このため†基層言語となったケルト語の特徴が観察されます。ゲルマン語派の影響も強く受けたため、ロマンス諸語の中でも異なった特徴を多く示しています。南部の方言はスペインのカタルーニャ語へと連続した特徴を示しています。

音韻論と文字体系

　†子音音素は /p, t, k, b, d, g, m, n, ɲ, f, v, s, z, ʃ, ʒ, l, r, j, w, ɥ/ の20個、†母音音素は /i, e, ɛ, a, ɑ, ɔ, o, u, y, ø, œ, ə, ɛ̃, œ̃, ɔ̃, ɑ̃/ と16個あります。†破擦音がなく、†鼻母音を含め母音の多いことが特徴的です。ge, gi や j の発音は [ʒ] なのですが、日本語母語話者は破擦音の [dʒ] で発音してしまいがちです（「ジュテーム」Je t'aime. 'I love you.' は [dʒtɛm] ではなく [ʒ——] です）。母音には4段階の口の開きの区別（[i-e-ɛ-a], [u-o-ɔ-ɑ]）があり、3種の†前舌円唇母音（[y],[ø],[œ]）と、さらに4種の鼻母音（[ɛ̃],[œ̃], [ɔ̃],[ɑ̃]）がありますが、[œ̃] は現在 [ɛ̃] にとって代わられつつあります。[a] と

[ɑ] の区別も消えつつあります。なお鼻母音はポルトガル語にも見られます。†アクセントは語末にあります。これは、もともとは後ろから2番目（や3番目）にあったのですが、歴史的にそれ以降の音が（一部の子音を残して）すべて落ちてしまったためです。

　アルファベット26文字のほかに、†補助記号のついた ç（セディーユ）という字があります。これは cz という連字の z を下に小さく書くようになってできた字です。ラテン語で c の字は [k] と発音されていましたが、i, e の前では破擦音の [ts] で発音されるようになり、さらに [s] に変わりました。それで i, e の前の c は [s] で読むのですが、それ以外の母音の前で [s] と読ませたいとき、この文字を使います（leçon [lɔsɔ̃]「講義」）。また o と e が続く場合には œ と書かれます。英語に比べれば、発音と綴りはかなり規則的に対応していますが、よく言われるように、語末の子音字の多くや語末の e を読みません。ただし読まれない語末の子音字で終わる語に、母音始まりの語が続くときには、その子音が復活して読まれることがあります。これを†リエゾン（liaison）と言います（vous [vu]「あなた」vs. Vous avez raison. [vuz ave ʁɛzɔ̃] 'you have.2PL reason'「あなたの言う通りです」）。

　ロマンス諸語に共通することですが、歴史的に h の音が†脱落したため、⟨h⟩ は発音されません。歴史的に母音間にあった子音が†有声化してさらに脱落したため母音の連続が大量に生じ、その結果、現在では母音字の組み合わせが独自の音声を示しています（eau [o]「水」＜ラテン語 aqua）。組み合わせずに読む場合にはトレマと呼ばれる分音記号 ¨（naïf [naif]「馬鹿正直な」vs. mais [mɛ]「しかし」）が使われます。アクセントのような記号（フランス語で「アクサン」、つまりアクセントと呼びますが、言語学上の†アクセントとは無関係です）には3つの種類があって（e を例にすると è, é, ê です）、その記号がなければ発音されないはずの e の字を読むときに用いられます。hôpital「病院」における ô は hospital の s が歴史的に脱落したことの名残りを示しています。e 以外の母音字の場合には、†同音異義語を区別するためにアクサンを用いることがあります（ou 'or' vs. où 'where'）。

形態論

　ロマンス諸語の言語には（代名詞を除いて）名詞に†格変化はありません。フランス語の†数には英語と同じく単数と複数があり、複数形の大部分は -s の付加によります（ただし発音しません）。ロマンス諸語の言語は基本的に男女2つの†性を持ちます。インド・ヨーロッパ諸語のより古い段階では男性・女性・中性と3つの性があったのですが、ロマンス諸語では基本的に男性名詞と中性名詞の語形変化が同じになってしまう、という変化が起きたため、大部分の中性名詞が男性名詞に合流して現在の男性名詞となったのです。おおまかに言うと、子音字で終わっていれば男性名詞、読まない e で終わっていれば女性名詞、†外来語の多くも男性名詞ですが、例外も多くあります。数詞には†20進法の名残があり、例えば「90」(quatre-vingt-dix) は 4 (quatre) × 20 (vingt) + 10 (dix) のような言い方をします。これについては基層言語となったケルト諸語の特徴を受け継いだとする説もあります。

　動詞は†ムードと†テンスと人称で変化するので、1つの動詞が42もの変化形を持ちます。不規則形も多いので、（格変化もない）名詞に比べて動詞の変化を覚える方がたいへんです。ただし人称変化といっても、綴りは違うものの発音が同じになる形があり、綴りも発音も違うのは多くの場合1、2人称の複数だけです。英語を含む北西ヨーロッパの言語一般に言えることですが、本来の過去形は衰退し、現在完了を示していた形が過去を示すようになっています。英語でいう have にあたる動詞の諸用法が発達していて、存在表現などに現れます。†否定は Je **ne** sais **pas**. 'I don't know' のように [ne V pas] のように表現されます。pas はもともと「一歩（も〜ない）」を意味する語で否定の意味を強めるために加えられたものでしたが、今では逆に pas の方が否定を示す主要素となっていて、口語では Je sais **pas**. のように言います。

統語論

　聞き手にすでに何だかわかっている†目的語は代名詞となって、動詞

の前に移動します。ロマンス諸語に一般的に言えることですが、形容詞の位置は名詞の前と後ろの両方があります。もっぱら前に置かれる形容詞、もっぱら後ろに置かれる形容詞がある一方、前にも後ろにも置かれる形容詞もあります。その場合、客観的な表現では名詞の後ろ、主観的な表現では名詞の前に来る傾向があります（homme **pauvre**「貧しい男」vs. **pauvre** homme「かわいそうな男」）。

町田 (1992)「フランス語」(⑦所収)

Le Petit Prince

3

Il me fallut longtemps pour comprendre d'où il venait.

[il mə faly lɔ̃tɑ̃ pur kɔ̃pʁɑ̃dʁ du il vnɛ]

il	me	fall-u-t	longtemps	pour	comprend-re	de	oú
それ.M.SG.NOM	私.SG.ACC	必要だ-PST-3SG	長い間	～のために	理解する-INF	～の	どこ

il	ven-ai-t
彼.M.SG.NOM	来る-IPST-3SG

彼がどこからやって来たのかを理解するために長い時間が必要でした。

Le petit prince, qui me posait beaucoup de questions, ne semblait jamais
entendre les miennes.

[lə pti pʁɛ̃s ki m poze boku d kɛstjɔ̃ nə sɑ̃blɛ ʒamɛ ɑ̃tɑ̃dʁ le mjɛn]

le	petit-Ø	prince	qui	me	pos-ai-t	beaucoup	de	question-s
DEF.M	小さな-M	王子.M	REL.NOM	私.SG.DAT	出す-IPST-3SG	たくさん	～の	疑問.F-PL

ne	sembl-ai-t	jamais	entend-re	le-s	mienn-e-s
NEG	～のようだ-IPST-3SG	決して	聞く-INF	DEF-PL	私のもの-F-PL

その小さな王子さまは、私にたくさんの疑問を出しましたけれど、私のは決して
聞かないようでした。

Ce sont des mots prononcés par hasard qui, peu à peu, m'ont tout révélé.

[sə sɔ̃ de mo pʁɔnɔ̃se paʁ azaʁ ki pø a pø mɔ̃ tu ʁevele]

ce	so-nt	de+le-s	mot-s	prononc-é-Ø-s	par	hasard	qui
それ	～だ.PRS-3PL	～の+DEF-PL	言葉.M-PL	発音する-PP-M-PL	～によって	偶然.M	REL.NOM

peu	à	peu	me	o-nt	tout-Ø	révél-é-Ø
少し	～に	少し	私.SG.DAT	持つ.AUX.PRS-3PL	全て-M	明かす-PP-M

少しずつ、私にすべてを明かしてくれたのは、偶然発音された言葉なのです。

Ainsi, quand il aperçut pour la première fois mon avion (je ne dessinerai pas mon avion, c'est un dessin beaucoup trop compliqué pour moi) il me demanda :

[ɛ̃si kɑ̃t il apɛʁsy puʁ la pʁəmjɛʁ fwa mɔ̃n avjɔ̃ ʒə n desinʁe pɑ mɔ̃n avjɔ̃ sɛt œ̃ desɛ̃ boku tʁo kɔ̃plike puʁ mwa il mə dmɑ̃da]

ainsi	quand	il	aperç-u-t	pour	la	premièr-e	fois	mon
そうして	～する時	彼.M.SG.NOM	気付く-PST-3SG	～に	DEF.F	最初の-F	回.F	私の.M

avion	je	ne	dessin-er-ai	pas	mon	avion	ce	es-t	un-Ø
飛行機.M	私.SG.NOM	NEG	描く-FS-FUT.1SG	NEG	私の.M	飛行機.M	それ	～だ.PRS-3SG	INDEF-M

dessin	beaucoup	trop	compliqué-Ø	pour	moi	il	me
絵.M	たくさん	～過ぎる	複雑な-M	～にとって	私.SG	彼.M.SG.NOM	私.SG.DAT

demand-a-Ø
尋ねる-PST-3SG

そうして彼が最初に私の飛行機に気が付いたとき（私は飛行機を描かないでしょう。それは私にとって複雑すぎる絵なのです）、彼は私に尋ねました。

— Qu'est-ce que c'est que cette chose-là ?

[kɛs kə sɛ k sɛt ʃozla]

que	es-t=ce	que	ce	es-t	que	cett-e	chose-là
何	～だ.PRS-3SG=それ	CMPL	それ	～だ.PRS-3SG	CMPL	その-F	もの.F=その

「その物体は何だい？」

— Ce n'est pas une chose. Ça vole. C'est un avion. C'est mon avion.

[s nɛ pɑ yn ʃoz sa vɔl sɛt œ̃n avjɔ̃ sɛ mɔ̃n avjɔ̃]

ce	ne	es-t	pas	un-e	chose	ça	vol-e-Ø	ce	es-t	un-Ø
それ	NEG	～だ.PRS-3SG	NEG	INDEF-F	もの.F	それ	飛ぶ-PRS-3SG	それ	～だ.PRS-3SG	INDEF-M

avion	ce	es-t	mon	avion
飛行機.M	それ～だ.PRS-3SG		私の.M	飛行機.M

「それは物体じゃないよ。それは飛ぶんだ。それは飛行機だよ。それは私の飛行機だよ」

Et j'étais fier de lui apprendre que je volais.

[e ʒete fjɛʁ də lɥi apʁɑ̃dʁ kə ʒ vɔlɛ]

Et	je	ét-ai-s	fier-Ø	de	lui	apprend-re	que	je
そして	私.SG.NOM	～だ-IPST-1SG	誇らしい-M	～の	彼.M.SG.DAT	教える-INF	CMPL	私.SG.NOM

vol-ai-s
飛ぶ-IPST-1SG

そして私は、彼に私が飛べるということを教えるのが誇らしかったのです。

Alors il s'écria :
[alɔʁ il sekʁija]

alors	il	se	écri-a-Ø
その時	彼.M.SG.NOM	REFL.ACC	叫ぶ-PST-3SG

そのとき、彼は叫びました。

— Comment ! tu es tombé du ciel ?
[kɔmɑ̃ ty ɛ tɔ̃be dy sjɛl]

comment	tu	es-s	tomb-é-Ø	de+le	ciel
どんな	君.SG.NOM	～だ.AUX.PRS-2SG	落ちる-PP-M	～から+DEF.M	空.M

「何だって！　きみは空から落ちてきたの？」

— Oui, fis-je modestement.
[wi fis mɔdɛstəmɑ̃]

oui	f-i-s=je	modestement
はい	する-PST-1SG=私.SG.NOM	謙虚に

「うん」私は謙虚に言いました。

— Ah ! ça c'est drôle…
[ɑ sa sɛ dʁol]

ah	ça	ce	es-t	drôle-Ø
ああ	それ	それ	～だ.PRS-3SG	おかしい-M

「ああ！　それはおかしいよ……」

Et le petit prince eut un très joli éclat de rire qui m'irrita beaucoup.
[e lə pti pʁɛ̃s y œ̃ tʁɛ ʒɔli ekla də ʁiʁ ki miʁita boku]

et	le	petit-Ø	prince	eu-t	un-Ø	très	joli-Ø
そして	DEF.M	小さな-M	王子.M	持つ.PST-3SG	INDEF-M	とても	可愛い-M

éclat	de	rire	qui	me	irrit-a-Ø	beaucoup
大きな音 M	～の	笑い M	REL.NOM	私 SG.ACC	いらつかせる-PST-3SG	たくさん

そしてその小さな王子さまは、私をとてもいらつかせるとても可愛らしい大きな
笑い声を上げました。

Je désire que l'on prenne mes malheurs au sérieux.

[ʒ deziʁ kə lɔ̃ pʁɛn me malœʁ o seʁjø]

je	désir-e-Ø	que	le	on	prenn-e-Ø	me-s	malheur-s
私 SG.NOM	望む-PRS-1SG	CMPL	DEF.M	人は	取る-SBJV.PRS-1SG	私の-PL	不幸 M-PL

à+le	sérieux
～に+DEF.M	真剣 M

私は、人が私の不幸を真剣に取ることを望んでいるのです。

Puis il ajouta :

[pɥi il aʒuta]

puis	il	ajout-a-Ø
それから	彼 M.SG.NOM	付け加える-PST-3SG

それから、彼は付け加えました。

— Alors, toi aussi tu viens du ciel ! De quelle planète es-tu ?

[alɔʁ twa osi ty vjɛ̃ dy sjɛl də kɛl planɛt ɛty]

alors	toi	aussi	tu	vien-s	de+le	ciel	de	quell-e
その時	君 SG	～も	君 SG.NOM	来る-PRS-2SG	～から+DEF.M	空 M	～から	どの-F

planète	es-s=tu
惑星 F	～だ PRS-2SG=君 SG.NOM

「それじゃあ、きみも空から来たのか！　どの星の出なんだい？」

J'entrevis aussitôt une lueur, dans le mystère de sa présence, et j'interrogeai brusquement :

[ʒɑ̃tʁəvi osito yn lɥœʁ dɑ̃ l mistɛʁ də sa pʁezɑ̃s e ʒɛ̃teʁɔʒe bʁyskəmɑ̃]

je	entrev-i-s	aussitôt	un-e	lueur	dans	le	mystère
私 SG.NOM	垣間見る-PST-1SG	すぐに	INDEF-F	ほのかな光 F	～の中に	DEF.M	謎 M

de	sa	présence	et	je	interroge-ai	brusquement
～の	彼の F	存在 F	そして	私 SG.NOM	尋ねる-PST-1SG	突然

私はすぐに、彼の存在の謎の中に一筋のほのかな光を垣間見て、突然尋ねました。

— Tu viens donc d'une autre planète ?
[ty vjɛ̃ dɔ̃ dyn otʁ planɛt]

tu	vien-s	donc	de	un-e	autre-e	planète
君.SG.NOM	来る.PRS-2SG	だから	〜から	INDEF-F	他の-F	惑星.F

「じゃあ君はほかの星から来たのかい？」

Mais il ne me répondit pas.
[mɛ il nə m ʁepɔ̃di pɑ]

mais	il	ne	me	répond-i-t	pas
でも	彼.M.SG.NOM	NEG	私.SG.DAT	答える-PST-3SG	NEG

でも、彼は私に答えませんでした。

Il hochait la tête doucement tout en regardant mon avion :
[il ɔʃɛ la tɛt dusmɑ̃ tut ɑ̃ ʁəgaʁdɑ̃ mɔ̃n avjɔ̃]

il	hoch-ai-t	la	tête	doucement	tout	en	regard-ant
彼.SG.M.NOM	振る-IPST-3SG	DEF.F	頭.F	ゆっくりと	すっかり	〜の中で	眺める-PTCP.PRS

mon	avion
私の.M	飛行機.M

彼は私の飛行機を眺めながら、ゆっくりと頭を振っていました。

— C'est vrai que, là-dessus, tu ne peux pas venir de bien loin...
[sɛ vʁɛ k ladəsy ty n pø pɑ vəniʁ də bjɛ̃ lwɛ̃]

ce	es-t	vrai-Ø	que	là=dessus	tu	ne	peu-x	pas
それ	〜だ.PRS-3SG	本当の-M	CMPL	そこ=上に	君.SG.NOM	NEG	できる.PRS-2SG	NEG

ven-ir	de	bien	loin
来る-INF	〜から	かなり	遠く

「それに乗って、きみがそんなに遠くから来られない、ということは確かなようだ……」

Et il s'enfonça dans une rêverie qui dura longtemps.
[e il sɑ̃fɔ̃sa dɑ̃z yn ʁɛvʁi ki dyʁa lɔ̃tɑ̃]

et	il	se	enfonç-a-Ø	dans	un-e	rêverie	qui
そして	彼.M.SG.NOM	REFL.ACC	打ち込む-PST-3SG	～の中に	INDEF-F	夢想.F	REL.NOM

dur-a-Ø	longtemps
続く-PST-3SG	長く

そして彼は、長く続く夢想の中に沈み込みました。

Puis,	sortant	mon	mouton	de	sa	poche,	il	se	plongea
それから	取り出して	私の	羊	～から	彼の	ポケット	彼は	自身を	沈めた

dans	la	contemplation	de	son	trésor.
～の中に	その	瞑想	～の	彼の	宝物

それから、私の羊をポケットから出して、彼は自分の宝物を見つめ始めました。

Vous	imaginez	combien	j'	avais	pu	être	intrigué
君たちは	想像する	どれほど	私が	持った.AUX	できた	～であること	困った

par	cette	demi-confidence	sur	«	les	autres	planètes ».
～によって	この	半分の内緒話	～について		それらの	他の	惑星

私が〈ほかの星〉についてのこのちょっとした内緒話によってどれだけ不思議に
思ったか、あなたたちは想像できるでしょう。

Je m' efforçai donc d' en savoir plus long :
私は 私自身 努力した だから ～の そのことを 知ること より 長く

だから私は、そのことについてもっと詳しく知ろうと努力しました。

— D' où viens-tu, mon petit bonhomme ? Où est-ce
～から どこ 来る·君は 私の 小さな 男 どこ ～だ·それ

« chez toi ? » Où veux-tu emporter mon mouton ?
～の家 君 どこ 望む·君は 連れて行くこと 私の 羊

「私の坊や、君はどこから来たんだい？〈君の家〉はどこにあるの？ 僕の羊をどこに連れて行こうというんだい？」

Il me répondit après un silence méditatif :
彼は 私に 答えた ～の後で 一つの 沈黙 考え込むような

彼は黙って考え込んだ後、私に答えました。

—Ce qui est bien, avec la caisse que tu m' as donnée,
それ REL ～だ 良く ～と共に その 箱 REL 君が 私に 持つ·AUX 与えた

c' est que, la nuit, ça lui servira de maison.
それ ～だ ～ということ その 夜 それ 彼に 役に立つだろう ～の 家

「良いことは、きみがくれた箱があれば、夜に、それが彼にとって家の役目を果たすってことさ」

— Bien sûr. Et si tu es gentil, je te donnerai aussi
良く 確かな そして もし 君が ～だ 優しい 私は 君に 与えるだろう ～も

une corde pour l' attacher pendant le jour.
一つの 綱 ～のために 彼を つなぐこと ～の間に その 昼

Et un piquet.
そして 一つの 杭

「もちろん。そして君が優しいなら、私は君に、昼の間に彼をつないでおく綱もあげよう。それから杭もね」

La proposition parut choquer le petit prince :
その 提案 ～のようだった 衝撃を与えること その 小さな 王子

その提案は小さな王子さまに衝撃を与えたようでした。

— L'attacher ? Quelle　　drôle　　d'　idée !
彼を　つなぐこと　　どんな　おかしなこと　〜の　　考え

「彼をつないでおくって？　なんておかしな考えなんだ！」

— Mais　si　tu　ne　l'attaches pas,　il　　ira　　n'importe
でも　もし　君が　NEG　彼を　つなぐ　　NEG　彼は　行くだろう　NEG　　重要だ

où,　et　il　se　perdra …
どこ　そして　彼は　自身を　失うだろう

「でも君が彼をつないでおかなかったら、彼はどこへでも行ってしまって、そして迷子になってしまうよ……」

Et　mon　ami　eut　un　nouvel　éclat　de　rire :
そして　私の　友人　持った　一つの　新しい　大声　〜の　笑い

そして私の友人は、再び大きな笑い声を上げました。

— Mais où　veux-tu　qu'　il　aille ?
でも　どこ　望む君は　〜ということ　彼が　行く

「でも、彼がどこに行こうっていうんだい？」

— N'importe　où.　Droit　devant lui …
NEG　重要だ　どこ　まっすぐ　〜の前に　彼

「どこへでもさ。前にまっすぐね……」

Alors　le　petit　prince　remarqua　gravement :
その時　その　小さな　王子　　指摘した　　真剣に

そこで小さな王子さまは真剣に指摘しました。

— Ça　ne　fait　rien,　c'　est　tellement　petit,　chez　moi !
それ　NEG　する　何も　それは　〜だ　そんなに　　小さな　〜の家　私

「どうってことないさ。ぼくの家はとっても小さいからね！」

Et,	avec	un	peu	de	mélancolie,	peut-être,	il	ajouta :
そして	～と共に	一つの	少し	～の	憂鬱	たぶん	彼は	付け加えた

そして、たぶんですけれど、少し憂鬱そうに、彼は付け加えたのです。

— Droit	devant	soi	on	ne	peut	pas	aller	bien	loin…
まっすぐ	～の前に	自身	人は	NEG	できる	NEG	行くこと	良く	遠く

「前にまっすぐだなんて、そんなに遠くには行けないよ……」

de Saint-Exupéry, Antoine (1946) *Le Petit Prince*. Paris: Gallimard. pp.15-18.

4 イタリア語

Italiano

イタリア語はきわめて多様な†方言に分かれています。さらに共通イタリア語も、それが話される地域等によるさまざまな変種があります。共通イタリア語とは、トスカーナ地方、特にフィレンツェの町の言葉を基にした文学語が知識人たちの間で共通語として受け入れられたものです。なお一般に同じ†系統の諸言語は、それらが拡散する前の†故地、つまり源となった地域に近いほど多様な方言に分かれています。これは故地では変化するだけの長い時間があったのに対し、新しく急速に広まった土地では諸言語／諸方言にはそれだけの時間がなかったからです (Sapir (1916) による)。例えば英語に関しても、アメリカやオーストラリアよりイギリスの内部での方が方言差が大きいと言われています。したがって†ロマンス諸語の中では、ラテン語の故地であるイタリアにおいて、もっとも大きくかつ細やかな方言の分岐が見られるのです。

音韻論と文字体系

†子音音素は /p, t, k, b, d, g, m, n, ɲ, f, v, s, z, ʃ, ts, dz, tʃ, dʒ, l, ʎ, r/ の21個、母音音素は /i, e, ɛ, a, ɔ, o, u/ の7個、†半母音は /j, w/ の2個です。

フランス語などと違って、†補助記号のある子音字はありません。イタリア語では†開音節が好まれるので、日本語母語話者にとっては発音しやすい言語といえます。ラテン語において ⟨ci⟩, ⟨ce⟩, ⟨gi⟩, ⟨ge⟩ の表記は [ki], [ke], [gi], [ge] の発音でしたが、†硬口蓋化が起きて [tʃi], [tʃe], [dʒi], [dʒe] の発音となりました。イタリア語はこの表記と発音を継承しましたが、このため [ki], [ke], [gi], [ge] の音を示すためには ⟨chi⟩, ⟨che⟩, ⟨ghi⟩, ⟨ghe⟩ のような表記を用いることになりました (**ge**lato「ジェラート」vs. spa**ghe**tti「スパゲッティ」)。⟨s⟩ と ⟨z⟩ はそれぞれ [s] ~ [z], [ts]

Italiano   131

~ [dz] と 2 様の読み方があり、前後の音や地域における変種、もしくは語によってどう読むか異なります。†アクセント記号は、例外的に語末にアクセントが来る場合 (università「大学」) と、‡同綴異義語を区別する場合に使われます (da 'from' vs. dà 'he/she gives')。

　歴史的に†逆行同化が起きたこともあり、†重子音がよく見られます (fatto「事実」cf. eng. fact)。ロマンス諸語では広く母音の†二重母音化が起きたので、二重母音の見られる語があります (buono「良い」‖　fra. bon [bɔ̃])。gli は 硬口蓋側面接近音 [ʎ] で発音されます (famiglia「家族」)。

　形態論

　ロマンス諸語の言語らしく、単数複数、男性女性はありますが†格変化はありません。複数形の作り方は -s によりません。基本的に -o で終わる男性名詞はこれを -i に変えることで、基本的に -a で終わる女性名詞はこれを -e に変えることで複数形を作ります (ragazzo (SG) vs. ragazzi (PL)「男の子」/ ragazza (SG) vs. ragazze (PL)「女の子」)。 もっともイタリアでも (一部を除く) 北の方言では -s によって複数形を作ります (なおこの境界はロマンス諸語全体を東のグループ (イタリア語、ルーマニア語など、母音の変化で複数形を作る言語群) と西のグループ (フランス語、スペイン語、ポルトガル語など、-s で複数形を作る言語群) に二分するものでもあります (長神 (1988: 599) による)。形容詞や†冠詞は、†性と†数によって被†修飾名詞に一致します。それから、たとえ無生物であっても英語でいえば him / her (イタリア語では lo / la) のように性の区別のある代名詞でそれを受けます (C'è un libro. Lo vedo.「本がある。それを見る (私は)」)。なおイタリア語やルーマニア語には、単数では男性名詞、複数では女性名詞としての†一致を要求する名詞のグループがあります (il braccio 'DEF.M.SG arm.M.SG' vs. le braccia 'DEF.F.PL arm.F.PL'、ルーマニア語ではこのような名詞を†中性名詞と呼ぶことがあります)。丁寧な 2 人称 (‡敬称) には Lei (女性 3 人称と同じですが、書くときは語頭が大文字です) を用い、動詞も 3 人称単数の形になります (Vieni tu?「来る?」vs. Viene Lei?「来ますか?」)。ちなみに他のロマンス諸語の敬称は、fra. vous (= 2 人称複数)、spa. usted (< vuestra merced「あなた様のお恵み」

より、英語で王族などに直接呼びかけるときの Your Majesty に似た形です）、por. você（< vossa mercê「あなた様のお恵み」）となっています。実はイタリア語の Lei も Vostra Signoria のような高位の人への敬称（女性名詞）を受けていたために 3 人称女性形なのです。

代名詞の体系の中に組み込まれていながら、†副詞的にも機能する要素があります。これは機能的には前置詞と名詞の組み合わせに対応します。例えば a Roma 'to Rome' を受けて、**Ci** vado. 'I go **there**.' のような形が、da Roma 'from Rome' を受けて **Ne** torno. 'I return **from there**' のような形が使われるものです。このような要素はフランス語とイタリア語にありますが、スペイン語とポルトガル語にはありません。

冠詞の用法は英語とは異なり、所有形式が修飾していてもさらに冠詞がつきます（il **mio** libro 'the **my** book'、ただし親族名詞を除く）。

いわゆる不可算名詞において、その全体でなく一部分が†目的語となる場合には、†部分冠詞というものが使われます（Bevo **dell'**acqua. 'I drink (of the) water.'）。これはフランス語にもありますが（Je bois **de** l'eau. 'I drink (of the) water.'）、スペイン語とポルトガル語にはありません。なおこの部分冠詞の複数形は可算名詞の複数形に対する†不定冠詞として使われます。

印欧語族の言語では一般に†再帰と呼ばれる動詞の形が広く使われます。これは例えば「起こす」に対して、日本語で「起きる」というところを、「自分を起こす」のように表現することです。ドイツ語やロマンス諸語の場合、「自分を」のところは 3 人称では特別な形になりますが、1 人称と 2 人称では人称代名詞と同じ形が現れます。イタリア語の例を示せば、**Mi** lavo.「私は（自分の体を）洗う（<私を 私は洗う）」、**Ti** lavi.「君は（自分の体を）洗う（<君を 君は洗う）」、**Si** lava.「彼は（自分の体を）洗う（<自身を 彼は洗う）」となります。

統語論

†疑問詞は文頭に来なければなりませんが、†Yes / No 疑問文は語末の†イントネーションを上げるだけです。語順はかなり自由ですが、目的語を動詞の前に持って来る場合には、代名詞でそれを受け直すのがふつう

です。

語　彙

「ピッコロ (piccolo)」は日本語では単に楽器の名前だと思われていますが、「小さい」という意味の形容詞、「ピアノ (piano)」も「平らな、音が小さい、平易な ('plain' と同語源)」という意味の形容詞として日常でふつうに使われています。「フェルマータ (fermata)」は「停止」という意味の名詞で、バス停にも書かれています。このように音楽用語などにイタリア語が多いのは、記譜法が定着した17世紀当時、イタリアが西洋音楽の中心地であったためです。

長神 (1988)「イタリア語」(⑦所収)、E. Sapir (1916) Time perspective in aboriginal American culture: a study in method. *Geological Survey Memoir 90:* No. 13, Antholopological Series. Ottawa: Government Printing Bureau.

Il Piccolo Principe

4

Avevo così saputo una seconda cosa molto importante!
[a'vevo ko'sis sa'puto 'una se'konda 'kɔsa 'molto impor'tante]

av-ev-o	così	sap-ut-o	un-a	second-a	cos-a	molto	important-e
持つ.AUX-IPST-1SG	このように	知る-PP-M.SG	INDEF-F.SG	二番目の-F.SG	こと.F.SG	とても	大切な-F.SG

こうして私は、二つ目のとても大切なことを知りました！

Che il suo pianeta nativo era poco più grande di una casa.
[ke il 'suo pja'neta na'tivo 'ɛra 'pɔko pjug 'grande di 'una 'kasa]

che	il-Ø	su-o	pianet-a	nativ-o	er-a	poco	più	grand-e
CMPL	DEF-M.SG	彼の-M.SG	惑星.M-SG	生まれの-M.SG	〜だ.IPST-3SG	少ししか〜ない	もっと	大きい-M.SG

di	un-a	cas-a
〜から	INDEF-F.SG	家.F-SG

彼の生まれた星は、1軒の家より少ししか大きくないということでした。

Tuttavia questo non poteva stupirmi molto.
[tutta'via 'kwesto non po'teva stu'pirmi 'molto]

tuttavia	quest-o	non	pot-ev-a	stup-ir=mi	molto
しかしながら	これ-M.SG	NEG	できる-IPST-3SG	驚かせる-INF-私.SG.ACC	とても

しかし、このことは私をおおいに驚かせるに値しませんでした。

Sapevo benissimo che, oltre ai grandi pianeti come la Terra, Giove, Marte, Venere ai quali si è dato un nome, ce ne sono centinaia ancora che sono a volte così piccoli che si arriva sì e no a vederli col telescopio.
[sa'pevo be'nissimo ke 'oltre ai 'grandi pja'neti komel la 'tɛrra 'dʒɔve 'marte 'vɛnere ai 'kwali si 'ɛd 'dato un 'nome tʃe ne 'sono tʃenti'naja an'kora kes 'sono av 'vɔlte ko'sip 'pikkoli kes si ar'riva 'si e 'nɔ av ve'derli kol tele'skɔpjo]

sap-ev-o	ben-issimo	che	oltre	a+i	grand-i	pianet-i	come
知っている-IPST-1SG	よく-SUP	CMPL	他に	〜に+DEF.M.PL	大きい-M.PL	惑星-M.PL	〜のように

l-a	Terr-a	Giov-e	Mart-e	Vener-e	a+i	qual-i	si	è
DEF-F.SG	地球-F.SG	木星-M.SG	火星-M.SG	金星-F.SG	〜に+DEF.M.PL	REL-M.PL	IMPERS	〜だ.AUX.PRS.3SG

da-t-o	un-Ø	nom-e	ce	ne	s-ono	centinai-a	ancora	che
与える-PP-M.SG	INDEF-M.SG	名前-M.SG	PRN.DAT	PRN.ABL	〜だ.PRS-3PL	約百-F.PL	まだ	REL

s-ono	a	volt-e	così	piccol-i	che	si	arriv-Ø-a	sì	e
〜だ.PRS.3PL	〜に	回-F.PL	こんなに	小さな-M.PL	CMPL	IMPERS	至る-PRS.3SG	はい	そして

no	a	ved-er=l-i	con+il-Ø	telescopi-o
いいえ	〜に	見る-INF=それ.ACC.M.PL	〜と共に+DEF.M.SG	望遠鏡-M.SG

私は、地球や木星、火星に金星といった、名前の与えられた大きな星のほかにも、時に小さくて、望遠鏡でも辛うじて見えるくらいのものが数百存在するということを、とてもよく知っていました。

Quando un astronomo scopre uno di questi, gli dà per nome un numero.

['kwando un a'strɔnomo 'skɔpre 'uno di 'kwesti ʎi 'dap per 'nome un 'numero]

quando	un-Ø	astronom-o	scopr-Ø-e	un-o	di
〜する時	INDEF-M.SG	天文学者-M.SG	見つける-PRS-3SG	一つ-M.SG	〜の

quest-i	gli	d-à	per	nom-e	un-Ø	numer-o
これ-M.PL	それ.M.SG.DAT	与える.PRS-3SG	〜のために	名前-M.SG	INDEF-M.SG	数字-M.SG

天文学者がこれらのうち一つを発見するとき、名前として数字を与えます。

Lo chiama per esempio: « l'asteroide 3251 ».

[lo 'kjama per e'zɛmpjo laste'rɔide tremiladuetʃentotʃinkwan'tuno]

l-o	chiam-Ø-a	per	esempi-o	l-o	asteroid-e
それ.ACC.M.SG	呼ぶ-PRS-3SG	〜のために	例-M.SG	DEF-M.SG	小惑星-M.SG

3251	[	tre	mil-a	due	cento	cinqu-anta+un-o*	]
3251		三	千-PL	二	百	五·十+一-M.SG	

例えば、「小惑星 3251」のように呼びます。

* 正書法上はつなげて tremiladuecentocinquantuno と書きます。

Ho serie ragioni per credere che il pianeta da dove veniva il piccolo principe è l'asteroide B 612.

['ɔs 'sɛrje ra'dʒoni per 'kredere ke il pja'neta dad 'dovev ve'niva il 'pikkolo 'printʃipe 'ɛl laste'rɔide 'bi sɛitʃento'doditʃi]

h-o	seri-e	ragion-i	per	cred-ere	che	il-Ø	pianet-a	da
持つ.PRS-1SG	真剣な-F.PL	理由-F.PL	〜のために	信じる-INF	CMPL	DEF-M.SG	惑星-M.SG	〜から

dove	ven-iv-a	il-Ø	piccol-o	princip-e	è	l-o	asteroid-e
REL.LOC	来る-IPST-3SG	DEF-M.SG	小さな-M.SG	王子-M.SG	〜だ.PRS.3SG	DEF-M.SG	小惑星-M.SG

B 612	[	sei	cento	do=dici*	]
B 612		六	百	二=十	

私には、小さな王子さまがやってきた星が小惑星 B 612 であると考えるための真剣な理由があります。

* 正書法上はつなげて seicentododici と書きます。

Questo asteroide è stato visto una sola volta al telescopio da un astronomo turco.

['kwesto aste'rɔide 'ɛ 'stato 'visto 'una 'sola 'vɔlta al tele'skɔpjo da un as'trɔnomo 'turko]

quest-o	asteroid-e	è	sta-t-o	vis-t-o	un-a	sol-a
この-M.SG	小惑星-M.SG	〜だ.AUX.PRS.3SG	〜される-PP-M.SG	見る-PP-M.SG	INDEF-F.SG	唯一の-F.SG

volt-a	a+il-Ø	telescopi-o	da	un-Ø	astronom-o	turc-o
回-F.SG	〜に+DEF-M.SG	望遠鏡-M.SG	〜から	INDEF-M.SG	天文学者-M.SG	トルコの-M.SG

この小さな星は一度だけ望遠鏡で、トルコ人の天文学者に観測されました。

Aveva fatto allora una grande dimostrazione della sua scoperta a un Congresso Internazionale d'Astronomia.

[a'veva 'fatto al'lora 'una 'grande dimostra'tsjone della 'sua sko'pɛrta a un kon'grɛsso internattsjo'nale dastrono'mia]

av-ev-a	fat-t-o	allora	un-a	grand-e	dimostrazion-e	di+l-a
持つ.AUX-IPST-3SG	する-PP-M.SG	その時	INDEF-F.SG	大きな-F.SG	発表-F.SG	〜の+DEF-F.SG

su-a	scopert-a	a	un-Ø	Congress-o	Internazional-e	di
彼の-F.SG	発見-F.SG	〜で	INDEF-M.SG	会議-M.SG	国際的な-M.SG	〜の

Astronomi-a
天文学-F.SG

そして彼は、とある国際天文会議にて、自分の発見についての大きな発表をしました。

Ma in costume com'era, nessuno lo aveva preso sul serio.

[ma in kos'tume ko'mɛra nes'suno lo a'veva 'preso sul 'sɛrjo]

ma	in	costum-e	come	er-a	nessun-o	l-o	av-ev-a
しかし	～中に	衣装.M-SG	～のように	～だ.IPST-3SG	誰も～ない.M-SG	それ.ACC-M-SG	持つ.AUX-IPST-3SG

pre-s-o	su+il-Ø	seri-o
取る-PP-M.SG	上に+DEF-M.SG	真剣な-M.SG

しかし彼がしていたような服装では、誰もそれを真剣に取りませんでした。

I grandi sono fatti così.
[i 'grandi 'sono 'fatti ko'si]

i	grand-i	s-ono	fat-t-i	così
DEF.M.PL	大人.M-PL	～される.PRS-3PL	作る-PP-M.PL	このように

大人たちはこんな風にできています。

Fortunatamente per la reputazione dell'asteroide B 612 un dittatore turco impose al suo popolo, sotto pena di morte, di vestire all'europea.
[fortunata'mente per la reputa'tsjone dellaste'rɔide 'bi sɛitʃɛnto'doditʃi un ditta'tore 'turko im'pose al 'suo 'pɔpolo 'sotto 'pena di 'mɔrte di ves'tire alleuro'pɛa]

fortunatamente	per	l-a	reputazion-e	di+l-o	asteroid-e	B
運良く	～のために	DEF-F.SG	評判.F-SG	～の+DEF-M.SG	小惑星.M-SG	B

612 [sei cento do=dici]	un-Ø	dittator-e	turc-o	impos-e	a+il-Ø	su-o
612 六 百 二十	INDEF-M.SG	独裁者.M-SG	トルコの-M.SG	命じる-PST.3SG	～に+DEF-M.SG	彼の-M.SG

popol-o	sotto	pen-a	di	mort-e	di	vest-ire	a+l-a	europe-a
人民.M-SG	～下に	罰.F-SG	～の	死.F-SG	～の	服を着る-INF	～に+DEF-F.SG	ヨーロッパの-F.SG

幸運にも、その小惑星 B612 の評判のために、あるトルコの独裁者が彼の人民に対して、死刑の下に、ヨーロッパ風の服装をすることを命じました。

L'astronomo rifece la sua dimostrazione nel 1920, con un abito molto elegante.
[las'trɔnomo ri'fetʃe la 'sua dimostra'tsjone nel millenɔvetʃɛnto'venti kon un 'abito 'molto ele'gante]

l-o	astronom-o	rifec-e	l-a	su-a	dimostrazion-e	in+il-Ø
DEF-M.SG	天文学者.M-SG	再びする-PST.3SG	DEF-F.SG	彼の-F.SG	発表.F-SG	～中に+DEF-M.SG

1920 [mille nove cento venti*]	con	un-Ø	abit-o	molto	elegant-e
1920 千 九 百 二十	～と共に	INDEF-M.SG	服.M-SG	とても	優雅な-M.SG

その天文学者は 1920 年に再び、自分の発表をとても優雅な服装で行いました。

* 正書法上はつなげて millenovecentoventi と書きます。

E questa volta tutto il mondo fu con lui.

[ek ˈkwesta ˈvɔlta ˈtutto il ˈmondo ˈfuk kon ˈlui]

e	quest-a	volt-a	tutt-o	il-Ø	mond-o	fu-Ø	con	lui
そして	この-F.SG	回.F.SG	すべて-M.SG	DEF-M.SG	世界.M.SG	〜だ-PST.3SG	〜と共に	彼.M.SG

そして今回は全員が彼とともにありました。

Se vi ho raccontato tanti particolari sull'asteroide B 612 e se vi ho rivelato il suo numero, è proprio per i grandi che amano le cifre.

[sev vi ˈɔr rakkonˈtato ˈtanti partikoˈlari sullasteˈrɔide ˈbi sɛitʃɛntoˈdoditʃi es sev vi ˈɔr riveˈlato il ˈsuo ˈnumero ˈɛp ˈprɔprjo per i ˈgrandi ke ˈamano le ˈtʃifre]

se	vi	h-o	raccont-at-o	tant-i	particolar-i	su+l-o
もし	君.PL.DAT	持つ.AUX.PRS-1SG	語る-PP-M.SG	たくさんの-M.PL	詳細.M-PL	〜上に+DEF-M.SG

asteroid-e	B	612 [sei cento do=dici]	e	se	vi	h-o
小惑星.M-SG	B	612　六　百　二=十	そして	もし	君.PL.DAT	持つ.AUX.PRS-1SG

rivel-at-o	il-Ø	su-o	numer-o	è	propri-o	per	i
明らかにする-PP-M.SG	DEF-M.SG	彼の-M.SG	数字.M-SG	〜だ.PRS.3SG	適切な-M.SG	〜にとって	DEF.M.PL

grand-i	che	am-a-no	l-e	cifr-e
大人.M-PL	REL	愛する-PRS-3PL	DEF-F.PL	数.F-PL

もしも私があなたがたに小惑星 B612 についてたくさんの詳細を語って、その数字を明らかにしたのなら、それは数を愛する大人たちにとって適切なのです。

Quando voi gli parlate di un nuovo amico, mai
~する時 君たちが 彼らに 話す ~の 一つの 新しい 友人 決して~ない

si interessano alle cose essenziali.
自身を (彼らは)興味を持たせる その~に こと 本質的な

あなたがたが彼らにある友人について話すとき、彼らは本質的なことには決して興味を持たないのです。

Non si domandano mai : « Qual è il tono della
NEG 人は 尋ねる 決して~ない どんな ~だ その 調子 その~の

sua voce ? Quali sono i suoi giochi preferiti ? Fa collezione
彼の 声 どんな ~だ その 彼の 競技 好まれる (彼は)する 収集

di farfalle ? »
~の 蝶

人は決して尋ねません。「彼の声の調子はどんなだい？　彼の大好きな競技は何だい？　彼は蝶の収集をしているのかい？」

Ma vi domandano : « Che età ha ? Quanti
しかし 君たちに (彼らは)尋ねる 何の 年齢 (彼は)持つ どれだけの

fratelli ? Quanto pesa ? Quanto guadagna suo padre ? »
兄弟たち どれだけ (彼は)重さがある どれだけ 稼ぐ 彼の 父

ですけれど、彼らはあなたがたに尋ねるのです。「彼は何歳なんだい？　兄弟は何人？　彼の体重は？　彼の父親はどのくらい稼いでいるんだい？」

Allora soltanto credono di conoscerlo.
その時 ~だけ (彼らは)信じる ~の 彼を知ること

それだけで彼らは、その人を理解したと信じるのです。

Se voi dite ai grandi : « Ho visto una bella casa
もし 君たちが 言う その~に 大人たち (私は)持つAUX 見た 一つの 美しい 家

in mattoni rosa, con dei gerani alle finestre, e dei
~で レンガ バラ色の ～と共に その~の ゼラニウム その~に 窓 そしてその~の

colombi sul tetto », loro non arrivano a immaginarsela.
鳩たち その~の上に 屋根 彼らは NEG 達する ~に 自身でそれを想像すること

もしもあなたがたが大人たちに「私は窓にはゼラニウムがあって、屋根の上には
鳩たちがいる、バラ色のレンガでできた美しい家を見た」と言っても、彼らはそ
れを想像することができないのです。

Bisogna dire：«　Ho　visto una casa di centomila lire»,
必要がある 言うこと （私は）持つ AUX 見た 一つの 家　〜の　十万　リラ

e allora esclamano：«Com'　è　bella».
そして その時 （彼らは）叫ぶ どのように 〜だ 美しい

「私は10万リラの家を見た」と言う必要があります。すると彼らは「それは何と
美しいんだ」と大声を上げるでしょう。

Così　se　voi　gli dite：«La prova che　il piccolo
このように もし 君たちが 彼らに 言う その 証拠 〜ということ その 小さな

principe è esistito, sta nel fatto che　era bellissimo,
王子 〜だ AUX 存在した ある その〜に 事実 〜ということ 〜だった とても美しい

che rideva　e　che voleva una pecora. Quando
〜ということ 笑っていた そして 〜ということ 望んでいた 一つの 羊 〜する時

uno vuole una pecora è　la prova che esiste　».
人 望む 一つの 羊 〜だ その 証拠 〜ということ （彼が）存在する

こんな風に、もしもあなたがたが彼らに「小さな王子さまが存在したという証拠
は、彼がとても美しくて、笑っていて、そして羊を1頭欲しがっていた、という
事実の中にあるんだ。誰かが羊を1頭欲しがるとき、それが彼の存在する証拠な
んだ」と言えば。

Be', loro alzeranno le spalle,　e　vi tratteranno come
ほら 彼らは 上げるだろう その 肩 そして 君たちを 扱うだろう 〜のように

un bambino.
一つの 子供

ほら、彼らは肩を上げて、そしてあなたがたを子供のように扱うでしょう。

Ma　se　voi invece gli dite：«Il pianeta da dove veniva
しかし もし 君たちが 反対に 彼らに 言う その 惑星 〜から REL 来ていた

è　l' asteroide B 612 [seicentododici]» allora　ne
〜だ その 小惑星 B 612 六百十二 その時 そのことに

Il Piccolo Principe　141

sono　subito　convinti　e　vi　lasciano　in　pace
(彼らは)〜だ　すぐに　納得した　そして　君たちを　(彼らが)放っておく　〜の中に　平和

con　le　domande.
〜と共に　それらの　質問

でも反対に、もしもあなたがたが彼らに「彼がやって来た星は小惑星 B612 なんだ」と言ったのなら、彼らはすぐにそのことに納得して、あなたがたを質問から解放してくれるでしょう。

Sono　fatti　così.
(彼らは)〜だ　作られた　このように

彼らはこんな風にできています。

Non　c'　è　da　prendersela.
NEG　そこに　ある　〜するための　自身でそれを取ること

腹を立てることはないのです。

I　bambini　devono　essere　indulgenti　coi　grandi.
それらの　少年たち　〜しなければならない　〜であること　寛大な　その〜に対して　大人たち

子供は大人に対して寛大でなければいけません。

Ma certo,　noi　che comprendiamo　la　vita,　noi　ce
でも　確かに　私たちは　REL　理解する　その　人生　私たちは　私たち自身

ne　infischiamo　dei　numeri！
それについて　気にしない　それらの〜のことを　数字

でも確かに、私たちは、人生というものを理解している私たちは、数字を気にしていないのです！

Mi　sarebbe　piaciuto　cominciare　questo　racconto　come
私に　〜だっただろう AUX　気に入った　始めること　この　話　〜のように

una　storia　di　fate.
一つの　物語　〜の　妖精たち

私はこの話をおとぎ話のように始めたかったのです。

Mi   sarebbe   piaciuto dire :
私に ～だっただろうAUX 気に入った 言う

私は言いたかったのです。

« C' era una volta un piccolo principe che viveva su
そこに いた 一つの 回 ある 小さな 王子 REL 住んでいた 上に

di un pianeta poco più grande di lui e aveva
～の 一つの 惑星 少し もっと 大きい ～より 彼 そして 持っていた

bisogno di un amico … »
必要 ～の 一つの 友人

「昔、自分よりほんの少しだけ大きい星に住んでいて、友人を必要としていた小
さな王子さまがいました ……」

  Per coloro che comprendono la vita, sarebbe stato
～のために 人たち REL 理解している その 人生 ～だっただろうAUX ～だった

molto più vero.
かなり もっと 真実の

人生というものを理解している人たちにとって、それはずっと真実らしかったこ
とでしょう。

Perché non mi piace che si legga il mio libro
なぜなら NEG 私に 気に入る ～ということ 人は 読む その 私の 本

alla leggera.
～風に 軽い

というのも、私は私の本を軽い感じで読んでほしくないのです。

  È un grande dispiacere per me confidare questi ricordi.
～だ 一つの 大きな 悲しみ ～にとって 私に 打ち明けること この 記憶

私にとって、この記憶を打ち明けることは大きな悲しみなのです。

Sono già sei anni che il mio amico se ne è
～だ 既に 六 年 ～ということ その 私の 友人 自身 そこから ～だAUX

andato con la sua pecora e io cerco di descriverlo
行った ～と共に その 彼の 羊 そして 私は 努める ～の それを記すこと

Il Piccolo Principe   143

per	non	dimenticarlo.
〜のために	NEG	彼を忘れること

私の友人が彼の羊とともに去ってからすでに6年が経ちました。そして私は、彼を忘れないためにそれを記そうと努めているのです。

È	triste	dimenticare	un	amico.
〜だ	悲しい	忘れること	一つの	友人

友人を忘れるのは悲しいことです。

E	posso	anch'	io	diventare	come	i	grandi
そして	〜かもしれない	〜も	私は	なること	〜のように	それらの	大人たち

che	non	s'	interessano	più	che	di	cifre.
REL	NEG	自身を	興味を持たせる	もはや	〜だけ	〜の	数

そして私も、もはや数にしか興味のない大人のようになっているのかもしれません。

Ed	è	anche	per	questo	che	ho	comperato
そして	〜だ	〜も	〜のために	これ	〜ということ	(私は)持つ AUX	買った

una	scatola	coi	colori	e	con	le	matite.
一つの	箱	それらの〜と共に	絵の具	そして	〜と共に	それらの	鉛筆

そして私が絵の具と鉛筆の箱を買ったのは、このためでもあるのです。

Non	è	facile	rimettersi	al	disegno	alla	mia	età
NEG	〜だ	簡単な	自身を再び置くこと	その〜に	スケッチ	その〜に	私の	年齢

quando	non	si	sono	fatti	altri	tentativi	che	quello	di	un
〜する時	NEG	人は	〜だ AUX	した	他の	試み	〜より	あれ	〜の	一つの

serpente	boa	dal	di	fuori	e	quello	di	un	serpente
蛇	ボア	その〜に	〜の	外側に	そして	あれ	〜の	一つの	蛇

boa	dal	di	dentro,	e	all'	età	di	sei	anni.
ボア	その〜に	〜の	内側に	そして	その〜で	年齢	〜の	六	年

ボア蛇 [大蛇のこと] の外側のものとボア蛇の内側のもの以外の試みをしたことがなく、ましてそれが6歳のときなら、私の年齢で再び絵を描き始めることは簡単ではありません。

Mi studierò di fare ritratti somigliantissimi.
私自身　試みるだろう　〜の　作ること　肖像画　　とても似ている

私はとても似ている肖像画の製作を試みます。

Ma non sono affatto sicuro di riuscirvi.
しかし　NEG　(私は)〜だ　まったく　確かな　〜の　それに成功すること

ですが私は、それが成功するかどうかはまったく自信がありません。

Un disegno va bene, ma l' altro non assomiglia per
一つの　スケッチ　行く　良く　しかし　その　他の　NEG　　似ている　〜にとって
niente.
何も〜ない

あるスケッチは上手くいっても、ほかのものはまったく似ていません。

Mi sbaglio anche sulla statura.
私自身　(私は)失敗する　〜も　その〜について　背丈

私は彼の背丈についても失敗しています。

Qui il piccolo principe è troppo grande.
ここ　その　小さな　王子　〜だ　〜過ぎる　大きい

こちらでは、小さな王子さまは大きすぎます。

Là è troppo piccolo.
そこ　〜だ　〜過ぎる　小さな

そちらでは小さすぎます。

Esito persino sul colore del suo vestito.
(私は)迷う　〜さえ　その〜について　色　その〜の　彼の　服

私は彼の服の色でさえ迷っています。

E allora tento e tentenno, bene o male.
そして　その時　(私は)試みる　そして　(私は)揺れる　良く　または　悪く

そこで私は、良くも悪くも、試行錯誤を繰り返しています。

E finirò per sbagliarmi su certi
そして (私は)終わるだろう ～によって 私自身間違えること ～について とある

particolari più importanti.
詳細 もっと 重要な

そして私は最終的に、もっと重要な詳細について間違えるでしょう。

Ma questo bisogna perdonarmelo.
しかし これ 必要だ 私にそれを容赦する

しかし、これについては私を大目に見てください。

Il mio amico non mi dava mai delle spiegazioni.
その 私の 友人 NEG 私に 与えていた 決して～ない いくつかの 説明

私の友人は、私にいくぶんの説明もくれなかったのです。

Forse credeva che fossi come lui.
たぶん (彼は)考えていた ～ということ (私は)～だった ～のように 彼

おそらく、彼は私が彼のようだと考えていたのです。

Io, sfortunatamente, non sapevo vedere le pecore
私は 不幸にも NEG 知っていた 見ること それらの 羊たち

attraverso le casse.
通して それらの 箱

不幸にも私には、箱を通して羊たちを見ることはできませんでした。

Può darsi che io sia un po' come
～かもしれない 自身に与えること ～ということ 私は ～だ 一つの 少し ～のように

i grandi.
それらの 大人たち

私は少し、大人たちのようになっているのかもしれません。

Devo essere invecchiato.
(私は)～に違いない ～であること 年を取った

私は年を取ってしまったに違いありません。

Bompiani Bregoli, Nini (1949, 2013) (tr.) *Il Piccolo Principe*. Milano: Bompiani/RCS Libri S.p.A. pp.21-25.

5　スペイン語　　　　　　　　Español / Castellano

　ご存じの通り、スペイン語は中米・南米の多くの国の国語となっており、もっともメジャーな言語の1つです。スペイン国内には、カタルーニャ語をはじめとするいくつもの言語がありますが、中世イベリア半島にあった複数の国家のうちカスティーリャ王国が主導権を握って近代スペインが形成されたので、カスティーリャ語が国家語となりました。このためスペイン語はカスティーリャ語とも呼ばれます。

音韻論と文字体系

　子音の†音素は /p, t, k, b, d, g, m, n, ɲ, f, θ, s, x, tʃ, l, r, ɾ, ʎ, j/ の19個で、母音音素は /i, e, a, o, u/ の5個です。ただし中南米全域とスペイン南部では /s/ と /θ/ の対立がありません。イタリア語ほどではありませんが、†開音節の多い言語です。†無声の /f, s, tʃ/ に対応する†有声の子音 /v, z, dʒ/ が欠けているのが特徴的です。一方、母音間では有声の†破裂音が†摩擦音化するので、両者は†異音の関係になります。以前はイタリア語のような7母音体系でしたが、半広母音の /ɛ/ と /ɔ/ が各々二重母音の /ie/ と /ue/ に変化し、カスティーリャ語が成立したと考えられる時代には5母音体系になりました。また /ʎ/ は、現在ではスペインと中南米の大部分で /j/ に合流し、消滅しました。yo「私」は「ヨ」ではなく「ジョ」に近い発音をします。歴史的に f がいったんなくなりましたが（hijo 'son' cf. fra. fils / ita. figlio、ただし fuego 'fire', fiesta 'party' など、二重母音の前の位置のものを除く）、これは†基層言語であるバスク語からの影響によるという説があります（亀井・河野・千野（編）(1996: 269)）。現在あるそれ以外の f はラテン語などからの後の時代の†借用によるものです。日本語母語話者にとって難しい発音の1つに、/l, ɾ, r/ の区別が挙げられます。

母音または s/n で終わる語では、最後から2番目の音節に†アクセントがあり、それ以外で終わる語では、最後の†音節にアクセントが来るのが原則ですが、これらの規則に反する場合は、アクセント記号によって表します。文頭（付加疑問では付加部分の開始位置）にもさかさまの疑問符（¿）と感嘆符（¡）をつけるのが特徴的です。

形態論

†定冠詞は el (M.SG), los (M.PL), la (F.SG), las (F.PL)、†不定冠詞は un (M.SG), unos (M.PL), una (F.SG), unas (F.PL)、となっています。フランス語やイタリア語とは違い、不定冠詞の複数形は uno「1」を語源とする語に複数の -s をつけた形から形成されました。

スペイン語、ポルトガル語、イタリア語には†コピュラが2つあります。スペイン語では（恒常的）性質・（恒常的）属性には ser (**Soy** japonés.「（私は）日本人だ」、**Es** nerviosa.「（彼女は）神経質だ」)、（一時的）状態には estar を使います (Mi padre **está** enfermo.「私の父は病気だ」、**Está** nerviosa.「（彼女は）いらだっている」)（寺崎 (1998: 115) による）。なおフランス語ではコピュラは1つになり、一部の変化形には ser と同語源の形が、一部の変化形には estar と同語源の形が残りました。

†ロマンス諸語の言語は一般に2種類の†過去形を持っています。それぞれの言語での用法は少しずつ違い、またそれぞれの文法記述での呼び名が異なっています。ある一時点に行われた過去の出来事を示す形（フランス語学では「単純過去」、イタリア語学では「遠過去」、スペイン語学では「点過去」、ポルトガル語学では「完全過去」などと呼ばれています）と、一定の時間的な長さを持った過去の出来事を示す形（フランス語学・イタリア語学では「半過去」、スペイン語学では「線過去」、ポルトガル語学では「不完全過去」などと呼ばれています）が区別されます。なお厳密に言うと上記の「一時点」が指す「時間」は、話者にとって「ひとまとまり」のものとして捉えられるものであるならば、実際の時間としては長い時間を指すこともあります。

ラテン語で動詞1語の†活用で示されていた†現在完了の意味は、ロマ

ンス諸語では［助動詞＋過去分詞］（例えば spa. He estudiado. ‖ fra. J'ai étudié. 'I have studied.'）で示されるようになりました。一方、ラテン語に本来あったその現在完了形は、スペイン語学で言う点過去の形となりました（spa. Estudié. ‖ fra. J'étudiai.）。さらにその後フランス語とイタリア語では、この形は書き言葉や†方言でしか使われなくなり、［助動詞＋過去分詞］がある一時点に行われた過去の意味も表すようになりました。これに対して、スペイン語とポルトガル語では今でも現在完了と（点）過去の意味は違う形ではっきりと区別されています。

　ラテン語にはさらに未完了過去と呼ばれていた形がありましたが、これはフランス、イタリア、スペイン、ポルトガルの4つのどの言語にも受け継がれて、上記の一定の時間的な長さを持った過去を示す形となりました（spa. Estudiaba. ‖ fra. J'étudiais. 'I was studying.'）。

　ラテン語には動詞1語の活用で示されていた未来の意味を示す形がありましたが、これはロマンス諸語では失われてしまいました。本書で扱っている上記の4言語を含む多くのロマンス諸語では［不定詞　＋ 'have'］が1語化して新たな未来形が形成されました（spa.　Estudiaré. （< estudiar + he) ‖ fra. J'étudierai. （< étudier + ai) 'I will study.'）。これは英語の 'have to do' のように「義務」を表す形式になったものが、未来を示すものへとその働きがさらに変化してきたものです。さらに［不定詞＋ 'had'］の形が生まれ、これは「‡条件法」（機能面での名付けですが、スペイン・ポルトガル語学では形式面から「直説法過去未来」と呼んでいます）となりました（spa. Estudiaría. （< estudiar + había) ‖ fra. J'étudierais. （< étudier + avais) 'I would study.'）。

統語論

　†基本語順は†SVO（主語・動詞・目的語）型ですが、同じ SVO 型の英語やフランス語に比べると、スペイン語の語順はやや自由です。例えば、Juan lee un libro. (SVO)「フアンは本を読む」という文の場合、この他に次の語順が可能です（寺崎 (1998: 116) による）。Lee Juan un libro. (VSO) / Lee un libro Juan. (VOS) / Un libro lee Juan. (OVS、ただし OVS にする場合に

は独自のイントネーションを必要とします)。名詞を修飾する際、基本的に形容詞は名詞に後置されます（第3章フランス語の概説を参照）。

語 彙

イベリア半島には8世紀から約800年間イスラム国家が存在したので、かなり基本的な語に至るまでアラビア語からの借用語が多く存在しています（alacena 'cupboard', alfombra 'rug, carpet'）。

原 (1989)「スペイン語」(⑦所収)、亀井・河野・千野 (編) (1996)「基層」(⑦所収)、寺崎 (1998)「スペイン語」(①所収)

El Principito

5

Cada día sabía algo nuevo sobre el planeta, sobre la partida, sobre el viaje.
['kada 'dia sa'bia 'algo 'nwebo 'sobre el pla'neta sobɾe la paɾ'tida sobɾe el 'bjaxe]

cada	día	sab-ía-Ø	algo	nuev-o	sobre	el-Ø	planeta	sobre
毎	日.M	知る-IPST-1SG	何か	新しい-M	～について	DEF-M	惑星.M	～について

l-a	partida	sobre	el-Ø	viaje
DEF-F	出発.F	～について	DEF-M	旅行.M

毎日私は、星、出発、旅行について新しいことを学んでいきました。

Venía lentamente, al azar de las reflexiones.
[be'nia 'lenta'mente al a'θaɾ de las reflek'sjones]

ven-ía-Ø	lentamente	a+el-Ø	azar	de	l-a-s	reflexion-es
来る-IPST-3SG	ゆっくりと	～に+DEF-M	偶然.M	～の	DEF-F-PL	熟考.F-PL

それは、考えの中から偶然に、ゆっくりとやってきました。

Al tercer día me enteré del drama de los baobabs.
[al teɾ'θeɾ 'dia me ente'ɾe del 'dɾama de los bao'babs]

a+el-Ø	tercer-Ø	día	me	enter-é	de+el-Ø	drama	de	l-o-s
～に+DEF-M	三番目の-M	日.M	私.SG.ACC	知らせる-PST.1SG	～の+DEF-M	悲劇.M	～の	DEF-M-PL

baobab-s
バオバブ.M-PL

3日目にバオバブの悲劇について知りました。

Fue aún gracias al cordero, pues el principito me interrogó bruscamente,
como asaltado por una grave duda:
[fwe a'un 'gɾaθjas al koɾ'deɾo pwes el pɾinθi'pito me inteɾo'go 'bɾuska'mente komo asal'tado poɾ
'una 'gɾabe 'duda]

fu-e	aún	gracias	a+el-Ø	cordero	pues	el-Ø	princip-ito
～だ-PST.3SG	まだ	～のおかげで	～に+DEF-M	子羊.M	～というのは	DEF.M	王子.M-DIM.M

me   interrog-ó   bruscamente   como   asalt-ad-o   por   un-a

私.SG.ACC   尋ねる-PST.3SG   突然   ～のように   襲う-PP-M   ～によって   INDEF-F

grave-Ø   duda

深刻な-F   疑問.F

それも子羊のおかげでした。というのは、小さな王子さまは深刻な疑問に襲われたように突然、私に尋ねたからです。

—¿Es verdad, no es cierto, que a los corderos les gusta comer arbustos?

['es beɾ'dad 'no 'es 'θjeɾto ke a los koɾ'deɾos les 'gusta ko'meɾ aɾ'bustos]

es   verdad   no   es   ciert-o   que   a   l-o-s   cordero-s   le-s

～だ.PRS.3SG   真実.F   NEG   ～だ.PRS.3SG   本当の-M   CMPL   ～に   DEF-M-PL   子羊.M-PL   彼.DAT-PL

gust-a-Ø   com-er   arbusto-s

気に入る-PRS.3SG   食べる-INF   低木.M-PL

「子羊は低木を食べるのが好きということは本当？　本当じゃない？」

—Sí. Es verdad.

['si 'es beɾ'dad]

sí   es   verdad

はい   ～だ.PRS.3SG   本当.F

「うん。本当だよ」

—¡Ah! ¡Qué contento que estoy!

['a 'ke kon'tento ke es'toj]

ah   qué   content-o   que   est-oy

ああ   何て   嬉しい-M   CMPL   いる-PRS.1SG

「ああ！　何て嬉しいことだろう！」

No comprendí por qué era tan importante que los corderos comiesen arbustos.

['no kompɾen'di por 'ke 'eɾa tan impoɾ'tante ke los koɾ'deɾos ko'mjesen aɾ'bustos]

no   comprend-í   por   qué   er-a   tan   important-e

NEG   理解する-PST.1SG   ～のために   何   ～だ.IPST-3SG   そんなに   大切な-M

que l-o-s cordero-s com-ies-e-n arbusto-s
CMPL DEF-M-PL 子羊-M-PL 食べる-IPST-SBJV-3PL 低木-M-PL

私は、子羊が低木を食べるということがなぜそんなに大切なのか理解できませんでした。

Pero el principito agregó:

[peɾo el pɾinθiˈpito agɾeˈɣo]

pero el-Ø princip-ito agreg-ó
しかし DEF-M 王子-M-DIM.M 加える-PST.3SG

しかし、小さな王子さまは言い足しました。

—¿De manera que comen también baobabs?

[de maˈneɾa ke ˈkomen tamˈbjen baoˈbabs]

de manera que com-e-n también baobab-s
〜の 方法-F CMPL 食べる-PRS-3PL 〜も バオバブ-M-PL

「つまり、バオバブも食べるということだね？」

Hice notar al principito que los baobabs no son arbustos, sino árboles grandes como iglesias y que aun si llevara con él toda una tropa de elefantes, la tropa no acabaría con un solo baobab.

[ˈiθe noˈtaɾ al pɾinθiˈpito ke los baoˈbabs ˈno ˈson aɾˈbustos sino ˈaɾboles ˈgɾandes komo iˈglesjas i ke aun si ʎeˈbaɾa kon ˈel ˈtoda ˈuna ˈtɾopa de eleˈfantes la ˈtɾopa ˈno akabaˈɾia kon ˈun ˈsolo baoˈbab]

hic-e not-ar a+el-Ø princip-ito que l-o-s baobab-s no so-n
させる-PST.1SG 気付く-INF 〜に+DEF.M 王子-M-DIM.M CMPL DEF-M-PL バオバブ-M-PL NEG 〜だ PRS-3PL

arbusto-s sino árbol-es grande-Ø-s como iglesia-s y que aun
低木-M-PL むしろ 木-M-PL 大きい-M-PL 〜のように 教会-F-PL そして CMPL 〜さえ

si llev-ar-a-Ø con él tod-a un-a tropa de elefante-s
もし 持っていく-IPST-SBJV-3SG 〜と共に 彼.M.SG すべて-F INDEF-F 群れ-F 〜の 象-M-PL

l-a tropa no acab-ar-ía-Ø con un-Ø sol-o baobab
DEF-F 群れ-F NEG 終わらせる-FS-COND-3SG 〜と共に INDEF-M 一つの-M バオバブ-M

バオバブは低木ではなく、教会のように大きな木であること、もしも象の群れを連れていったとしても、その群れは1本のバオバブすら食べ尽くすことができないであろうということを、私は小さな王子さまに指摘しました。

La idea de la tropa de elefantes hizo reír al principito:
[la i'dea de la 'tɾopa de ele'fantes 'iθo re'iɾ al pɾinθi'pito]

l-a	idea	de	l-a	tropa	de	elefante-s	hiz-o	re-ír	a+el-Ø
DEF-F	考え.F	〜の	DEF-F	群れ.F	〜の	象.M-PL	する-PST.3SG	笑う-INF	〜に+DEF-M

princip-ito
王子.M-DIM.M

象の群れという発想は、小さな王子さまを笑わせました。

—Habría que ponerlos unos sobre otros…
[a'bɾia ke po'neɾlos 'unos sobɾe 'otɾos]

hab-r-ía-Ø	que	pon-er=l-o-s	un-o-s	sobre	otr-o-s
AUX-FS-COND-3SG	CMPL	置く-INF=彼.ACC-M-PL	INDEF-M-PL	〜の上に	別の-M-PL

「1頭の上に、別の1頭を重ねなければならないね ……」

Y observó sabiamente:
[i obseɾ'bo 'sabja'mente]

y	observ-ó	sabiamente
そして	指摘する-PST.3SG	賢明に

そして、彼は賢明に指摘しました。

—Los baobabs, antes de crecer, comienzan por ser pequeños.
[los bao'babs 'antes de kɾe'θeɾ ko'mjenθan por seɾ pe'keɲos]

l-o-s	baobab-s	antes	de	crec-er	comienz-a-n	por	s-er
DEF-M-PL	バオバブ.M-PL	前に	〜の	成長する-INF	始まる-PRS-3PL	〜で	〜だ-INF

pequeñ-o-s
小さな-M-PL

「バオバブは成長する前は、小さな木だよね」

—¡Es cierto! Pero ¿por qué quieres que tus corderos coman baobabs pequeños?
['es 'θjeɾto peɾo poɾ 'ke 'kjeɾes ke tus koɾ'deɾos 'koman bao'babs pe'keɲos]

es	ciert-o	pero	por	qué	quier-e-s	que	tu-s	cordero-s
〜だ.PRS.3SG	本当の-M	しかし	〜のために	何	欲する-PRS-2SG	CMPL	君の-PL	子羊.M-PL

com-a-n	baobab-s	pequeñ-o-s
食べる-SBJV.PRS-3PL	バオバブ-M-PL	小さな-M-PL

「本当だよ！　でも、どうして君の子羊たちに小さなバオバブを食べてほしいんだい？」

Me contestó: «¡Bueno! ¡Vamos!», como si ahí estuviera la prueba.

[me kontesˈto ˈbweno ˈbamos komo si aˈi estuˈbjeɾa la ˈpɾweba]

me	contest-ó	buen-o	v-a-mos	como	si	ahí	estuv-ier-a-Ø
私.SG.DAT	答える-PST.3SG	良い-M	行く-IMP-1PL	〜のように	もし	そこ	ある-IPST-SBJV-3SG

l-a	prueba
DEF-F	証拠.F

彼は「よし、ほら！」と、そこに証拠があるかのように私に答えました。

Y necesité un gran esfuerzo de inteligencia para comprender por mí mismo el problema.

[i neθesiˈte ˈun ˈɡɾan esˈfweɾθo de inteliˈxenθja paɾa kompɾenˈdeɾ poɾ ˈmi ˈmismo el pɾoˈblema]

y	necesit-é	un-Ø	gran-Ø	esfuerzo	de	inteligencia	para
そして	要る-PST.1SG	INDEF-M	大きい-M	努力.M	〜の	知性.F	〜のために

comprend-er	por	mí	mism-o	el-Ø	problema
理解する-INF	〜で	私.SG.PREP	自身-M	DEF-M	問題.M

そして、その問題を私自身で理解するには、頑張ってたくさん考える必要がありました。

En efecto, en el planeta del principito, como en todos los planetas, había hierbas buenas y hierbas malas.

[en eˈfekto en el plaˈneta del pɾinθiˈpito komo en ˈtodos los plaˈnetas aˈbia ˈjeɾbas ˈbwenas i ˈjeɾbas ˈmalas]

en	efecto	en	el-Ø	planeta	de+el-Ø	princip-ito	como	en
〜に	効果.M	〜に	DEF-M	惑星.M	〜の+DEF-M	王子.M-DIM.M	〜のように	〜に

tod-o-s	l-o-s	planeta-s	hab-ía-Ø	hierba-s	buen-a-s	y
すべて-M-PL	DEF-M-PL	惑星.M-PL	ある-IPST-3SG	草.F-PL	良い-F-PL	そして

hierba-s	mal-a-s
草.F-PL	悪い-F-PL

確かに、小さな王子さまの星には、すべての星と同じように、良い草と悪い草がありました。

Como resultados de buenas semillas de buenas hierbas y de malas semillas de malas hierbas.

[komo resul'tados de 'bwenas se'miʎas de 'bwenas 'jeɾbas i de 'malas se'miʎas de 'malas 'jeɾbas]

Como	resultado-s	de	buen-a-s	semilla-s	de	buen-a-s	hierba-s
〜のように	結果M-PL	〜の	良い-F-PL	種F-PL	〜の	良い-F-PL	草F-PL

y	de	mal-a-s	semilla-s	de	mal-a-s	hierba-s
そして	〜の	悪い-F-PL	種F-PL	〜の	悪い-F-PL	草F-PL

それらは、良い草の良い種から、悪い草の悪い種から育った結果です。

Pero	las	semillas	son	invisibles.
しかし	それらの	種	〜だ	不可視の

しかし、種は目に見えません。

Duermen	en	el	secreto	de	la	tierra	hasta	que	a
(それらは)眠る	〜に	その	秘密	〜の	その	土	〜まで	〜ということ	〜に

una	de	ellas	se	le	ocurre	despertarse.
一つの	〜の	それら	自身	それに	思いつく	自身を起こすこと

1粒の種が目覚めることにするまで、土の下に潜んでいます。

Entonces se estira y, tímidamente al comienzo,
それから 自身を (それは)伸ばす そして 内気に その〜に 始まり

crece hacia el sol una encantadora briznilla inofensiva.
(それは)成長する 〜の方へ その 太陽 一つの 魅力的な 葉 無害な

それから伸びて、最初は少しずつ、魅力的で無害な葉っぱが太陽の当たるほうへと成長していきます。

Si se trata de una planta mala, debe
もし 自身 (それは)扱う 〜の 一つの 植物 悪い 〜しなければならない

arrancarse la planta inmediatamente, en cuanto se ha
自身を引き抜くこと その 植物 早急に 〜するとすぐに 人は 持つ AUX

podido reconocerla.
できた それを認めること

もし悪い植物なら、わかったらすぐに、早急に引き抜く必要があります。

Había pues, semillas terribles en el planeta del principito.
あった つまり 種 恐ろしい 〜に DEF-M 惑星 その〜の 小さな王子

そして小さな王子さまの星には恐ろしい種がありました。

Eran las semillas de los baobabs.
〜だった それらの 種 〜の それらの バオバブ

それらは、バオバブの種でした。

El suelo del planeta estaba infestado.
その 土地 その〜の 惑星 〜だった はびこられた

星の土地ははびこられてられていました。

Y si un baobab no se arranca a tiempo, ya no
そして もし 一つの バオバブ NEG 自身を 引き抜く 〜に 時間 もう NEG

es posible desembarazarse de él.
〜だ 可能な 自身を解放すること 〜の それ

もし、バオバブを手遅れにならないうちに引き抜かなければ、その後は引き抜くことができません。

Invade   todo   el   planeta.
(それは)荒らす すべて ～の   惑星

星のすべてを荒らしてしまいます。

Lo   perfora   con   sus   raíces.
それを (それは)貫く ～と共に 彼の   根

根で貫いてしまいます。

Y   si   el   planeta   es demasiado pequeño   y   si   los
そして もし その   惑星   ～だ ～過ぎる   小さな   そして もし それらの

baobabs son demasiado numerosos,   lo   hacen   estallar.
バオバブ   ～だ ～過ぎる   多い   それを させる   爆発すること

星が小さすぎて、バオバブが多すぎるなら、星を爆発させてしまいます。

« Es cuestión de disciplina », me decía   más tarde el principito.
～だ   問題   ～の   規律   私に 言っていた もっと 遅く その 小さな王子

「規律の問題だよ」と小さな王子さまは後に言っていました。

« Cuando uno termina de   arreglarse   por   la   mañana
～する時   人   終える ～の 自身を整えること ～ごろに その   朝

    debe   hacer cuidadosamente la limpieza del planeta.
～しなければならない すること   注意深く   その   掃除   その～の 惑星

「朝の支度を終わらせたら、注意深く星の掃除をしなきゃならないんだ。

Hay   que   dedicarse regularmente a   arrancar   los
ある ～ということ 自分を捧げること   定期的に   ～に 引き抜くこと それらの

baobabs en cuanto   se   los distingue entre los
バオバブ   ～に どれほど (一般に)人は それらを   見分ける ～の間で その

rosales, a   los que se parecen mucho cuando son muy
バラ   ～に それら REL 自身 似ている   よく   ～する時 ～だ とても

jóvenes.
若い

バオバブは若木のころにバラとよく似ているけど、見分けることができたら、定期的にバオバブを引き抜くことに専念しなきゃいけないんだ。

Es un trabajo muy aburrido, pero muy fácil. »
~だ 一つの 仕事 とても 退屈な しかし とても 簡単な

とてもつまらないんだけど、とても簡単な仕事だよ」

Y un día me aconsejó que me aplicara a
そして 一つの 日 私に 勧めた ~ということ 私自身を (私が)利用するよう ~に

lograr un hermoso dibujo, para que entrara bien
やり遂げること 一つの 美しい 絵 ~のために ~ということ 入るよう 良く

en la cabeza de los niños de la tierra.
~に その 頭 ~の それらの 子供たち ~の その 地球

そしてある日、地球の子供たちの頭に残るように、美しい絵を描き上げる努力を
するように勧めてくれました。

« Si algún día viajan — me decía —, podrá
もし とある 日 (彼らが)旅する 私に 言っていた ~かもしれない

serles útil.
彼らに~であること 有用な

「(子供たちが)いつか旅に出たら」と、彼は私に言っていました。「彼らの役に立
つかもね。

A veces no hay inconveniente en dejar el trabajo
~に 回 NEG ある 支障 ~に 残すこと その 仕事

para más tarde.
~のために もっと 遅く

仕事を後回しにしても問題がないこともあるよ。

Pero, si se trata de los baobabs, es siempre
しかし もし 自身を (それは)扱う ~の それらの バオバブ (それは)~だ いつも

una catástrofe.
一つの 災い

でも、それがバオバブなら、いつも災いなんだ。

Conocí   un   planeta   habitado   por   un   perezoso.
(私は)知った　一つの　　惑星　　住まれている　〜によって　一つの　　怠け者

ぼくは怠け者が住んでいる星を知ったんだ。

Descuidó   tres   arbustos ...»
(彼は)放置した　三　　　低木

（彼は）低木を3本放置したんだ……」

Y,   según   las   indicaciones   del   principito,   dibujé
そして　〜に従って　それらの　　　指示　　　その〜の　小さな王子　(私は)描いた

aquel   planeta.
あの　　　惑星

私は小さな王子さまの説明に従って、その星を描きました。

No   me   gusta   mucho   adoptar   tono   de   moralista.
NEG　私に　気に入る　大いに　　　取ること　調子　〜の　モラリスト

私はモラリストのように話すのがあまり好きではありません。

Pero   el   peligro   de   los   baobabs   es   tan   poco
しかし　その　　危険　　〜の　それらの　　バオバブ　〜だ　そんなに　少ししか〜ない

conocido   y   los   riesgos   corridos   por   quien   se
　知られた　そして　それらの　　危険　　犯された　〜によって　〜する人　自身を

extravía   en   un   asteroide   son   tan   importantes,
道を踏み外させる　〜に　一つの　　小惑星　　〜だ　そんなに　　大切な

que,   por   una   vez,   salgo   de   mi   reserva.
〜ということ　〜に　一つの　　回　(私は)抜ける　〜から　私の　　遠慮

しかし、バオバブの危険性があまり知られておらず、小さな星で迷った人にとっ
ての危険性はとても重大なので、今回に限って遠慮をしません。

Y   digo   :« ¡Niños! ¡Cuidado   con   los   baobabs! »
そして　(私は)言う　　子供たち　　注意　　〜に　それらの　バオバブ

そして、次のように言います。「子供たち！　バオバブに注意！」

Para   prevenir   a   mis   amigos   de   un   peligro   que   desde
~のために 予防すること ~に 私の   友人たち   ~から 一つの   危険   REL   ~から

hace   tiempo   los   acecha,   como   a   mí   mismo,   sin
~前   時間   彼らを   待ち受ける   ~のように ~に 私   自身   ~なしで

conocerlo,   he   trabajado   tanto   en   este   dibujo.
それを知ること (私は)持つ AUX   働いた   そんなに   ~に   この   絵

私も知らずに脅かされていたように、以前から私の友達を脅かしている危険を避けるために、この絵を描くのにたくさん努力しました。

La   lección   que   doy   es   digna   de   tenerse   en   cuenta.
その   教訓   REL (私が)与える ~だ 値する   ~の 自身を持つこと ~に   考慮

私の教える教訓は念頭に置いておく価値があります。

Quizás   os   preguntaréis:
~かもしれない 君たち自身に   (君たちは)問うだろう

君たちはたぶん疑問に思っているでしょう。

¿Por   qué   no   hay,   en   este   libro,   otros   dibujos   tan
~ために   何   NEG   ある   ~に   この   本   別の   絵   そんなに

grandiosos   como   el   dibujo   de   los   baobabs?
壮大な   ~のように その   絵   ~の それらの   バオバブ

なぜこの本には、バオバブの絵ほど素晴らしい絵がほかにないのか？

La   respuesta   es   bien   simple:
その   答え   ~だ 良く   単純な

答えはごく簡単です。

He   intentado   hacerlos,   pero   sin   éxito.
(私は)持つ AUX   試みた   それらを作ること しかし ~なしで 成功

描いてはみたのですが、成功しなかったのです。

Cuando   dibujé   los   baobabs   me   impulsó   el   sentido   de
~する時 (私が)描いた それらの バオバブ   私を 駆り立てた その 感覚 ~の

la   urgencia.
その   緊急

バオバブの絵を描いたときは、危機感に駆り立てられたのです。

del Carril, Bonifacio (1971, 1997) (tr.) *El Principito*. Madrid: Alianza Editorial SA. pp.26-30.

6 ポルトガル語

2億人近くいる話者のうち、ポルトガル本国の話者は1000万人程度で、ブラジルの話者が多数を占めます。以下の概説は基本的にポルトガル本国の言語（中でもとくに北部方言）に関してのものです。

音韻論と文字体系

†子音音素には /p, t, k, b, d, g, m, n, ɲ, f, v, s, z, ʃ, ʒ, l, ʎ, ɾ, ʀ/ の19個、母音音素にはまず単母音 /i, e, ɛ, a, ɐ, ɔ, o, u/ と†二重母音 /iu̯, eu̯, ɛu̯, au̯, ei̯, ɛi̯, ai̯, ɔi̯, oi̯, ui̯/（中南部の規範では ei̯ も ɛi̯ も ɐi̯ となります）の18個があります。加えて、†鼻母音 /ĩ, ẽ, ɐ̃, õ, ũ/ もありますが、そればかりでなく、二重鼻母音 /ɐ̃ũ̯, õĩ̯, ɐ̃ĩ̯, ũĩ̯/ というものが4つある点が特徴的です。e, a, o で綴られる母音は†強勢 のない位置で一般に†弱化し [ɨ, ɐ, u] として現れます。†有声破裂音 /b, d, g/ は、母音間で†摩擦音 [β, ð, ɣ] となって現れます。

ブラジルのポルトガル語では /ɐ/ と /a/ の†対立がなく7母音になっている一方、二重鼻母音にさらに [ẽĩ̯] があるなどの違いが見られます（黒沢 (1998: 320) による）。無強勢母音の弱化現象は、無強勢語末においてのみ起こり、-e, -o で綴られる母音はそれぞれ [i], [u] のように発音されます。/t/, /d/ は、[i] の前では†硬口蓋化され、[c], [ɟ] のように発音されます。

歴史的にみると、母音間の -L-, -N- が†脱落し、語頭の PL-, FL-, CL- が ch[ʃ] になっています（大文字は俗ラテン語での形を示しています）。

文字には、外国語の固有名詞等に用いられる k, w, y を除いた23のラテン文字を使います。文字より母音の数が多いので、母音字に ´, `, ^, ˜ の†補助記号を用います。ch, nh, lh, rr の組み合わせで、それぞれ [ʃ], [ɲ], [ʎ], [ʀ]（または [r]）の音を表します。[s] は、c-, -ç-, s-, -ss- と

いろいろに書く一方、x には［s］,［z］,［ʃ］,［ks］の4種類の読み方があります。

形態論

名詞には男女の2性があり、名詞句の内部や†コピュラ文の主語と述語などの間で†性†数の†一致 がある点など、他の†ロマンス諸語と同じです。多くの場合、-o で表される名詞は男性、-a で表される名詞は女性です。形容詞も多くの場合名詞の後ろに現れ（第3章フランス語の概説を参照）、冠詞や指示代名詞は所有格代名詞の前に来ます（**a minha** bicicleta 'the my bicycle'「私の自転車」）。

†指小辞と†指大辞による名詞と形容詞の派生が発達していて、小さいことや愛情、親密感などを表現する指小辞はよく使われます。指大辞は、対象が大きいことや、程度の大きさ、軽蔑などを表現するとされますが、頻度は低い文法事項です（指小辞：M. -inho/F. -inha, M. -zinho/F. -zinha, M. -ito/F. -ita, M. -zito/F. -zita e.g. livro > livri**nho** 'little book' 指大辞：-ão (F. -ona) e.g. livro > livr**ão** 'big book'）。

代名詞について見ましょう。現代ポルトガル語では、2人称複数の vós はポルトガル北部の方言を除いて使いません。ブラジルのポルトガル語では2人称単数・複数は使わず、代わりに3人称の você (PL. vocês), o senhor (PL. os senhores), a senhor (PL. as senhoras) を聞き手に対して使います。

動詞はまず†主語の†人称（1人称・2人称・3人称）と数（単数・複数）の組み合わせで6種類に変化します。また、ポルトガル語の動詞には他のロマンス諸語（fra., ita., spa.）と同様に、不定形の語尾 -ar, -er, -ir で表される3つの変化のパターンが存在します。

ポルトガル語の大きな特徴として、人称変化を示す人称不定詞というものの存在が挙げられます。†過去には他のロマンス諸語同様、2種類の区別があり（第5章スペイン語の概説を参照）、†ムードにも†接続法があります。†進行は、estar（コピュラ）+ a + 不定詞、または estar（コピュラ）+ 現在分詞（ポルトガル南部方言）でその他 andar 'walk', vir 'come', ir 'go' + 現在分詞の形で表されることもあります。

　未来形などの一部には lavar-**me**-ei「私は体を洗うだろう」のように代名詞 me「私を」が動詞の†語幹と†活用語尾の間に割り込んで現れたり、mo (me + o)「私にそれを」のような代名詞の結合形が見られるのも興味深い点です。

　ロマンス諸語で英語の 'have' にあたる働きをする動詞について見ると、フランス語では avoir、イタリア語では avere と、ラテン語の habēre から引き継がれた語がそのまま用いられていますが、スペイン語では tener、ポルトガル語では ter が使われるようになりました。これはラテン語のtenēre 'hold, keep' に由来する動詞です。ポルトガル語ではさらに完了の†助動詞も ter になっています（スペイン語ではラテン語の habēre に由来するhaber のままです）。

統語論

　直接†目的語の代名詞は、ポルトガルでは、肯定の主文の場合、動詞に後置されますが、ブラジルでは前置されます（O Paulo viu-**me**.（ポルトガル）／ O Paulo **me** viu.（ブラジル）'Paulo saw me.'）。ブラジルでは、3人称の†間接目的語代名詞を使わずに、対象を表す†前置詞 a/para と強勢形の代名詞を用いて表すこともあります。

　例えば、Marília **lhe** deu uma ajuda. 'Marília gave **him**/**her** some help.' に対して、Marília deu uma ajuda **a ele**. 'Marília gave **him**/**her** some help.' と言うことがあります。

語　彙

　スペイン語よりは少ないものの、やはり1000語程度のアラビア語からの†借用語があります。

　ポルトガル語は、日本が直接に接したはじめてのヨーロッパの言語で、ポルトガル語から日本語に入ったパン、カステラ、カルタ、カッパなどの借用語があります。1600年過ぎに刊行された『日本大文典』と『日葡辞書』は当時の日本語をローマ字によって記録した点できわめて貴重

な資料となっています。

黒沢 (1992)「ポルトガル語」(⑦所収)、黒沢 (1998)「ポルトガル語」(①所収)

O Principezinho

Portuguese

6

Ah, principezinho! Assim, aos poucos, fui ficando a conhecer a tua melancólica vidinha!

[a prĩsipɨˈziɲu ɐˈsĩ awʃ ˈpokuʃ fuj fiˈkẽdu ɐ kuɲiˈseɾ ɐ ˈtuɐ mɨlẽˈkɔlikɐ viˈdiɲɐ]

ah	principe-zinho	assim	a+o-s	pouco-s	fu-i	fic-ando	a
ああ	王子.M-DIM.M	そのように	～で+DEF.M-PL	少し.M-PL	～だ-PST.1SG	なる-PTCP.PRS	～で

conhec-er	a	tu-a	melancólic-a	vid-inh-a
知る-INF	DEF.F	君の-F	憂鬱な-F	人生.F-DIM.F

ああ、小さな王子さま！　こうして、少しずつ、私は君の憂鬱な人生を理解するようになっていったのです。

Durante muito tempo, a tua única distracção foi a beleza dos crepúsculos.

[duˈɾẽtɨ ˈmũjtu ˈtẽpu ɐ ˈtuɐ ˈunikɐ diʃtɾaˈsɐ̃w foj ɐ bɨˈlezɐ duʃ kɾɨˈpuʃkuluʃ]

durante	muit-o	tempo	a	tu-a	únic-a	distracção	fo-i	a
～の間	たくさんの-M	時間.M	DEF.F	君の-F	唯一の-F	楽しみ.F	～だ-PST.3SG	DEF.F

beleza	de+o-s	crepúsculo-s
美しさ.F	～の+DEF.M-PL	たそがれ時.M-PL

長い間、君の唯一の楽しみはたそがれ時の美しさでした。

Fiquei a sabê-lo na manhã do quarto dia, quando me disseste:

[fiˈkɐj ɐ sɐˈbelu nɐ mɐˈɲɐ̃ du ˈkwaɾtu ˈdiɐ ˈkwẽdu mɨ diˈsɛstɨ]

fiqu-ei	a	sab-er=l-o	em+a	manhã	de+o	quart-o	dia
知る-PST.1SG	～に	知る-INF=彼.ACC-M	～の中に+DEF.F	朝.F	～の+DEF.M	四番目の-M	日.M

quando	me	diss-este
～する時	私.SG.DAT	言う-PST.2SG

私が4日目の朝にそれを知ったのは、君が私に言ったときでした。

O Principezinho　167

— Gosto muito dos pores* do Sol. Vamos ver um pôr do Sol…

[ˈgɔʃtu ˈmũĩtu duʃ ˈpoɾiʒ du ˈsɔɫ ˈvɐmuʒ ˈveɾ ũ ˈpoɾ du ˈsɔɫ]

gost-o	muito	de+o-s	pôr-es	de+o	Sol	va-mos	v-er	um-Ø
好きだ-PRS.1SG	たくさん	〜の+DEF.M-PL	置くこと.M-PL	〜の+DEF.M	太陽.M	行く.IMP-1PL	見る-INF	INDEF-M

pôr	de+o	Sol
置くこと.M	〜の+DEF.M	太陽.M

「ぼくは日の入りがとっても好きなんだ。日の入りを見に行こうよ……」

* 正しくは pores でなく、曲アクセント記号 ^ を用いて pôres であるべきですが、原著の間違いであると考えられます。

— Mas primeiro temos de esperar…

[mɐʃ pɾiˈmɐjru ˈtemuʒ dɨ iʃpiˈɾaɾ]

mas	primeiro	te-mos	de	esper-ar
でも	まず	〜しなければならない.PRS-1PL	〜の	待つ-INF

「でも、まず私たちは待たなければならないよ……」

— Esperar o quê?

[iʃpiˈɾaɾ u ˈke]

esper-ar	o	quê
待つ-INF	DEF.M	何

「待つって何を？」

— Esperar que o Sol se ponha.

[iʃpiˈɾaɾ ki u ˈsɔɫ sɨ ˈpoɲɐ]

esper-ar	que	o	Sol	se	ponh-a-Ø
待つ-INF	CMPL	DEF.M	太陽.M	REFL.ACC	置く-SBJV-3SG

「太陽が沈むのを待つのさ」

Começaste por ficar muito espantado, mas, depois, riste-te de ti próprio.

[kumɨˈsaʃtɨ puɾ fiˈkaɾ ˈmũĩtu iʃpẽˈtadu mɐʃ dɨˈpojʃ ˈʁiʃtɨtɨ dɨ ti ˈpɾɔpɾju]

começ-aste	por	fic-ar	muito	espant-ad-o	mas	depois
始める-PST.2SG	〜のために	なる-INF	たくさん	驚かせる-PP-M	しかし	後に

r-iste=te	de	ti	própri-o
笑う-PST.2SG=君.SG.ACC	〜の	君.SG.PREP	自身-M

君はかなり驚き始めましたけれど、その後で君自身を笑いました。

E dissseste-me:

[i diˈsɛʃtɨmɨ]

e	diss-este=me
そして	言う-PST.2SG=私.SG.DAT

そして君は私に言いました。

— Ainda julgo que estou lá no meu sítio…

[ɐˈĩdɐ ˈʒuɫgu ki iʃto la nu ˈmew ˈsitju]

ainda	julg-o	que	est-ou	lá	em+o	me-u	sítio
まだ	思う-PRS.1SG	CMPL	いる-PRS.1SG	そこに	〜の中に+DEF.M	私の-M	場所-M

「まだぼくは、ぼくのうちにいる気がしてるよ……」

Pois é.

[pojz ɛ]

pois	é
そう	〜だ.PRS.3SG

そうなのです。

Quando é meio-dia nos Estados-Unidos, toda a gente sabe que o Sol se está a pôr em França.

[ˈkwẽdu ɛ mɐjuˈdiɐ nuz iʃˈtaduz uˈniduʃ ˈtodɐ ɐ ˈʒẽtɨ ˈsabɨ ki u ˈsɔɫ sɨ iʃta ɐ ˈpor ẽ ˈfrẽsɐ]

quando	é	meio.dia	em+o-s	Estado-s	Un-id-o-s
〜する時	だ.PRS.3SG	正午-M	〜の中に+DEF.M-PL	州-M-PL	統一する-PP-M-PL

tod-a	a	gente	sab-e-Ø	que	o	Sol	se
すべての-F	DEF.F	人々-F	知っている-PRS.3SG	CMPL	DEF.M	太陽-M	REFL

est-á-Ø	a	pô-r	em	França
ある-PRS.3SG	〜に	置く-INF	〜に	フランス-F

O Principezinho   169

合衆国が正午のとき、フランスでは太陽が沈みゆくことをすべての人々が知って
います。

Bastava poder chegar a França num minuto para se assistir ao pôr do Sol.
[bɐʃˈtavɐ puˈdeɾ ʃiˈgaɾ ɐ ˈfɾɐ̃sɐ nũ miˈnutu ˈpɐɾɐ si ɐsiʃˈtiɾ aw ˈpoɾ du ˈsɔl]

bast-ava-Ø	pod-er	cheg-ar	a	França	em+um-Ø
十分だ-IPST-3SG	出来る-INF	到着する-INF	～に	フランス.F	～の中に+INDEF-M

minuto	para	se	assist-ir	a+o	pôr	de+o	Sol
分.M	～のために	REFL	居合わせる-INF	～に+DEF.M	置くこと.M	～の+DEF.M	太陽.M

日の入りに居合わせるためには、1分でフランスに到着できれば十分でした。

Mas, infelizmente, a França fica longe demais.
[mɐʃ ĩfiliʒˈmẽti ɐ ˈfɾɐ̃sɐ ˈfikɐ ˈlõʒi diˈmajʃ]

mas	infelizmente	a	França	fic-a-Ø	longe	demais
しかし	不幸にも	DEF.F	フランス.F	ある-PRS-3SG	離れて	かなり

ですが不幸にも、フランスはかなり離れたところにあります。

No teu planeta pequenino bastava puxares a cadeira um bocadinho mais para trás.
[nu ˈtew plɐˈnetɐ piki'ninu bɐʃˈtavɐ puˈʃaɾiʃ ɐ kɐˈdɐjɾɐ ũ bukɐˈdiɲu majʃ ˈpɐɾɐ tɾaʃ]

em+o	te-u	planeta	pequen-in-o	bast-ava-Ø	pux-ar-es
～の中に+DEF.M	君の-M	惑星.M	小さな-DIM-M	十分だ-IPST-3SG	引く-INF-2SG

a	cadeira	um-Ø	bocad-inho	mais	para	trás
DEF.F	椅子.F	INDEF-M	少し.M-DIM.M	もっと	～に向かって	後ろへ

君の小さな星では、君が椅子を少しだけ後ろに引くだけで十分でした。

E vias quantos crepúsculos quisesses…
[i ˈviɐʃ ˈkwẽtuʃ kɾɪˈpuʃkuluʃ kiˈzɛsiʃ]

e	v-ia-s	quant-o-s	crepúsculo-s	qui-sess-e-s
そして	見る-IPST-2SG	それほどの-M-PL	たそがれ時.M-PL	望む-IPST-SBJV-2SG

そしてたそがれ時を望むだけ見てきたのです……。

— Um dia vi o Sol pôr-se quarenta e três vezes!

[ū ˈdiɐ ˈvi u sɔɫ ˈpoɾsɨ kwɐˈɾɐ̃tɐ i ˈtɾeʒ ˈveziʃ]

um-Ø	dia	v-i	o	Sol	pô-r=se	quar-enta
INDEF-M	日.M	見る-PST.1SG	DEF.M	太陽.M	置く-INF=REFL.ACC	四・十

e	três	vez-es
そして	三	回.F-PL

「ある日、ぼくは太陽が沈むのを43回見たよ！」

E pouco depois, acrescentaste:

[i ˈpoku dɨˈpojʃ ɐkɾɨʃsẽ̍taʃtɨ]

e	pouco	depois	acrescent-aste
そして	少し.M	後に	付け加える-PST.2SG

そして少し後に、君は付け加えました。

— Sabes… quando se está muito, muito triste, é bom ver o pôr do Sol…

[ˈsabɨʃ ˈkwɐ̃du sɨ iʃˈta ˈmũjtu ˈmũjtu ˈtɾiʃtɨ ɛ bõ ˈveɾ u ˈpoɾ du ˈsɔɫ]

sab-e-s	quando	se	est-á-Ø	muito	muito	trist-e
知っている-PRS.2SG	〜する時	REFL	ある-PRS.3SG	とても	とても	悲しい-M

é	bom-Ø	v-er	o	pôr	de+o	Sol
〜だ.3SG	良い-M	見る-INF	DEF.M	置くこと.M	〜の+DEF.M	太陽.M

「知っているかい……。とても、とても悲しいとき、太陽が沈むのを見るのは良いものだよ」

— E estavas assim tão triste no dia das quarenta e três vezes?

[i iʃˈtavɐʒ ɐˈsĩ tɐ̃w ˈtɾiʃtɨ nu ˈdiɐ dɐʃ kwɐˈɾɐ̃tɐ i ˈtɾeʒ ˈveziʃ]

e	est-ava-s	assim	tão	trist-e	em+o	dia
そして	ある-IPST.2SG	その時	それほど	悲しい-M	〜の中に+DEF.M	日.M

de+a-s	quar-enta	e	três	vez-es
〜の+DEF.F-PL	四・十	そして	三	回.F-PL

「なら、その43回の日には、君はそんなに悲しんでいたのかい？」

Mas o pricipezihno não me respondeu.

[mɐʃ u pɾĩsipɨˈziɲu nẽw mɨ ʁɨʃpõˈdew]

mas	o	pricipe-zihno	não	me	respond-eu
しかし	DEF.M	王子.M-DIM.M	NEG	私.SG.DAT	答える-PST.3SG

ですが、小さな王子さまは答えてくれませんでした。

Morais Varela, Joana (1987) (tr.) *O Principezinho*. Lisboa: Editora Caravela LDA. pp.26-27.

7 ロシア語

　ここから次のポーランド語、チェコ語へと続く3つの言語は[†]印欧語族の中でも[†]スラブ語派の言語です。スラブ系の言語にはさらにセルビア語やブルガリア語など、南にあるバルカン半島に広がる南スラブの諸言語があります。ロシア語はベラルーシ語、ウクライナ語とともに東スラブ語に属します。ポーランド語、チェコ語は西スラブ語に属します。西スラブ語がより複雑な名詞の変化を留めているわりに動詞の変化が比較的簡素になっているのに対し、南スラブ語は[†]格変化を失う一方でより複雑な動詞の[†]テンス・アスペクトの体系を留めています。東スラブ語はこの両者の中間的な性格を示しています。

音韻論と文字体系

　[†]母音音素は /i, e, a, o, u/ の5個であるのに対し、子音音素には[†]硬口蓋化子音の系列があるために /p, t, k, b, d, g, pʲ, tʲ, kʲ, bʲ, dʲ, gʲ, m, n, mʲ, nʲ, f, s, ʃ, x, v, z, ʒ, fʲ, sʲ, vʲ, zʲ, ts, tʃ, l, r, lʲ, rʲ, j/ と34個もあります。音節の頭にも音節末にも4子音の連続までが可能です。[†]アクセントは[†]強弱アクセントで、アクセントのある母音は長くはっきりと発音されます。語が変化するとアクセントの位置も動くことがあります（vodá (NOM) vs. vódu (ACC)「水」）。アクセントのない音節の母音は[†]弱化しますが、その場合、特に o で書かれる文字は語頭やアクセント音節の直前で [a] のように、その他の無アクセントの位置では [ə] のように発音されます。語末の無声化や、[†]有声／[†]無声に関する[†]逆行同化があります（xleb [xlʲep]「パン」、zavtra [zaftrə]「昨日」、vokzal [vagzal]「駅」）。文字は[†]キリル文字です。文字の数は記号を含めて33文字（/ の後ろにラテン文字への[†]翻字を示します。なお大文字は小文字とほぼ同じ形です。а/a, б/b, в/v, г/g, д/d, е/e, ё/jo, ж/ž, з/z, и/i, й/j, к/k,

л/l, м/m, н/n, о/o, п/p, р/r, с/s, т/t, у/u, ф/f, х/x, ц/c, ч/č, ш/š, щ/šč, ъ/'', ы/y, ь/', э/è, ю/ju, я/ja）です。記号には、次に母音字が来ない場合に †硬口蓋化子音であることを示す記号（ь、†軟音記号と言います）と、硬口蓋化を示す母音が来てもその前の子音が 硬口蓋化しないこと示す記号（ъ、†硬音記号と言います）があります（угол [ugəl]「隅」、уголь [ugəlʲ]「石炭」、сесть [sʲesʲtʲ]「座る（†完了体（後述））」、съесть [sjesʲtʲ]「食べる（完了体）」）。これらはそれ自体は音声を持たない記号です。子音の硬口蓋化／非硬口蓋化の違いは後続する母音文字の対立で示します（мать [matʲ]「母」、мяч [mʲatʃ]「ボール」、лук [luk]「ネギ」、люк [lʲuk]「マンホール」）。したがって上記の子音の目録にあるような硬口蓋化子音と非硬口蓋化子音のそれぞれに文字があるわけではありません。

　東スラブ諸語では子音に挟まれた †流音の前後に同じ母音が並ぶような形への変化が起こりました（rus. gorod「都市」‖ ces. hrad「城砦」‖ pol. gród「城砦」、この特徴は †母音重複と呼ばれています（佐藤（1992: 1032）による））。ロシア語ではこの変化が起こったあとに、再度南スラブから変化が起こってない形が †借用されたため、結果として2つの形が併存している場合があります（lenin**grad**「レニングラード（「レーニンの都市」から）」）。

形態論

　名詞には男女中の3つの †性があり、単複の †数と6つの †格（主格、†属格、与格、対格、†道具格、前置格）に変化します（例えば、kniga, knigi, knige, knigu, knigoj, knige「本（f.sg）」）。一般に単数主格が子音で終わる名詞は男性名詞、-a に終わる名詞は女性名詞、-o, -e で終わる名詞は中性名詞なので、たいていは見た目で判断がつきます。生物で性別のあるものは男性名詞と女性名詞になりますが、無生物の名詞は男女中のどの性のものもあります。3人称代名詞で受けるときには、生物だろうと無生物だろうと、それぞれの性の代名詞で受けます（on (M), ona (F), ono (N)）。†前置格とは、主に場所などを示す名詞が前置詞の後ろに置かれるときにのみ現れる格の形です。ただし前置詞の後の名詞が全部前置格になるわけではなく、前置詞によって名詞に要求する格は異なります。また同じ前置詞でも

移動の方向・目的地を表す場合は対格、静的な場所を示す場合には前置格、というように使い分けのある場合もあります（v komnatu「部屋の中へ」vs. v komnate「部屋の中で」、第2章ドイツ語の概説も参照）。無生物（‡不活動体と言います）では主格と対格の形は同じです（ključ 'key': On našjol ključ. 'He found the key.'）。これに対し人間・動物を示す名詞（‡活動体と言います）の対格は一部（単数女性）を除き、属格と同じ形で主格とは異なります（tigr 'tiger': On našjol tigra. 'He found the tiger.'）。これはたいていの場合には活動体の名詞から不活動体の名詞へ行為が行われるので問題はないのですが、活動体の名詞から活動体の名詞に行為が行われる場合には、活動体の名詞の主格と対格が同じ形では（†語順も自由なため）、どちらがどちらへ行為を行ったかわからなくなってしまうからです。†否定や部分を示す場合などに、主語や目的語の名詞が属格で表れるのも興味深い現象です（žurnal「雑誌」: Žurnala net.「雑誌がない」）。数詞が名詞を修飾する際、数詞が1のときは修飾される名詞は単数主格ですが、2〜4のときは単数属格、5〜20のときは複数属格、21以降は1の位の数によります（odin stakan 'one cup', dva stakana 'two cups', pjat' stakanov 'five cups'）。なおスラブ語派の言語の中にはスロベニア語のように、名詞に双数形を残している言語も存在します。ロシア語には†冠詞というものがなく、語順も自由なので、変化語尾を知るまではどれが名詞か動詞かさえもわかりません。

　ほとんどの動詞は‡完了体（PFV: perfective）と‡不完了体（IPFV: imperfective）のいずれかに属し、多くの場合ペアをなしています。その使い分けによってアスペクトが表現されます。完了体はいわば動作をその外側から点的に捉えるもので、完了、一回、瞬間、結果の残存などを示し、不完了体は内側から線的に捉えるもので、†進行、経験、反復、結果の不存続などを示します。完了体は未来の出来事も示すので、日本語のタ形のような性格とともにテシマウ形のような性格を示します（Zavtra ja napišu. 'tomorrow I write (PFV)「明日には私は書いてしまうよ」）。形についてみると、不完了体に†接頭辞がついて完了体を作るもの（pisat' (IPFV) - napisat' (PFV)「書く」）、完了体に -va(t') がついて不完了体を作るもの（davat' (IPFV) - dat' (PFV)「与える」）、その他などがあり、†補充法によるものもあります（klast'

(IPFV) - položit' (PFV)「置く」)。接頭辞などによって形が変わるので、これも慣れるまでは辞書を引くのも大変です。過去形は†分詞に由来するもので、主語の人称ではなく、性と数によって変化します (On rabotal 'He worked.' vs. Ona rabotala. 'She worked.' vs. Oni rabotali. 'They worked.')。†反実仮想などはもっぱら動詞から独立した by〈бы〉という小詞を用いて表すので、ロマンス諸語やドイツ語にあるような動詞の†接続法の形はありません。†再帰代名詞に由来する形式が動詞に合体して、再帰動詞(〈=ся〉動詞)というものになっていて、これによって†相互 (celovat' =sja「キスし合う」)・再帰 (myt' =sja「自分を洗う」)・†受身 (opredelit' =sja avtor-om 'determine=REFL author-INS'「著者によって定められる」) などを表します。

統語論

　語順は「ある意味」自由で、例えば†他動詞文なら、SVO, SOV, VSO, VOS, OSV, OVS の6通りのどれでも大丈夫です (Ja ljublju tebja. ~ Ja tebja ljublju. ~ Ljublju tebja ja. ~ ... 'I love you.')。しっかりとした名詞の格変化と動詞の†人称変化がそれを可能にしています。自由といっても、その語順は†情報構造によって変わります。すなわち、文の†主題は文頭に置かれ、†焦点の当たる最も重要な要素は文の最後に来ます (Tebja ljublju ja. だと「おまえを好きなのはオレだ」という意味になります)。ふつう所有表現において属格名詞は名詞の後ろに、所有形容詞による修飾は前に来ます。

佐藤 (1992)「ロシア語」(⑦所収)

Маленький принц

Malen'kij princ

7

На пятый день (как всегда, благодаря овечке) я узнал тайну Маленького принца.

[na 'pʲatij dʲenʲ kak fsʲiɡ'da bləɡəda'rʲa a'vʲetʃkʲɪ ja uz'nal 'tajnu 'malʲinʲkəvə 'prʲintsə]

на	пятый	день	как	всегда	благодаря	овечке
na	pjat-yj	den'-Ø	kak	vsegda	blagodarja	oveček-e
~に	五番目の-M.ACC	日-M.SG.ACC	~のように	いつも	~のおかげで	羊-F.SG.DAT

я	узнал	тайну	Маленького	принца
ja	uzna-l-Ø	tajn-u	Malen'k-ogo	princ-a
私-SG.NOM	知る-PFV-PST-M	秘密-F.SG.ACC	小さな-M.GEN	王子-M.SG.GEN

5日目に（いつものように、羊のおかげで）小さな王子さまの秘密を知りました。

Внезапно, безо всякой видимой причины, будто вопрос был порождён долгими безмолвными раздумьями, Маленький принц осведомился:

[vnʲɪ'zapnə bʲɪzə 'fsʲakəj 'vʲidʲɪməj prʲɪ'tʃinɪ 'buttə va'pros bil pəraʒ'dʲon 'dolɡʲɪmʲɪ bʲɪz'molvnʲɪmʲɪ raz'dumʲjɪmʲɪ 'malʲinʲkʲɪj 'prʲints as'vʲedəmʲɪlsə]

внезапно	безо	всякой	видимой	причины	будто
vnezapno	bezo	vsjak-oj	vidim-oj	pričin-y	budto
突然	~なしに	どんな~も-F.GEN	見える-F.GEN	動機-F.SG.GEN	まるで

вопрос	был	порождён	долгими	безмолвными
vopros-Ø=	by-l-Ø	porožd-jon-Ø	dolg-imi	bezmolvn-ymi
疑問-M.SG.NOM	~だ-IPFV-PST-M	生じる-PFV-PTCP.PST.PASS-M	長い-PL.INS	静寂の-PL.INS

раздумьями	Маленький	принц	осведомился
razdum'-jami	Malen'k-ij	princ-Ø	osvedomi-l-Ø=sja
物思い-N.PL.INS	小さな-M.NOM	王子-M.SG.NOM	伝える-PFV-PST-M=REFL

突然、何の目に見える動機もなしに、まるで長い沈思黙考によって疑問が浮かんできたかのように、小さな王子さまは尋ねました。

— А овечка... если она ест кустики, стало быть, ест цветы, да?
[a a'vʲetβkə 'jeslʲɪ a'na jest 'kustʲɪkʲɪ 'stalə bʲɪtʲ jest tsvʲɪ'tɨ da]

а	овечка	если	она	ест	кустики	стало	быть
a	ovečk-a	ecli	ona	es-t	kustik-i	stalo	by-tʼ
ところで	羊.F-SG-NOM	もし	彼女.F.NOM	食べる.IPFV-PRS.3SG	低木.M-PL.ACC	故に	~だ.IPFV-INF

ест	цветы	да
es-t	cvet-y	da
食べる.IPFV-PRS.3SG	花.M-PL.ACC	~なの？

「ところで羊が……羊が低木を食べるとしたら、つまり花も食べてしまうの？」

— Овечка поедает все, до чего может добраться, — ответил я.
[a'vʲetβkə pəjɪ'dajɪt fsʲo də tʃɪ'vo 'moʒɪt da'brattsə at'vʲetʲɪl ja]

овечка	поедает	всё	до	чего	может	добраться
ovečk-a	poeda-et	vsjo	do	č-ego	mož-et	dobra-tʼ=sja
羊.F-SG.NOM	食べつくす.IPFV-PRS.3SG	すべて	~まで	REL-SG.GEN	~できる.IPFV-PRS.3SG	届く.PFV-INF=REFL

ответил	я
otveti-l-Ø	ja
答える.PFV-PST-M	私.SG.NOM

「羊は手の届くもの全部食べてしまうよ」と、私は答えました。

— Даже цветы, у которых есть шипы?
['daʒə tsvʲɪ'tɨ u ka'torix jesʲtʲ ʃɨ'pɨ]

даже	цветы	у	которых	есть	шипы
daže	cvet-y	u	kotor-yx	estʼ	šip-y
~も	花.M-PL.ACC	~に	REL-PL.GEN	ある	とげ.M-PL.NOM

「とげのある花でも？」

— Даже цветы, у которых есть шипы.
['daʒə tsvʲɪ'tɨ u ka'torix jesʲtʲ ʃɨ'pɨ]

даже	цветы	у	которых	есть	шипы
daže	cvet-y	u	kotor-yx	estʼ	šip-y
~も	花.M-PL.ACC	~に	REL-PL.GEN	ある	とげ.M-PL.NOM

「とげのある花でも」

— Какая же тогда польза от этих шипов?

[kaˈkajə ʒə tagˈda ˈpolʲzə at ˈetʲix ʃipˈof]

какая	же	тогда	польза	от	этих	шипов
kak-aja	že	togda	polʲz-a	ot	èt-ix	šip-ov
どんな-F.NOM	PART	それなら	効果-F.SG.NOM	〜の	その-PL.GEN	とげ-M.PL.GEN

「それじゃあそれらのとげには一体どんな効果があるの？」

Это мне было неведомо.

[ˈetə mnʲe ˈbɨlə nʲɪˈvʲedəmə]

это	мне	было	неведомо
èt-o	mne	by-l-o	nevedomo
それ-N.NOM	私-SG.DAT	〜だ-IPFV-PST-N	不明だ

そんなことは、私は知りませんでした。

Я как раз возился с мотором, стараясь отвернуть болт, который заело, и был очень встревожен, поскольку уже понял, что в моем самолете случилась чрезвычайно серьезная поломка.

[ja kak ras vaˈzʲɪlsə s maˈtorəm staˈrajɪsʲ atvʲɪrˈnutʲ bolt kaˈtorij zaˈjelə i bɨl ˈotʃɪnʲ fstrʲɪˈvoʒɪn pasˈkolʲku uˈʒe ˈponʲɪl ʃtə v maˈjom səmaˈlʲotʲɪ sluˈtʃiləsʲ tʃrʲɪzvɨˈtʃajnə sʲɪˈrʲjoznəjə paˈlomkə]

я	как	раз	возился	с	мотором	стараясь
ja	kak	raz-Ø	vozi-l-Ø=sja	s	motor-om	stara-ja-sʲ
私-SG.NOM	〜のように	機会-M-SG.NOM	忙しい-IPFV-PST-M-REFL	〜で	エンジン-M-SG.INS	試みる-IPFV-CONV.PRS-REFL

отвернуть	болт	который	заело	и	был	очень
otvernu-tʲ	bolt-Ø	kotor-y	zae-l-o	i	by-l-Ø	očenʲ
緩める-INF	ボルト-M.SG.ACC	REL-M.ACC	動かなくなる-PFV-PST-N	そして	〜だ-IPFV-PST-M	とても

встревожен	поскольку	уже	понял	что	в	моём
vstrevožen-Ø	poskolʲku	uže	ponja-l-Ø	čto	v	mo-jom
不安だ-M	〜だから	すでに	理解する-PFV-PST-M	CMPL	〜で	私の-M.PREP

самолёте	случилась	чрезвычайно	серьёзная	поломка
samoljot-e	sluči-l-a=sʲ	črezvyčajno	serʲjozn-aja	polomk-a
飛行機-M-SG.PREP	起こる-PFV-PST-F-REFL	非常に	重大な-F.NOM	故障-F-SG.NOM

私はちょうど、かたく締まったボルトを緩めようと、エンジンにかかりきりになっていて、そしてとても不安でした。私の飛行機に重大な故障が起きたと、すでに理解していたからです。

А питьевой воды осталось так мало, что я начинал опасаться самого худшего.

[a pʲitʲjɪˈvoj vaˈdɨ asˈtaləsʲ tak ˈmalə ʃtə ja nətʃɪˈnal apaˈsattsə ˈsaməvə ˈxutʃʃɪvə]

а	питьевой	воды	осталось	так	мало	что
a	piťev-oj	vod-y	osta-l-o=sʼ	tak	malo	čto
そして	飲用の-F.GEN	水.F-SG.GEN	残っている.PFV-PST-N=REFL	あまりにも	少ししか～ない	CMPL

я	начинал	опасаться	самого	худшего
ja	načina-l-Ø	opasa-ťʼ=sja	sam-ogo	xudš-ego
私.SG.NOM	始める.IPFV-PST-M	恐れる.IPFV-INF=REFL	最も-N.GEN	悪い-N.GEN

飲用水は残りわずかで、最悪を恐れ始めてしまうほどでした。

— Шипы, — напомнил мне Маленький принц. — Какая от них польза?

[ʃɨˈpɨ naˈpomnʲɪl mnʲe ˈmalʲɪnʲkʲɪj prʲints kaˈkajə at nʲix ˈpolʲzə]

шипы	напомнил	мне	Маленький	принц	какая
šip-y	napomni-l-Ø	mne	Malenʼk-ij	princ-Ø	kak-aja
とげ.M-PL.NOM	思い出させる.PFV-PST-M	私.SG.DAT	小さな-M.NOM	王子.M-SG.NOM	どんな-F.NOM

от	них	польза
ot	nix	polʼz-a
～の	それ.PL.GEN	効果.F-NOM

「とげは」と、小さな王子さまは私に思い出させました。「とげにはどんな効果があるの？」

Задав какой-нибудь вопрос, он никогда не успокаивался, пока не получал ответа.

[zaˈdaf kaˈkojnʲɪbutʲ vaˈpros on nʲɪkaɡˈda nʲɪ uspaˈkaɪvəlsə paˈka nʲɪ pəluˈtʃal atˈvʲetə]

задав	какой-нибудь	вопрос	он	никогда	не
zada-v	kak-oj=nibuďʼ	vopros-Ø	on	nikogda	ne
与える.PFV-CONV.PST	どんな-M.ACC=INDEF	疑問.M-SG.ACC	彼.M.NOM	決して～ない	NEG

успокаивался	пока	не	получал	ответа
uspokaiva-l-Ø=sja	poka	ne	poluča-l-Ø	otvet-a
落ち着かせる.IPFV-PST-M-REFL	～するまで	NEG	受け取る.IPFV-PST-M	答え.M-SG.GEN

ひとたび何か問いを投げかけると、答えをもらうまで、彼は決して満足しないのでした。

Ну, а я злился из-за болта, поэтому и брякнул первое, что пришло в голову:

[nu a ja ˈzⁱlⁱilsə ɪzzə balˈta paˈetəmu ɪ ˈbⁱrⁱaknul ˈpⁱervəjə ʃtə prⁱiʃlo v ˈgoləvu]

ну	а	я	злился	из-за	болта	поэтому	и
nu	a	ja	zli-l-Ø-sja	iz.za	bolt-a	potomu	i
まあ	しかし	私SG.NOM	いらだたせるIPFV-PST-M=REFL	〜のせいで	ボルトM-SG.GEN	だから	そして

брякнул	первое	что	пришло	в	голову
brjaknu-l-Ø	perv-oe	čto	priš-l-o	v	golov-u
口走るPFV-PST-M	一番目の-N.ACC	REL.NOM	頭に浮かぶPFV-PST-N	〜の中へ	頭F-SG.ACC

けれど私はボルトのせいでいらだっていたので、最初に頭をよぎったことを口走りました。

— Никакой. Цветы выпускают шипы просто от злости!

[nⁱikaˈkoj ˈtsvⁱetⁱi ˈvⁱipusˈkajut ʃⁱipⁱi ˈprostə at ˈzlosⁱtⁱi]

никакой	цветы	выпускают	шипы	просто	от	злости
nikak-oj	cvet-y	vypuska-jut	šip-y	prosto	ot	zlost-i
どんな〜もないF.GEN	花M-PL.NOM	出すIPFV-PRS.3PL	とげM-PL.ACC	ただ	〜から	悪意F-SG.GEN

「どんな効果もないよ。花たちはただ悪意からとげを突き出してるんだ」

— Вот оно что!
vot ono čto
ほら それ 何

「あきれた！」

На миг воцарилось молчание.
na mig vocarilos' molčanie
〜に 瞬間 訪れた 静寂が

一瞬静寂が訪れました。

Потом Маленький принц с легкой досадой произнес:
potom Malen'kij princ s ljogkoj dosadoj proiznjos
それから 小さな 王子は 〜と共に 軽い いまいましさ 言った

それから小さな王子さまは、少しいまいましげに言いました。

— Не верю я тебе!
ne verju ja tebe
NEG 信じる 私は 君に

「きみの言うことは信じないよ！

Цветы — нежные и доверчивые, вот и стараются
cvety nežnye i doverčivye vot i starajutsja
花たちは 繊細な そして だまされやすい だから そして 試みる

подбодрить себя, как могут.
podbodrit' sebja kak mogut
少し勇気づけること 自分を 〜くらい できる

花たちは繊細でだまされやすいんだ。だからできるだけ、自分たちを少しでも勇気づけようとしてるんだよ。

Они уверены, что их шипы — страшное оружие.
oni uvereny čto ix šipy strašnoe oružie
彼らは 信じている 〜ということ それらの とげは 恐ろしい 武器

花たちは信じてるんだ。自分たちのとげは恐ろしい武器だって」

Я	ничего	ему	не	сказал,	поскольку	в	то	мгновение
ja	ničego	emu	ne	skazal	poskoľku	v	to	mgnovenie
私は	何も	彼に	NEG	言った	～だから	～に	その	瞬間

мысленно	обращался	с	речью	к	самому	себе :
myslenno	obraščalsja	s	rečju	k	samomu	sebe
心の中で	向かった	～と	会話	～に	～自体	自分

私は彼に何も言いませんでした。その瞬間、心の中では自分自身に話しかけていたからです。

« Если	этот	болт	не	отвернется,	выбью	его	молотком. »
esli	ètot	bolt	ne	otvernjotsja	vybju	ego	molotkom
もし	この	ボルトが	NEG	緩む	叩き出す	それを	ハンマーで

〈もしこのボルトが緩まなかったら、ハンマーで叩き出してやろうかな〉

Но	Маленький	принц	снова	нарушил	ход	моих
no	Malen'kij	princ	snova	narušil	xod	moix
しかし	小さな	王子は	再び	妨げた	進展を	私の

рассуждений.
rassuždenij
思考の

けれど小さな王子さまが、再び私の思考の進展を妨げました。

— Ты	и	впрямь	думаешь,	что	цветы...
ty	i	vprjam'	dumaeš'	čto	cvety
君は	EMP	本当に	思う	～ということ	花たちが

「きみは本当にそう思ってるんだね。花たちが……」

— Нет! —	гаркнул	я.
net	garknul	ja
いいえ	大声で怒鳴った	私は

「いいや！」 私は大声で怒鳴りました。

— Нет,	нет,	нет!	Ничего	я	не	думаю!
net	net	net	ničego	ja	ne	dumaju
いいえ	いいえ	いいえ	何も	私は	NEG	考えている

「違う、違う、違う！　何も私は考えてないよ！

Я	сказал	тебе	первое,	что	взбрело	на	ум.
ja	skazal	tebe	pervoe	čto	vzbrelo	na	um
私は	言った	君に	最初のこと	REL	偶然浮かんだ	～に	頭

私は君に、最初に頭にふと浮かんだことを言ったんだ。

Разве	ты	не	видишь,	что	я	очень	занят
razve	ty	ne	vidiš'	čto	ja	očen'	zanjat
本当に	君は	NEG	わかる	～ということ	私は	とても	忙しい

серьезным	делом?
ser'joznym	delom
真面目な	仕事によって

まさか君はわからないのかい？　私は真面目な仕事でとても忙しいって」

Он	так	опешил,	что	вытаращил	на	меня	глаза.
on	tak	opešil	čto	vytaraščil	na	menja	glaza
彼は	あまりに	呆然とした	～ということ	見開いた	～に	私を	目を

彼は呆然として、目を見開いて私を見つめました。

— Серьезным	делом?
ser'joznym	delom
真面目な	仕事によって

「真面目な仕事で？」

Маленький	принц	оглядел	молоток	у	меня	в
Malen'kij	princ	ogljadel	molotok	u	menja	v
小さな	王子は	眺めまわした	ハンマーを	～の	私	～の中の

руке,	мои	заляпанные	моторным	маслом	пальцы,
ruke	moi	zaljapannye	motornym	maslom	pal'cy
手	私の	汚された	エンジンの	オイルによって	指を

мою	фигуру,	склонившуюся	над	предметом,	который,
moju	figuru	sklonivšujusja	nad	predmetom	kotoryj
私の	姿を	かがみ込んだ	～に	物体	REL

по	его	понятиям,	был	просто	безобразным.
po	ego	ponjatijam	byl	prosto	bezobraznym
~によって	彼の	認識	~だった	単なる	醜い

小さな王子さまは私の手の中のハンマーと、エンジンのオイルで汚れた私の指と、彼にとっては単なる醜い物体にすぎないものにかがみ込んでいる私の姿を眺めまわしていました。

— Ты	говоришь	совсем	как	взрослые!
ty	govoriš'	sovsem	kak	vzroslye
君は	言う	まったく	~のような	大人たち

「きみはまったく大人たちみたいなことを言うんだね！」

Мне	стало	стыдно.
mne	stalo	stydno
私	~になった	恥ずかしい

私は恥ずかしくなりました。

Но	Маленький	принц	безжалостно	продолжал:
no	Malen'kij	princ	bezžalostno	prodolžal
しかし	小さな	王子は	容赦なく	続けた

けれど小さな王子さまは容赦なく続けました。

— Ты	все	путаешь...	Все	валишь	в	одну
ty	vsjo	putaeš'	vsjo	vališ'	v	odnu
君は	全部を	ぐちゃぐちゃにしている	全部を	(君は)乱雑に積む	~に	一つの

кучу...
kuču
山に

「きみは全部をぐちゃぐちゃにしてしまってるよ……全部をひっくるめてしまっているんだ……」

Он	и	впрямь	не	на	шутку	рассердился.
on	i	vprjam'	ne	na	šutku	rasserdilsja
彼は	EMP	本当に	NEG	~で	冗談	腹を立てた

彼は本当に冗談で腹を立てているのではありませんでした。

Даже	тряхнул	головой,	и	ветер	взъерошил	его
daže	trjaxnul	golovoj	i	veter	vz"erošil	ego
～も	(彼は)何度も振った	頭で	そして	風は	くしゃくしゃにした	彼の

золотистые	кудряшки.
zolotistye	kudrjaški
金色の	縮れ毛を

頭を何度も振って、風は彼の金色の縮れ毛をくしゃくしゃにしました。

— Я	знаю	планету,	на	которой	живет	один
ja	znaju	planetu	na	kotoroj	živjot	odin
私は	知っている	惑星を	～で	REL	住んでいる	一つの

краснолицый	господин.
krasnolicyj	gospodin
赤い顔の	紳士が

「ぼくは赤い顔の紳士が住んでいる星を知っているよ。

Он	ни	разу	не	нюхал	цветов,	ни	разу	не	смотрел
on	ni	razu	ne	njuxal	cvetov	ni	razu	ne	smotrel
彼は	～もない	回	NEG	嗅いだ	花たちを	～もない	回	NEG	見た

на	звезды	и	никогда	никого	не	любил.
na	zvjozdy	i	nikogda	nikogo	ne	ljubil
～を	星たちを	そして	決して	誰も～ない	NEG	愛した

彼は一度も花の香りを嗅いだことがなくて、星たちを眺めたことも、誰かを愛したこともなかった。

Всю	жизнь	он	только	и	делал,	что	складывал
vsju	žizn'	on	tol'ko	i	delal	čto	skladyval
全体の	人生で	彼は	～だけ	EMP	した	～ということ	足した

числа,	и	целыми	днями	твердил	то	же,	что	и	ты:
čisla	i	celymi	dnjami	tverdil	to	že	čto	i	ty
数を	そして	全体の	一日に	繰り返していた	それを	まさに	REL	EMP	君が

いつもただ足し算だけをして、そして一日中繰り返し言っていたんだ。きみと同じことをね。

« Я занят серьезным делом! »
ja zanjat ser'joznym delom
私は 忙しい 真面目な 仕事によって

〈私は真面目な仕事で忙しい！〉

Да еще и пыжился при этом.
da eščjo i pyžilsja pri ètom
しかも さらに EMP 肩をいからせた ～の時 それ

そのうえそう繰り返しながら肩をいからせていたんだ。

Только вот не человек он вовсе. Он — гриб.
tol'ko vot ne čelovek on vovse on grib
でも EMP NEG 人間 彼は 全く～ない 彼は キノコ

でも彼は全然人間じゃない。彼はキノコだよ」

— Что?
čto
何

「何だって？」

— Гриб!
grib
キノコ

「キノコさ！」

Маленький принц аж побелел от гнева.
Malen'kij princ až pobelel ot gneva
小さな 王子は ～さえも 白くなった ～によって 怒り

小さな王子さまは怒りで白くなってさえいました。

— Цветы выпускают шипы миллионы лет.
cvety vypuskajut šipy milliony let
花たちは 出している とげを 数百万の 年

「花たちは数百万年もの間、とげを出している。

И	овцы	миллионы	лет	как	ни	в	чём	не
i	ovcy	milliony	let	kak	ni	v	čjom	ne
そして	羊たちは	数百万の	年	～のように	何も	～に	～ということ	NEG

бывало	поедают	их.
byvalo	poedajut	ix
あった	食べ尽くしている	彼らを

そして羊たちは数百万年もの間、何事もなかったかのように花たちを食べ尽くしている。

И	разве	не	важно	попытаться	понять,	зачем
i	razve	ne	važno	popytat'sja	ponjat'	začem
そして	果たして～か	NEG	重要だ	試みること	理解すること	何のために

цветы	трудятся	и	отращивают	шипы,	от	которых	им
cvety	trudjatsja	i	otraščivajut	šipy	ot	kotoryx	im
花たちは	労を取る	そして	生やす	とげを	～に	REL	彼らに

нет	никакого	проку?
net	nikakago	proku
ない	どんな～も	利益

それで、理解しようとすることは果たして重要じゃないのかい？ 花たちは何のために苦労して、そしてとげを生やすのか。彼らに何の利益ももたらさないとげを。

Разве	не	важно	разобраться	в	этой	войне	цветов
razve	ne	važno	razobrat'sja	v	ètoj	vojne	cvetov
果たして～か	NEG	重要だ	よく通じること	～に	この	戦い	花たちの

с	овцами?
s	ovcami
～と	羊たち

この花たちの羊たちとの戦いをよく知ることは、果たして重要じゃないのかい？

Неужто	это	не	важнее,	чем	арифметика	того
neužto	èto	ne	važnee	čem	arifmetika	togo
本当に～か	それは	NEG	より重要だ	REL	算数	あの

толстого	краснощекого	господина?
tolstogo	krasnoščekogo	gospodina
丸々とした	赤い顔の	紳士の

本当にそれは、あの丸々とした赤い顔の紳士の算数より重要じゃないことなのかな？

А	если	я	знаю —	я,	лично —	такой	цветок,
a	esli	ja	znaju	ja	lično	takoj	cvetok
それで	もし	私が	知っている	私が	自ら	そのような	花を

который	растет	только	на	моей	планете,	если	он —
kotoryj	rastjot	tol'ko	na	moej	planete	esli	on
REL	生えている	～だけ	～に	私の	惑星	もし	それが

единственный	на	всем	белом	свете,	а	маленькая
edinstvennyj	na	vsjom	belom	svete	a	malen'kaja
唯一の	～に	全ての	白い	世界	でも	小さな

овечка	вдруг	однажды	поутру	съест	его,	даже	не
ovečka	vdrug	odnaždy	poutru	s″est	ego	daže	ne
羊が	突然	ある時	朝に	食べる	それを	～さえ	NEG

понимая,	что	она	делает?
ponimaja	čto	ona	delaet
理解しながら	何を	彼女は	している

それで、もしぼくが、ぼく自身がある花を知っているとして、それはぼくの星だけに生えている花なんだ。もしその花がこの世界中に唯一のもので、でも小さな羊がある朝、自分が何をしているか理解さえしないままに、突然それを食べてしまうとしたら？

Думаешь,	это	не	важно?
dumaeš'	èto	ne	važno
(君は)思う	それ	NEG	重要だ

きみはそんなの重要じゃないって思うの？」

Бледность	сменилась	густым	румянцем,	и	Маленький
blednost'	smenilas'	gustym	rumjancem	i	Malen'kij
蒼白は	交替した	密な	紅潮によって	そして	小さな

принц	продолжал:
princ	prodolžal
王子は	続けた

青ざめた顔は真っ赤に変わり、そして小さな王子さまは続けました。

— Если человек любит цветок, один-единственный среди
esli čelovek ljubit cvetok odin-edinstvennyj sredi
もし ある人が 愛する 花を 唯一無二の ～の中で

миллиона миллионов звезд, с него довольно и этого.
milliona millionov zvjosd s nego dovoľno i ètogo
百万個の 百万個 星たちの ～にとって 彼 十分だ EMP これで

「もしある人が、無数にある星たちの中で唯一無二の花を愛しているとしたら、
彼にとってはこれだけで十分なんだ。

Он смотрит на звезды и чувствует себя счастливым.
on smotrit na zvjozdy i čuvstvuet sebja sčastlivym
彼は 見る ～を 星たち そして 感じる 自分 幸せだ

その人は星たちを眺めて、そして幸せだと感じる。

Ведь он всегда может сказать себе:
veď on vsegda možet skazať sebe
～だから 彼は いつも できる 言うこと 自分に

彼はいつでも自分にこう言うことができるんだから。

« Где-то там — мой цветок... »
gde-to tam moj cvetok
どこか そこに 私の 花

〈どこかにそう、私の花があるんだ……〉

Но, если овечка съест этот цветок, все звезды разом
no esli ovečka sʺest ètot cvetok vse zvjozdy razom
でも もし 羊が 食べ尽くす その 花を すべての 星たちが 突然

померкнут...
pomerknut
かすむ

でも、もし羊がその花を食べ尽くしてしまったとしたら、すべての星たちが突然
かすんでしまったとしたら……。

Это по-твоему не важно?
èto po-tvoemu ne važno
それは 君の考えでは NEG 重要だ

きみはそんなの重要じゃないと思うの？」

Он не смог больше ничего сказать : слова потонули
on ne smog bol'še ničego skazat' slova potonuli
彼は NEG できた それ以上 何も 言うこと 言葉は かき消された

в рыданиях.
v rydanijax
～に むせび泣き

彼はそれ以上何も言うことができませんでした。言葉はむせび泣きにかき消されました。

На землю опустилась ночь, и я бросил свои
na zemlju opustilas' noč' i ja brosil svoi
～に 地上 下りた 夜が そして 私は 放り出した 自分の

инструменты.
instrumenty
工具を

地上には夜のとばりが下り、私は自分の工具を放り出しました。

И болт, и молоток, и жажда, и смерть — все
i bolt i molotok i žažda i smert' vsjo
～も ボルト そして ハンマー そして 渇き そして 死 すべて

это было теперь неважно.
èto bylo teper' nevažno
それ だった 今は 重要でない

ボルトもハンマーも、渇きも死も、それらすべては、いまでは重要ではなくなっていました。

В солнечной системе, на планете Земля, на моей
v solnečnoj sisteme na planete Zemlja na moej
～の中に 太陽の 体系 ～に 惑星 地球 ～に 私の

планете,	рыдал	Маленький	принц,	который	так
planete	rydal	Malen'kij	princ	kotoryj	tak
惑星	号泣した	小さな	王子が	REL	こんな風に

нуждался	в	утешении.
nuždalsja	v	utešenii
必要とした	～を	慰め

太陽系の中で、地球という星の上で、私の星の上で、こんな風に慰めを必要とした小さな王子が号泣していました。

Я	взял	его	на	руки	и	принялся	баюкать,
ja	vzjal	ego	na	ruki	i	prinjalsja	bajukat'
私は	抱いた	彼を	～に	腕	そして	始める	揺すって寝かしつけること

приговаривая:
prigovarivaja
言いながら

私は彼を腕に抱いて、揺すって寝かしつけ始めました。こう言いながら。

— Твоему	любимому	цветку	не	угрожает	никакая
tvoemu	ljubimomu	cvetku	ne	ugrožaet	nikakaja
君の	大切な	花に	NEG	差し迫っている	どんな～も

опасность.
opasnost'
危険

「君の大切な花には、どんな危険も差し迫ってはいないよ。

Я	нарисую	твоей	овечке	намордник.
ja	narisuju	tvoej	ovečke	namordnik
私は	描こう	君の	羊に	口輪

君の羊に口輪を描いてあげよう。

Нарисую	ограду	вокруг	твоего	цветка.
narisuju	ogradu	vokrug	tvoego	cvetka
描こう	柵	～の周りに	君の	花

君の花の周りには柵を描いてあげるよ。

Я нари...
ja   nari
私は   描

私は……」

Я не   знал, что еще ему сказать.
ja ne   znal   čto eščjo emu skazat'
私は NEG 知っていた 何を さらに 彼に 言うこと

私はこれ以上彼に何を言えばいいかわかりませんでした。

Я чувствовал себя неловким и   нескладным.
ja čuvstvoval sebja nelovkim i   neskladnym
私は 感じた   自分を 不器用だ   そして 不格好だ

私は自分が不器用で不格好だと感じていました。

Я не   знал, как мне достучаться до его души,
ja ne   znal   kak mne dostučat'sja do ego duši
私は NEG 知っていた どのように 私に ノックして応答を得ること ～の 彼の 心

как снова взять его за руку и   пойти рядом.
kak snova vzjat' ego za ruku i   pojti rjadom
どのように 再び つかむ 彼を ～を 手 そして 進むこと 並んで

私はわかりませんでした。どうすれば私は彼の心を開いて、理解できるのか。どうすれば再び彼の手を取って、並んで進んでいけるのか。

Она такая таинственная, эта страна слез.
ona takaja tainstvennaja èta strana sljoz
それは とても 不思議だ この 国は 涙

とても不思議なものです。この涙の国は。

Шаров, Андрей Сергеевич (2000) (tr.) *Маленький Принц*. Москва: Мир Искателя. pp.25-29.

8　ポーランド語 Polski

　ポーランド語は†スラブ語派の西のグループの言語で、さらにその西グループのうちの北の下位グループに属します。それぞれのグループに起きた（／起きなかった）音変化の結果として、例えば次のような違いが観察できます（西グループ：dl > dl ‖ 東グループ：dl > l e.g. pol. mydło ‖ ces. mýdlo ‖ rus. mylo「石鹼」）（小原 (1992: 1142) による）。

音韻論と文字体系

　ラテン文字なので、正書法の表記を使って†音素を示します。母音は /i, e[ɛ], a, o[ɔ], u~ó[u], y[ɨ] / の他に、†鼻母音の /ą[ɔ̃] / と /ę[ɛ̃] / があります（全部で8個）。スラブ祖語に存在したとされるこの2つの鼻母音を保っているのは、スラブ諸語でポーランド語だけです。子音音素は、/p, t, k, b, d, g, m, n, f, w[v] , s, z, (c)h[x], r, ł[w] / の他に一連の†硬口蓋化した系列の子音 /pʲ, bʲ, kʲ, gʲ, mʲ, ń[ɲ], fʲ, ś[ɕ], ź[ʑ], sz[ʃ], ż[ʒ], xʲ, c[ts], dz, ć[tɕ], dź[dʑ], j, cz[tʃ], dż[dʒ], l, wʲ/ があります（全部で36個）。なお ń は歯茎口蓋鼻音です。ただし上付きの j をつけた硬口蓋化子音はこのように書かれるのではなく、母音との間に i の字を用いてその硬口蓋化を示します。

　音素の数に対応して文字数の多い†キリル文字を用いるロシア語、文字数の少ないローマ字にもっぱら†補助記号を用いて1音素1文字で書こうとするチェコ語、補助記号も用いるが2文字や3文字で1音素を示すことも多いポーランド語、と同じスラブ諸語でも表記の仕方は異なっていることがわかります。

　†アクセントは高低で、後ろから2番目に固定しています。アクセントの位置が語によって違うことが意味の区別に役立っているロシア語、

語頭音節に固定したチェコ語、そして後ろから2番目のポーランド語、と同じスラブ諸語でもさまざまです。

形態論

　名詞は男女中の3つの†性の名詞に分かれ、単複と7つの†格（主格／属格／与格／対格／道具格／前置格／呼格）で変化します。†活動体と†不活動体では変化が異なることも、†否定で属格が現れることもロシア語と同じです（第7章ロシア語の概説を参照）。単数主格のとき男性名詞はふつう語末が子音で終わり、女性名詞は -a/-i で終わり、中性名詞は -e/-o/-ę で終わります。†冠詞はありません。

　ロシア語とは異なり、†敬称に2人称複数の代名詞を使うことはせず、代わりに、pan「あなた（男性）」（普通名詞として使うときは「主人」「男性」）/ pani「あなた（女性）」（普通名詞では「婦人」「女性」）といった語を呼びかけに使い、主語に用いた場合には呼応する動詞を3人称単数の形にします。複数の2人称代名詞には、性別に関わらず「あなたたち」を示す wy と、男性のみを示す panowie、女性のみを示す panie、男女混ざっている場合の państwo と4つの形式があります。3人称複数代名詞には男性人間の oni とそれ以外の one の対立があります。

　名詞だけでなく、形容詞にも†指小形があります。形容詞の指小形は、†接中辞によります、指小形のさらに指小形、というものもあります（malut-eń-ki < mal-ut-ki < mały「小さい」）。 さらに płakusiać（< płakać「泣く」）のような動詞の指小形もあります。

　動詞の†過去形は、ロシア語の -l による分詞が†性†数で変化したように、単数では男女中で†語尾 -Ø/-a/-o を取りますが、複数では男性人間と非男性人間が対立します（語尾 -li/-ły、例えば Oni przyszli.「彼ら（少なくとも一人は男性が混じっている）は来た」vs. One przyszły.「彼ら（全員女性）は来た」）。しかもさらにこの後ろに人称と数が加わります（-m (1SG)、-ś (2SG)、-śmy (1PL)、-ście (2PL)、-Ø (3SG/3PL)。 例えば「書いた」は男の私なら pisałem、女の私なら pisałam）。

　†アスペクトに関して†完了体と†不完了体の2つの形を持っていて使い

Polish

分けられることはロシア語と同じです。「私」を主語にして、†テンスとアスペクトの組み合わせを示すと次のようになります（Piszę. 不完了現在（意味は現在進行／習慣）「私は書いている」、Pisałam. 不完了過去「私（女）は書いていた」、Napisałam. 完了過去「私（女）は書いた」、Napiszę. 完了現在（意味は未来）「私は書く」、Będę pisała. 未来形［助動詞＋不完了現在］「私（女）は書く」）。

　†受動態はアスペクトによって助動詞が異なり、不完了体動詞では助動詞 być 'be' と†被動形動詞で、完了体動詞では助動詞 zostać 'become' と被動形動詞で作ります。

　ロシア語とは異なり、†再帰的な表現で再帰代名詞は動詞と合体してはいません。この構造は再帰や†相互の表現に使われます（Matka myje się.「母は 洗っている 自分を」、Spotkaliśmy się.「私たちは会った」）。 さらに再帰代名詞は動詞の3人称複数とともに用いて一般論を言う‡非人称構文を作ります（W polsce mówi się po polsku. 'In Poland speak-3PL REF by Polish'「ポーランドではポーランド語で話している」）。 なおロシア語では再帰の要素が現れません（V rossii govorjat po-russki. 'in russia speak. 3PL by-Russian'「ロシアではロシア語で話している」）。

　ロシア語とは違い、†接続法現在形の動詞の変化があります。これは動詞の過去3人称形に‡助詞 by を組み合わせ、さらにその語末に人称がつく、という複雑な起源に由来してできたものです。

　ロシア語とは違い、チェコ語同様、動詞 mieć「持つ」を用いて所有を示し（Mam samochód. 'have-1SG car'「私は車を持っている」）、現在でも be 動詞にあたる動詞 być を用います（Jestem studentem. 'am student-INS'「私は学生です」）。

語　彙

　ポーランド語の語彙には、ほぼ同じ意味の語が2つずつ存在していることがよくあります。下記のペアでは、左が本来の（つまりスラブ語としての）ポーランド語、右はギリシア語・ラテン語起源の語です。dzieje vs. historia「歴史」、wojsko vs. armia「軍隊」、ośrodek vs. centrum「センター」（石

井 (1998: 308) による)。

小原 (1992)「ポーランド語」(⑦所収)、石井 (1998)「ポーランド語」(①所収)

Mały Książę

8

Wkrótce poznałem lepiej tę różę.

[fkruttsɛ pɔznawɛm lepʲɛj tɛ ruʒɛ]

wkrótce	pozna-ł-e-m	lepiej	t-ę	róż-ę
やがて	知り合う.PFV-PST-M-1SG	より良く	この-F.SG.ACC	バラ.F-SG.ACC

やがて私はそのバラのことをよりよく知りました。

Na planecie Małego Księcia zawsze były bardzo proste kwiaty, ozdobione pojedynczym rzędem płatków.

[na planɛtɕɛ mawɛgɔ kɕɛ̃tɕa zafʃɛ biwi bardzɔ prostɛ kfʲati, ɔzdɔbʲɔnɛ pɔjɛdintʃim ʒɛ̃dɛm pwatkuf]

na	planec-ie	mał-ego	księc-ia	zawsze	by-ł-y-Ø	bardzo
〜の上で	惑星.F-SG.PREP	小さな-M.SG.GEN	王子.M-SG.GEN	いつも	ある.IPFV-PST-NM.PL-3	とても

prost-e	kwiat-y	ozdobion-e	pojedyncz-ym	rzęd-em	płatk-ów
単純な-NM.PL.NOM	花.M-PL.NOM	飾られた-NM.PL.NOM	個々の-M.SG.INS	列.M-SG.INS	花びら-M-PL.GEN

小さな王子さまの星には、とても質素な花があり、一重の花びらでもってあしらわれていました。

Zajmowały one bardzo mało miejsca i nikomu nie przeszkadzały.

[zajmɔvawɨ ɔnɛ bardzɔ mawɔ mʲɛjstsa i nikɔmu nʲɛ pʃɛʃkadzawɨ]

zajmowa-ł-y-Ø	on-e	bardzo	mało	miejsc-a	i	nik-omu
占める.IPFV-PST-NM.PL-3	それ-NM.PL.NOM	とても	少なく	場所.N-SG.GEN	そして	誰も〜ない-SG.DAT

nie	przeszkadza-ł-y-Ø
NEG	邪魔する.IPFV-PST-NM.PL-3

それらの花はこぢんまりとしていて、誰の邪魔にもなりませんでした。

Ukazywały się któregoś poranka wśród traw i gasły wieczorem.

[ukaziwawɨ ɕɛ kturɛgɔɕ pɔranka fɕrut traf i gaswɨ vʲɛtʃɔrɛm]

Ukazywa-ł-y-Ø	się	któr-ego=ś	porank-a	wśród	traw-Ø	i
見せる.IPFV-PST-NM.PL-3	REFL	どれ.M-SG.GEN=INDEF	朝.M-SG.GEN	〜の中で	芝.F-PL.GEN	そして

gas-ł-y-Ø　　wieczorem
消える.IPFV-PST-NM.PL-3　　夜に

ある朝草原に姿を現し、夜に消えるのです。

Róża zakiełkowała pewnego dnia z nie wiadomo skąd przywianego nasienia i Mały Książę z bliska przyglądał się tej roślince, niepodobnej do innych roślinek.

[ruʒa zakʲiɛwkɔvava pɛvnɛgɔ dnʲa z nʲɛ vʲadɔmɔ skɔt pʃʲiwʲanɛgɔ nasʲɛnʲa i mawɨ ksʲɔ̃ʒɛ z bliska pʃʲiglɔ̃daw ɕɛ tɛj rɔɕlintsɛ, nʲɛpɔdɔbnɛj dɔ innɨx rɔɕlinɛk]

róż-a　zakiełkowa-ł-a-Ø　pewn-ego　dn-ia　　z　nie wiadomo skąd
バラ.F-SG.NOM　目を出す.PFV-PST-F.SG-3　とある-M.SG.GEN　日.M-SG.GEN　〜から　NEG　知られている　〜から

przywian-ego　nasien-ia　i　　mał-y　　książ-ę　z　bliska
風に吹かれた-N.SG.GEN　種N-SG.GEN　そして　小さな-M.SG.NOM　王子-M.SG.NOM　〜から　近く

przygląda-ł-Ø　się　t-ej　roślinc-e　niepodobn-ej　do　inn-ych
見つめる.IPFV-PST-3SG.M　REFL　これ-F.SG.DAT　植物-F.SG.DAT　似ていない-F.SG.DAT　〜に　他の-M.PL.GEN

roślinek-Ø
植物F-PL.GEN

ある日、バラが、どこかから風に吹かれてきた種から芽を出しました。小さな王子さまは、ほかより際立ったその芽を見ていました。

To mógł być nowy rodzaj baobabu.

[tɔ mugw bɨtɕ nɔvɨ rɔdzaj baɔbabu]

t-o　　móg-ł-Ø　　by-ć　　　now-y　　rodzaj-Ø　　baobab-u
これ-N.SG.NOM　ありえる.IPFV-PST-3SG.M　〜だ IPFV-INF　新しい-M.SG.NOM　種類.M-SG.NOM　バオバブ.M-SG.GEN

これはバオバブの新種かもしれません。

Ale krzaczek szybko przestał rosnąć i zaczął rozwijać się kwiat.

[alɛ kʃatɕɛk ʃɨpkɔ pʃɛstaw rɔsnɔ̃tɕ i zatɕɔw rɔzvijatɕ ɕɛ kfʲat]

ale　krzaczek-Ø　szybko　przesta-ł-Ø　　rosną-ć　　i　　zaczą-ł-Ø
しかし　低木.M-SG.NOM　速く　やめる.PFV-PST-3SG.M　成長する.IPFV-INF　そして　始める.PFV-PST-3SG.M

rozwija-ć　się　kwiat-Ø
広げる.IPFV-INF　REFL　花.M-SG.NOM

けれど、その小さな木はすぐに成長するのをやめ、花を咲かせ始めたのです。

Polish

Mały Książę, który patrzył jak ogromny pąk dojrzewa, czuł, że wyjdzie zeń cudowne zjawisko.

[mawɨ kɕɔ̃ʒɛ kturɨ patʃɨw jak ɔgrɔmnɨ põk dɔjʑɛva tɕuw ʒɛ vɨjdʑɛ zɛ̃n tsudɔvnɛ zjaviskɔ]

Mał-y	Książ-ę	któr-y	patrzy-ł-Ø	jak	ogromn-y	pąk-Ø
小さな-M.SG.NOM	王子-M.SG.NOM	REL-M.SG.NOM	見つめる-IPFV-PST-3SG.M	どのように	巨大な-M.SG.NOM	つぼみ-M.SG.NOM

dojrzewa-Ø	czu-ł-Ø	że	wyjdzie-Ø	zeń	cudown-e
成熟する-IPFV-PRS.3SG	感じる-IPFV-PST-3SG.M	CMPL	出る-PFV-PRS.3SG	そこから	素晴らしい-N.SG.NOM

zjawisk-o
現象-N-SG.NOM

どのように大きなつぼみが成長していくのかを見ていた小さな王子さまは、そのつぼみから素晴らしいことが起こると感じていました。

A róża, w zaciszu swej zielonej komnaty, bez końca przygotowywała się do ukazania swej piękności.

[a ruʒa f zatɕiʃu sfɛj ʑɛlɔnɛj kɔmnatɨ bɛs kɔntsa pʃigɔtɔvivawa ɕɛ dɔ ukazaɲa sfɛj piɛ̃knɔɕtɕi]

a	róż-a	w	zacisz-u	sw-ej	zielon-ej	komnat-y	bez
他方で	バラ-F.SG.NOM	〜の中で	静寂-N-SG.PREP	自分の-F.SG.GEN	緑の-F.SG.GEN	部屋-F.SG.GEN	〜なしで

końc-a	przygotowywa-ł-a-Ø	się	do	ukazani-a	sw-ej
終わり-M.SG.GEN	準備する-IPFV-PST-F.SG-3	REFL	〜に	見せること-N.SG.GEN	自分の-F.SG.GEN

pięknośc-i
美しさ-F.SG.GEN

他方で、バラは緑の部屋の静寂に包まれて、絶えずその美しい花を咲かせる準備をしていました。

Starannie dobierała barwy, ubierała się powoli, poprawiała jeden za drugim swoje płatki.

[starannɛ dɔbɛrawa barvɨ ubɛrawa ɕɛ pɔvɔli pɔpravɨawa jeden za drugim sfɔjɛ pwatki]

starannie	dobiera-ł-a-Ø	barw-y	ubiera-ł-a-Ø	się	powoli
入念に	選び出す-IPFV-PST-F.SG-3	色彩-F.SG.GEN	まとう-IPFV-PST-F.SG-3	REFL	ゆっくり

poprawia-ł-a-Ø	jed-en	za	drug-im	swoj-e	płatk-i
手直しする-IPFV-PST-F.SG-3	一-M.SG.ACC	〜に	二つ目-M.SG.INS	自分の-NM.PL.ACC	花びら-M-PL.ACC

バラはじっくりと色味を決めて、それをゆっくりとまとい、順番に自らの花びらを手直ししていました。

Nie chciała wyjść potargana jak goździki.

[nʲɛ xtɕawa vɨjɕtɕ pɔtargana jak gɔʒdzikʲi]

nie	chcia-ł-a-∅	wyjś-ć	potargan-a	jak	goździk-i
NEG	欲しい.IPFV-PST-F.SG-3	出る.PFV-INF	くしゃくしゃの-F.SG.NOM	～のように	ナデシコ.M-PL.NOM

ナデシコのようにくしゃくしゃの姿で現れたくなかったのです。

Pragnęła ukazać się w pełni blasku swojej piękności.

[pragnɛwa ukazatɕ ɕɛ f pɛwni blasku sfɔjej pʲɛknɔɕtɕi]

pragnę-ł-a-∅	ukaza-ć	się	w	pełn-i	blask-u	swoj-ej
望む.IPFV-PST-F.SG-3	示す.PFV-INF	REFL	～の中で	盛り.F-SG.PREP	輝き.M-SG.GEN	自分の-F.SG.GEN

pięknośc-i
美しさ.F-SG.GEN

自らの輝かんばかりの美しさを完全なものにしてから姿を現したかったのです。

O, tak! Była wielką kokietką!

[o tak bɨwa vʲɛlkɔ kɔkʲɛtkɔ]

o	tak	by-ł-a-∅	wielk-ą	kokietk-ą
おお	そのように	～だ.IPFV-PST-F.SG-3	偉大な-F.SG.INS	色っぽい女.F-SG.INS

なるほど！　大層なお洒落さんなんだな！

Jej tajemnicza toaleta trwała wiele dni.

[jɛj tajɛmnitɕa tɔalɛta trvawa wʲɛlɛ dni]

jej	tajemnicz-a	toalet-a	trwa-ł-a-∅	wiel-e	dn-i
彼女.F.SG.GEN	神秘的な-F.SG.NOM	身支度.F-SG.NOM	続く.IPFV-PST-F.SG-3	たくさんの-NM.ACC	日.M-PL.ACC

彼女の神秘的な身支度は何日も続いたのです。

Pewnego poranka ukazała się dokładnie o wschodzie słońca.

[pɛvnɛgɔ pɔranka ukazawa ɕɛ dɔkwadnʲɛ ɔ fsxɔdʑɛ swɔɲtsa]

pewn-ego	porank-a	ukaza-ł-a-∅	się	dokładnie	o	wschodz-ie
ある-M.SG.GEN	朝-M.SG.GEN	示す.PFV-PST-F.SG-3	REFL	まさに	～に	昇ること.M-SG.PREP

słońc-a
太陽.N-SG.GEN

ある朝、バラは真東に太陽が昇るころに花開きました。

Po tak starannych przygotowaniach rzekła ziewając:

[pɔ tak starannix pʃigɔtɔvaɲax ʒɛkwa zʲevajɔ̃ts]

po	tak	starann-ych	przygotowani-ach	rzek-ł-a-Ø	ziewa-jąc
～の後で	それほど	入念な-NM.PL.PREP	準備 N-PL.PREP	言う.PFV-PST-F.SG-3	あくびをする.IPFV-CONV.PRS

そのような周到な準備の後に、あくびをしながら言いました。

– O! Dopiero się zbudziłam… Przepraszam bardzo.

[ɔ dɔpʲɛrɔ sʲę zbudziwam pʃɛpraʃam bardzɔ]

o	dopiero	się	zbudzi-ł-a-m	przeprasz-am	bardzo
おお	やっと	REFL	目を覚まさせる.PFV-PST-F.SG-1SG	謝る.IPFV-PRS.1SG	非常に

「あら！　やっと目覚めたわ……本当にごめんなさいね。

Jestem	jeszcze	bardzo	zaspana.
(私は)～だ	まだ	とても	眠い

私、まだとても眠いの」

Wówczas	Mały	Książę	nie	mógł	powstrzymać	swego	zachwytu:
その時	小さな	王子は	NEG	できた	押し留めること	自分の	感嘆を

そのとき、小さな王子さまは自らの感嘆を押し留めることができませんでした。

- Jakaś ty piękna!
何と　君は　美しい

「きみはなんて美しいんだ！」

- Prawda? - słodko odparła róża.
本当　　　甘く　　答えた　バラは

「そうかしら」とバラはけだるそうに答えました。

- I urodziłam się w tej samej chwili co słońce...
そして　(私は)産んだ　自分を　〜に　この　同じ　瞬間　REL　太陽

「そして私は太陽と同じ瞬間に花開いたの……」

Mały Książę odgadł, że nie grzeszyła zbytnią skromnością,
小さな　王子　言い当てた　〜ということ　NEG　背いた　余計な　謙虚さ

ale była tak wzruszająca!
だけど　(彼女は)〜だった　非常に　感動的な

「謙虚さはないけれど、とても見事だ！」と小さな王子さまは言いました。

- Zdaje mi się, że czas na pierwsze śniadanie
見える　私に　自分を　〜ということ　時間　〜のための　最初の　　朝食

- dorzuciła
(彼女は)言葉をはさんだ

「最初の朝食の時間のようね」とバラは言葉をはさみました。

- czy nie byłbyś tak łaskaw pomyśleć i
あるいは　NEG　(君は)〜なのだろうか　そのように　親切である　考えること　そして

o mnie...
〜について　私

「それとも私について考えてくれないのかしら……」

Mały Książę poszukał konewki, napełnił ją świeżą wodą i
小さな　王子は　探した　じょうろを　満たした　それを　新鮮な　水で　そして

usłużył róży.
仕えた　バラに

王子さまはじょうろを探し、バラに水をやり、お世話をしました。

Bardzo szybko zaczęła go   dręczyć swoją nieco płochliwą
とても   速く   始めた   彼を 苦しめること 自らの 少し   臆病な
próżnością.
　　見栄で

すぐに、バラの少し臆病な虚栄心が彼を苦しめ始めたのです。

Opowiadając,   na   przykład, pewnego dnia   o   swoich
語りながら   ～のために   例   ある   日   ～について 自らの
czterech kolcach, powiedziała Małemu Księciu:
四つの   とげ   言った   小さな   王子に

例えばある日、自らの四つのとげについて小さな王子さまに語りながら、言いました。

– Nawet tygrysy mogą   przyjść   ze swymi pazurami!
～さえ   虎たちが ありえる やって来ること ～と共に 自らの   かぎ爪

「虎がそのかぎ爪を光らせながらやって来たってへっちゃらだわ！」

– Na mojej planecie nie ma tygrysów – zaprzeczył Mały Książę,
～に 私の   惑星   NEG ある 虎たち   否定した   小さな 王子は
– a   poza tym, tygrysy nie jedzą trawy.
一方で ～を越えて これ 虎たちは NEG 食べる 草を

「ぼくの星には虎はいないし」と王子は否定しました。「しかも虎は草を食べないよ」

– Nie jestem   trawą – odparła łagodnie róża.
NEG (私は)～だ 草   答えた   優しく   バラは

「私は草ではないわ」とバラは柔らかく答えました。

– Wybacz mi.
許してください 私を

「ごめんなさい」

– Nie boję się tygrysów, ale przerażają mnie
NEG (私は)恐れさせる 自分を 虎たちを しかし ぞっとさせる 私を

przeciągi. Może masz parawan?
隙間風が もしかしたら (君は)持つ ついたてを

「私は虎なんて怖くないわ。でも隙間風はいけないわね。ついたてなんて持って
いたりしません？」

„ Strach przed przeciągami to nieprzyjemne dla rośliny–
恐怖 ～の前の 隙間風 ～だ 嫌な ～にとって 植物

pomyślał Mały Książę. – Ta róża jest bardzo dziwaczna... ”
考えた 小さな 王子は この バラ ～だ とても おかしな

「隙間風に対する恐怖は植物にとって嫌なものなのか」と王子は思いました。「変
わったバラだなあ……」

– Wieczorem proszę mnie przykryć kloszem.
夜に お願いします 私を 覆うこと ガラス蓋で

「夜になったら私をガラス蓋で覆ってくださいな。

U ciebie jest bardzo zimno.
～のところに 君の ～だ とても 寒い

あなたの星はとても寒いわ。

Źle tu wszystko urządzone. Tam, skąd przybywam...
悪く ここは すべて 揃った そこ ～のところから (私は)着く

ここはひどい有様ね。私がもといたところは……」

Urwała.
(彼女は)中断した

バラはそこで言葉を切りました。

Przybyła　jako　nasienie　i　nie　mogła　nic　wiedzieć
(彼女は)着いた　～として　種　そして　NEG　できた　何も～ない　知ること

o　innych　planetach.
～について　他の　惑星

種子としてやって来たので、ほかの星について知る由もなかったのです。

Upokorzona,　że　ją　schwytano　na　tak
恥をかかされて　～ということ　彼女を　捕えられた　～の中に　そのように

naiwnym　kłamstwie,　zakaszlała　dwa　czy　trzy　razy,　aby
素朴な　嘘　(彼女は)咳込んだ　二　～か　三　回　～するように

dowieść　Małemu　Księciu,　że　to　on　jest　winny:
立証すること　小さな　王子に　～ということを　これ　彼は　～だ　罪のある

そのような単純な嘘にはまったということに誇りを傷つけられたのか、(バラは)王子さまが悪いとでも言わんばかりに2、3回咳をしました。

– A　parawan...
それで　ついたて

「それでついたては……」

– Chciałem　pójść　przynieść　go,　ale　mówiłaś　do　mnie!
～したかった　行くこと　持っていくこと　それを　だけど　言った　～まで　私

「それを持っていきたかったんだけども、きみが言ったんじゃないか！」

Wówczas　zmusiła　się znowu　do　kaszlu,　ażeby　jednak
その時　(彼女は)強いた　自分を　また　～に　咳　～するように　しかし

wzbudzić　w　nim　wyrzuty　sumienia.
感情を呼び起こすこと　～の中に　彼　叱責を　良心の

だけどもそのときバラは再び、小さな王子さまに良心の呵責を感じさせようと無理やり咳をしました。

W　ten　sposób,　mimo　swego　pełnego　dobrej　woli
～の中で　この　方法　～にもかかわらず　自らの　いっぱいの　良い　意思

uczucia, Mały Książę szybko zwątpił o niej.
感情　小さな　王子は　速く　疑いだす　〜について　彼女

こうして、とても良い感情を抱いているにもかかわらず、小さな王子さまはバラに対し疑念を抱き始めたのでした。

Brał sobie do serca słowa bez znaczenia i stał
取った　自分に　〜に　心　言葉　〜なしで　意味　そして　〜に変えた

się bardzo nieszczęśliwy.
自分を　とても　　　不幸な

なんてことのない言葉を真に受けて、とてもみじめな気持ちになりました。

„Nie powinienem był jej słuchać – zwierzył mi
NEG　（私は）〜すべきだ　〜だった　彼女に　聞くこと　打ち明けた　私に

się pewnego dnia – nie trzeba nigdy słuchać róż.
自分を　ある　日　NEG　〜べきだ　決して〜ない　聞くこと　バラを

「彼女に耳を傾けるべきではなかった」と、ある日私に打ち明けました。「もう彼女の言うことを聞くべきではないんだ。

Trzeba na nie patrzeć i rozkoszować się
〜べきだ　〜を　それら　見つめること　そして　楽しませること　自分を

ich zapachem.
それらの　　　香りで

バラを見つめ香りを楽しむべきなんだ。

Moja róża napełniała wonią całą planetę, ale nie umiałem się
私の　バラは　満たした　香りで　すべての　惑星を　しかし　NEG　できた　自分を

tym cieszyć.
それで　喜ぶこと

ぼくのバラの香りは星じゅうを満たしていたけれど、それで喜べなかったんだ。

Historia o pazurach, która mnie tak rozzłościła,
歴史　〜に関する　かぎ爪　REL　私を　そのように　怒らせた

powinna　　być　mnie wzruszyć... ″
~するべきである　~だった　私を　感動させること

ぼくを怒らせたかぎ爪の話は、ぼくを感動させるはずだったんだ」

Zwierzył　mi　się także:
(彼は)打ち明けた　私に　自分を　同様に

またこうも言いました。

„Wówczas nie potrafiłem nic zrozumieć.
その時　　NEG　(私は)できた　何も　理解すること

「そのとき何も理解できなかったんだ。

Powinienem　był　ją　sądzić　wedle czynów,　a　nie słów.
(私は)~すべきだ　~だった　彼女を　判断すること　~によって　ふるまい　一方で　NEG　言葉

彼女を言葉でなく、ふるまいをもとに判断するべきだったんだ。

Upajała　　mnie swoim zapachem i olśniewała swymi
(彼女は)うっとりさせた　私を　自らの　　香りで　そして　魅了する　自らの

barwami.
色で

彼女はその香りでぼくを酔わせ、その色でぼくを魅了したんだ。

Nigdy　nie　powinienem　　był　uciekać!
決して~ない　NEG　(私は)~するべきである　~だった　逃げること

決して逃げるべきではなかったんだ！

Powinienem　był　odgadnąć czułość　za　siecią małych
(私は)~すべきだ　~だった　見抜くこと　思いやり　~に対する　網　小さな

podstępów.
計略の

張り巡らされた小さな企みにある思いやりを見抜くべきだったんだ。

Róże   są   tak   pełne   sprzeczności!
バラたちは ～だ そのように 満ちている   矛盾に

バラとはかくも矛盾に満ちているんだ！

Ale   byłem   zbyt   młody,   aby   umieć   kochać ".
しかし ～だった 過度に 若い ～するには できること 愛すること

でも、愛するには若すぎたんだ」

Malicka, Marta (2000) (tr.) *Mały Książę*. Wrocław: Wydawnictwo Siedmioróg. pp.34-36.

Polish

9 チェコ語

čeština

　チェコ語はポーランド語と同じく†スラブ語派の西のグループの言語
ですが、ポーランド語が属するレフ諸語とは異なり、スロバキア語とと
もに西グループのうちの南の下位グループに属します。

音韻論と文字体系

　†母音音素は /i, e, a, o, u/ の5つで、それぞれに対応する†長母音があり
ます（ただし長い o〈ó〉が現れるのは†借用語や†間投詞だけです）。さらに、
3種類の†二重母音 eu, au, ou があり、eu, au は†外来語に用いられます（例：
euro「ユーロ」、restaurace「レストラン」、dlouho「長い間」）。長母音は母音の
上に ´ をつけて示しますが、u の長母音については原則として語頭で
は ú、語中・語末では ů と書き分けます。子音音素は文字表記によって
（一部には発音をつけて）示すと、/p, t, k, b, d, ťʼ[c], ďʼ[ɟ], g[g], m, n,
ňʼ[ɲ], f, s, š[ʃ], ch[x], h[ɦ], v, z, ž[ʒ], c[ts], č[tʃ], řʼ[r̝], l, r, j/ の25個です（た
だし外来語には dž[dʒ]（džus「ジュース」）も見られます）。řʼ[r̝] は†摩擦顫動
音というもので、ふるえ音に摩擦の加わった音です（Dvořák「ドボルザー
ク」）。†硬口蓋化した子音とそうでない子音の対立がある点はロシア語
と似ていますが、母音で始まる語の語頭などに†声門破裂音が聞かれる
点はドイツ語と似ています（ano[ʔano]「はい」）。†音節を形成しない†前置
詞（s, z, k, v）に母音で始まる語が続いたときは必須です（z Ameriky[s
ʔamerɪkɪ]「アメリカから」）。l と r には音節を形成する力があり、4子音だ
けからなる語もあり、5つ子音が続くことも珍しくありません（Strč prst
skrz krk.「指をのどに突っ込め」、čtvrt「4分の1」、scvrkl「しわしわになった」）（千
野 (1989: 700) による）。†アクセントは常に語の第一音節にあり（これもド
イツ語と同じです）、1音節の前置詞が名詞に先行する場合にはさらにそ

の前置詞の上に移動します (Praha vs. do Prahy「プラハへ」) (千野 (1989: 700) による)。アクセントは強弱のアクセントですが、その差はあまり大きくなく、アクセントの有無が母音の長さや†弱化に関わることがありません。

　歴史的に見ると、まずアクセントの位置の語頭への固定化が起こり、次にスラブ諸語に共通の g が h[ɦ] に変化し (pol. gród「城砦」‖ ces. hrad「城」)、さらにチェコ語独特の ř の音が形成されました。これら3つの点で、チェコ語は同じ西スラブ語に属するポーランド語とは異なっています (千野 (1989: 713)による)。

　文字はラテン文字で、文字より多い音素に対して1音素1文字で対応するため、上記に見るような†補助記号 (´, ˇ, ˚) を使います。2文字で1音素を示すのは ch[x] だけです。有声子音字は語末や無声子音の前では†無声化した発音になります (osud[osut]「運命」、všechny[fʃexnɪ]「すべての」)。mě は [mnʲe] と発音します。

形態論

　男女中の3つの†性があり、単複の変化がある点まではロシア語と同じですが、†格は†呼格があってロシア語より1つ多く、7つあります。呼格とは、呼びかけるときに名詞が変化してとる形で、例えば Petr「ペトル」なら Petře! のようになります。名詞の変化はその名詞の性ばかりでなく、語末の音や生物／無生物などによって14ものパターンに分かれます (さらに不規則変化の名詞があります)。生物か無生物かによって変化が異なる点や、前置詞による格支配がある点などはロシア語と同じです。†冠詞はやはりありません。名詞の修飾語や動詞の一部が性に関して†一致を示すので、男が女に変わると、それに関係している文中の語はみな男性形から女性形に変わります。例えば Tento mladý Japonec se rád zabýval hudbou.「この若い日本人 (男) は音楽を習いたがっていました」の主語を「日本人女性」に変えると、Tato mladá Japonka se ráda zabývala hudbou. となります。代名詞について見ると、2人称複数 (vy) を†敬称に使うところや、3人称単数の男性女性中性の3つの形 (on, ona, ono) はロ

čeština　　211

シア語に似ていますが、3人称複数には3つの形 (oni, ony, ona) がありま
す（ロシア語では性に関わらず oni だけです）。1人称／2人称や†再帰の単
数の代名詞の一部の格には長形 (mně (1SG.DAT), tobě (2SG.DAT), ...) と短形 (mi
(1SG.DAT), ti (2SG.DAT), ...) があります。英語の my..., your..., her..., our... に相当
する所有を示す語は、形容詞のように所有される物の性数格によって
変化します。ロシア語では3人称には本来的な所有形容詞がなく、人称
代名詞の†属格形で表すので、これは不変化です。

　動詞に、†アスペクトにおける†完了体と†不完了体の対立があること、
人称変化があること、†ムードの体系が比較的に簡素なこと、などはロシ
ア語と同じです。可能を示す動詞には、umět「（能力があって）できる」
と moci/moct「（その場の状況などから）できる」の2種類がありますが、こ
うした区別はロシア語にもポーランド語にもあります。ロシア語とは
違い、名詞述語文の現在時制でも†コピュラを使います (ces. On je student.
|| rus. On student. なおポーランド語も使います。pol. On jest studentem. 'He is a
student.')。動詞の†過去形でも1人称／2人称ではロシア語のように -l を
持つ†分詞のみではなく、人称変化したコピュラが一緒に使われます (ces.
Přišel jsem. || rus. Ja prišjol.「私（男）は来た」)。所有表現もロシア語だけが異
なっていて、ロシア語では 'I have a car.' を U menja (est') mašina. つまり
'*At me (is) car.'「私に車がある」のように言うのに対して、チェコ語やポ
ーランド語では 'have' にあたる動詞 (mít, mieć) を人称変化させて使い、
チェコ語では Mám auto.、ポーランド語では Mam samochód. のように言い
ます。ロシア語やポーランド語とは違い、現在形の否定は動詞と結合
して1語になります (Nevím. (NEG-know.PRS.1SG)「私は知らない」、ちなみにこ
の動詞 (vědět) は「～であることを知る」という意味で、znát「（人やモノを）知
る」と対立しています)。一方、再帰代名詞は動詞と合体しません。

統語論

　†語順は自由で、†情報構造の標示に用いられます。興味深いのは文の2
番目の位置で、ここには最も軽い要素（形も短く、情報的な重要性も低い
語）が来ます。それは†間接疑問文であることを表す接続詞 -li、助動詞

的に働くコピュラ動詞、再帰代名詞短形 (se, si)、人称代名詞短形の与格、人称代名詞短形の対格・属格で、これらのうちのいくつかが同時に現れるときはこの順序で並びます（千野 (1989: 711) による）。

語 彙

チェコの作家チャペック兄弟の造った語である robot「ロボット」は広く世界中の言語に借用されました。ピストルももとは古代チェコ語の píšt'ala がフランス語経由で世界に広まったものです（千野 (1989: 711) による）。

Czech

千野 (1989)「チェコ語」（⑦所収）、千野 (1998)「チェコ語」（①所収）

Malý princ

9

Aby mohl malý princ planetu opustit, využil zřejmě tahu divokých ptáků.

[abɪ mɔɦil maliː prɪɲts planɛtʊ ɔpʊscɪt vɪʊʒɪl zřɛjmɲɛ taɦʊ ɟɪvɔkiːx ptaːkuː]

aby-Ø	moh-l-Ø	mal-ý	princ-Ø	planet-u	opust-it
〜するため-3SG	できる.IPFV-PST-M.SG	小さい-M.SG.NOM	王子.M-SG.NOM	惑星.F-SG.ACC	捨てる.PFV-INF

využi-l-Ø	zřejmě	tah-u	divok-ých	pták-ů
利用する.PFV-PST-M.SG	きっと	移動.M-SG.GEN	野生の-PL.GEN	鳥.M-PL.GEN

小さな王子さまは星を出るにあたって、おそらく渡り鳥たちの移動を利用したのでしょう。

Ráno před svým odchodem dal planetu hezky do pořádku.

[raːnɔ p̌řɛt sviːm ɔtxɔdɛm dal planɛtʊ ɦɛskɪ dɔ pɔřạːtkʊ]

ráno	před	sv-ým	odchod-em	da-l-Ø	planet-u	hezky	do
朝に	〜の前に	自分の-M.SG.INS	出発.M-SG.INS	与える.PFV-PST-M.SG	惑星.F-SG.ACC	きれいに	〜に

pořádk-u
秩序.M-SG.GEN

旅立ちの朝、小さな王子さまは自分の星をきれいに片づけました。

Pečlivě vymetl nevyhaslé sopky.

[pɛtʃlɪvjɛ vɪmɛtl nɛvɪɦaslɛː sɔpkɪ]

pečlivě	vymet-l-Ø	ne=vyhasl-é	sopk-y
念入りに	一掃する.PFV-PST-M.SG	NEG=鎮火した-F.PL.ACC	火山.F-PL.ACC

念入りに活火山を掃除しました。

Dvě byly v činnosti, což bylo ohromně pohodlné, když bylo zapotřebí si ráno ohřát snídani.

[dvjɛ bɪlɪ f tʃɪnɔscɪ tsɔʒ bɪlɔ ɔɦrɔmɲɛ pɔɦɔdlnɛː gdɪʒ bɪlɔ zapɔtřɛbiː sɪ raːnɔ ɔɦřạːt sɲiːdaɲɪ]

dv-ě	by-l-y	v	činnost-i	co=ž	by-l-o	ohromně	pohodln-é
二-F.NOM	〜だ.IPFV-PST-F.PL	〜の中に	活動.F-SG.PREP	REL.NOM=PART	〜だ.IPFV-PST-SG.N	非常に	便利な-N.SG.NOM

když	by-l-o	zapotřebí	si	ráno	ohř-át	snídan-i
～する時	～だ.IPFV-PST-SG.N	必要で	REFL.DAT.CLT	朝に	温める.PFV-INF	朝食.F-SG.ACC

二つの火山は活動中で、朝、朝食を温めるときにとても便利でした。

Měl i jednu vyhaslou sopku, ale vždycky říkával: „Člověk nikdy neví!", a proto vymetl i tu vyhaslou.

[mɲel ɪ jednʊ vɪɦaslɔʊ sɔpkʊ alɛ vʒdɪtskɪ r̝iːkaval tʃlɔvjɛk ɲɪgdɪ nɛvi a prɔtɔ vɪmetl ɪ tʊ vɪɦaslɔʊ]

mě-l-Ø	i	jedn-u	vyhasl-ou	sopk-u	ale	vždycky
持つ.IPFV-PST-M.SG	～もまた	一つの-F.ACC	鎮火した-F.ACC	火山.F-SG.ACC	しかし	いつも

říká-va-l-Ø	Člověk-Ø	nikdy	ne=v-í	a	proto	vymet-l-Ø
言う.IPFV-ITER-PST-M.SG	人.M-SG.NOM	決して～ない	NEG=知る.IPFV-PRS.3SG	そして	だから	一掃する.PFV-PST-M.SG

i	t-u	vyhasl-ou
～もまた	この-F.SG.ACC	鎮火した-F.SG.ACC

死火山も一つあったのですが、いつも小さな王子さまは「神のみぞ知る！」と言っていて、だからその死火山も同じく掃除したのでした。

Dobře vymetené sopky hoří mírně a pravidelně, nevybuchují.

[dɔbr̝ɛ vɪmetenɛː sɔpkɪ ɦɔrɪ miːrɲɛ a pravɪdelɲɛ nɛvɪbʊxʊjiː]

dobře	vymeten-é	sopk-y	hoř-í	mírně	a	pravidelně
良く	掃除された-F.PL.NOM	火山.F-PL.NOM	燃える.IPFV-PRS.3PL	穏やかに	そして	規則的に

ne=vybuchuj-í
NEG=噴火する.IPFV-PRS.3PL

よく掃除された火山は穏やかに燃えて、規則的には噴火しないのです。

Sopečné výbuchy jsou jako oheň v krbu.

[sɔpetʃnɛː viːbʊxɪ jsɔʊ jakɔ ɔɦeɲ f krbʊ]

sopečn-é	výbuch-y	js-ou	jako	oheň-Ø	v	krb-u
火山の-M.PL.NOM	噴火.M-PL.NOM	～だ.IPFV-PRS.3PL	～のような	火.M-SG.NOM	～の中に	暖炉.M-SG.PREP

火山の噴火は暖炉の中の火のようなものなのです。

Na naší Zemi jsme však příliš malí, abychom mohli vymetat sopky.

[na naʃiː zemɪ jsme ʃfak pr̝iːlɪʃ maliː abɪxɔm mɔɦlɪ vɪmetat sɔpkɪ]

na	naš-í	Zem-i	js-me	však	příliš	mal-í	aby-chom
~で	私たちの-F.SG.PREP	地球-F.SG.PREP	~だ-PRS.1PL	しかし	~過ぎる	小さい-M.ANIM.PL.NOM	~するため-1PL

moh-l-i	vymet-at	sopk-y
できる-IPFV-PST-M.PL.ANIM	掃除する-PFV-INF	火山-F-PL.ACC

しかし私たちの地球では、火山を掃除するには我々は小さすぎます。

Proto nám způsobují mnoho nepříjemností.

[prɔtɔ naːm spuːsɔbujiː mnohɔ nɛpr̝iːjɛmnɔsci:]

proto	nám	způsobuj-í	mnoh-o	ne=příjemnost-í
だから	私.PL.DAT	起こす.IPFV-PRS.3PL	多く-ACC	NEG=良いこと.F-PL.GEN

だから良くないことがたくさん起こるのです。

Malý princ trochu smutně vytrhl poslední výhonky baobabů.

[maliː prɪnts trɔxʊ smutɲe vɪtr̝ɦl pɔslɛdɲiː viːɦɔŋkɪ baɔbabuː]

mal-ý	princ-Ø	trochu	smutně	vytrh-l-Ø	posledn-í
小さい-M.SG.NOM	王子-M.SG.NOM	少し	悲しく	引き抜く.PFV-PST-M.SG	最後の-M.PL.ACC

výhonk-y	baobab-ů
芽-M-PL.ACC	バオバブ-M-PL.GEN

小さな王子さまは少し悲しげに最後のバオバブの芽を引き抜きました。

Myslel, že se už asi nikdy nevrátí.

[mɪslɛl ʒɛ sɛ ʊʃ asɪ ɲɪɡdɪ nɛvraːci:]

mysle-l-Ø	že	se	už	asi	nikdy	ne=vrát-í
思う.IPFV-PST-M.SG	CMPL	REFL.ACC.CLT	もう	たぶん	二度と	NEG=帰る.PFV-PRS.3SG

彼はもう二度と帰らないだろうと思いました。

Ale všechny takové obvyklé práce se mu onoho rána zdály nesmírně milé.

[alɛ fʃɛxnɪ takɔveː obvɪklɛ praːtsɛ sɛ mu ɔnɔhɔ raːna zdaːlɪ nɛsmiːrɲɛ mɪle:]

ale	všechn-y	takov-é	obvykl-é	prác-e	se	mu
しかし	すべて-F.PL.NOM	このような-F.PL.NOM	普段の-F.PL.NOM	仕事-F.PL.NOM	REFL.ACC.CLT	彼-M.SG.DAT.CLT

on-oho	rán-a	zdá-l-y	ne=smírně	mil-é
あの-N.SG.GEN	朝-N.SG.GEN	思われる.IPFV-PST-F.PL	NEG=平和に	優しい-F.PL.NOM

しかしあの朝このような普段の仕事のすべてが彼にはとても優しく感じられたのです。

A tak když naposledy zalil květinu a chystal se ji přikrýt poklopem, zjistil, že je mu do pláče.

[a tag gdɪʃ naposledɪ zalɪl kvjɛcɪnu a xɪstal sɛ jɪ pr̩̥ɪkriːt pɔklɔpem zjɪscɪl ʒɛ jɛ mu dɔ plaːtʃɛ]

a	tak	když	naposledy	zali-l-Ø	květin-u	a
そして	だから	～する時	最後に	水をやる.PFV-PST-M.SG	花.F-SG.ACC	そして

chysta-l-Ø	se	ji	přikrý-t	poklop-em	zjisti-l-Ø
準備する.IPFV-PST-M.SG	REFL.ACC.CLT	彼女.F.SG.ACC	覆う.PFV-INF	覆い.M-SG.INS	確かめる.PFV-PST-M.SG

že	j-e	mu	do	pláč-e
CMPL	～だ.IPFV-PRS.3SG	彼.M.SG.DAT.CLT	～に	泣くこと.M-SG.GEN

だから最後に花に水をやって覆いを被せようとしたとき、自分が泣きそうなことに気が付きました。

„Sbohem," řekl květině.

[zbɔɦɛm r̩̥ɛkl kvjɛcɪɲɛ]

sbohem	řek-l-Ø	květin-ě
さようなら	言う.PFV-PST-M.SG	花.F-SG.DAT

彼は「さようなら」と花に告げました。

Květina zakašlala.

[kvjɛcɪna zakaʃlala]

květin-a	zakašla-l-a
花.F-SG.NOM	咳をする.PFV-PST-F.SG

花は咳をしました。

Ale ne proto, že byla nachlazená.

[alɛ nɛ prɔtɔ ʒɛ bɪla naxlazɛnaː]

ale	ne	proto	že	by-l-a	nachlazen-á
しかし	NEG	だから	CMPL	～だ.IPFV-PST-F.SG	風邪の.F.SG.NOM

しかしそれは、花が風邪を引いていたからではありません。

„Byla jsem hloupá," řekla mu konečně.

[bɪla jsɛm ɦlɔupaː r̩̥ɛkla mu kɔnɛtʃɲɛː]

by-l-a	js-em	hloup-á	řek-l-a	mu	konečně
～だ.IPFV-PST-F.SG	～だ.IPFV-PRS.1SG	愚かな.F.SG.NOM	言う.PFV-PST-F.SG	彼.M.SG.DAT.CLT	ついに

「私、ばかだったわ」と、とうとう花が彼に言いました。

„Odpusť mi to. Buď šťastný."
[ɔtpʊsc mɪ tɔ bʊc ʃcastniː]

odpusť-Ø	mi	t-o	buď-Ø	šťastn-ý
許す-IMP.2SG	私.SG.DAT.CLT	それ-N.SG.ACC	～だ-IMP.2SG	幸せな-M.SG.NOM

「許してちょうだい。幸せになってね」

Byl překvapený, že mu nic nevyčítá.
[bɪl pr̝ɛkvapeniː ʒɛ mʊ nɪts nɛvɪtʃiːtaː]

by-l-Ø	překvapen-ý	že	mu	nic	ne=vyčít-á
～だ.IPFV-PST-M.SG	驚いた-M.SG.NOM	CMPL	彼.M.SG.DAT.CLT	何も	NEG=非難する.IPFV-3SG

花が彼をまったく責めないことに、彼は驚きました。

Stál   v   rozpacích   s   poklopem   v   ruce.
(彼は)立っていた　〜の中に　　困惑　　〜と共に　　覆い　　〜の中に　手

彼は困惑して立ち尽くし、片手には覆いを持っていました。

Nechápal   tu   klidnou   mírnost.
(彼は)理解しなかった　この　　静かな　　　平和を

彼はこの静けさを理解できませんでした。

„No   ano,   mám   tě   ráda, "   řekla   květina.
はい　　はい　(私は)持っている　君を　　嬉しい　　(彼女は)言った　　花は

「うん、そうよ、私はあなたが好きなの」と、花は言いました。

„Tys   o   tom   ale   vůbec   nevěděl.
君　　〜について　これ　　しかし　　まったく　知らなかった

「まったく知らなかったでしょう。

To   byla   má   chyba.
それは　〜だった　　私の　　誤り

私のせいなのよ。

Nevadí.
(それは)悩ませない

どうでもいいわね。

Ale   tys   byl   právě   tak   hloupý   jako   já.
しかし　君　　〜だった　実に　　そのように　愚かな　　〜のように　私

でもあなたは本当に、私みたいにばかだったわ。

Snaž   se,   abys   byl   šťasten…
努力しろ　自分を　〜するため　〜だった　　幸せな

幸せになれるように頑張ってね……。

Nech ten poklop, já už ho nechci. "
置け その 覆いを 私は もう それを 欲しくない

その覆いは置いといて。もういらないわ」

„ Ale vítr... "
しかし 風が

「でも風が……」

„ Nejsem tak přecitlivělá...
（私は）〜でない そのように 神経質な

「私、そんなに脆くはないわ……。

Čerstvý noční vítr mi udělá dobře.
新鮮な 夜の 風は 私に する 良く

新鮮な夜風は私にとって良いものなのよ。

Jsem přece květina. "
（私は）〜だ それでも 花

だって私は花なんだから」

„ Ale zvířata... "
しかし 動物たちが

「でも動物が……」

„ Musím snést dve nebo tři housenky,
（私は）〜しなければならない 我慢すること 二つの または 三つの 芋虫を
když chci poznat motýly.
もし （私は）〜したい 知り合うこと 蝶を

「蝶々と知り合いたいのであれば、2、3匹の芋虫は我慢しなくちゃいけないわ。

Jsou　　prý　　tak　　krásní.
(それらは)～だ　～らしい　そのように　美しい

それはたいそう美しいらしいわ。

Kdo　　jiný　　by　　mě　　navštěvoval?
誰が　　他の　～だっただろう　私を　　訪ねた

ほかに誰か私を訪ねてくるかしら？

Ty　　budeš　　daleko.
君は　いるだろう　　遠く

あなたは遠くに行ってしまうわ。

Velkých　zvířat　　se　　vůbec　　nebojím.
大きい　動物たち　自身　全く　(私は)恐れない

大きい動物もまったく怖くないわ。

Mám　　drápy.　"
(私は)持っている　爪を

私は爪を持っているわ」

A　naivně　ukázala　své　　čtyři　trny.
そして　無邪気に　(彼女は)見せた　自分の　四つの　とげを

そして花は無邪気に自分の四つのとげを見せました。

Potom　dodala:　„Neotálej　tolik,　rozčiluje　mě　to.
その後　(彼女は)加えた　ためらうな　そんなに　イライラさせる　私を　それは

そして付け加えました。「そんなにためらわないで。イライラするわ。

Rozhodl　ses　odejít,　tak　jdi!　"
(君は)決めた　自分を　出ること　そのように　行け

行くと決めたのなら、行きなさい！」

Nechtěla,　　　aby　　　ji　　　viděl　　　plakat.

(彼女は)〜したくない　〜するため　彼女を　(彼が)見ていた　泣くこと

花は泣いているところを小さな王子さまに見られたくなかったのです。

Byla　　　to　　　totiž　　　nesmírně　　　pyšná　　　květina...

(彼女は)〜だった　それは　〜というのも　極めて　誇り高い　花

なぜならとてもプライドの高い花だったからです……。

Sasák, Martin (1998) (tr.) *Malý princ.* Praha: Cesty. pp.29-33.

10　中国語

汉 语
hànyǔ

　系統的には、†シナ・チベット語族のシナ語派の言語です。この語族には400以上もの言語が属しています。まず、「中国で話されている言語＝中国語」ではないことに注意しましょう。中国には政府が認定しているだけでも55の少数民族の言語があり（本当はもっとたくさん）、ここでの「中国語」とは圧倒的多数を占める漢民族の「漢語」を指しています。漢語自体の中にも上海語や福建語、広東語などの諸方言があり、互いに通じないほど大きく異なります（一般に7大方言といいます）。漢語諸方言は、北へ行くほど†アルタイ諸言語的な要素を多く示し、南へ行くほどタイ語によく似た面を示します（橋本 (1989: 903) による）。標準語（北京官話や普通話とも）はもともと北方の言葉で、それはさらに清朝の満洲人の官吏が話した言葉がもとになってできた言葉です。したがってMandarin（満大人）Chinese とも呼ばれます。漢語は日本語にとっては、語彙や文字はもちろん、†拗音（キャキュキョ）や†撥音（ン）などの音声や文法の一部に至るまで歴史的に大きな影響を受け続けてきた言語です。中国語から東南アジア大陸部の諸言語（本書ではカンボジア語、タイ語、ラオス語、ベトナム語、ビルマ語）は、†類型的によく似たタイプです。すなわち、文法は†孤立型、単語は多く†単音節で、カンボジア語を除き†声調を持っています。このように孤立型の言語が密集している地域は、この東南アジア大陸部とアフリカ南西部です。

音韻論と文字体系

　†音節構造は $(C_1)(V_1)V_2(C_2/V_3)$ で、これに T（†声調）が加わります。中国語学では伝統的に C_1 の部分だけを残りの $(V_1)V_2(C_2/V_3)$ の部分と切り離して考え、C_1 を†声母、残りを†韻母と呼びます。現在中国では‡ピ

汉 语　　223

ンイン（拼音）というローマ字表記が使われているので、これによって声母を示すと、b[p], p[pʰ], m[m], f[f], d[t], t[tʰ], n[n], l[l], g[k], k[kʰ], h[x], j[tɕ], q[tɕʰ], x[ɕ], zh[tʂ], ch[tʂʰ], sh[ʂ], r[ɻ], z[ts], c[tsʰ], s[s] の21個となります（さらにØを声母としてたてる考えもあります）。†摩擦音や破擦音の一部は†相補分布（j[tɕ], q[tɕʰ], x[ɕ] は /i/ と /y/ の前にしか現れません）をなしているので、実際の†音素は18個です。有気と無気の対立や、†反り舌 * の†摩擦音と†破擦音を持つ点が特徴的です。V₁には /j, w, y/、C₂には /n, ŋ/、V₃には /j, w/ が生じえます。すべての韻母を示すと、a[a], e[ɤ], o[o], i[i], u[u], ü[y], ai[ai], ei[ei], ao[au], ou[ou], ia[ia], ie[ie], ua[ua], uo[uo], üe[ye], uai[uai], uei[uei], iao[iau], iou[iou], an[an], ian[iɛn], uan[uan], üan[yɛn], ang[aŋ], iang[iaŋ], uang[uaŋ], en[ən], in[in], uen[uən], ün[yn], eng[əŋ], ing[iŋ], ueng[uəŋ] / ong[ʊŋ], iong[iʊŋ], er[ɚ] となります。一般に /i, e, a, o, u, y/ の6母音とされていますが、異なる考え方による†音韻論もあります。例えば上記の音節構造のV₁にjやw（さらにはその両方）をたて、oを /wə/、üを /jwi/ のように分析すれば、V₂はi-ə-aの3つだけになります（これは口の開きの度合いによる線条体系をなしています、藤堂・相原 (1985: 17-26) 参照）。22（声母 + Ø）× 35（韻母）= 770の音が漢字一字で表せることになりますが、実際に使われている組み合わせは400余りとされています。これに4つの声調を掛けると音節の種類は400 × 4 = 1600余りになりますが、これも実際には存在しない組み合わせがあるため、1400程度となります。

　声調には高く平らなもの（第一声〈ā〉）、上がるもの（第二声〈á〉）、低く抑えるもの（第三声〈ǎ〉）、下がるもの（第四声〈à〉）の4つがあり、さらに語末（一部は単独）でその前の声調との相対的な高さの位置関係によって発音される†軽声があります。歴史的に見ると、このうち第二声は語頭での有声子音と無声子音の†対立が失われる代わりに発達したものです。一般に有声子音は無声子音より低い音で始まるため、語頭の有声と無声の対立が失われて合流すると、それまで役に立っていなかった母音の高さがその代わりに機能するようになり、声調の対立が生じるというわけです。さらに†声調交替というものがあり、ある声調が前後の声調に同化したり、†異化したりすることがありますが、中国語では

第三声の連続が［第二声＋第三声］に異化します（你 nǐ ＋ 好 hǎo ＝ níhǎo）。

　文字は漢字ですが、これは†表語文字と呼ぶべきものです（亀井・河野・千野（編）(1996: 1114) による）。日本の漢字よりも字画の少ないものが多い†簡体字を用いています（一部を取ったもの：习（習）、电（電）、飞（飛）、草書に基づくもの：东（東）、书（書）、长（長）、同音字によるもの：机（機）、胜（勝）、历（歴）、など）。ただし台湾や香港では†繁体字（藝（芸）、學（学）など）を用いています。日本漢字における音読みというものは、もともとが古い時代の中国語の発音ですから、当然中国語の漢字の読みと対応します（三 sān など）。

統語論

　孤立型の言語らしく、名詞にも動詞にも語形変化がありません。そのため†品詞の分類はその語の現れる位置などに基づいて決めるしかありません。代名詞には一人称複数†包括形と†除外形（咱们 zánmen と我们 wǒmen）の使い分けや2人称†敬称（您 nín）があります。†接辞もほとんどありませんが、†重複は動詞と形容詞にあり、動詞を重ねた場合は「試しに」「ちょっと」という意味を加え、形容詞を重ねた場合にはその意味を強調します。文法要素も、単独でふつうの語としても使われる語が兼ねることがあります。例えば 在 zài には3つの働きがあります（书在这儿 shū zài zhèr「(その) 本はここにある」、我在日本学习 wǒ zài rìběn xuéxí「私は日本で勉強する」、我在看书呢 wǒ zài kàn shū ne「私は本を読んでいるところだ」）。動詞が連続する際にも特にそのための文法要素を必要としません。少ない文法要素の中で重要な働きをしているものは、名詞句に現れる†類別詞、動詞句に現れる†アスペクト、動詞やさまざまな句を名詞化する 的 de、などです。類別詞は日本語の†助数詞に似ていますが、这 zhè「この」、那 nà「あの」の後にも現れます（这张纸 zhè zhāng zhǐ「この紙」、那个人 nà ge rén「あの人」）。類別詞にはさらに英語などの†不定冠詞のように事物を具体化する働きがあります（他是中国人 tā shì zhōngguórén「(事実として) 彼は中国人だ」 vs. 他是个中国人 tā shì ge zhōngguórén「彼は (中国人としての属性を備えた、いかにもそれらしい) 中国人だ」）。アスペクトには

V 了 le「〜し（てしまっ）た」、V 着 zhe「〜している」、在 zài V「（今）〜しているところだ」、V 过 guo「〜したことがある」などがあります。所有構造では 的 de で名詞化したものが †同格構造をなして名詞の前に置かれます。文による所有構造では、†語順が変わるだけでなく、所在構造とは違う動詞が使われます（桌子上有书 zhuōzi shang yǒu shū「机の上に本がある」、书在桌子上 shū zài zhuōzi shang「（その）本は机の上にある」）。形容詞述語文は（肯定文の場合）形容詞の前に何らかの副詞を必要とします（这本书很贵 zhè běn shū hěn guì「この本は高い」）。†コピュラ文には 是 shì を使います（我是学生 wǒ shì xuésheng「私は学生です」）。†使役は 让 ràng・叫 jiào・使 shǐ など、†受身は 被 bèi・让 ràng・叫 jiào・给 gěi などを助動詞的または †前置詞的に用いて表現します。†テンスはなく、時の副詞などによって表現します。†否定を表す 不 bù と 没 méi は、次のように分担しています。意志、習慣、所在、性質・状態などの否定は 不 bù（我不去 wǒ bú qù「私は行かない」、他不喝酒 tā bù hē jiǔ「彼は酒を飲まない」、书不在桌子上 shū bù zài zhuōzi shang「（その）本は机の上にはない」、这个西瓜不甜 zhè ge xīguā bù tián「このスイカは甘くない」）、実現・発生、変化などの否定は 没 méi または 没有 méiyou（我没去 wǒ méi qù「私は行かなかった」、树叶还没有红 shùyè hái méiyou hóng「葉はまだ赤くなっていない」）。基本的には †SVO 語順ですが存在や発生を表す †自動詞文では、主体が動詞の後ろに現れます（有一本书 yǒu yì běn shū「本があります」、下雨了 xià yǔ le「雨が降ってきた」）。これは †情報構造によって異なった語順が生じたためとみることができます（客人来了 kèren lái le「そのお客は来た」、来客人了 lái kèren le「（予想していなかったときに）お客が来たよ」）。さらに 把 bǎ「つかむ」という語を使えば †目的語を前に持ってくることもできます（我把这本书看完了 wǒ bǎ zhè běn shū kàn wán le「私はこの本は読み終わった」）。

橋本 (1989)「中国語」(⑦所収)、亀井・河野・千野 (編) (1996)「表語文字」(⑦所収)

小王子

xiǎowángzǐ

10

小王子发现在他附近的游星有 325，326，327，328，329，330。

[ɕiǎo wáŋtsɿ̀ fāɕiàn tsài tʰā fùtɕìn tɤ jóuɕīŋ jǒu sān pǎi ɤ̀r ʂɿ̀ wǔ sān pǎi ɤ̀r ʂɿ̀ liù sān pǎi ɤ̀r ʂɿ̀ tɕʰī sān pǎi ɤ̀r ʂɿ̀ pā sān pǎi ɤ̀r ʂɿ̀ tɕiǔ sān pǎi sān ʂɿ̀]

小	王子	发现	在	他	附近	的	游星	有	325	[三	百	二	十	五]
xiǎo	wángzǐ	fāxiàn	zài	tā	fùjìn	de	yóuxīng	yǒu	325	sān	bǎi	èr	shí	wǔ
小さな	王子	気づく	～に	彼	付近	～の	惑星	ある	325	三	百	二	十	五

326	[三	百	二	十	六]	327	[三	百	二	十	七]	328	[三	百	二	十	八]
326	sān	bǎi	èr	shí	liù	327	sān	bǎi	èr	shí	qī	328	sān	bǎi	èr	shí	bā
326	三	百	二	十	六	327	三	百	二	十	七	328	三	百	二	十	八

329	[三	百	二	十	九]	330	[三	百	三	十]
329	sān	bǎi	èr	shí	jiǔ	330	sān	bǎi	sān	shí
329	三	百	二	十	九	330	三	百	三	十

小さな王子さまは、近くに惑星325、326、327、328、329、330があることに気づきました。

为此，他开始访问这些游星，以广见闻。

[wèitsʰɿ̀ tʰā kʰāiʂɿ̀ fǎŋwɤ̀n ʈʂɤ̀ɕiē jóuɕīŋ ǐ kuǎŋ tɕiànwɤ́n]

为此	他	开始	访问	这些	游星	以	广	见闻
wèicǐ	tā	kāishǐ	fǎngwèn	zhèxiē	yóuxīng	yǐ	guǎng	jiànwén.
このため	彼	始める	訪問する	これら	惑星	～で	広める	見聞

このため、彼は見聞を広めるためにこれらの星を訪問し始めました。

住在第一个游星的是位国王，他穿着貂皮作的紫色皇袍，高踞在一个既简朴又庄严的宝座上。

[ʂù tsài tī kɤ jóuɕīŋ tɤ ʂɿ̀ wèi kuówáŋ tʰā ʈʂʰuān ʈʂɤ tiāopʰí tsuò tɤ tsɿ̀sɤ̀ xuáŋpʰáo kāotɕỳ tsài í kɤ tɕi tɕiǎnpʰǔ jòu ʈʂuāŋján tɤ pǎotsuò ʂaŋ]

住	在	第一	个	游星	的	是	位	国王	他	穿	着	貂皮	作	的
zhù	zài	dìyī	ge	yóuxīng	de	shì	wèi	guówáng	tā	chuān	zhe	diāopí	zuò	de
住む	～に	第一	CL	惑星	～の	～だ	CL	王さま	彼	着る	DUR	ミンクの毛皮	作る	～の

Chinese

紫色	皇袍		高踞		在	一	个	既	简朴	又	庄严	的	宝座
zǐsè	huángpáo		gāojù		zài	yī	ge	jì	jiǎnpǔ	yòu	zhuāngyán	de	bǎozuò
紫色	皇帝の上衣		高いところに座る		～に	一	CL	かつ	簡素	かつ	厳粛	～の	玉座

上
shang
～の上

最初の星に住んでいたのは1人の王さまでした。彼は紫色のミンクの毛皮で作られた上衣を身にまとい、簡素ながらも厳かな玉座に着いていました。

"哟！来了个庶民。"当国王看见小王子时，他竟呼叫起来。

[jō lái lɤ kɤ ʂùmín tāŋ kuówáŋ kʰàntɕiàn ɕiǎo wáŋtsǐ ʂǐ tʰā tɕiŋ xūtɕiào tɕʰǐlái]

哟	来	了	个	庶民	当	国王	看见	小	王子	时	他	竟
yō	lái	le	ge	shùmín	dāng	guówáng	kànjiàn	xiǎo	wángzǐ	shí	tā	jìng
おや	来る	PERF	CL	人民	ちょうど	王さま	見かける	小さな	王子	～する時	彼	なんと

呼叫	起来
hūjiào	qǐlái
叫ぶ	～し始める

「おお！ 民がやって来たな」と王さまは小さな王子さまを見かけたとき、なんと叫び出しました。

小王子心想："他根本就没有见过我，怎样认得我呢？"

[ɕiǎo wáŋtsǐ ɕīnɕiǎŋ tʰā kɤ̌npɤ̌n tɕiù méijǒu tɕiàn kuo wǒ tsɤ̌njàŋ rɤ̀ntɤ wǒ nɤ]

小	王子	心想	他	根本	就	没有	见过	我	怎样	认得	我	呢
xiǎo	wángzǐ	xīnxiǎng	tā	gēnběn	jiù	méiyǒu	jiàn guo	wǒ	zěnyàng	rènde	wǒ	ne
小さな	王子	心に思う	彼	まったく	まさに	NEG	会う EXP	私	どのように	わかる	私	Q

小さな王子さまは思いました。「彼はぼくと会ったこともないのに、どうしてぼくのことを知っているのだろう？」

原来这个世界因为有了国王，什么都简单了。

[yánlái ʂɤ̀kɤ ʂɨ̀tɕiè īnwèi jǒu lɤ kuówáŋ ʂɤ́nmɤ tōu tɕiǎntān lɤ]

原来	这个	世界	因为	有	了	国王	什么	都	简单	了
yuánlái	zhège	shìjiè	yīnwèi	yǒu	le	guówáng	shénme	dōu	jiǎndān	le
元来	この	世界	なのである		PERF	王さま	何	全て	簡単	PART

元来、この世界は王さまがいるために、何もかも単純になるのです。

国王们认为，举凡人类，全是臣民。

[kuówáŋ mɤn rɤ̀nwéi tɕÿfán rɤ́nlèi tɕʰyán ʂ̩̀ ʈʂʰénmín]

国王	们	认为	举凡	人类	全	是	臣民
guówáng	men	rènwéi	jǔfán	rénlèi	quán	shì	chénmín
王さま	PL	~と思う	すべて	人間	皆	~だ	臣民

王さまたちは、人間はすべて支配すべき民だと思います。

"来，走近些让我把你看得更清楚。"国王说。

[lái tsǒutɕin ɕiē ràŋ wǒ pǎ nǐ kʰàn tɤ kɤ̀ŋ tɕʰīŋʈʂʰu kuówáŋ ʂuō]

来	走近	些	让	我	把	你	看	得	更	清楚	国王	说
lái	zǒujìn	xiē	ràng	wǒ	bǎ	nǐ	kàn	de	gèng	qīngchu	guówáng	shuō
来る	近づく	少し	CAUS	私	~を	君	見る	PART	もっと	はっきり	王さま	言う

「来い、もっとよく見えるように近くへ来なさい」と、王さまが言いました。

他觉得这一下子有人可管了，颇引以为荣。

[tʰā tɕyétɤ ʈʂɤ̀ í ɕiàtsɿ jǒu rɤ́n kʰɤ̌ kuǎn lɤ pʰō ínǐwéiróŋ]

他	觉得	这	一	下子	有	人	可	管	了	颇	引以为荣
tā	juéde	zhè	yī	xiàzi	yǒu	rén	kě	guǎn	le	pō	yǐnyǐwéiróng
彼	思う	この	一	CL	ある	人	~できる	支配する	PART	かなり	もって名誉に思う

彼は今回、支配することができる人が現れて、それをおおいに名誉に思いました。

小王子到处找，看有没有地方好坐一下，可是整个星球全被国王华丽的貂鼠袍塞满了。

[ɕiǎo wáŋtsɿ̌ tàoʈʂʰù ʈʂǎo kàʰn jǒu méi jǒu tifaŋ xǎo tsuò íɕià kʰɤ̌ʂ̩̀ ʈʂɤ̌ŋkɤ̌ ɕīŋtɕʰiú tɕʰyán pèi kuówáŋ xuálì tɤ tiāoʂǔ pʰáo sāi mǎn lɤ]

小	王子	到处	找	看	有	没	有	地方	好
xiǎo	wángzǐ	dàochù	zhǎo	kàn	yǒu	méi	yǒu	dìfang	hǎo
小さな	王子	至るところ	探す	見る	ある	NEG	ある	場所	~しやすい

坐	一下	可是	整个	星球	全	被	国王	华丽	的
zuò	yīxià	kěshì	zhěnggè	xīngqiú	quán	bèi	guówáng	huálì	de
座る	ちょっと	しかし	全体	惑星	全て	PASS	王さま	豪華な	~の

貂鼠	袍	塞满	了
diāoshǔ	páo	sāimǎn	le
ミンク	長い上衣	いっぱいにふさぐ	PART

小さな王子さまは座るところはないかと至るところを見て探しましたが、その星は王さまの豪華なミンクの毛皮の上衣ですっかり埋め尽くされていました。

他只好站着，但因实在疲乏，不禁打起呵欠来。

[tʰā ʈʂĭxǎo ʈʂàn ʈʂɤ tàn īn ʂĺ.tsài pʰífá pùtɕīn tǎ tɕʰĭ xɤ̄tɕʰiàn lái]

他	只好	站	着	但	因	实在	疲乏	不禁	打
tā	zhǐhǎo	zhàn	zhe	dàn	yīn	shízài	pífá	bùjīn	dǎ
彼	やむなく	立つ	DUR	しかし	なので	じつに	疲れる	思わず	する

起	呵欠	来
qǐ	hēqiàn	lái
～し始める	あくび	～し始める

彼は仕方なく立っていたのですが、じつに疲れたので思わずあくびをし始めました。

"在国王的面前打呵欠是不礼貌的。"

[tsài kuówáŋ tɤ miàntɕʰián tǎ xɤ̄tɕʰiàn ʂì pù límào tɤ]

在	国王	的	面前	打	呵欠	是	不	礼貌	的
zài	guówáng	de	miànqián	dǎ	hēqiàn	shì	bù	límào	de
～で	王さま	～の	前	する	あくび	～だ	NEG	礼儀正しい	PART

「王さまの前であくびをするとは無礼である」

国王对他说："我禁止你这样做。"

[kuówáŋ tuì tʰā ʂuō wǒ tɕinʈʂĺ nǐ ʈʂɤ̀jàŋ tsuò]

国王	对	他	说	我	禁止	你	这样	做
guówáng	duì	tā	shuō	wǒ	jìnzhǐ	nǐ	zhèyàng	zuò
王さま	～に対して	彼	言う	私	禁止する	君	このように	する

王さまは彼に言いました。「そなたにあくびを禁ずる」

"没法子，连我自己也止不住。"

[méi fàtsɿ lián wǒ tsɿ̀tɕĭ jě ʈʂĭ pu ʈʂù]

没	法子	连	我	自己	也	止	不	住
méi	fǎzi	lián	wǒ	zìjǐ	yě	zhǐ	bù	zhù
NEG	仕方	～さえ	私	自身	～も	止める	NEG	止める

「仕方がないのです。自分でも止められないのです」

小王子回答，觉得怪难为情的："我从很远的地方来，一直没有睡觉哩……。"

[ɕiǎo wáŋtsɿ xuítá tɕyétɤ kuài nánwéitɕʰíŋ tɤ wǒ tsʰóŋ xɤ̌n yǎn tɤ tìfaŋ lái iʈʂɻ̩́ méijǒu ʂuitɕiào li]

小	王子	回答	觉得	怪	难为情	的	我	从	很
xiǎo	wángzǐ	huídá	juéde	guài	nánwéiqíng	de	wǒ	cóng	hěn
小さな	王子	答える	思う	じつに	恥ずかしい	PART	私	～から	とても

远	的	地方	来	一直	没有	睡觉	哩
yuǎn	de	dìfang	lái	yīzhí	méiyǒu	shuìjiào	li
遠い	～の	場所	来る	ずっと	NEG	寝る	PART

小さな王子さまは答えて、恥ずかしくなりました。「僕は遠いところから来て、ずっと眠っていないもので……」

"那么，"国王说："我命令你打呵欠。

[nàmɤ kuówáŋ ʂuō wǒ mìŋlìŋ nǐ tǎ xɤ̌tɕʰiàn]

那么	国王	说	我	命令	你	打	呵欠
nàme	guówáng	shuō	wǒ	mìnglìng	nǐ	dǎ	hēqiàn
では	王さま	言う	私	命令する	君	する	あくび

「では」と王さまが言いました。「余はそなたにあくびを命ずる。

多少年来我就没有看过人打呵欠。

[tuōʂǎoniánlái wǒ tɕiù méijǒu kʰàn kuo rɤ́n tǎ xɤ̌tɕʰiàn]

多少年来	我	就	没有	看	过	人	打	呵欠
duōshǎoniánlái	wǒ	jiù	méiyǒu	kàn	guo	rén	dǎ	hēqiàn
何年にもわたって	私	まさに	NEG	見る	EXP	人	する	あくび

余は誰かがあくびをするのを何年間も目にしておらんのでな。

在　我　看来　打　呵欠　是　一　件　很　新奇　的　事。
zài　wǒ　kànlái　dǎ　hēqiàn　shì　yī　jiàn　hěn　xīnqí　de　shì
～から　私　見ると　する　あくび　～だ　一　CL　とても　目新しい　～の　こと

あくびは余にとっては興味深いことじゃ。

来！現在　再　打　呵欠　吧,　这　是　我　的　命令！"
lái　xiànzài　zài　dǎ　hēqiàn　ba　zhè　shì　wǒ　de　mìnglìng
来る　今　また　する　あくび　PART　これ　～だ　私　～の　命令

さあ！　もう一度あくびをせよ。これは余の命令である！」

"　把　我　都　　吓坏　　了……　我　再也　打　不　出来　了……。"
bǎ　wǒ　dōu　xiàhuài　le　wǒ　zàiyě　dǎ　bù　chūlái　le
～を　私　もう　ひどく驚かせる　PART　私　これ以上　する　NEG　出す　PART

「びっくりしてしまって、ぼくはもうできません……」

小　王子　喃喃　自语，　觉得　非常　局促不安。
xiǎo wángzǐ nánnán zìyǔ juéde fēicháng júcùbù'ān
小さな　王子　ぶつぶつと　独り言を言う　思う　非常に　当惑して落ち着かない

小さな王子さまはぶつぶつ独り言をつぶやいて、どぎまぎして落ち着きません。

"哼！哼！" 国王　咕哝　回答　说。
heng heng guówáng gūnong huídá shuō
ふむ　ふむ　王さま　つぶやく　答える　言う

「ふむ！　ふむ！」と王さまはつぶやいて答えました。

"那么　我 ── 我　命令　你　有　时候　打　呵欠，　有　时 ──"
nàme wǒ wǒ mìnglìng nǐ yǒu shíhou dǎ hēqiàn yǒu shí
では　私　私　命令する　君　ある　時　する　あくび　ある　時

「では、以下のように命令する、時にはあくびをし、時には ── 」

他　唾沫　飞溅，　好象　有点　生气　的 样子。
tā tuòmo fēijiàn hǎoxiàng yǒudiǎn shēngqì de yàngzi
彼　唾　飛び散る　～のようだ　少し　怒る　～の　様子

彼は、つばが飛び散っていらだっているように見えました。

其实　国王　基本上　所　坚持　的　是　他 的　权威　被
qíshí guówáng jīběnshang suǒ jiānchí de shì tā de quánwēi bèi
じつは　王さま　基本的に　～のところ　守る　～の　～だ　彼　～の　権威　PASS

尊重，　他　不　能　忍受　别人　对　他 的　抗拒。
zūnzhòng tā bù néng rěnshòu biérén duì tā de kàngjù
尊重する　彼　NEG　できる　耐える　他人　～に対して　彼　～の　拒否

じつは王さまが基本的に守っているのは、自分の権威が尊重されることなのです。王さまは他人の不服従を受け入れられません。

他　是　个　绝对　的　统治者。
tā shì ge juéduì de tǒngzhìzhě
彼　～だ　CL　絶対　～の　統治者

彼は絶対君主だったのです。

可是, 因为 他 是 个 好 人, 他 的 命令 都 合乎 情理。
kěshì yīnwèi tā shì ge hǎo rén tā de mìnglìng dōu héhū qínglǐ
しかし なので 彼 ～だ CL 良い 人 彼 ～の 命令 すべて かなう 情理

しかし、彼は良い人なので、彼の命令はすべて情理にかなうものでした。

举 一 个 例, " 我 若 命令 一 个 将军。"
jǔ yī ge lì wǒ ruò mìnglìng yī ge jiāngjūn
挙げる 一 CL 例 私 もし 命令する 一 CL 将軍

例を一つ挙げます。「もし余が将軍に対して命令を下して」

他 可以 这样 说: " 我 若 命令 一 位 将军 把 自己 变成
tā kěyǐ zhèyàng shuō wǒ ruò mìnglìng yī wèi jiāngjūn bǎ zìjǐ biànchéng
彼 できる このように 言う 私 もし 命令する 一 CL 将軍 ～を 自分 ～に変える
一 只 海鸟, 将军 若 不 服从, 那么 不 是 将军 的 错。
yī zhī hǎiniǎo jiāngjūn ruò bù fúcóng nàme bù shì jiāngjūn de cuò
一 CL 海鳥 将軍 もし NEG 服従する では NEG ～だ 将軍 ～の 間違い

彼はこう言えます。「もし余が将軍に海鳥に変身せよと命令を下して、その将軍
が命令に従わなかったとしたら、それは将軍の落ち度にはなるまい。

却 是 我 的 错。"
què shì wǒ de cuò
かえって ～だ 私 ～の 間違い

それは余が悪いのじゃ」

" 我 可以 坐下 吗? " 小 王子 怯生生 地 问。
wǒ kěyǐ zuòxià ma xiǎo wángzǐ qièshēngshēng de wèn
私 できる 座る ～か 小さな 王子 おずおずと PART 尋ねる

「ぼくは座ってもいいでしょうか?」と小さな王子さまはおずおずと尋ねました。

" 我 命令 你 坐下。"
wǒ mìnglìng nǐ zuòxià
私 命令する 君 座る

「余はそなたに座るよう命ずる」

国王　　回答，　威严　地　把　他　那　件　貂鼠　皮　的　披风
guówáng　huídá,　wēiyán　de　bǎ　tā　nà　jiàn　diāoshǔ　pí　de　pīfēng
王さま　答える　厳かに　PART　～を　彼　その　CL　ミンク　皮　～の　マント

拉　过去　一点。
lā　guòqù　yīdiǎn
引く　遠ざかる　少し

王さまは答え、厳かに彼のそのミンクの毛皮のマントを少し引き寄せました。

可是　小　王子　总是　觉得　奇怪……　这么　小　的　游星，这
kěshì　xiǎo　wángzǐ　zǒngshì　juéde　qíguài　zhème　xiǎo　de　yóuxīng　zhè
しかし　小さな　王子　いつも　思う　不思議だ　このような　小さな　～の　惑星　この

位　国王　到底　能够　管辖　些　什么　呢?
wèi　guówáng　dàodǐ　nénggòu　guǎnxiá　xiē　shénme　ne
CL　王さま　一体　できる　支配する　PL　何　～か

しかし、小さな王子さまは不思議に思っていました……このような小さな惑星
で、この王さまはいったい何を支配できるというのでしょう？

"陛下,"他　说道:" 我　问　个　问题　你　不　介意　吧？"
bìxià　tā　shuōdào　wǒ　wèn　ge　wèntí　nǐ　bù　jièyì　ba
陛下　彼　言う　私　尋ねる　CL　問題　君　NEG　気にする　PART

「陛下」と彼は言いました。「質問してもよろしいでしょうか？」

"我　命令　你　问　个　问题。"
wǒ　mìnglìng　nǐ　wèn　ge　wèntí
私　命令する　君　尋ねる　CL　問題

「余はそなたに質問するよう命ずる」

国王　赶快　保证　他　可以　发问。
guówáng　gǎnkuài　bǎozhèng　tā　kěyǐ　fāwèn
王様　すぐに　保証する　彼　できる　質問する

王さまは急いで彼が質問できることを保証しました。

小王子　　235

"陛下 …… 你 到底 管 些 什么？"
bìxià　nǐ　dàodǐ　guǎn　xiē　shénme
陛下　君　一体　支配する　PL　何

「陛下……陛下はいったい何を支配しておられるのでしょうか？」

" 什么 都 管。" 国王 说 得 又 庄严 又 简单。
shénme　dōu　guǎn　guówáng　shuō　de　yòu　zhuāngyán　yòu　jiǎndān
何　すべて　支配する　王さま　言う　PART　かつ　厳粛だ　かつ　簡単だ

「すべてを支配するのじゃ」と、王さまは厳かかつ簡潔に言いました。

" 什么 都 管？"
shénme　dōu　guǎn
何　すべて　支配する

「すべてを支配しておられるのですか？」

国王 指 着 他 自己 的 星球, 别 的 小 星球 以及 所有
guówáng　zhǐ　zhe　tā　zìjǐ　de　xīngqiú　bié　de　xiǎo　xīngqiú　yǐjí　suǒyǒu
王さま　指す　DUR　彼　自分　〜の　惑星　他　〜の　小さな　惑星　及び　あらゆる
其他 的 星球 做 了 一 个 手势。
qítā　de　xīngqiú　zuò　le　yī　ge　shǒushì
他　〜の　惑星　する　PERF　一　CL　手振り

王さまは自分の星やその他の小さな星やさらにはほかのすべての星を指さして、
手振りをしました。

" 所有 那些 星球？" 小 王子 问。
suǒyǒu　nàxiē　xīngqiú　xiǎo　wángzǐ　wèn
あらゆる　それらの　惑星　小さな　王子　尋ねる

「それらすべての星ですか？」と小さな王子さまは尋ねました。

" 所有 那些 星球。" 国王 回答。
suǒyǒu　nàxiē　xīngqiú　guówáng　huídá
あらゆる　それら　惑星　王さま　回答する

「それらすべての星じゃ」と王さまは答えました。

236　　中国語

因为 他 的 统治 不但 是 绝对 的, 他 是 宇宙性 的。
yīnwèi tā de tǒngzhì bùdàn shì juéduì de tā shì yǔzhòuxìng de
~なので 彼 ~の 支配 ~だけではなく ~だ 絶対 PART 彼 ~だ 宇宙的だ PART

なぜなら、彼の支配は絶対的であるだけではなく、宇宙的なのでした。

" 众 星儿 都 服从 你 吗？"
zhòng xīngr dōu fúcóng nǐ ma
たくさんの 星 すべて 従う 君 ~か

「星々は陛下に従っているのですか？」

" 他们 自然 得 服从 我。"
tāmen zìrán děi fúcóng wǒ
彼ら 当然 ~しなければならない 従う 私

「星々はもちろん余に従うのじゃ」

国王 说：" 他们 得 立即 服从。
guówáng shuō tāmen děi lìjí fúcóng
王さま 言う 彼ら ~しなければならない 直ちに 従う

王さまは言いました。「星々は即座に命令に従わなければならない。

我 不 容许 任何 人 反对 我。"
wǒ bù róngxǔ rènhé rén fǎnduì wǒ
私 NEG 許す いかなる 人 反対する 私

余はいかなる人の不服従をも認めぬのじゃ」

国王 拥有 这 种 权力, 使 小 王子 惊叹 不 已。
guówáng yōngyǒu zhè zhǒng quánlì shǐ xiǎo wángzǐ jīngtàn bù yǐ
王さま 持つ この CL 権力 CAUS 小さな 王子 驚く NEG 止まる

王さまがこのような権力を持っていることに、小さな王子さまはしきりに驚嘆しました。

他 如果 有 这么 大 的 权威, 就 可以 随时 看到 日落,
tā rúguǒ yǒu zhème dà de quánwēi jiù kěyǐ suíshí kàndào rìluò
彼 もし ある このように 大きい ~の 権威 ならば できる 随時に 目にする 日没

不	只是	一	天	四	十	四	次,	而是	七	十	二	次,	甚至	一	百	次,
bù	zhǐshì	yī	tiān	sì	shí	sì	cì	érshì	qī	shí	èr	cì	shènzhì	yī	bǎi	cì
NEG	~だけだ	一	日	四	十	四	CL	~だ	七	十	二	CL	さらには	一	百	CL

两	百	次,	就	连	移动	他的	椅子	都	不	需要。
liǎng	bǎi	cì	jiù	lián	yídòng	tā de	yǐzi	dōu	bù	xūyào
二	百	CL	まさに	~さえ	移動	彼 ~の	椅子	すべて	NEG	要る

もしも彼がこのような大きい権力を握っていたとすれば、随時に日没を見ること
ができます。1日のうちに44回だけではなく、72回でも100回でも、あるいは200
回でも。椅子を動かすことすらいらないでしょう。

这会儿	叫	他	想起	那	被	自己	遗弃	的	小
zhèhuìr	jiào	tā	xiǎngqǐ	nà	bèi	zìjǐ	yíqì	de	xiǎo
この時	CAUS	彼	思い起こす	あの	PASS	自分	遺棄する	~の	小さな

星球,	觉得	有点	悲伤,	他	鼓起	勇气	要求	国王	替	他
xīngqiú	juéde	yǒudiǎn	bēishāng	tā	gǔqǐ	yǒngqì	yāoqiú	guówáng	tì	tā
惑星	思う	少し	悲しい	彼	奮い起す	勇気	求める	王さま	~に替わって	彼

做	件	好	事:
zuò	jiàn	hǎo	shì
する	CL	良い	こと

このとき、彼は自分が見捨ててきた小さな星を思い出して、少し悲しく感じてい
たので、彼は思い切って王さまにあることをお願いしてみました。

"	我	很	想	看看	日落……	请	你	尽力	帮	个	忙 ……	命令
	wǒ	hěn	xiǎng	kànkan	rìluò	qǐng	nǐ	jìnlì	bāng	ge	máng	mìnglìng
	私	とても	~したい	見てみる	日没	請う	君	尽力する	助ける	CL	お願い	命令する

太阳	落	下去……。"
tàiyáng	luò	xiàqù
太陽	落ちる	降りて行く

「ぼくは日没を見たいのですが……お願いします……太陽に沈むよう命令してく
ださい」

"	倘若	我	命令	一	位	将军	像	蝴蝶	般	飞翔	在	众
	tǎngruò	wǒ	mìnglìng	yī	wèi	jiāngjūn	xiàng	húdié	bān	fēixiáng	zài	zhòng
	もし	私	命令する	一	CL	将軍	~のようだ	蝶々	~のようだ	飛ぶ	~で	たくさんの

花　之中，　或是　命令　他　写出　悲剧，　或　把　他自己　变成
huā　zhīzhōng　huòshì　mìnglìng　tā　xiěchū　bēijù　huò　bǎ　tā zìjǐ　biànchéng
花　〜の中　あるいは　命令する　彼　書き出す　悲劇　あるいは　〜を　彼 自分　〜に変える

只　海鸟。
zhī　hǎiniǎo
CL　海鳥

「もしも余がある将軍に蝶のように花から花へと飛んで行けとか、または悲劇作品を書いてみよとか、あるいは海鳥に変身せよなどと命じたとする。

这　位　将军　如果　没　法　履行　我的　命令，你　想　是　谁的
zhè　wèi　jiāngjūn　rúguǒ　méi　fǎ　lǚxíng　wǒ de　mìnglìng　nǐ　xiǎng　shì　shuí de
この　CL　将軍　もし　NEG　方法　履行する　私　〜の　命令　君　思う　〜だ　誰　〜の

错？”
cuò
間違い

将軍が余の命令を果たさなかったとすれば、誰が悪いと思うか？」

国王　问：“是　将军　呢？　还是　我？”
guówáng　wèn　shì　jiāngjūn　ne　háishi　wǒ
王さま　尋ねる　〜だ　将軍　〜か　それとも　私

王さまは尋ねました。「将軍だろうか？　余だろうか？」

“是　你。”　小　王子　坚定　地　回答。
shì　nǐ　xiǎo　wángzǐ　jiāndìng　de　huídá
〜だ　君　小さな　王子　きっぱりと　PART　回答する

「陛下です」と小さな王子さまはきっぱりと答えました。

“对。凡　要求　于　他人的，　必需　是　他人　做
duì　fán　yāoqiú　yú　tārén de　bìxū　shì　tārén　zuò
合っている　およそ　求める　〜に対して　他人　〜の　〜でなければならない　〜だ　他人　する

得　到　的。”
de　dào　de
POT　達成する　〜の

「その通り。人に求めることは、その人のできる範囲のことでなければならん」

国王	接着	说："	接受	权威	必	先	基于	理性。
guówáng	jiēzhe	shuō	jiēshòu	quánwēi	bì	xiān	jīyú	lǐxìng
王さま	続ける	言う	引き受ける	権威	必ず	先に	〜に基づく	理性

王さまは言い続けました。「権威というものはまず理性に基づくものじゃ。

你	若	命令	你	的	人民	去	跳	海,	他们	必	群起	反抗。
nǐ	ruò	mìnglìng	nǐ	de	rénmín	qù	tiào	hǎi	tāmen	bì	qúnqǐ	fǎnkàng
君	もし	命令する	君	〜の	人民	行く	飛ぶ	海	彼ら	必ず	蜂起する	反抗する

もしそなたがそなたの民に海に身を投げよと命じたりすれば、革命が起きるであろう。

我	所以	有	权	使	人	服从,	就是	因为	我	的	命令	全	是
wǒ	suǒyǐ	yǒu	quán	shǐ	rén	fúcóng	jiùshì	yīnwèi	wǒ	de	mìnglìng	quán	shì
私	〜のわけ	ある	権力	CAUS	人	従う	まさに	だからだ	私	〜の	命令	すべて	〜だ

合理	的。"
hélǐ	de
合理的	PART

余に服従を求める権力があるのは、余の命令がすべて理にかなっているからじゃ」

"	那么	，	落日	呢？"	小	王子	提醒	他,	因为	他	一旦	发问,
	nàme		luòrì	ne	xiǎo	wángzǐ	tíxǐng	tā	yīnwèi	tā	yīdàn	fāwèn
	では		日没	〜か	小さな	王子	気づかせる	彼	だからだ	彼	一旦	質問する

非	问	到底	不可。
fēi	wèn	dàodǐ	bùkě
是非とも	尋ねる	徹底的に	〜でなければならない

「では、日没の件は？」と小さな王子さまは彼に指摘しました。彼は一度質問すると、徹底的に尋ねるからです。

"	你	可以	看到	落日。	我	会	下	命令	的。
	nǐ	kěyǐ	kàndào	luòrì	wǒ	huì	xià	mìnglìng	de
	君	できる	目にする	日没	私	〜するであろう	下す	命令	PART

「そなたは夕日を見ることができる。余は命令を下すであろう。

可是，	按照	我	的	科学	管理，	我	要	等	到
kěshì	ànzhào	wǒ	de	kēxué	guǎnlǐ	wǒ	yào	děng	dào
しかし	～による	私	～の	科学的な	管理	私	～しなければならない	待つ	～まで

情形	许可	的	时候	才	下	命令。"
qíngxíng	xǔkě	de	shíhòu	cái	xià	mìnglìng
情勢	許可する	～の	時	やっと	下す	命令

しかし、余の科学的な統治によれば、状況が整ってからでないと命令は下せない」

" 那	要	等	到	什么	时候	呢？"	小	王子	问。
nà	yào	děng	dào	shénme	shíhou	ne	xiǎo	wángzǐ	wèn
それ	～しなければならない	待つ	～まで	どのような	時	～か	小さな	王子	尋ねる

「それはいつまで待てばよいのでしょうか」と小さな王子さまは尋ねました。

" 哼！哼！"	国王	在	没	回答	之前，	先	查阅	一	本	厚重
heng heng	guówáng	zài	méi	huídá	zhīqián	xiān	cháyuè	yī	běn	hòuzhòng
ふむ ふむ	王さま	～に	NEG	答える	～の前	先に	調べる	一	CL	厚くて重い

的	历书。
de	lìshū
～の	暦

「ふむ！　ふむ！」と王さまは答える前に、分厚い暦を調べました。

" 哼！哼！那	要	——	那	差不多	要	等
heng heng	nà	yào		nà	chàbuduō	yào	děng
ふむ ふむ	それ	～しなければならない		それ	だいたい	～しなければならない	待つ

到	今天	晚上	七	点	四	十	分	的	时候。
dào	jīntiān	wǎnshang	qī	diǎn	sì	shí	fēn	de	shíhou
～まで	今日	夕方	七	時	四	十	分	～の	時

「ふむ！　ふむ！　それは —— それは今晩の7時40分ごろまで待つことになるじゃろう。

那	时	你	就	可	看出	我	的	命令	是	怎样	的	有效！"
nà	shí	nǐ	jiù	kě	kànchū	wǒ	de	mìnglìng	shì	zěnyàng	de	yǒuxiào
その	時	君	まさに	できる	見出す	私	～の	命令	～だ	どのような	～の	有効だ

そのときになったら、余の命令がどれほど効力を持っているのか、そなたにもわかるじゃろう」

小　王子　打　呵欠。
xiǎo wángzǐ dǎ hēqiàn
小さな 王子 する あくび

小さな王子さまはあくびをしました。

他 惋惜 失去 的 落日。
tā wǎnxī shīqù de luòrì
彼 惜しむ 失う ～の 日没

彼は失った日没を惜しんでいました。

并且, 他 的确 有点 厌烦 了。
bìngqiě tā díquè yǒudiǎn yànfán le
しかも 彼 確かに 少し 退屈する PART

それから彼は確かに少し退屈になってしまいました。

" 我 在 此地 并 没 有 什么 事 作。"
wǒ zài cǐdì bìng méi yǒu shénme shì zuò
私 ～で ここ 決して NEG ある 何 こと する

「ぼくはここで何もすることがありません」

他 告诉 国王：" 还是 走 我 的 路 吧。"
tā gàosu guówáng háishì zǒu wǒ de lù ba
彼 告げる 王さま やはり 行く 私 ～の 道 PART

彼は王さまに言いました。「やはりぼくの道を行きます」

" 别 走。" 国王 说, 他 有 个 臣民 就 觉得 十分 自豪。
bié zǒu guówáng shuō tā yǒu ge chénmín jiù juéde shífēn zìháo
～するな 行く 王さま 言う 彼 ある CL 臣民 そこで 思う とても 誇りに思う

「行くな」と王さまは言いました。彼は臣下が1人できただけでとても誇りに思ったのでした。

" 别   走,   我   封   你   做   部长！"
   bié   zǒu   wǒ   fēng   nǐ   zuò   bùzhǎng
   ~するな 行く 私   授ける 君   務める 大臣

「行ってはならん。余はそなたを大臣に任命する！」

" 做   什么   部长   呢？"
   zuò   shénme bùzhǎng   ne
   務める   何   大臣   PART

「何の大臣ですか？」

"司 —— 司法   部长！"
  sī   sīfǎ   bùzhǎng
  司   司法   大臣

「司 —— 司法大臣じゃ！」

"可是, 这里 根本   就   没   有   人   好   审判！"
  kěshì zhèlǐ gēnběn jiù   méi yǒu rén hǎo shěnpàn
  しかし ここ   全く   まさに NEG ある 人 できる 裁く

「でも、ここには裁く相手なんていないじゃないですか！」

" 我们   还   不   知道   哩！"
   wǒmen hái   bù zhīdào li
   私たち まだ NEG   知る   PART

「それはわからんぞ！」

国王   告诉   他："我   还   没   有   好好   的*   把   我   的
guówáng gàosu tā   wǒ   hái   méi yǒu hǎohǎo de   bǎ   wǒ   de
王さま 告げる 彼   私   まだ NEG ある よく   PART ~を 私   ~の

领土   巡视   一   番。
lǐngtǔ xúnshì yī   fān
領土   視察する 一   CL

王さまは言いました。「余はまだ余の領土をよく視察したわけではないからな。

　　　* 正しくは「的」でなく、「地」であるべきですが、原著の間違いであると考えられます。

我 年纪 老迈 了，这里 又 容纳 不 下 车辆， 走 起
wǒ niánjì lǎomài le zhèlǐ yòu róngnà bù xià chēliàng zǒu qǐ
私 年齢 老い込む PART ここ さらに 収容する NEG 収容する 車両 歩く 〜し始める

路 来 很 吃力。"
lù lái hěn chīlì
道 〜すると とても 辛い

余はとても年を取っておるし、それにここは車両を置く場所もない。余は歩くの
が辛いのじゃ」

"哦， 我 全 都 看 过 了！"
ò wǒ quán dōu kàn guo le
ええ 私 すべて 皆 見る EXP PART

「ええ、ぼくはもう見ましたよ！」

小 王子 说， 转 过 身 来， 往 星球 的 那 一
xiǎo wángzǐ shuō zhuǎn guò shēn lái wǎng xīngqiú de nà yī
小さな 王子 言う 転ずる 越す 体 〜すると 〜に向かって 惑星 〜の あの 一

面 投 了 一瞥。
miàn tóu le yīpiē
CL 投げる PF ちらっと見る

小さな王子さまは言って、身体の向きを変えて星の反対側をちらっと眺めまし
た。

"那边 跟 这边 是 一样 的， 一 个 人 也 没 有 ……。"
nàbiān gēn zhèbiān shì yīyàng de yī ge rén yě méi yǒu
あちら 〜と こちら 〜だ 同じ PART 一 CL 人 〜も NEG ある

「向こうもここと同じです。誰もいません……」

"那么 你 应该 审判 你 自己。"
nàme nǐ yīnggāi shěnpàn nǐ zìjǐ
では 君 〜すべきだ 裁く 君 自身

「ならば、そなたはそなた自身を裁くがよい」

国王 说，"这 是 最 难 做到 的 一 件 事。
guówáng shuō zhè shì zuì nán zuòdào de yī jiàn shì
王さま 言う これ ～だ 最も 難しい 成し遂げる ～の 一 CL こと

王さまは言いました。「これはもっとも難しいことじゃ。

审判 自己 要 比 审判 别人 难 得 多 哩。
shěnpàn zìjǐ yào bǐ shěnpàn biérén nán de duō li
裁く 自分 ～なことになる ～より 裁く 他人 難しい PART はるかに PART

他人を裁くよりも自分自身を裁くほうがはるかに難しいからな。

你 若 能 公正 地 审判 自己，那 你 就是 一 个
nǐ ruò néng gōngzhèng de shěnpàn zìjǐ nà nǐ jiùshì yī ge
君 もし できる 公正に PART 裁く 自分 では 君 まさに 一 CL

真正 有 智慧 的 人 了。"
zhēnzhèng yǒu zhìhuì de rén le
真に ある 知恵 ～の 人 PART

もしもそなたがそなた自身をうまく裁くことができたとしたら、それはそなたが
真に賢い人間ということじゃ」

" 不错， " 小 王子 说："可是 我 到 什么 地方
bùcuò xiǎo wángzǐ shuō kěshì wǒ dào shénme dìfang
その通りだ 小さな 王子 言う しかし 私 至る 何 場所

都 可以 审判 自己。
dōu kěyǐ shěnpàn zìjǐ
すべて できる 裁く 自分

「その通りです」と小さな王子さまは言いました。「でもぼくはどこにいたって自
分自身を裁くことができます。

我 无须 住 在 这 个 小 星球 上。"
wǒ wúxū zhù zài zhè ge xiǎo xīngqiú shang
私 ～する必要がない 住む ～に この CL 小さな 惑星 ～の上

この小さな星に住む必要はありません」

"哼！哼！"国王说。
heng heng guówáng shuō
ふむ ふむ 王さま 言う

「ふむ！ ふむ！」と王さまは言いました。

"我 知道 在 这 星球 的 某 处 有 一 只 老鼠。
wǒ zhīdào zài zhè xīngqiú de mǒu chù yǒu yī zhī lǎoshǔ
私 知っている ～に この 惑星 ～の ある ところ ある 一 CL ネズミ

「余の星のどこかに1匹のネズミがいたはずじゃ。

我 晚间 可以 听到 他 的 叫声。
wǒ wǎnjiān kěyǐ tīngdào tā de jiàoshēng
私 夜 できる 耳にする 彼 ～の 鳴き声

夜になるとやつの鳴き声が聞こえる。

你 可以 审判 这 只 老鼠。
nǐ kěyǐ shěnpàn zhè zhī lǎoshǔ
君 できる 裁く この CL ネズミ

そなたはそのネズミを裁いてよい。

你 可以 把 他 处死。
nǐ kěyǐ bǎ tā chǔsǐ
君 できる ～を 彼 死刑に処する

時にはやつに死刑判決を下してもよい。

那么 他 的 生命 就 得 仰赖 于 你 的
nàme tā de shēngmìng jiù děi yǎnglài yú nǐ de
そうすると 彼 ～の 命 そこで ～しなければならない 頼る ～に対して 君 ～の

公正 了。
gōngzhèng le
公正だ PART

すると、やつの命はそなたの公正さによるということになる。

可是	你	要	随时	饶恕	他,	对	他	要
kěshì	nǐ	yào	suíshí	ráoshù	tā	duì	tā	yào
しかし	君	～しなければならない	随時に	許す	彼	～に対して	彼	～しなければならない

手下	留	情。
shǒuxià	liú	qíng
実行の際	残す	情

しかし、いつでも恩赦を与えねばならんぞ。やつに情けをかけねばならん。

我们	只	有	这么	一	只	老鼠	而已。"
wǒmen	zhǐ	yǒu	zhème	yī	zhī	lǎoshǔ	éryǐ
私たち	～だけ	ある	このような	一	CL	ネズミ	～のみ

ネズミはこの1匹しかおらんのでな」

"我, "	小	王子	答	说: "	我	可	不	愿意	判定	任何	人	死罪。
wǒ	xiǎo	wángzǐ	dá	shuō	wǒ	kě	bù	yuànyì	pàndìng	rènhé	rén	sǐzuì
私	小さな	王子	答える	言う	私	本当に	NEG	望む	裁く	いかなる	人	死罪

「ぼくは」と小さな王子さまは答えました。「ぼくは誰かの死刑判決なんかをしたくありません。

我	想	我	真的	要	上路	了。 "
wǒ	xiǎng	wǒ	zhēnde	yào	shànglù	le
私	思う	私	本当に	～しようとする	旅立つ	PART

ぼくはもう出発しようと思います」

"不行。"	国王	说。
bùxíng	guówáng	shuō
だめだ	王さま	言う

「ならんぞ」と王さまは言いました。

可是	小	王子	已	准备	要	离开	了。
kěshì	xiǎo	wángzǐ	yǐ	zhǔnbèi	yào	líkāi	le
しかし	小さな	王子	既に	準備する	～しようとする	立ち去る	PART

しかし小さな王子さまは出発の準備を終えていました。

他	不	想	太	伤	这	位	老	君王	的	心。
tā	bù	xiǎng	tài	shāng	zhè	wèi	lǎo	jūnwáng	de	xīn
彼	NEG	～したい	とても	傷つける	この	CL	老いている	君主	～の	心

彼はこの年老いた王さまを悲しませたくありませんでした。

" 陛下	若	希望	人家	立刻	遵从	你,"	小	王子	说:"	就
bìxià	ruò	xīwàng	rénjiā	lìkè	zūncóng	nǐ	xiǎo	wángzǐ	shuō	jiù
陛下	もし	望む	他人	直ちに	従う	君	小さな	王子	言う	ならば

得	·	给	我	下	个	合理	的	命令。
děi		gěi	wǒ	xià	ge	hélǐ	de	mìnglìng
～しなければならない		～に	私	下す	CL	合理	～の	命令

「もしも陛下がきちんと命令に従わせることをお望みでしたら」と小さな王子さまは言いました。「ぼくに理にかなった命令をお下しにならなければなりません。

比方	命令	我	立刻	动身。
bǐfang	mìnglìng	wǒ	lìkè	dòngshēn
たとえば	命令する	私	直ちに	出発する

例えば、すぐに出発せよとご命令ください。

我	认为	现在	是	最	合宜	的	时候	了……。"
wǒ	rènwéi	xiànzài	shì	zuì	héyí	de	shíhou	le
私	思う	今	～だ	最も	相応しい	～の	時	PART

いまは状況が整っているように、ぼくには思えるのですが……」

国王	没	答腔,	小	王子	稍	顿	一下,	叹	了
guówáng	méi	dāqiāng	xiǎo	wángzǐ	shāo	dùn	yīxià	tàn	le
王さま	NEG	応じる	小さな	王子	少し	止まる	ちょっと	嘆く	PERF

一	口	气,	就	走	了。
yī	kǒu	qì	jiù	zǒu	le
一	CL	息	そこで	行く	PART

王さまは何も言いませんでした。小さな王子さまは少しためらいましたが、一つため息をついて出発しました。

"　我　　　派　　　你　　担任　　我　　的　　外交　大使。"
　　wǒ　　　pài　　　nǐ　　dānrèn　wǒ　de　wàijiāo　dàshǐ
　　私　割り当てる　君　務める　私　～の　外交　大使

「余はそなたを余の外交大使に任命する」

　　国王　　　赶快　　叫　着,　他　有　一　副　威风　凛凛　的　气派。
　　guówáng　gǎnkuài　jiào　zhe　tā　yǒu　yī　fù　wēifēng　lǐnlǐn　de　qìpài
　　王さま　　急ぐ　　叫ぶ　DUR　彼　ある　一　CL　威風　堂々　～の　気迫

王さまは急いで叫びました。彼には威風堂々とした気概がありました。

"　大人们　　真是　　好　　奇怪　呀！"　小　　王子　自言自语　地　　边
　　dàrénmen　zhēnshi　hǎo　qíguài　ya　xiǎo　wángzǐ　zìyánzìyǔ　de　biān
　　大人たち　本当に　とても　不思議だ　PART　小さな　王子　独り言を言う　PART　～しながら

走　　边　　说。
zǒu　biān　shuō
歩く　～しながら　言う

「大人って本当に不思議だ！」と小さな王子さまは歩きながらひとりつぶやきました。

許碧端 (1983) (tr.) 中野達 (ed.) 小王子 ． 東京：駿河台出版社 ． pp.28-33.

11　朝鮮語

조선말 / 한국어
cesenmal/hankwuke

　北東アジアにあって、日本語や†アイヌ語とともにその†系統はいまだ
に不明です。文字と発音は日本語と大きく異なっているので、一見似
ていませんが、†統語論は細かいところまで日本語にたいへんよく似て
います。音の似た†漢字語もたくさんあるので（例えば안전 운전 [andʑɔn
undʑɔn]「安全運転」）、日本語話者にとっては、他の言語よりはるかに短
い時間で上達できる言語です。

音韻論と文字体系

　†母音音素は基本的に /i, ɛ, a, ɔ, o, u, ɯ/〈이 에／애 아 어 오 우 으〉の7つ
で、さらに†二重母音 /ɯi/〈의〉があります（なお文字上は†半母音を示すの
に母音文字のいろいろな組み合わせが見られます（後述））。子音音素は /p, t,
tɕ, k, pʰ, tʰ, tɕʰ, kʰ, ʔp, ʔt, ʔtɕ, ʔk, m, n, ŋ, s, ʔs, h, r, w, j/〈ㅂ ㄷ ㅈ ㄱ ㅍ ㅌ ㅊ ㅋ ㅃ ㄸ
ㅉ ㄲ ㅁ ㄴ ㅇ ㅅ ㅆ ㅎ ㄹ〉（w と j の書き方は後述）の21個です。日本語同様、
l と r の†対立がありません。破裂音には無声における†無気／†有気の対
立とともに、†濃音と呼ばれる喉頭の緊張を伴った音 /ʔp, ʔt, ʔtɕ, ʔk, ʔs/ が
あります。これは日本語の†促音「っ」が前にあるようなつもりで発音す
るとうまく発音することができます（例えば「ッパ」ʔpa）。†無気音の系列
は†有声音間では有声音で、それ以外の環境では†無声音で現れます（밥 ＝
이 /pap＝i/ [pabi]「ご飯 ＝ が」）。/r/ とした音は†音節頭では [ɾ]、音節末で
は [lʲ] のような音で現れます（라면 /ramjɔn/ [ɾamjɔn]「ラーメン」、
달 /tar/ [talʲ]「月」、탈 /tʰar/ [tʰalʲ]「仮面」、딸 /ʔtar/ [ʔtalʲ]「娘」）。日本語同様、
/r/ で始まる本来の朝鮮語はなく、現在 /r/ で始まっている語はすべて
†外来語です。漢語では /r/ を /n/ に変え、/i/ や /j/ の前ではさらにこ
の /n/ は†脱落しました（냉면 /neŋmjɔn/「冷麺」、이과 /ikwa/「理科」）。†音節

構造は基本的に (C₁)(S)V(C₂) で、C₂ の位置に来ることができるのは /p, t, k, m, n, ŋ, r/ の7つだけです。C₂ は†内破音なので、日本語母語話者にとっては聞き分けに注意が必要です。S (Semivowel) に来るのは /w, j/ です。音節間で子音が連続する場合、†鼻音は†破裂音を†同化します（십만 /sipman/ [simman]「十万」）。n と r の連続は、(語根内と)†形態素境界では /rr/ [ll]、語境界では nn に同化します（신라 /sinra/ [silla]、일년 /irnjon/ [illjon]「一年」vs. 생산량 /sɛŋsanrjaŋ/ [sɛŋsannjaŋ]「生産量」）。方言には高さ†アクセントの†対立や母音の長短の対立が保存されていますが標準語の基準とされている現代のソウル方言では失われています。에 [e] と애 [ɛ] もかつては区別されていましたが、現在はほとんど区別がなくなっています。だいぶ崩れてしまいましたが、†母音調和があります（[mag-a]「塞いで」< /makta/「塞ぐ」vs. [mɔg-ɔ]「食べて」< /mɔkta/「食べる」）。母音の文字の形にもその対立は反映されています（‡陽母音어 vs. ‡陰母音어、同じく오 vs. 우）。

　独自の文字†ハングルのグルは、文字という意味です。1443年に作られましたが、それまで知識人たちはもっぱら漢文を書いていました。†調音の際の口の構えから子音の字形を、陰陽思想の天地人から母音の字形を作りました。世界で最も合理的な文字とも言われています。‡音素文字ですが、漢字と同じような構成で子音字と母音字を組み合わせることによって、一文字で一音節を表します。見かけ上、C₁VC₂C₃ の構成になっている文字がありますが、CSVC の音節構造に反するため、C₂ と C₃ を示す文字の片方は読みません（例えば、값 /kaps/ [kap̚]「値段」）。しかし、母音で始まる語がこれに続くと、CVCCV > CVC-CV と、発音可能な音節構造に組み替えられて発音されるようになります（ただし表記はそのまま、값=이 /kaps=i/ [kap̚si]「値段が」）。このように発音そのものよりも語の元の形を重視した表記（形態音韻的な表記）になっています。아이 /ai/「子供」のように、母音だけの場合には C₁ の場所に音節頭では‡音価を持たない子音の文字〈ㅇ〉を書きます。ヤユヨや、いわゆる†拗音のキャキュキョ、ニャニュニョなどは〈야유요、갸규교、냐뉴뇨〉と書きます。つまり、棒を一本足せばいいだけです。ワは〈와〉のように〈ㅗ〉と〈ㅏ〉の組み合わせとなります。なお本書のテキストではハングルか

らラテン文字への†翻字に Yale 式というシステムを用いています。

形態論・統語論

　†形態的手法としては、語幹の複合と若干の†接頭辞がある以外、もっぱら†接尾辞を使います。†重複はもっぱら†擬音語・†擬態語に使われています。名詞の†格は日本語とよく似て、名詞にゆるやかにくっついています（†膠着的です）。主格〈이~가〉/i~ka/、属格〈의〉/ε/(~/ɯi/)、対格〈을〔를〕〉/(r)ɯr/、与格〈에게〉/εkε/（文語）／〈한테〉/hantʰε/（口語）などがあり、個々の用法も日本語の格とよく似ていますが、属格は日本語のノほど使われず、単なる名詞の連続で所有を示すことができます。日本語のハやモにあたるような†助詞（〈은〔는〕〉/(n)ɯn/ や〈도〉/to/）もあり、「象＝は　鼻＝が　長い」のような文も同じような構造の表現（코끼리는 코가 길다 /kʰoʔkiri=nɯn kʰo=ka kirta/）に訳すことができます。複数は〈들〉/tɯr/ をつけて作ります（〈사람=들〉/saram=tɯr/「人たち」）。しかし無生物にも使えます（책=들 /tɕʰɛk=tɯr/「本（複数）」）。日本語の「お父さん＝たち」と違い、〈아버지=들〉/apʌtɕi=tɯr/ は全員がお父さんでなければ使えません。しかも文中のどこに現れてもふつう†主語の複数を示します（〈어서=들 오세요〉/ʌsʌ=tɯr osejo/「いらっしゃいませ」（お客が複数来たときに使います））。

　1人称代名詞には普通形と謙譲形の区別があり、単数は나 /na/（普通形）と저 /tɕʌ/（謙譲形）、複数は우리 /uri/（普通形）と저희 /tɕʌhɯi/（謙譲形）です。日本語と同じく、2人称の代名詞はなるべく使わずに済ますか、姓名や地位、身分を表す語に†敬称を付して言及するのがふつうです。당신 /taŋsin/ はけんかのときや夫婦間など、聞き手に対して話し手があらたまる必要がない場合にのみ使われます（ただし文学的には丁寧な意味で使われる場合もあります）。指示詞も이, 그, 저 /i, kɯ, tɕʌ/ の3系列であり、それぞれ日本語のコソアとほぼ同じです（ただし現場にないものを指すときは kɯ しか使えません（日本語は「あれ」も使いますね））。†助数詞も使われます。ただし日本語のものとは一致しません（책　한　권 [巻] /tɕʰɛkhankwʌn/「本 一 冊」、종이 한 장 [張] /tɕoŋi hantɕaŋ/「紙 一 枚」）。文中で

よく使われる位置も日本語と異なり、日本語では「本を二冊買った」「二冊の本を買った」がよくある表現ですが、朝鮮語では「本二冊を買った」「本を二冊買った」がふつうで、「二冊の本を買った」のようにはあまり言いません。形容詞は動詞と同じような変化を示します。動詞の変化はたいへん複雑です。†補助動詞 (- 아 ／ - 어 보다 /-a/ -ɔ pota/「〜して みる」など) も日本語とよく似ています。多くの接尾辞により、複雑な†動詞複合体を作ることができます (먹이셨겠지요 /mɔk-i-si-ɔss-kɛss-tɕijo/ 食べる - 使役 - 尊敬 - 過去 - 将然判断 - 終止形確認の疑問法語尾「お食べさせになったことでしょうね」(野間 (1998: 179) による))。日本語と異なり、(口語で)†否定は動詞の前に付加されるタイプがよく用いられます (안 간다 /an-kanta/「行かない」、ただし動詞の後ろに付加されるタイプの否定もあります)。

それ以外の†語順は日本語とほとんど同じで、†連接の諸形 (†連体形や†連用的な諸形) があることも同じです。

なお次ページ以降に引用した朝鮮語版の『星の王子さま』のテキストは原文の文体を反映して、他の28言語と異なり、地の文の日本語訳は「デアル体」になっています。

梅田 (1989)「朝鮮語」(⑦所収)、野間 (1998)「朝鮮語」(①所収)

어린 왕자

elin wangca

11

어린 왕자가 두 번째로 방문한 별에는 허영심이 가득 찬 사나이가 살고 있었다.

[ɔrin waŋdzaga tu pɔnʔtɛɛro paŋmunɦan pjɔrɛnɯn ɦɔjɔŋɕimi kadɯk tɕʰan sanaiga salgo iʔsɔʔta]

어린	왕자가 [王子가]	두	번째로 [番째로]	방문한 [訪問한]	별에는
eli-n	wangca=ka	twu	penccay=lo	pangmwunha-n	pyel=ey=nun
幼い-ATTR	王子-NOM	二	番目-DR	訪問する-ATTR.PST	星-LOC-TOP

허영심이 [虛榮心이]	가득	찬	사나이가	살고	있었다
heyengsim=i	katuk	cha-n	sanai=ka	sal-ko	iss-ess-ta
虛栄心-NOM	いっぱい	満ちる-ATTR.PST	男-NOM	住む-CONV	いる-PST-DC

小さな王子さまが2番目に訪問した星には虚栄心の強い男が住んでいた。

「오, 드디어 나를 찬양하는 사람이 오는구나!」

[o tɯdiɔ narɯl tɕʰanjaŋɦanɯn saɾami onɯnguna]

오	드디어	나를	찬양하는 [讚揚하는]	사람이	오는구나
o	tutie	na=lul	chanyangha-nun	salam=i	o-nun-kwuna
ああ	やっと	私-ACC	賞賛する-ATTR	人-NOM	来る-IND-APP

「ああ、やっと私のことを賞賛する人が来ている！」

허영심 많은 사나이는 어린 왕자를 보자마자 멀리서부터 크게 소리쳤다.

[ɦɔjɔŋɕim manɦɯn sanainɯn ɔrin waŋdzarɯl podzamadza mɔllisɔbutʰɔ kʰɯge soritɕʰjɔʔta]

허영심 [虛榮心]	많은	사나이는	어린	왕자를 [王子를]	보자마자
heyengsim	manh-un	sanai=nun	eli-n	wangca=lul	po-camaca
虛栄心	多い-ATTR	男-TOP	幼い-ATTR	王子-ACC	見る-CONV

멀리서부터	크게	소리쳤다
melli=se=pwuthe	khu-key	solichy-ess-ta
遠く-LOC-ABL	大きい-ADVLZ	叫ぶ-PST-DC

虚栄心の強い男は小さな王子さまを見るや否や、遠くから大きい声で叫んだ。

허영심 많은 사나이는 모든 사람들이 다 자신을 숭배한다고 믿고 있었다.
[hɔjɔŋɕim manɦɯn sanainɯn modɯn saɾamdɯɾi ta tɕaɕinɯl suŋbɛɦandago mit˺˺ko iˀsɔˀta]

허영심 [虛榮心]	많은	사나이는	모든	사람들이	다	자신을 [自身을]
heyengsim	manh-un	sanai=nun	motun	salam=tul=i	ta	CASIN=UL
虛榮心	多い-ATTR	男-TOP	すべての	人-PL=NOM	皆	自身-ACC

숭배한다고 [崇拜한다고]	믿고	있었다
swungpayha-n=tako	mit-ko	iss-ess-ta
崇拜する-IND=QUOT	信じる-CONV	いる-PST-DC

虚栄心の強い男はすべての人たちがみんな自分のことを崇拝していると信じていた。

「안녕하세요? 당신은 참으로 괴상한 모자를 쓰고 있군요.」
[annjɔŋɦasejo taŋɕinɯn tɕʰamuɾo kwesaŋɦan modzaɾɯl ˀsɯgo iˀkunnjo]

안녕하세요 [安寧하세요]	당신은 [當身은]	참으로	괴상한 [怪常한]	모자를 [帽子를]
annyengha-sey-yo	tangsin=un	cham=ulo	koysangha-n	moca=lul
安寧する-SH-POL Q	あなた-TOP	真-DR	奇怪だ-ATTR	帽子-ACC

쓰고	있군요
ssu-ko	iss-kwun=yo
かぶる-CONV	いる-APP-POL

「こんにちは。あなたはとても変な帽子をかぶっていますね」

어린 왕자가 말을 건넸다.
[ɔrin waŋdzaga maɾɯl kɔnnɛˀta]

어린	왕자가 [王子가]	말을	건넸다
eli-n	wangca=ka	mal=ul	kenney-ss-ta
幼い-ATTR	王子=NOM	言葉-ACC	渡す-PST-DC

小さな王子さまは話しかけた。

「아, 이거? 이건 답례를 위한 모자야.
[a igɔ igɔn tamnjɛɾɯl wiɦan modzaja]

아	이거	이건	답례를 [答禮를]	위한 [爲한]	모자야 [帽子야]
a	ike	ike=n	taplyey=lul	wiha-n	moca-ya
あ	これ	これ-TOP	答礼-ACC	ためだ-ATTR	帽子-~だ INT

「あ、これ？　これは答礼のための帽子だよ。

사람들이 나를 보고 환호를 하면 답례를 해야 하잖아.
[saramduɾi naɾɯl pogo hwanɦosɔŋɯl hamjɔn tapɾjeɾɯl ɦɛjaɦadʑ anɦa]

사람들이	나를	보고	환호를 [歡呼를]	하면	답례를 [答禮를]	해야	하지	않아
salam=tul=i	na=lul	po-ko	hwanho=lul	ha-myen	taplyey=lul	hay-ya	ha-ci	an-h-a
人=PL=NOM	私=ACC	見る-CONV	歓声=ACC	する-CONV	答礼=ACC	する-CONV=EMP	する-CONV	NEG=する-INT

人々が私を見て歓声を上げたらお返ししないと。

そ런데 불행하게도 그동안 이 길로 지나가는 사람이 없었지.」
[kɯɾɔndɛ pulɦeŋɦaɡedo kɯdoŋan i killo tɕinaɡanɯn saɾami ɔpˀsɔˀtɕi]

그런데	불행하게도 [不幸하게도]	그동안	이	길로	지나가는	사람이	없었지
kulentey	pwulhayngha-key=to	ku-tongan	i	kil=lo	cinaka-nun	salam=i	eps-ess-ci
でも	不幸だ-ADVLZ=~も	その-間	この	道=DR	通る-ATTR	人=NOM	ない-PST-SUPP

でも不幸にもその間この道を通って行く人がいなかったようだ」

허영심 많은 사나이가 대꾸했다.
[hɔjɔŋɕim manɦun sanaiɡa tɛˀkuɦeˀta]

허영심 [虚榮心]	많은	사나이가	대꾸했다
heyengsim	manh-un	sanai=ka	taykkwuha-yss-ta
虚栄心	多い-ATTR	男=NOM	言い返す-PST-DC

虚栄心の強い男が言い返した。

「네? 뭐라고요?」
[nɛ mwɔɾaɡojo]

네	뭐라고요
ney	mwe=lako=yo
はい	何=QUOT=POL.Q

「はい？ 何と言いました？」

어린 왕자는 무슨 뜻인지 이해할 수가 없어서 되물었다.
[ɔɾin waŋdʑanɯn musɯn ˀtɯsindʑi iɦeɦal suɡa ɔpˀsɔsɔ twemuɾɔˀta]

어린	왕자는 [王子는]	무슨	뜻인지	이해할 [理解할]	수가	없어서
eli-n	wangca=nun	mwusun	ttus-i-nci	ihayha-l	swu=ka	eps-ese
幼い-ATTR	王子=TOP	何の	意味-~だ-~のか	理解する-ATTR	方法=NOM	ない-CONV

되물었다
toymwul-ess-ta
聞き返す-PST-DC

小さな王子さまは何の意味なのかわからなくて聞き返した。

그러자 사나이가 말했다.
[kɯɾɔdza sanaiga malɦɛʔta]

그러자	사나이가	말했다
kuleca	sanai=ka	malha-yss-ta
すると	男-NOM	言う-PST-DC

すると男が言った。

「이렇게 손뼉을 쳐 봐.」
[ilɔkʰɛ sonʔpjɔgɯl tɕʰjɔ pwa]

이렇게	손뼉을	쳐	봐
ilehkey	sonppyek=ul	chy-e	pw-a
このように	拍手-ACC	打つ-CONV	見る-INT

「こうやって拍手をしてみて」

어린 왕자는 손뼉을 쳤다.
[ɔrin waŋdzanɯn sonʔpjɔgɯl tɕʰjɔʔta]

어린	왕자는 [王子는]	손뼉을	쳤다
eli-n	wangca=nun	sonppyek=ul	chy-ess-ta
幼い-ATTR	王子-TOP	拍手-ACC	打つ-PST-DC

小さな王子さまは拍手をした。

그러자 그 사나이는 모자를 살짝 들어올리면서 점잖게 인사를 했다.
[kɯɾɔdza kɯ sanainɯn modzarɯl salʔtɕakˈ tɯɾɔollimjɔnsɛ tɕɔmdzankʰɛ insarɯl ɦɛʔta]

그러자	그	사나이는	모자를 [帽子를]	살짝	들어올리면서	점잖게
kuleca	ku	sanai=nun	moca=lul	salccak	tuleolli-myense	cemcanh-key
すると	その	男-TOP	帽子-ACC	そっと	持ち上げる-CONV	おとなしい-ADVLZ

인사를 [人事를]	했다
insa=lul	ha-yss-ta
挨拶-ACC	する-PST-DC

するとその男はそっと帽子を持ち上げながら礼儀正しくあいさつをした。

〈아, 왕이 사는 별을 방문했을 때보다 더 재미있는데!〉
[a waŋi sanɯn pjɔɾɯl paŋmunɦɛʔsɯl ʔtɛboda tɔ tɕɛmiinnɯndɛ]

아	왕이 [王이]	사는	별을	방문했을 [訪問했을]	때보다	더	재미있는데
a	wang=i	sa-nun	pyel=ul	pangmwunha-yss-ul	ttay=pota	te	caymiiss-nuntey
あ	王=NOM	住む-ATTR	星=ACC	訪問する-PST-ATTR	時=COMP	もっと	面白い-APP

「あ、王さまが住んでいる星を訪問したときより面白い！」

어린 왕자는 마음속으로 중얼거리며 다시 손뼉을 쳤다.
[ɔrin waŋdzanɯn maɯm sogɯro tɕuŋɔlgɔrimjɔ taɕi sonʔpjɔgɯl tɕʰjɔʔta]

어린	왕자는 [王子는]	마음	속으로	중얼거리며	다시	손뼉을	쳤다
eli-n	wangca-nun	maum	sok=ulo	cwungelkeli-mye	tasi	sonppyek=ul	chye-ss-ta
幼い-ATTR	王子=TOP	心	中=DR	つぶやく-CONV	再び	拍手=ACC	打つ-PST-DC

小さな王子さまは心の中でつぶやきながら、再び拍手をした。

이번에도 [이番에도]　　그　　사나이는　　모자를 [帽子를]　　살짝　　들어올리며　　인사를 [人事를]
ipeneyto　　　　ku　sananinun　　mocalul　　salccak　tuleollimye　　insalul
今度にも　　　その　　男は　　　帽子を　　そっと　持ち上げながら　挨拶を

했다.
hayssta
した

もう一度その男は帽子をそっと持ち上げながらあいさつをした。

5 [오 [五]] 분 [分]　동안이나　　손뼉을　　쳐댄　　어린　왕자는 [王子는]　　어느새
5　오　　pwun　tonganina　sonppyekul　chyetayn　elin　wangcanun　　enusay
5　五　　　分　　　間も　　　拍手を　　打っていた　幼い　　王子は　　いつの間にか

그　　장난에　　싫증이　　났다.
ku　cangnaney　silhcungi　nassta
その　いたずらに　飽きが　　出た

5分も拍手をしていた小さな王子さまはいつの間にかそのいたずらに飽きてきた。

「　어떻게　　하면　　모자가 [帽子가]　떨어지나요? 」
ettehkey　hamyen　mocaka　　ttelecinayo
どのように　すれば　帽子が　　落ちますか

「どうすれば帽子が落ちますか?」

어린　　왕자가 [王子가]　물었다.
elin　wangcaka　mwulessta
幼い　　王子が　　聞いた

小さな王子さまが聞いた。

그러나 허영심 [虛榮心]　많은　　사람에게는　　오로지 자신을 [自身을] 칭찬하는 [稱讚하는]
kulena　heyengsim　manhun　salameykeynun　oloci　casinul　chingchanhanun
しかし　虛榮心　多い　　　人には　　　ひたすら　自身を　　褒める

소리만　들리는　　법이다 [法이다].
soliman　tullinun　pepita
音だけ　聞こえる　　法だ

しかし、虚栄心の多い人にはただ自分を褒める音しか聞こえない。

어린 왕자　　259

그의	귀에는	어린	왕자의 [王子의]	말이	들리지	않았다.
kuuy	kwieynun	elin	wangcauy	mali	tullici	anhassta
彼の	耳には	幼い	王子の	言葉が	聞こえ	〜しなかった

彼の耳には小さな王子さまの言葉が聞こえなかった。

「	너는	진심으로 [眞心으로]	나를	찬양하지 [讚揚하지]？」
	nenun	cinsimulo	nalul	chanyanghaci
	あなたは	真心で	私を	称賛するのか

「あなたは心から私を称賛しているのかな？」

그가	어린	왕자에게 [王子에게]	물었다.
kuka	elin	wangcaeykey	mwulessta
彼は	幼い	王子に	訊いた

彼は小さな王子さまに聞いた。

「찬양하다니요 [讚揚하다니요]？	그게	무슨	뜻이에요？」
chanyanghataniyo	kukey	mwusun	ttusieyyo
称賛するというのですか	それが	何の	意味ですか

「称賛するって？　どういう意味ですか？」

「찬양한다는 [讚揚한다는]	말은	내가	이	별에서	제일 [第一]	잘생기고,	옷도
chanyanghatanun	malun	nayka	i	pyeleyse	ceyil	calsayngkiko	osto
称賛するという	言葉は	私が	この	星で	第一	ハンサムで	服も

제일 [第一]	잘	입고,	제일 [第一]	부자이며 [富者이며],	제일 [第一]	똑똑하다는
ceyil	cal	ipko	ceyil	pwucaimye	ceyil	ttokttokhatanun
第一	良く	着て	第一	お金持ちで	第一	賢いという

것을	인정하는 [認定하는]	거지. 」
kesul	incenghanun	keci
ことを	認める	ことだ

「称賛するという言葉は、私がこの星で一番ハンサムで、一番おしゃれな服を着ていて、一番お金持ちで、一番賢いということを認めることだよ」

「 하지만　이　　別에는　아저씨　혼자뿐이잖아요!　」
haciman　i　pyeleynun　acessi　honcappwunicanhayo
しかし　この　星には　おじさん　独りだけではないですか

「でもこの星にはおじさん一人だけじゃないですか！」

「 어쨌든　날　기쁘게　해줘!　」
eccaysstun　nal　kippukey　haycwe
とにかく　私を　嬉しく　してくれ

「とにかく私を喜ばせてくれ！」

「 그래요,　아저씨를　찬양해요 [讚揚해요].
kulayyo　acessilul　chanyanghayyo
そうです　おじさんを　称賛します

「わかりました。おじさんを称賛します。

하지만　그게　무슨　소용이 [所用이]　있죠?　」
haciman　kukey　mwusun　soyongi　isscyo
しかし　それが　何の　所用が　ありますか

でもそれが何の役に立ちますか？」

그렇게　말한　어린　왕자는 [王子는]　그　별을　떠났다.
kulehkey　malhan　elin　wangcanun　ku　pyelul　ttenassta
そのように　言った　幼い　王子は　その　星を　去った

そのように言った小さな王子さまはその星を後にした。

〈 어른들이란　정말　이상하군 [異常하군]. 〉
eluntulilan　cengmal　isanghakwun.
大人たちとは　本当に　異常だな

「大人というのは本当に変だな」

어린	왕자는 [王子는]	마음속으로	중얼거리며	여행을 [旅行을]	계속했다 [繼續했다].
elin	wangcanun	maumsokulo	cwungelkelimye	yehayngul	kyeysokhayssta
幼い	王子は	心中に	呟いて	旅行を	続けた

小さな王子さまは心の中でつぶやきながら旅を続けた。

김경미 (2002) (tr.) 어린 왕자 . 서울 : 책만드는집 . pp.60-62.

12　モンゴル語

Mongolian

　（広義の）モンゴル語は、モンゴル国のほかに、中国の内モンゴル自治区などで話されています（モンゴル国のモンゴル語は、「モンゴル語ハルハ方言／ハルハ・モンゴル語」とも呼ばれます）。さらにロシア領内のブリヤート語やカルムイク語、中国領内のダグール語などが同⁺系統の言語で、その全体を⁺モンゴル語族と呼ぶことができます。なお本書で引用したモンゴル語版の『星の王子さま』のテキストはモンゴル国のハルハ・モンゴル語のものです。トルコ語の属する⁺チュルク語族の諸言語と、満洲語などが属する⁺ツングース語族の諸言語と、文法のしくみなどが大変よく似ているため、⁺アルタイ諸言語としてまとめられることがあります。しかしこの3つのグループが互いに系統関係にあるのかどうかは現在もなお明らかになっていません。

音韻論と文字体系

　モンゴル国では⁺キリル文字を、中国領内の内モンゴル自治区ではチンギス・ハーン以来の縦書きの⁺モンゴル文字を使っています。この文字はもともと中央アジアのイラン系のソグド人からウイグル人が取り入れたもので、文字自体は⁺アラビア文字と親縁関係にあります。漢字の影響で文字自体は90度回転し、縦書きの行を左から右に書いていくような形となりました（例：𐱉 ⟨mongol⟩）。

　音韻体系について見ましょう。以下キリル文字に⁺音価を添えて示します（音価でなく、テキストの⁺翻字については、第7章ロシア語の概説を参照してください、ただしロシア語と違いэは e、е は je で翻字しています）。⁺母音⁺音素は и/i/, э/e/, a/a/, o/ɔ/, y /o/, θ/ө/, ү/u/ の7つですが、キリル文字の特徴が現れる⁺音声的な表記が一部に見られ、ロシア語からの外来語

も表記するために、以下の母音字・半母音字も使います（e/je, jə/, ё/jɔ/, й/j/, ы/iː/, ю/jo, ju/, я/ja/）。一方、θとɣはロシア語では使われていない文字です。長母音は aa, oo, уу, ээ, өө, үү のように同じ母音字を重ねて示します（ただし [iː] は〈ий〉と書きます）。†二重母音には ай, ой, уй などがあります。第2音節以降の短母音は†弱化し、[ə] のような音になります。

　子音字には п /p/, т /t/, к /k/, б /b/, д /d/, г /g/, м /m/, н /n/, ф /f/, с /s/, ш /ʃ/, щ /ʃtʃ/, х /x/, в /β～w/, ц /ts/, ч /tʃ/, з /dz/, ж /dʒ/, л /l/, р /r/ があり、さらに記号文字 ъ, ь（ロシア語の節を参照）があります。このキリル文字による正書法には、ロシア語からの†外来語を表記するためだけに使われる文字もあり、モンゴル語では1つの音素なのにロシア語で†対立する音を（モンゴル語の語彙でも）別の文字で書いたりしている面があります。モンゴル語の音素としては /p, t, b, d, g, ɢ, m, n, ŋ, s, ʃ, x, j, ts, tʃ, dz, dʒ, l, r/ の19個をみとめることができます。/l/ は [ɮ～ɬ]（有声もしくは無声の側面摩擦音）で発音されます。かつてあった k は比較的最近に [x] へと変化したので、外来語を除いて現れることはありません。a, ɔ, o と e, θ, u の母音はそれぞれグループをなし（モンゴル語学では†男性母音と†女性母音と言います）、1つの単語に男性母音と女性母音が共存することはありません（男性母音のみの単語：olaanbaatar「ウランバートル」、bɔd-xc「考える」、女性母音のみの単語：tsetseg「花」、uz-ex「見る」）。†接尾辞もそれぞれの母音を持った†異形態がつきます（olaanbaatar-aas「ウランバートルから」、bɔd-sɔn「考えた」vs. tsetseg-ees「花から」、uz-sen「見た」）。このような現象を†母音調和といいます。なお i は男性母音とも女性母音とも一緒に現れ得る母音で、†中性母音と呼ばれます（ɔxin「娘」vs. tʃixer「飴」）。

形態論・統語論

　名詞の語幹には†数、格、†再帰を示す接辞がこの順序でつきます（temee-nuud-ees-ee ['camel-PL-ABL-REFL']「自分のラクダから」）。複数の標示は義務的ではなく、複数を示す接辞にはいくつか種類があって名詞による使い分けがあります。†疑問語などは重複で複数を示すこともでき

ます（xen xen「誰々」）。 動詞のほうで複数を示すこともできます（sajn baj-na oo?「元気ですか／こんにちは」vs. sajn baj-tsGaa-na oo?「（複数の相手に対して）元気ですか／こんにちは」）。

　†目的語は、†不定のもので動詞の直前位置にある場合には対格をとりません。名詞の格は†膠着的で、母音調和などによる多少の異形態はありますが基本的に同じ形がつきます。これに対し、代名詞の変化は不規則で†語幹も変化します。2人称の代名詞には敬意による使い分けがあります。再帰接尾辞（「自分の〜」）はこの言語の重要な特徴です。文中の名詞が主語に所属するものである場合、義務的にこの接尾辞を取ります。これによって動作の行われる方向は明確になります。例えば英語で He likes his child. と言った場合に、彼は自分の子供が好きなのか、誰か他人の子供が好きなのかわかりませんが、モンゴル語ではそれを必ず明確に表現し分けます（ter xuuxd-ee xajrla-dag. 'he child-REFL like-PTCP. HAB'「彼は自分の子供が好きだ」vs. ter xuuxd-ijg n xajrla-dag. 'he child-ACC 3 like-PTCP.HAB'「彼は（別の）彼の子供が好きだ」）。主語に所属するものではない場合、1人称／2人称／3人称の†付属語が名詞に続くこともありますが、これは義務的でなく、その機能も†情報構造等を示すものに変化しつつあります。形容詞は名詞と同じように格を取るので名詞との境界ははっきりせず、さらにそのまま副詞としても使えます（sajn nɔm 'good book'「良い 本」、sajn-ijg n ab! 'good-ACC 3 take'「良いの - を 取れ！」、sajn jabaaraj. 'well go.later'「よく 行ってください／さようなら」）。

　形容詞で†語頭音節を次のように重複すると、意味を強調することができます（tsab tsagaan「真っ白な」）。ender ender ool 'high high mountain' のような全体の重複は、「とても高い山」ではなく「高い山々」を示します。†反響語は「〜やら何やら」という意味になります（deel meel「モンゴル服やら何やら」、後ろに重複された語の語頭子音が m に変わります）。†助数詞はなく、数詞の後ろには直接名詞が続きます。

　動詞にはいくつも接尾辞を続けることができ、その最後の接尾辞は†テンスや†連接、†モダリティを示すので、日本語とよく似た†動詞複合体を形成します（xar-ool-tʃix-san「見 - させ - てしまっ - た」）。日本語に似て、†連用的な諸形（id-e-dʒ「食べて」、id-eed「食べてから」、id-bel「食べれば」など）

や、名詞的にも終止にも使われる†連体形（id-e-x「食べること／食べる〜」、id-sen「食べたこと／食べた〜」、id-deg「食べること（習慣）／食べる〜（習慣）」）のような形があります（ただし idex は疑問の終助詞 we を伴う場合などでないと文末には用いられません）。日本語同様、†補助動詞があって「〜てい（-る）」（-dʒ baj-）、「〜て み（-る）」（-dʒ uz-）、「〜て あげ（-る）」（-dʒ øg-）のような表現を作ることができます。†語順は†SOV が基本で、動詞が文末に来ます。その他の要素の順序は比較的自由です。従属節中では主語が対格もしくは属格で現れます。特に連体節の中ではふつう属格で現れます。

栗林 (1992)「モンゴル語」（⑦所収）

Бяцхан Хунтайж

Bjacxan Xuntajž

12

Дараагийн гариг дээр нэг архичин амьдардаг байлаа.

[daraːgiːŋ ɣarəg deːr neg arxʲitɕiŋ amʲdərdəg baɪʒaː]

дараагийн	гариг дээр	нэг	архичин	амьдардаг	байлаа
daraa-gijn	garig=deer	neg	arxičin	am'dar-dag	baj-laa
次-GEN	惑星=~の上に	一	酒飲み	暮らす-HAB	~だ-DIR.PST

次の星には1人の酒飲みが暮らしていました。

Энэ айлчлалт их хурдан болж, бяцхан хунтайж бүр уруу царайлав.

[en aɪʒtɕʰəʒt ix xordəŋ bɔʒdʒ bʲatsxəŋ xontaɪdʒ bur oroː tsaraɪʒəw]

энэ	айлчлалт	их	хурдан	болж	бяцхан	хунтайж	бүр
ene	ajlčlalt	ix	xurdan	bol-ž	bjacxan	xuntajž	bür
この	旅	とても	速い	なる-SIM	小さな	王子	すっかり

уруу	царайлав
uruu	caraila-v
下向きの	表情をする-PST

この旅はとても速くなって、小さな王子さまは悲しい顔をしました。

— Тэнд чи юу хийж байгаа юм бэ? гэж хоосон, юмтай бөөн шилний өмнө гөлрөн сууж байгаа архичнаас бяцхан хунтайж асуулаа.

[tend tɕiː joː xiːdʒ baɪɣaː jom beː gedʒ xɔːsəŋ jomtaɪ bøːŋ ɕiʒniː əmən gøʒrəŋ soːdʒ baɪɣaː arxitɕnaːs bʲatsxəŋ xontaɪdʒ asoːʒaː]

тэнд	чи	юу	хийж	байгаа	юм бэ	гэж	хоосон	юмтай	бөөн
tend	či	juu	xii-ž	baj-gaa	jum=be	ge-ž	xooson	jumtaj	böön
そこで	君	何	する-SIM	~だ-PROG	もの=Q	言う-SIM	空の	中身のある	積み重ね

шилний	өмнө	гөлрөн	сууж	байгаа	архичнаас	бяцхан
šiln-ij	ömnö	gölrö-n	suu-ž	baj-gaa	arxičn-aas	bjacxan
瓶-GEN	前	見つめる-SIM	座る-SIM	~だ-PROG	酒飲み-ABL	小さな

хунтайж	асуулаа
xuntajž	asuu-laa
王子	尋ねる-DiR.PST

「そこで何をしているの？」と、空の瓶や中身入りの瓶の山を前に見つめながら座っている酒飲みに小さな王子さまは尋ねました。

— Ууж л байна гэж нэг л гунихарсан аясаар архичин хэлэв.

[o:dziʒ baɪn gedʒ negʒ ɣonʲxərsəŋ ajəsa:r arʲxʲitcin xeɮʒəw]

ууж л	байна	гэж	нэг л	гунихарсан	аясаар	архичин	хэлэв
uu-ž=l	baj-na	ge-ž	neg=l	gunixar-san	ajas-aar	arxičin	xele-v
飲む-SIM=EMP	～だ-NPST	言う-SIM	一=EMP	落ち込む-PF	調子-INS	酒飲み	言う-PST

「飲んでいるだけだ」と、少し落ち込んだように酒飲みは言いました。

— Яагаад чи уугаав? гэж бяцхан хунтайж асуухад,

[ja:ɣa:d tɕi o:ɣa:w gedʒ bʲatsxəŋ xontaĭdʒ aso:xəd]

яагаад	чи	уугаав	гэж	бяцхан	хунтайж	асуухад
jaa-gaad	či	uu-gaa=v	ge-ž	bjacxan	xuntajž	asuu-xa-d
何をする-ANT	君	飲む-PROG=Q	言う-SIM	小さな	王子	尋ねる-FUT-DAT

「なぜ飲んでいるの？」と、小さな王子さまが尋ねると、

— Мартах л гэж хэмээн архичин хариулав.

[martəxʒ gedʒ xeme:ŋ arʲxʲitcin xarʲo:ʒəw]

мартах л	гэж	хэмээн	архичин	хариулав
marta-x=l	ge-ž	xemee-n	arxičin	xariula-v
忘れる-FUT=EMP	言う-SIM	言う-SIM	酒飲み	答える-PST

「忘れたいだけだ」と、酒飲みは答えました。

— Юуг мартах гэж? хэмээн бяцхан хунтайж хэдийнээ харамсан байсан зүйлээ лавлалаа.

[jo:g martəx gedʒ xeme:ŋ bʲatsxəŋ xontaĭdʒ xedi:ne: xarəmsəŋ baɪsəŋ zuɪʒe: ʒawʒəʒa:]

юуг	мартах	гэж	хэмээн	бяцхан	хунтайж	хэдийнээ
yuu-g	marta-x	ge-ž	xemee-n	bjacxan	xuntajž	xediinee
何-ACC	忘れる-FUT	言う-SIM	言う-SIM	小さな	王子	すでに

харамсан	байсан	зүйлээ	лавлалаа
xaramsa-n	baj-san	züjl-ee	lavla-laa
悔いる-SIM	～だ-PF	こと-REFL	確認する-DiR.PST

「何を忘れようって？」と、小さな王子さまはすでにかわいそうだったことを確認しました。

— Өөрийнхөө шившигтэй байдлыг мартах гэсэн юм гэж толгой дохив.

[ɵːriːŋxɵ ɕiwɕigte: baidʒiːg martəx gesəŋ jom gedʒ tɔɮɣɔi dɔxiw]

өөрийнхөө	шившигтэй	байдлыг	мартах	гэсэн	юм	гэж
öör-ijn-xöö	šivšigtej	bajdl-ijg	marta-x	ge-sen	jum	ge-ž
自分-GEN-REFL	恥ずかしい	状況-ACC	忘れる-FUT	言う-PF	もの	言う-SIM

толгой	дохив
tolgoj	doxi-v
頭	もたげる-PST

「自分の恥ずかしい状況を忘れるためだ」と、頭をもたげました。

— Юун шившиг? гэж туслах гэсэн хүслээр бяцхан хунтайж лавлалаа.

[joːŋ ɕiwɕig gedʒ tosɮaːr gesəŋ xusɮeːr bʲatsxəŋ xontaidʒ ɮawɮaɮaː]

юун	шившиг	гэж	туслах	гэсэн	хүслээр	бяцхан	хунтайж
yuun	šivšig	ge-ž	tusla-x	ge-sen	xüsl-eer	bjacxan	xuntajž
何の	恥	言う-SIM	助ける-FUT	言う-PF	望み-INS	小さな	王子

лавлалаа
lavla-laa
確認する-DIR.PST

「何の恥？」と、助けたい気持ちで小さな王子さまは確認しました。

— Уухын шившиг! гээд архичин таг чиг болчихов.

[oːxiːŋ ɕiwɕig geːd arxʲitɕiŋ tag tɕig bɔʒtɕixəw]

уухын	шившиг	гээд	архичин	таг чиг	болчихов
uu-x-iin	šivšig	g-eed	arxičin	tag_čig	bol-čixo-v
飲む-FUT-GEN	恥	言う-ANT	酒飲み	暗い	なる-PERF-PST

「飲むことの恥さ！」と言って酒飲みは暗くなってしまいました。

Бяцхан хунтайж гайхасхийн явлаа.

[bʲatsxəŋ xontaidʒ ɣaixəsxiːŋ jawʒaː]

бяцхан	хунтайж	гайхасхийн	явлаа
bjacxan	xuntajž	gajxa-sxij-n	jav-laa
小さな	王子	困る-IMD-SIM	行く-DIR.PST

小さな王子さまは困ってしまい、去りました。

Том хүмүүсийн хачин юм хийдэг нь аргагүй л үнэн юм даа гэж бодон аяллаа үргэлжлүүлэв.

[tɔm xumu:si:ŋ xatɕiŋ jom xi:dgən arɣəgüĭʓ unəŋ jomda: gedz bɔdəŋ ajəʓʓa: urgəʓdzʓu:ʓəw]

том	хүмүүсийн	хачин	юм	хийдэг нь	аргагүй л	үнэн
tom	xümüüs-ijn	xačin	jum	xij-deg=n'	argagüj=l	ünen
大きい	人々-GEN	おかしな	こと	する-HAB=3SG	仕方のない-EMP	本当の

юм даа	гэж	бодон	аяллаа	үргэлжлүүлэв
jum=daa	ge-ž	bodo-n	ajall-aa	ürgelžlüüle-v
こと=SFP	言う-SIM	思う-SIM	旅-REFL	続ける-PST

大人が変なことをするのは仕方がないというのは本当だ、と思いながら旅を続けました。

Цэгмидийн Сүхбаатар (2001) (tr.) *Бяцхан Хунтайж*. Улаанбаатар: Цоморлиг Хэвлэл ХХК. pp.28-29.

13　フィリピン語

Filipino

　タガログ語というのはフィリピンのルソン島に住んでいるタガログ人の言葉で、フィリピンに100以上もある言語のうちの1つです。これを国語化してフィリピノ（フィリピン語）と言うようになりました。フィリピン語はフィリピノと同じものを指しますが、フィリピンでの正式名称はフィリピノです。系統的には†オーストロネシア語族に属します。オーストロネシア語族は、主に太平洋の島嶼部を中心に、北は日本のすぐ南の台湾先住民諸語、南はニュージーランドのマオリ語、東は南米大陸に近いイースター島のラパヌイ語、西はアフリカ大陸の横のマダガスカル島のマラガシ語にいたる広大な地域で話される大語族で、そこに属す言語の数は1200とも言われています（長屋 (2016: 74) による）。第14章のマレーシア語と第15章のインドネシア語もオーストロネシア語族の言語です。文法はかなり異なっていますが、基本的な単語はマレーシア語／インドネシア語と対応します（fil. mata ‖ may./ind. mata「目」、fil. bato ‖ may./ind. batu「石」、fil. lima ‖ may./ind. lima「5」）。

音韻論と文字体系

　ラテン文字による正書法と†音素はよく対応するので、ここではその表記を用いて音素を説明します。子音は /p, t, k, b, d, g[g], m, n, ng[ŋ], s, h, l, r, w, y[j], [ʔ] / の16個、母音は /i, e, a, o, u/ の5つです。ただし、子音の表記については主に†借用語などで〈c, f, j, ñ, q, v, x, z〉が使われることもあります。声門破裂音 [ʔ] は子音と母音の間に現れる場合にはハイフンで表記されますがそれ以外の場合は書かれません。母音で始まる語の語頭、語中の母音連続の間、語末などに現れますが、語頭・語末の声門閉鎖音は文中でよく†脱落します。†語根は2音節のものが多く、後

ろから2番目あるいは最終の†音節に†強勢が来る傾向があります。アクセントのみで区別される語のペアがいくつもあるので注意が必要です（gábi「芋」vs. gabí「夜」、hápon「午後」vs. hapón「日本人」、áso「犬」vs. asó「煙」、ただし正書法では区別しません（長屋 (2016: 77) による））。

形態論・統語論

　†形態的手法としては、まず†接頭辞、†接中辞、†接尾辞、†接周辞が用いられます。†重複も多用され、†部分重複も全体重複もあります（具体例は後述）。†語順は VSO です（Kumain ang bata ng mansanas. 'eat〈af〉nom child gen apple.'「その子供はリンゴを食べた」）。†名詞自体に†格や†数の変化はありません（†性もありません）。ある名詞が†主語、†目的語、†間接目的語、種々の場所表現、道具のいずれの機能で働くか、ということは名詞の側には標示されず、動詞の方に標示がなされます（この点から、†主要部標示型の言語とする見方もできます）。上の例では、動詞 kain「食べる」の語頭子音と次の母音の間に接中辞が入って k < um > ain となり、行為者焦点形となります。これにより†焦点となった名詞には、その名詞の前に冠詞のような格標識（上の例では主格を示す ang）が置かれます。焦点ではない名詞は属格か†場所格の格標識をとります。普通名詞では、主格標識 ang (NOM)、属格標識 ng [naŋ] (GEN)、場所格標識 sa (LOC) ですが、人名（単数）の名詞では NOM: si, GEN: ni, LOC: kay、人名（複数）では NOM: sina, GEN: nina, LOC: kina となります。代名詞にもそれぞれに3つの格の形があり、1人称複数には†除外形と†包括形の対立があります。以下では NOM; GEN; LOC の順で3つの形を示します（1SG: ako; ko; sa akin, 2SG ikaw/ ka; mo; sa iyo, 3SG: siya; niya; sa kaniya, 1PL.excl: kami; namin; sa amin, 1PL.incl: tayo; natin; sa atin, 2PL: kayo; ninyo; sa inyo, 3PL: sila; nila; sa kanila）。指示代名詞は3系列です（近称：ito; nito; dito、中称：iyan; niyan; diyan、遠称：iyon; niyon; doon）。名詞の複数の標示は任意ですが日本語よりはっきり区別されていて、後接語の mga によって複数が示されます（ang (mga) lapis「鉛筆何本か (NOM)」）。

　形容詞には語根だけで機能するもの（bago「新しい」、luma「古い」）と接頭辞 ma- を必要とするもの（maganda「美しい」、masarap「おいしい」）があり

ます。Ang ganda!「美しい！」は Ang ganda~ganda! と重複により「とても美しい！」と強調されますが、ma-ganda~ganda では「ちょっと美しい」と弱化の表現になります（長屋 (2016: 89) による）。語根の部分重複で（もしくは上述の mga で）複数を示すこともできます（malaking mangga「大きいマンゴー (sg)」vs. ma-la~laking mangga/mga ma-(la~)laking mangga「大きいマンゴー (pl)」）。

形容詞や‡関係節、数詞などと名詞をつなぐには、‡リンカー（異形態があり、子音終わりの語の後ろでは na、母音終わりの語の後ろでは -ng、n 終わりの語の後ろでは -g で表記します）というものを使います。一方、‡リガチャーと呼ばれる ay は‡コピュラのように働きます。形容詞と名詞、関係節と名詞をつなぐ場合にはその語順は自由です（masarap **na** pagkain 'delicious LK dish'/pagkaing masarap「おいしい料理」、bahay **na** ipinaayos ni Tom 'house LK repair GEN Tom'/ipinaayos ni Tom **na** bahay「トムが修理した家」。ただし数詞の場合には必ず数詞が前に来ます（apat **na** mansanas 'four LK apple')）。なお所有者は属格の標識をつけて後置します。

動詞は、‡テンスによる変化はなく、時の副詞や文脈によって過去・現在・未来が示されます。一方、動詞は‡焦点と‡アスペクトによってさまざまに形を変えます。その動詞が動的か状態的か、意図的か非意図的か、などの「動詞の種類」によって、その変化形は異なるセットのものになります。例えば［完了 未然 未完了］でいくつかのパターンを示すと、［t⟨um⟩akbo ta~takbo t⟨um⟩a~takbo「走る」］、［nag-lakad mag-la~lakad nag-la~lakad「歩く」］、［na-tulog ma-tu~tulog na-tu~tulog「寝る」］のようになります。意図的か非意図的か、に関する「動詞の種類」は次のように異なります（S⟨in⟩ira-Ø ko ang mesa. '⟨RLS⟩break-PF 1SG.GEN NOM table'「私はテーブルを（わざと）壊した」vs. Na-sira-Ø ko ang mesa. 'STAT.RLS-break-PF 1SG.GEN NOM table'「私はテーブルを（うっかり）壊した」）。行為者焦点形の動詞 k⟨um⟩ain による文（Kumain ang bata ng mansanas. 'eat⟨AF⟩NOM child GEN apple.'「その子供はりんごを食べた」）を先に見ました。行為者焦点形は動詞の種類によって ⟨um⟩/mag-/mang-/ma-/maka- の形をとります。動詞にはこのほかに目的焦点形 -in/i-/-an/-ø（K⟨in⟩ain-ø ng bata ang mansanas. 'eat⟨RLS⟩-PF GEN child NOM apple'「そのりんごは子供が食べた」）、場所焦点形 -an/-in/pag- -an

(K⟨in⟩ain-an ng bata ang pinggan niya. 'eat⟨RLS⟩-LF GEN child NOM plate 3SG.GEN'「自分のお皿で子供が食べた」)、受益者焦点形 i-/ipag-/-an (I-k⟨in⟩ain ng bata ang babae. 'CF-eat ⟨RLS⟩ GEN child NOM woman'「その女の人のために子供が食べた」)があります（長屋 (2016: 85) に基づく）。アスペクトには完了形（「もう〜してしまう」）と未完了形（「〜している」）、未然形（「まだ〜していない」）の区別があり、語幹の前の部分の部分重複と子音の変化や接辞の組み合わせによってその形を作ります。

山田 (1989)「タガログ語」（⑦所収）、長屋 (2016)「フィリピンの言葉は繰り返す」（⑥所収）

Ang Munting Prinsipe

13

Ang sa negosyante naman ang ika'pat na planeta.
[aŋ sa negoʃante naman aŋ ikaʔapat na planeta]

ang	sa	negosyante	naman	ang	ika'pat	na	planeta
NOM	LOC	実業屋	一方	NOM	四番目	LK	惑星

4番目の星は、実業屋の星でした。

Abalang-abala ang taong ito kaya hindi man lang siya tumunghay nang
dumating ang munting prinsipe.
[abalaŋ abala aŋ taoŋ ito kaja hindi man laŋ ʃa tumuŋhaj naŋ dumatiŋ aŋ muntiŋ prinsipe]

Abala=ng-abala	ang	tao=ng	ito	kaya	hindi	man	lang	siya
忙しい=LK=忙しい	NOM	人=LK	このNOM	なので	NEG	～さえ	～だけ	彼NOM

t‹um›unghay	nang	d‹um›ating	ang	munti=ng	prinsipe
見る(AF.PF)	～する時	到着する(AF.PF)	NOM	小さな=LK	王子

小さな王子さまがやってきたとき、この人はたいへん忙しいので彼は見もしませ
んでした。

"Magandang umaga," sabi ng munting prinsipe sa kanya.
[maɡandaŋ umaɡa sabi naŋ muntiŋ prinsipe sa kaɲa]

maganda=ng	umaga	sabi	ng	munti=ng	prinsipe	sa	kanya
良い=LK	朝	言う	GEN	小さな=LK	王子	LOC	彼

「おはようございます」と、小さな王子さまは彼に言いました。

"Patay na ang sigarilyo n'yo."
[pataj na aŋ siɡariljo ɲo]

patay	na	ang	sigarilyo	n'yo
死んでいる	すでに	NOM	タバコ	君PL.GEN

「タバコの火が消えてますよ」

"Tatlo at dalawa ay lima. Lima at pito ay labindalawa. Labindalawa at tatlo ay labinlima. Magandang umaga.

[tatlo at dalawa aj lima lima at pito aj labindalawa labindalawa at tatlo aj labinlima maɡandaŋ umaga]

tatlo	at	dalawa	ay	lima	lima	at	pito	ay	labindalawa	labindalawa
三	～と	二	LIG	五	五	～と	七	LIG	十二	十二

at	tatlo	ay	labinlima	maganda=ng	umaga
～と	三	LIG	十五	良い=LK	朝

「3足す2は5。5足す7は12。12足す3は15。おはよう。

Labinlima at pito ay dalawampu't dalawa. Dalawampu't dalawa at anim ay dalawampu't walo.

[labinlima at pito aj dalawamput dalawa dalawamput dalawa at anim aj dalawamput walo]

labinlima	at	pito	ay	dalawampu+at	dalawa	dalawampu+at	dalawa
十五	～と	七	LIG	二十₊～と	二	二十₊～と	二

at	anim	ay	dalawampu+at	walo
～と	六	LIG	二十₊～と	八

15足す7は22。22足す6は28。

Wala akong panahon para sindihan ito uli.

[wala akoŋ panahon para sindihan ito uli]

wala	ako=ng	panahon	para	sindi-han	ito	uli
何も～ない	私.SG.NOM=LK	時間	～するために	火を点ける-DF.INF	これ.NOM	再び

おれにはこれに火をつける時間もない。

Dalawampu't anim at lima ay tatlumpu't isa. Hay!

[dalawamput anim at lima aj tatlumput isa haj]

dalawampu+at	anim	at	lima	ay	tatlumpu+at	isa	Hay
二十₊～と	六	～と	五	LIG	三十₊～と	一	はあ

26足す5は31。はあ！

Kaya ito'y limandaa't isang milyon, animnaraa't dalawampu't dalawanlibo, pitundaa't tatlumpu't isa."

[kaja itoj limandaat isaŋ miljon animnaraat dalawamput dalawanlibo pitundaat tatlumput isa]

kaya   ito+ay   limandaan+at isa=ng milyon animnaraa+at
だから   これNOM+LIG 五百+〜と   一=LK   百万   六百+〜と

dalawampu+at dalawanlibo pitundaa+at tatlumpu+at isa
二十+〜と   二千   七百+〜と   三十+〜と   一

だからこれは5億100万と、62万2731だ」

"Limandaang milyong ano?"
[limandaaŋ miljoŋ ano]

limandaan=ng milyon=ng ano
五百=LK   百万=LK   何

「5億、何？」

"Ha? Nariyan ka pa?
[ha narijan ka pa]

ha nariyan   ka   pa
え そこにいる 君SG.NOM まだ

「え？　お前まだそこにいたのか？

Limandaa't isang milyong... hindi ko na alam...
[limandaat isaŋ miljoŋ hindi ko na ʔalam]

limandaa+at isa=ng milyon=ng hindi ko   na   alam
五十+〜と   一=LK   百万=LK   NEG   私SG.GEN すでに 知っている

5億100万って……おれは知らないよ……。

Napakarami kong trabaho!
[napakarami koŋ trabaho]

napaka-rami   ko=ng   trabaho
とても=たくさん   私SG.GEN=LK 仕事

仕事が多すぎるんだ！

Seryoso ako – ako – hindi ako interesado sa mga bagay na walang kuwenta!
[serjoso ako ako hindi ako interesado sa mga baɡaj na walaŋ kwenta]

seryoso ako   ako   hindi ako   interesado sa   mga bagay na
真剣な   私SG.NOM 私SG.NOM NEG   私SG.NOM 興味のある   LOC PL   もの   LK

wala=ng	kuwenta
何も～ない-LK	価値

おれは —— おれは真剣なんだ —— くだらないことには興味ない！

Dalawa at lima ay pito…"

[dalawa at lima aj pito]

dalawa	at	lima	ay	pito
二	～と	五	LIG	七

2足す5は7……」

"Limandaa't isang milyong ano?" inulit ng munting prinsipe na sa tanang buhay niya'y hindi kailanman hinihintuan ang isang tanong sa oras na maitanong niya ito.

[limandaat isaŋ miljoŋ ano inulit naŋ muntiŋ prinsipe na sa tanaŋ buhaj ɲaj hindi kailanman hinihintuʔan aŋ isaŋ tanoŋ sa oras na maitanoŋ ɲa ito]

limandaa+at	isa=ng	milyon=ng	ano	in-ulit	ng	muntin=ng
五百+～と	一-LK	百万-LK	何	‹OF.PF›繰り返す	GEN	小さな-LK

prinsipe	na	sa	tanan=ng	buhay	niya	ay	hindi	kailanman
王子	LK	LOC	すべて-LK	人生	彼.SG.GEN	LIG	NEG	いつでも

h‹in›ihintu-an	ang	isa=ng	tanong	sa	oras	na	mai-tanong	niya
‹IMPF›止まる-DF	NOM	一-LK	質問	LOC	時	LK	OF.INF·尋ねる	彼.SG.GEN

ito
これ.NOM

「5億100万、何？」と小さな王子さまは繰り返しました。彼は質問を一つ聞き出すとき、一生止まることはありません。

Tumunghay ang negosyante:

[tumuŋhaj aŋ negoʃante]

t‹um›unghay	ang	negosyante
見る‹AF.PF›	NOM	実業屋

実業屋は顔を上げました。

"Sa limampu't apat na taon kong pagtira sa planetang ito, tatlong beses lang akong nagagambala.

[sa limamput apat na taon koŋ paɡtira sa planetaŋ ito tatloŋ beses laŋ akoŋ nagagambala]

sa	limampu+at	apat	na	taon	ko=ng	pag-tira	sa	planeta=ng
LOC	五十‹〜と	四	LK	年	私 SG.GEN=LK	NMLZ-住む	LOC	惑星=LK

ito	tatlo=ng	beses	lang	ako=ng	na-ga~gambala
この.NOM	三=LK	回	〜だけ	私 SG.NOM=LK	OF-IMPF-邪魔する

「おれはこの星に54年住んでるが、邪魔されたのは3回しかない。

Nangyari ang una, may dalawampu't dalawang taon na ang nakalipas, dahil sa isang bubuyog na bumagsak na Diyos lamang ang may-alam kung saan galing.

[naŋjari aŋ una maj dalawamput dalawaŋ taon na aŋ nakalipas dahil sa isaŋ bubujog na bumagsak na dijos lamaŋ aŋ majʔalam kuŋ saan galiŋ]

nang-yari	ang	una	may	dalawampu+at	dalawa=ng	taon	na
AF.PF-起こる	NOM	最初の	存在する	二十‹〜と	二=LK	年	LK

ang	nakalipas	dahil	sa	isa=ng	bubuyog	na	b‹um›agsak	na
NOM	前	〜のせい	LOC	一=LK	蜂	LK	‹AF.PF›落ちる	LK

Diyos	lamang	ang	may_alam	kung	saan	galing
神さま	〜だけ	NOM	知っている	〜か	どこ	〜から

最初のが起こったのは、22年前で、落ちてきたマルハナ蜂のせいだった。どこから来たのかは神さましか知らない。

Nakakarindi ang ingay niya kaya apat na beses akong nagkamali sa pagsusuma.

[nakakarindi aŋ iŋaj ɲa kaja apat na beses akoŋ nagkamali sa pagsusuma]

nakakarindi	ang	ingay	niya	kaya	apat	na	beses	ako=ng
腹立たしい	NOM	音	その	だから	四	LK	回	私 SG.NOM=LK

nag-kamali	sa	pagsusuma
PF-間違えた	LOC	計算

そいつの音が腹立たしかったから、おれは4回も計算を間違えてしまった。

Nangyari naman ang ikalawa, labing-isang taon na ang nakaraan, dahil sa atake ng rayuma.

[naŋjari naman aŋ ikalawa labiŋisaŋ taon na aŋ nakaraan dahil sa atake naŋ rajuma]

nang-yari	naman	ang	ikalawa	labing-isa=ng	taon	na	ang	nakaraan
AF.PFV-起こる	今度は	NOM	二回目	十一=LK	年	LK	NOM	経った

dahil sa atake ng rayuma
〜のせい LOC 襲うこと GEN リウマチ

2回目のが起こったのは11年前で、リウマチに襲われたせいだった。

Kulang ako sa eksersays Wala akong panahong magpagala-gala.
足りない 私 に 運動 ない 私 時間 動かす

運動が足りなかった。体を動かす時間がなかったんだ。

Seryosong tao ako.
まじめ 人 私

おれはまじめな人間だ。

Ang ikatlong beses nama'y... heto!
〜が 三番目 回 〜というと これだ

3回目のはというと……これだ！

Sinabi ko na limandaa't isang milyon... ″
言った 私 〜と 五百と 一 百万

おれは5億100万って言ったな……」

" Milyong ano? "
　　　百万　　　何

「何が100万？」

Naintindihan ng negosyante　　na　　hindi siya makaaasang
　　理解した　　～の　　実業屋　　～ということ　NEG　彼　　期待できる
patatahimikin:
　　静かにさせる

実業屋は、小さな王子さまが静かになるのを期待することはできないと理解しました。

" Milyon ng maliliit na bagay na kung minsa'y nakikita sa langit. "
　　百万　　～の　小さな　～の　もの　～の　時　ときどき　見える　～に　空

「ときどき空に見える、100万のあの小さなものたちだ」

" Mga langaw? "
　　～たち　　蠅

「蠅のこと？」

" Hindi , maliliit na bagay na kumikislap. "
　　いや　　小さな　～の　もの　～の　輝いている

「いや、キラキラしている小さなものだ」

" Mga putakte? "
　　～たち　　蜂

「蜂のこと？」

" Hindi. Maliliit na bagay na kulay-ginto, na dahil sa kanila'y
　　ちがう　小さな　～の　もの　～の　金色　　～の　せい　～で　そいつら
nangangarap ang mga batugan.
　　夢を見ている　～が　～たち　なまけもの

「ちがう、金色の小さいものだ。そいつらのせいでなまけものたちが夢を見るようなね。

Pero seryosong tao ako.
でも　　まじめな　　人　　私

でもおれはまじめな人間だ。

Wala akong panahong mangarap. ”
ない　　私　　　時間　　　夢を見る

夢を見ている時間はない」

“ Ah！ Mga bituin? ”
　　ああ　　〜たち　　星

「ああ、星のことね？」

“ Yon nga. Mga bituin. ”
　　それ　　〜だ　〜たち　　星

「そうだ。星のことだ」

“ At ano'ng ginagawa mo sa limandaang milyong bituin? ”
　そして　　何　　している　君　〜で　　五百　　　百万　　　星

「でも5億もの星で何してるの？」

“ Limandaa't isang milyon, animnaraa't dalawampu't dalawanlibo,
　　五百と　　　一　　百万　　　　六百と　　　　二十と　　　　　二千

pitundaa't tatlumpu't　　　isa.
　七百と　　　三十と　　　　　一

「5億100万62万2731だ。

Seryosong tao ako. Eksakto ako. ”
まじめな　　人　　私　　正確　　私

おれはまじめな人間だ。間違えはしない」

" At   ano'ng   ginagawa   mo   sa   mga   bituin? "
　　そして　　何　　　している　　君　～で　～たち　星

「それで、星で何をしてるの？」

" Ang   ginagawa   ko   sa   kanila? "
　　～は　　している　　私　～に　　彼ら

「おれが何してるかって？」

" Oo. "
　　うん

「うん」

" Wala. Ako   ang   may-ari   sa kanila. "
　　ない　私　　～は　　持ち主　　～の　彼ら

「何も。おれはあれらを持ってるだけだ」

" Ikaw   ang   may-ari   ng   mga   bituin? "
　　君　～が　　持ち主　　～の　～たち　星

「きみがあの星々の持ち主なの？」

" Oo. "
　　そう

「そうだ」

" Pero   may   nakita   na   'kong   isang   haring... "
　　でも　　ある　会った　　～の　　私　　一人の　　王さま

「でもぼくある王さまに会ったけど……」

" Hindi   nag-aari   ang   mga   hari. 'Naghahari' sila. Ibang-iba
　　NEG　　持っている　～は　～たち　王さま　　治めている　　彼ら　　違う
ito. "
　これ

「王さまは持ってはいないよ。『治めている』だけだ。これは全然違うよ」

" At ano'ng mapapala mo sa pag-aari sa mga bituin? "
　　そして　　何　　恵まれる　　君　　～で　　持つこと　　～の　　～たち　　星

「でも星を持ってるとどうなるの？」

" Nagiging mayaman ako. "
　　　なる　　　お金持ち　　私

「お金持ちになるんだ」

" E, ano naman ang mapadala mo kung maging mayaman ka? "
　じゃあ　何　　なの　　～は　もたらされる　君　もし　　なる　　　お金持ち　君

「じゃあお金持ちになるとどうなるの？」

" Para makabili ng iba pang mga bituin, kung may
　～のため　　買える　　～を　他　　まだ　～たち　　星　　もし　ある

madidiskubreng iba. "
　見つけることができる　　他

「もしほかの星を見つけたら買えるようにだよ」

" Medyo katulad ng aking lasenggo ang pangangatwiran ng
ちょっと　～みたい　～の　　私の　飲んだくれ　～は　　　理屈　　　　　～の

taong ito, " sabi ng munting prinsipe sa kaniyang sarili.
　人　　この　言うこと　～の　　小さな　　王子さま　～に　　彼　　　自身

「この人の理屈は飲んだくれにちょっと似ているな」と小さな王子さまは自分に
言いました。

Ngunit may mga tanong pa siya:
　でも　　ある　～たち　　質問　　まだ　彼

でもまだ聞きたいことがありました。

" Paano makapag-aari ng mga bituin? "
　　どう　　持つことができる　　～を　～たち　　星

「どうやったら星を持てるの？」

" Kanino ba sila? sagot ng negosyante na mainit ang ulo.
誰の 　〜か それら 答え 　〜の 　実業屋 　〜の 熱い 〜が 頭

「それらは誰のかな？」と頭を熱くした実業屋は答えました。

" Hindi ko alam. Walang sinuman. "
NEG 私 知る ない 誰も

「わからないよ。誰のものでもない」

" Kung gayon, sa akin sila dahil ako ang unang nakaisip nito. "
なら そのよう 〜の 私の 彼ら なぜなら 私 〜が 最初に 考えられた これを

「それなら、おれが星を持つことを最初に考えたんだからおれのものだ」

" Gayon lang? "
そのような だけ

「それだけで？」

" S'yempre. Kung makakita ka ng isang diyamanteng walang
もちろん もし 見える 君 〜を 一つ ダイヤモンド ない

may-ari, sa 'yo na 'to.
持ち主 君の もうこれ

「もちろんだ。もしお前が持ち主のないダイヤモンドを見つけたら、これはお前
のものだ。

Kung makakita ka ng isang islang walang may-ari, sa 'yo na 'to.
もし 見える 君 〜を 一つ 島 ない 持ち主 君の もうこれ

もし持ち主のない島を見つけたら、これはお前のもの。

Kung ikaw ang unang nakaisip ng isang ideya, ipapatente
もし 君 〜が 一つの 考えた 〜を 一つ 考え 特許を取る

mo ito at sa 'yo na 'to.
君の これ そして 君の もうこれ

もしお前がある考えを最初に思いついたら、特許をとってこれもお前のものにな
る。

Kaya ako ang nag-aari sa mga bituin dahil walang iba
だから 私 ～は 持っている ～の ～たち 星 なぜなら ない 他の
kundi ako ang nakaisip ariin sila. "
～以外 私 ～が 考えられた 持つこと 彼ら

だからおれが星の持ち主だ。だっておれ以外誰も考えつかなかったから」

" Totoo nga ano... " sabi ng munting prinsipe.
本当 本当に ～だなあ 言う ～の 小さな 王子さま

「確かに……」と小さな王子さまは言いました。

" E, ano'ng ginagawa mo sa kanila? "
じゃあ 何 している 君 ～で 彼ら

「じゃあ、その星で何してるの？」

" Ako ang manedyer nila.
私 ～が 管理人 彼らの

「おれは管理人なんだ。

Binibilang ko sila at binibilang pa uli, " sabi ng negosyante.
数えている 私 彼ら そして 数えている まだ 再び 言う ～の 実業屋

あれらを数えて、また数えて」と実業屋は言いました。

" Mahirap ito. Pero seryosong tao ako! "
難しい これ でも まじめ 人 私

「これは難しいんだ。でもおれはまじめな人間だからな！」

Hindi pa rin kumbinsido ang munting prinsipe.
NEG まだ ～も 納得する ～は 小さな 王子さま

王子さまはそれでもまだ納得できませんでした。

"Ako, kung meron akong isang iskarp, puwede ko 'tong
私　　もし　　ある　　　私　　　　ある　　スカーフ　　できる　　私　　これ

ibalabal sa 'king leeg at　　dalhin.
巻く　　　私の　　首　そして　持っていく

「ぼくがもしスカーフを一つ持っていたら、首に巻きつけて持っていけるよ。

Ako, kung meron akong isang bulaklak, puwede kong pitasin
私　　もし　　ある　　　私　　　一つの　　花　　　できる　　私　　摘む

ang aking bulaklak at　　dalhin.
〜は　私の　　花　そして　持っていく

ぼくがもし花を一つ持っていたら、花を摘んで持っていけるよ。

Pero hindi mo naman mapipitas　　ang　mga bituin! "
でも　NEG　君　まあ　摘むことができる　〜は　〜たち　星

でも星を摘むことはできないじゃないか！」

"Hindi nga, pero puwede ko namang ilagay ang mga ito
NEG　〜とも　でも　できる　私　まあ　　置く　〜は　〜たち　これ

sa　bangko. "
〜に　銀行

「できないとも。でも銀行に預けることはできるよ」

"Ano naman ang ibig sabihin n'yon? "
何　　〜なの　〜は　　意味　　　その

「どういう意味？」

"Ibig sabihin n'yon e isinusulat ko sa kapirasong papel
意味　　　その　ねえ　書く　私　〜に　片　　　紙

ang bilang ng aking mga bituin.
〜が　数　〜の　私　〜たち　星

「つまりな、紙切れにおれの星の数を書いておくんだ。

At pagkatapos ay sinususian ko ang papel na ito sa
あと　　その後　　〜は　鍵をかける　私　〜は　　紙　　〜の　これ　〜に

loob ng isang drower.〝
中　〜の　一つ　引出し

そうしたら引出しの中にその紙を入れて鍵をかけておくのさ」

〝Yon lang ba?〝
それ　〜だけ　〜なの

「それだけ？」

〝Sapat na ʼyon!〝
十分　もう　それ

「それで十分さ」

〝Nakakalibang ito,〝inisip ng munting prinsipe.
楽しい　　　これ　　思う　〜の　小さな　　王子さま

「楽しいな」と小さな王子さまは思いました。

〝Medyo matulain ito pero hindi naman talagang seryoso.〝
少し　　詩的　これ　でも　NEG　あまり　本当に　大事な

「ちょっと詩的だけど、それほど大事なことじゃないや」

Ibang-iba ang mga ideya ng munting prinsipe tungkol sa
ぜんぜん違う　〜は　〜たち　考え　〜の　小さな　　王子さま　　ついて　〜に

mga seryosong bagay kaysa mga ideya ng matatanda.
〜たち　大事な　　こと　　〜より　〜たち　考え　〜の　大人たち

小さな王子さまは考えが全然違いました。大事なことについての考えが、大人たちとは。

"Meron akong isang bulaklak na dinidilig ko araw-araw,"
ある　　私　　一つ　　花　　〜の　水をやる　私　　毎日

sinabi pa ng munting prinsipe.
言った　まだ　〜の　小さな　　王子さま

「ぼく、花を持ってて、毎日水をやってるんだ」と小さな王子さまは言いました。

"Meron akong tatlong bulkan na nililinis ko linggu-linggo.
ある　　私　　三つの　　火山　　〜の　掃除する　私　　　毎週

「ぼくは火山を三つ持ってて、毎週きれいにしてる。

Sapagkat nililinis ko rin pati ang patay na bulkan.
そして　　掃除する　私　〜も　また　〜は　死んだ　〜の　火山

死火山もきれいにしてるよ。

Walang nakaaalam.
ない　　　知っている

誰にもわからないからね。

Kapaki-pakinabang para sa mga bulkan ko at kapaki-pakinabang
ためになる　　　　ため　〜の　〜たち　火山　私の　そして　　ためになる

para sa aking bulaklak na pag-aari ko sila.
ため　〜の　私の　　花　　〜の　持っていること　私の　それらを

ぼくの火山のためになったり、ぼくの花のためになったりするんだよ。ぼくが持っ
てることで。

Pero ikaw, walang pakinabang sa 'yo ang mga bituin."
でも　君　　ない　　ためになること　君に　〜は　〜たち　星

でもきみのは星のためになっていない」

Nagbukas ng bibig ang negosyante pero wala siyang mahagilap na
開けた　〜を　口　〜は　実業屋　　でも　ない　彼　　見つかる　〜の

salita para isagot, at umalis ang munting prinsipe.
言葉　ため　答える　そして　去った　〜は　小さな　　王子さま

実業屋は口を開けましたが、返す言葉が見つからず、小さな王子さまは去っていきました。

> " Talaga ngang napakaekstraordinaryo ng matatanda, " ang simpleng
> 　　本当に　本当に　　　変わっている　　　　～の　大人たち　　～は　簡単に
>
> sabi niya sa kanyang sarili sa kanyang paglalakbay.
> 言う　彼の　～に　彼　　自身　～に　彼の　　　　旅

「大人ってまったく変わってるな」と小さな王子さまは旅の中で簡単に自分に言いました。

Ching, Desiderio (1991) (tr.) *Ang Munting Prinsipe*. Quezon City: Claretian Publications. pp.43-47.

14　マレーシア語　　Bahasa Melayu

†オーストロネシア語族マラヨ・ポリネシア語派の言語です。

　音声や語彙に若干の違いはありますが、マレーシア語と次の第15章のインドネシア語は言語学的にはほとんど同じ言語です。これはどちらの国も同じマレー語(ムラユ語とも)という言語を国語として採用したためです。マレー語は本来マラッカ海峡を挟んだマレー半島南端部とスマトラ島中部、ボルネオ島の海岸部で話されてきた言語です。マラッカ海峡は東西交通の要地であり、さらにマレー語の†音素体系と†形態論の体系が比較的簡単であったために、マレー語は東の島々に広がり、各地で†ピジンや†クレオールを発達させました。同時に広くこの地域の†リンガ・フランカとして使われていました。近代に植民地となり、その後マレーシアはイギリスの、インドネシアはオランダの支配から離れたときに、両国はマレー語を国語として採用しました。両国は互いの正書法を統一することにしたため、インドネシア語とマレーシア語の正書法の規則も同じです。

音韻論と文字体系

　マレーシアでは13世紀以来ジャウィ文字という文字を使っていました。これは†アラビア文字に5文字加えてマレー語の音に対応させたものですが、母音の表記は不完全なものでした。

　音素をラテン文字正書法に音声を添えて示すと、†子音音素は /p, t, c[tʃ], k[k~ʔ], b, d, j[dʒ], g[g], m, n, ny[ɲ], ng[ŋ], f, s, sy[ʃ], kh[x], h, v, z, l, r[r~ɣ], w, y[j] / の23個、母音音素は /i, e, a[ɑ], o, u, e[ə] / の6つ、†二重母音は /ai, au, oi/ の3つです。もともとマレー語には†摩擦音の [f, ʃ, x, v, z] がありませんでしたが、アラビア語や英語からの†借用語を吸収する

過程で音素となりました。音素と文字はかなり1対1で対応しています
が、eは多くの場合 [ə] と読むものの、一部の語では [e] と読みます。
-p, -t, -k[ʔ], -b, -d, -gは語末では†内破音で発音されるので、日本語母
語話者は注意して聞かないと聞き取れません。/ h / は語末でははっき
り発音されますが、語頭や、異なった母音の間では†弱化していて、発
音 されないことがあります（putih[pute]「白い」、hujan[udʒan]「雨」、
tahu[taːuː]「知る」）。

形態論

第15章インドネシア語の概説を参照してください。

統語論

　†名詞に†格変化もなく、格を示す要素もつかないので、動詞の前後の
位置によって†主語・†目的語が†示されます。つまり†SVO†語順です。 修
飾関係は［被修飾語 修飾語］の語順で示され、形容詞や所有者名詞、指
示詞などはすべてこの語順の原則に従って後ろから修飾します（bunga
merah mereka ini 'flower red they this'「この彼らの赤い花」）。一方、†数量詞は名
詞の前に来ます（tiga jam 'three hour'「3時間」）。 これは数量詞のほうが被
修飾語と考えればやはり同じ原理（［被修飾語 - 修飾語］）で説明されます。
序数は他の形容詞と同じようにやはり後ろからかかります（jam tiga「3時
（間目）」）。 名詞述語文に†コピュラはなく、A is B は単に AB のように名
詞を並べた形となりますが、adalah（ada 'exist' + -lah 強調辞）もしくは ialah
（ia 3 人称代名詞 + -lah 強調辞）というコピュラのような機能の語を使うこ
ともできます（Ayah dia (adalah/ialah) orang Jepun. 'father he/she (COP) person Japan'
「彼のお父さんは日本人だ」（野元・アズヌール アイシャ (2016: 182) による））。
上述したように名詞句内部の語の順序には規則があり、指示代名詞は
必ず一番外側（名詞から最も遠いところ）に来ます。そのためさらに後ろ
から修飾されることはなく、後ろに名詞が来れば名詞述語文になりま
す（Orang itu ayah dia. 'person that father he/she'「あの人は彼（女）のお父さんだ」

（野元・アズヌール アイシャ (2016: 183) による、「彼（女）のお父さんのあの人」という名詞句には解釈されません））。形容詞と代名詞は修飾関係にはなりません（Ini penting.「これは重要だ」、Penting ini.「重要だ、これは」）。このような場合をはじめ、文の理解には†イントネーションが重要な役割を果たします。

　動詞に†アスペクトや†モダリティは標示されません。下記のような副詞によって†分析的に示されます。sudah［完了］（Dia **sudah** datang.「彼はもう来た」）、sedang［進行］（Dia **sedang** berlari.「彼は走っています」）、akan［予見・推量］（Dia **akan** pergi.「彼は行くだろう」）、hendak［将然］（Kapal **hendak** berangkat.「船は出発しようとしている」）などの副詞で示されます。†テンスもないので、これも時の副詞や文脈によって判断されます（Dia datang **kemarin**.「彼は昨日来た」）。

　副詞は動詞の前に置かれて、動詞を修飾します。副詞と名詞も修飾関係にはなりません（Besi **sangat** keras.「鉄は非常に硬い」）。

　主語・目的語以外の機能の名詞と動詞との関係は、†前置詞によって示されます（**di** sekolah「学校で」、**ke** sekolah「学校へ」、**dari** sekolah「学校から」、**untuk** rakan「友達のために」、**tentang** rakan「友達について」、**dengan** tangan「手で」）。

語　彙

　「人」は orang、「米」は nasi、「魚」は ikan といいます。「人はおらん、米はなし、魚はいかん」となっていて、おもしろいですね。ちなみに orang hutan「オランウータン」はこの言語での「森の人」から来ています。

正保 (1998)「マレーシア語」（①所収）、野元・アズヌール アイシャ (2016)「マレーシア語の焦点表現と名詞述語文」（⑪所収）

Putera Cilik

14

Planet yang kelima sangat pelik sifatnya.
[planet jaŋ kəlima saŋat pəliʔ sifatɲa]

planet	yang	ke-lima	sangat	pelik	sifat-nya
惑星	REL	ORD-五	非常に	奇妙な	特徴-その

5番目の星は非常に変わっていました。

Ianya planet yang paling kecil antara semuanya.
[iaɲa planet jaŋ paliŋ kecil antara semuaɲa]

ia-nya	planet	yang	paling	kecil	antara	semua-nya
それ-その	惑星	REL	最も	小さな	〜の間で	すべて-その

それはすべての中で最も小さな星でした。

Datarannya hanya cukup untuk menjadi asas kepada sebatang lampu jalan dan juga alat pencucuhnya.
[dataranɲa haɲa tʃukup untuʔ məndʒadi asas kəpada səbataŋ lampu dʒalan dan dʒuga alat pəntʃutʃuhɲa]

dataran-nya	hanya	cukup	untuk	meN-jadi	asas	kepada	se-batang
平地-その	〜だけ	十分な	〜のため	VT-なる	基本	〜へ	一棒

lampu	jalan	dan	juga	alat	pen-cucuh-nya
ランプ	道	そして	また	道具	人-灯す-その

その平地は1本の街灯とその点灯人のためだけに十分な広さとなっていました。

Putera Cilik tidak punya sebarang idea untuk dirangkumkan mengenai lampu jalan dan juga pencucuhnya itu, di antara lapangan angkasa ini, di planet yang tidak didiami oleh sesiapa, dan tidak punya sebuah rumah pun.
[putəra tʃiliʔ tidaʔ puɲa səbaraŋ idea untuʔ diraŋkumkan məŋənai lampu dʒalan dan dʒuga pəntʃutʃuhɲa itu di antara lapaŋan aŋkasa ini di planet jaŋ tidaʔ didiami oleh səsiapa dan tidaʔ puɲa səbuah rumah pun]

putera	cilik	tidak	punya	se-baraŋ	idea	untuk	di-rangkum-kan
王子	小さな	NEG	持つ	一-物	考え	〜のため	PASS-まとめる-VT

meN-kena-i	lampu	jalan	dan	juga	pen-cucuh-nya	itu	di
VT-あたる-APPL	ランプ	道	そして	また	人-灯す-その	その	〜で

antara	lapang-an	angkasa	ini	di	planet	yang	tidak	di-diam-i
〜の間で	広い-NMLZ	空	この	〜で	惑星	REL	NEG	PASS-住む-APPL

oleh	se~siapa	dan	tidak	punya	se-buah	rumah	pun
〜によって	RD-誰	そして	NEG	持つ	一-個	家	〜さえ

小さな王子さまは、この広い空での、誰も住んでおらず、一つの家もない惑星での街灯とその点灯人についてのまとまった考えを持っていませんでした。

Tapi dia katakan kepada dirinya, tidak kiralah, walau bagaimana sekalipun:

[tapi dia katakan kǝpada diriɲa tidaʔ kiralah walau baɡaimana sǝkalipun]

tapi	dia	kata-kan	kepada	diri-nya	tidak	kira-lah	walau
しかし	彼	話す-VT	〜へ	自分-彼の	NEG	推量する-EMP	たとえ

bagaimana	sekalipun
どのように	〜さえ

しかし、彼は自分自身に気にしないで話しかけました。

"Sepelik-pelik orang ini pun…" dia tidaklah sepelik raja, lelaki yang bangga diri, ahli perniagaan dan pemabuk itu.

[sǝpǝliʔ pǝliʔ oraŋ ini pun dia tidaklah sǝpǝliʔ radʒa lǝlaki jaŋ baŋɡa diri ahli pǝrniagaan dan pǝmabuʔ itu]

se-pelik~pelik	orang	ini	pun	dia	tidak-lah	se-pelik	raja
同じくらい-不気味-RD	人	この	〜さえ	彼	NEG-EMP	同じくらい-不気味	王

lelaki	yang	bangga	diri	ahli	per-niaga-an	dan	pe-mabuk	itu
男	REL	自慢の	自分	専門家	ABST-商売する-ABST	そして	人-泥酔	あの

「この人も同じくらい不気味だ……」 彼は王さまや自慢の男 [虚栄心の強い男のこと] や、実業家や酔っ払いよりは不気味ではありません。

Sekurang-kurangnya, kerjanya ada juga manfaatnya.

[sǝkuraŋ kuraŋɲa kǝrdʒaɲa ada dʒuɡa manfaʔatɲa]

se-kurang~kurang-nya	kerja-nya	ada	juga	manfaat-nya
ADV-足りない-RD-ADV	働き-その	ある	また	有益-彼の

少なくとも彼の働きも有益です。

Apabila dia menyalakan lampu jalannya, lagaknya itu seperti menghidupkan sebutir bintang, atau sekuntum bunga.

[apabila dia mənalakan lampu dʒalanɲa lagakɲa itu səpərti məŋhidupkan səbutir bintaŋ atau səkuntum buɲa]

apabila	dia	meN-nyala-kan	lampu	jalan-nya	lagak-nya	itu	seperti
～する時	彼	VT-炎-VT	ランプ	道-彼の	行動-その	それ	まるで

meN-hidup-kan	se-butir	bintang	atau	se-kuntum	bunga
VT-生き生きしている-VT	一-粒	星	または	一-蕾	花

彼が街灯を灯すというのは、まるで一つの星や一つの花を生き生きさせるようなものなのです。

Apabila dia memadamkan lampunya itu, dia umpama membiarkan bunga dan bintang itu tidur.

[apabila dia məmadamkan lampuɲa itu dia umpama məmbiarkan buɲa dan bintaŋ itu tidur]

apabila	dia	meN-padam-kan	lampu-nya	itu	dia	umpama
～する時	彼	VT-消す-VT	ランプ-彼の	その	彼	たとえ

meN-biar-kan	bunga	dan	bintang	itu	tidur
VT-させる-VT	花	そして	星	その	寝る

彼が街灯を消すということは、まるで花や星を眠らせるようなものです。

Itulah indahnya pekerjaannya.

[itulah indahɲa pəkərdʒaanɲa]

itu-lah	indah-nya	pe-kerja-an-nya
それ-EMP	美しい-その	ABST-仕事-ABST-彼の

それが彼の仕事の美しさです。

Dan sungguhnya, apa yang dia lakukan itu sangat indah dah゚ juga cukup berguna.

[dan suŋguhɲa apa jaŋ dia lakukan itu saɲat indah dah dʒuga tʃukup bərguna]

dan	sungguh-nya	apa	yang	dia	laku-kan	itu	sangat
そして	本当の-ADV	何	REL	彼	行動-VT	それ	非常に

indah	dan	juga	cukup	ber-guna
美しい	そして	また	非常に	VI-利益

そして彼がしたことは非常に美しく、また非常に便利です。

＊原著では dah となっていますが、正しくは dan だと思われるため、分析では修正してあります。

Sewaktu dia sampai ke planet itu, dia terus menyapa penyala api itu dengan hormat.

[səwaʔtu dia sampai kə planet itu dia tərus məɲapa peɲala api itu dəŋan hormat]

se-waktu	dia	sampai	ke	planet	itu	dia	terus	meN-sapa
時点-時	彼	着く	〜へ	惑星	その	彼	続く	VT-話しかける

pe-nyala	api	itu	dengan	hormat
人-炎	火	その	〜に	尊敬

彼がその星に着いたとき、その点灯人に尊敬をもって話しかけ続けました。

"Selamat pagi. Kenapa kamu padamkan lampu itu?"

[səlamat pagi kənapa kamu padamkan lampu itu]

selamat	pagi	kenapa	kamu	padam-kan	lampu	itu
無事	朝	なぜ	君	消す-VT	ランプ	その

「おはようございます。どうしてきみは街灯を消したの？」

"Itulah arahannya," jawab lelaki itu. "Selamat pagi."

[itulah arahanɲa dʒawap ləlaki itu səlamat pagi]

itu-lah	arahan-nya	jawab	lelaki	itu	selamat	pagi
それ-EMP	命令-その	答える	男	その	無事	朝

「それは命令だからだよ」とその男は答えました。「おはよう」

"Arahannya ialah untuk saya memadam lampu tersebut. Selamat petang."

[arahanɲa ialah untuʔ saya məmadam lampu tərsəbut səlamat pətaŋ]

arahan-nya	ialah	untuk	saya	meN-padam	lampu	ter-sebut
命令-その	〜だ-EMP	〜のために	私	VT-消す	ランプ	PASS-述べる

selamat	petang
無事	夕方

「その街灯を消すという命令だよ。こんばんは」

Dan kemudian dia nyalakan lampu itu sekali lagi.

[dan kəmudian dia ɲalakan lampu itu səkali lagi]

dan	kemudian	dia	nyala-kan	lampu	itu	se-kali	lagi
そして	それから	彼	炎-VT	ランプ	その	一回	再び

それから彼はもう一度街灯を灯しました。

"Tetapi kenapa kamu nyalakannya sekali lagi?"

[tətapi kənapa kamu ɲalakanɲa səkali lagi]

tetapi	kenapa	kamu	nyala-kan-nya	se-kali	lagi
しかし	なぜ	君	炎-VT-その	一回	再び

「しかしどうしてもう一度灯したの？」

"Itulah arahannya," jawab lelaki pencucuh itu.

[itulah arahanɲa dʒawap ləlaki pəntʃutʃuh itu]

itu-lah	arahan-nya	jawab	lelaki	pen-cucuh	itu
それ-EMP	命令-その	答える	男	人-灯す	その

「それは命令だからだよ」とその点灯人の男は答えました。

"Saya tidak faham," kata Putera Cilik.

[saja tidaʔ faham kata putəra tʃiliʔ]

saya	tidak	faham	kata	putera	cilik
私	NEG	わかる	言う	王子	小さな

「わからないな」と小さな王子さまは言いました。

"Tidak ada apa yang perlu difahamkan," kata lelaki itu.

[tidaʔ ada apa jaŋ pərlu difahamkan kata ləlaki itu]

tidak	ada	apa	yang	perlu	di-faham-kan	kata	lelaki	itu
NEG	ある	何	REL	～する必要がある	PASS-わかる-VT	言う	男	その

「君は何もわかる必要はない」とその男は言いました。

"Arahan tetap arahan. Selamat pagi."

[arahan tətap arahan səlamat pagi]

arahan tetap arahan selamat pagi
命令　　常に　　命令　　無事　　朝

「命令は命令なんだよ。おはよう」

　　Lalu dia padamkan lampunya.
　　それから　彼　　消す　　彼のランプ

それから街灯を消しました。

Selepas itu, dia sapu dahinya dengan sapu tangan bercorak
　その後　　それ　彼　払う　彼の額　　　〜で　　　ハンカチ　　模様がある

petak-petak merah.
　区画-RD　　　赤い

その後、彼は赤い碁盤柄のハンカチでひたいを払いました。

" Saya melakukan kerja yang teruk sekali.
　　私　　　行う　　　仕事　　REL　極端な　非常に

「私はとても極端な仕事をしているんだ。

Dulu, kerja ini masih lagi munasabah.
以前　仕事　この　まだ　まだ　　合理的

以前はこの仕事はまだ合理的だったんだけど。

Saya padam lampu ini　di　pagi hari, dan　bila　petang
　私　　消す　ランプ　その　～に　　朝　　日　そして　時　　夕方

menginjak, saya nyalakannya.
　踏む　　　私　　それを灯す

朝には街灯を消し、夕方になると灯していた。

Waktu-waktu selebihnya, saya　boleh　beristirahat dan　di
　　　時 RD　　　　その残り　　私　～してもよい　　休む　　そして　～に

waktu malam, saya　boleh　tidur. "
　時　　夜　　私　～してもよい　寝る

残りの時間は休んでよかったし、夜は寝てもよかったんだ」

" Dan arahan ini sudah berubah sejak waktu itu? "
　そして　命令　この　すでに　変わる　以来　時　その

「じゃあこの命令はそのとき以来変わってしまったの？」

" Arahan ini tidak berubah, " kata　lelak pencucuh itu.
　命令　この　NEG　変わる　　言う　男　点灯人　その

「命令は変わっていないよ」と点灯人の男は言いました。

" Itulah　masalahnya !
　それこそ　　その問題

「それが問題なんだ！

Dari setahun ke setahun planet ini makin cepat putarannya
~から 一年 ~へ 一年 惑星 この ますます 速い その旋回

dan arahan ini tidak pernah berubah! ”
そして 命令 この NEG かつて 変わる

年々星の回転は速くなっているんだけど、この命令は変わったことがない！」

“ Jadi, maksudnya? ” tanya Putera Cilik.
では その目的 尋ねる 王子 小さな

「じゃあその目的は？」と小さな王子さまは尋ねました。

“ Jadi - planet ini melakukan putaran penuh setiap minit, dan
では 惑星 この 行う 旋回 十分 一毎 分 そして

saya tidak punya satu saat pun untuk berehat.
私 NEG 持つ 一 秒 ~さえ ~のために 休む

「つまり星が毎分完全に回転するから、私は休む時間さえないんだ。

Setiap satu minit, saya perlu menyalakan dan
一毎 一 分 私 ~する必要がある 灯す そして

memadamkan lampu ini! ”
消す ランプ この

1分毎に私はこの街灯を灯したり消したりしなければいけない！」

“ Ini sememangnya sangat lucu!
これ 確かに 非常に 滑稽な

「これは非常に滑稽だ！

Satu hari hanya satu minit panjangnya, di tempat kamu
一 日 ほんの 一 分 長さ ~で 場所 君

tinggal! ”
住む

きみのところでは1日が1分だけだなんて！」

"Ini bukanlah sesuatu yang lucu langsung!" kata lelaki itu.
これ　NEG　　　　何か　REL　滑稽な　まったく　言う　男　　その

「これはまったく滑稽なことではない！」と男は言いました。

"Sudah sebulan berlalu sejak kita mula berbicara."
すでに　一ヶ月　経つ　～から　私たち　始める　話す

「私たちが話し始めてからすでに1ヶ月が経ったよ」

"Sebulan?"
一ヶ月

「1ヶ月だって？」

"Ya, sebulan. Tiga puluh minit. Tiga puluh hari. Selamat petang."
はい　一月　三　十　分　三　十　日　無事　夕方

「ああ、1ヶ月。30分。30日。こんばんは」

Dan dia nyalakan lampu itu sekali lagi.
そして　彼　灯す　ランプ　その　一回　再び

そして彼はもう一度街灯を灯しました。

Di kala Putera Cilik meneliti perbuatan lelaki pencucuh itu,
～で　時　王子　小さな　調査する　行動　男　点灯人　その

dia jatuh sayang dan kagum dengan lelaki ini, yang sangat
彼　落ちる　愛情　そして　驚く　～に　男　この　REL　非常に

patuh akan perintah yang dia terima.
忠実な　～に対して　命令　REL　彼　受ける

小さな王子さまは点灯人の行動を見て、受け取った命令を忠実に実行するこの男を好きになりました。

Teringat Putera Cilik akan terbenamnya matahari yang dia
思い出す　王子　小さな　～だろう　沈むこと　太陽　REL　彼

perlu cari, dia hanya perlu menggerakkan
～する必要がある　探す　彼　ほんの　～する必要がある　動かす

kerusinya   sedikit;   dan   dia   tekad   mahu   membantu
彼の椅子　　少し　　そして　彼　決心する　〜したい　　助ける

sahabatnya   ini.
彼の友達　　この

突然、小さな王子さまは探している太陽が沈んでしまうと思い、ほんの少し椅子
を動かす必要がありました。そして彼は友達を助けることを決心しました。

" Tahukah   kamu, " katanya, " saya   boleh   cadangkan   bagaimana
知っているか　君　　言う　　私　〜してもよい　提案する　　どのように

cara   untuk   kamu   rehat   jika   kamu   mahu... "
方法　〜のために　君　　休む　もし　　君　　〜したい

「きみは知ってるかな？」と言いました。「もし休みたいなら休む方法を教えてあ
げてもいいけど……」

" Saya   sentiasa   mahu   berehat, " kata   lelaki   pencucuh   itu. "
私　　いつも　　〜したい　休む　　言う　男　　点灯人　　その

「私はいつでも休みたい」と点灯人の男は言いました。

Adalah   tidak   mustahil   untuk   seseorang   itu   patuh   taat
〜だ　NEG　不可能な　〜のために　　誰か　　その　忠実　服従する

dan   juga   bermalas-malasan   pada   masa   yang   sama.
そして　また　　　怠ける　　　〜に　　時　　REL　　同じ

人は忠実であると同時に怠けがちであるということも不可能ではありません。

Putera   Cilik   menyambung   bicaranya:
王子　　小さな　　つなぐ　　　話す

小さな王子さまは話し続けました。

" Planet   kamu   ini   sangatlah   kecil,   hanya   dengan   tiga
惑星　　君　　この　　非常に　　小さな　ほんの　〜で　　三

langkah,   sudah   cukup   untuk   kamu   sampai   ke   titik   mula.
歩　　　すでに　十分に　〜のために　君　　届く　　〜へ　点　　始まり

「きみのこの星は非常に小さくて、ほんの3歩で始まりの地点に届くね。

Maka, untuk sentiasa berada di bawah sinaran mentari, kamu
だから ～のために いつも いる ～に 下 放射線 太陽 君

hanya perlu berjalan perlahan-lahan.
ほんの ～する必要がある 歩く ゆっくり

「だから、太陽の下でゆっくりと歩くだけだよ。

Apa bila kamu mahu berehat, kamu hanya perlu berjalan
時 君 ～したい 休む 君 ほんの ～する必要がある 歩く

- dan hari kamu akan menjadi panjang, sepanjang yang
そして 日 君 ～するつもりだ なる 長い 同じくらい長い REL

kamu mahukan. ”
君 欲する

もしきみが休みたいなら、歩く必要しかない。そうすれば、きみの日は望む限り
長くなるだろうね」

“ Tapi, hal ini tidak bawa begitu banyak kebaikan kepada
しかし こと この NEG 持ってくる そんなに 多い 良さ ～へ

saya, ” kata lelaki pencucuh itu.
私 言う 男 点灯人 その

「しかし、このことは私にとってそんなに良くはないよ」と点灯人の男は言いま
した。

“ Salah satu perkara yang saya suka lakukan ialah tidur. ”
間違い 一 事態 REL 私 好きだ 行動 ～だ 寝る

「私の好きなことは寝ることなんだ」

“ Maka malanglah diri kamu, ” kata Putera Cilik.
だから 不幸 自分 君 言う 王子 小さな

「だからきみは不幸なんだ」と小さな王子さまは言いました。

“ Saya memang sangat malang, ” kata lelaki pencucuh itu.
私 確かに 非常に 不幸 言う 男 点灯人 その

「私は確かに不幸だ」と点灯人の男は言いました。

"Selamat pagi." Bingkas dia memadam lampunya.
　　無事　　　朝　　さっと　彼　　消す　　彼のランプ

「おはよう」と彼は街灯を消しました。

"Lelaki itu," bicara Putera Cilik sendiri, sambil dia berjalan
　男　その　　話す　王子　小さな　自身　〜しながら　彼　歩く

menyambung perjalanannya, "lelaki itu pastinya akan
　　つなぐ　　　　彼の旅　　　男　その　確実に　〜するだろう

dipulau oleh orang yang lain: oleh raja, oleh lelaki
孤立させられる　〜によって　人　REL　他の　〜によって　王　〜によって　男

yang bangga diri, oleh pemabuk, dan juga oleh ahli
REL　自慢の　自分　〜によって　酔っ払い　そして　また　〜によって　専門家

perniagaan.
　商人

「あの男は」と小さな王子さまは旅を続けながら自分に話しかけました。「あの男は王さまや自慢の男や、酔っ払いや実業家といったほかの人によって、きっとのけものにされるだろう。

Walaupun begitu, pada saya, dialah satu-satunya antara
　〜だが　そのような　〜に　私　彼　唯一の　　〜の間で

mereka yang pada saya tidaklah begitu tidak masuk akal.
彼ら　REL　〜に　私　NEG　そのような　NEG　入る　理屈

そのようだったけど、ぼくにとって彼は愚かではない唯一の人だった。

Mungkin sebab dia jelas memikirkan sesuatu selain daripada
おそらく　だから　彼　明らかな　考える　　何か　別に　〜より

dirinya sendiri."
彼自身　自身

たぶん彼は自分自身以外の何かについて明確に考えているからかもしれない」

Dia menghela senafas kekesalan, dan berkata kepada dirinya
彼　引きずる　一息　後悔　そして　言う　〜へ　彼自身

lagi:
再び

彼はため息をついて、自分自身に語りかけました。

" Lelaki itulah satu-satunya, antara mereka semua yang
　男　　その　　唯一の　　　　～の間で　彼ら　　すべて　　REL

mungkin boleh saya jadikan sahabat.
おそらく　～してもよい　私　　する　　友達

「あの男は唯一彼らの中で友達になれたかもしれないな。

Tetapi planetnya teramatlah kecil.
しかし　　彼の惑星　　　非常に　　　小さい

でも、彼の星は非常に小さいから。

Tiada ruang untuk menampung dua orang pada satu-satu
ない　　空間　　～のために　受け入れる　　二　　人　　～に　　一-RD

masa... "
　時

一度に2人を受け入れるだけの余地はないな……」

Apa yang Putera Cilik tidak berani mahu nyatakan ialah dia
何　　REL　　王子　　小さな　NEG　勇気がある　～したい　明らかにする　～だ　彼

paling sedih mahu meninggalkan planet ini kerana planet
最も　　悲しい　～したい　　離れる　　　惑星　この　なぜなら　惑星

ini dianugerahkan dengan 1440 [seribu empat ratus empat
この　　送られる　　～で　　1440　一千　　四　　百　　四

puluh] kali matahari terbenam!
　十　　　回　　太陽　　　沈む

小さな王子さまがあえて明らかにしなかったことは、星が1440回の夕焼けで照らされたので、星を離れるのがもっとも悲しいということなのです！

Ezzah Mahmud (2015) (tr.) *Putera Cilik*. Shah Alam: Peanutzin. pp.75-80.

15　インドネシア語 Bahasa Indonesia

インドネシアには700以上とも言われるほど多くの言語があります。そのためインドネシア語を母語とする人の割合は低く、インドネシア語を第2言語、もしくは第3言語として習得する人がたくさんいます。小学校教育の初めの3年間にはアチェ語、バタク語、スンダ語、ジャワ語、マドゥラ語、バリ語、マカッサル語、ブギス語などが公認の言語とされていて、もっとも大きい使用人口を持つジャワ語の話者は総人口の40パーセント近いと考えられます。

音韻論と文字体系

第14章マレーシア語の概説を参照してください。

形態論

†膠着的な接辞の付加を除けば†孤立的な言語で、名詞の†形態的手法には†重複と（派生の）†接辞があるだけです。しかし重複には次のような多様な機能があります（［複数性］anak～anak 'child～child'「子供たち」、［類似性］mobil～mobil-an 'car～car-NMLZ'「車のおもちゃ」、［強調］pagi～pagi 'morning～morning'「朝早く」、［無目的］ber-jalan～jalan 'VI-walk～walk'「ぶらぶら歩く」、［相互］tolong～menolong（＜tolong～meN-tolong, meN- については後述 'help～VT-help'「助け合う」）。

1人称の人称代名詞には aku の他に名詞から転用されたものが多くあり、例えばよく使われている saya の語源は「奴隷」です（なお日本語の「僕」の語源も「しもべ」という意味の語です）。年上や初対面の人に2人称の人称代名詞を使うことは好まれず、ibu「母」、bapak「父」などが使われます。

Indonesian

1人称複数の代名詞には†包括形（kita（INCL）：あなたを含む私たち）と†除外形（kami（EXCL）：あなたを含まない私たち）の区別があります（Kita bangsa Asia.「（あなたがたインドネシア人も私たち日本人も共に）我々はアジア人です」vs. Kami bangsa Jepang.「（あなたがたはインドネシア人ですが）我々は日本人です」）。

　動詞は重複のほか、†接頭辞、†接尾辞をとり、さらに接頭辞と接尾辞の組み合わせで一定の意味を示すもの（つまり†接周辞）があります。†受動態の接頭辞は di-（di-lihat「～は～が見る」）、非意図的な動作の†完了は ter-（ter-lihat「ふと見る、うっかり見てしまう」）です。†自動詞は ber- で作ることができます。この接頭辞によってさまざまな名詞が簡単に動詞になります（kata「言葉」> ber-kata「言う」、jalan「道」> ber-jalan「進む」、malam「夜」> ber-malam「泊まる」）。†適用態に -kan と -i があり、前者は動くものを対象にし（me-masuk-kan「～を入れる」< masuk「入る」me- については後述）、後者は静止したものや標的を対象に取り上げます（me-masuk-i「～に入る」）。ke- -an の組み合わせによって、日本語における被害の†受身のような表現を作ることができます（ke-lihat-an「見える」）。一般的に†他動詞は接頭辞 meN- をとります（N の部分は下記のようにさまざまに姿を変えるので大文字で代表させておくことにします）。この接頭辞はさらに名詞などから類似・状態の形容詞（busur「弓」> mem-busur「弓のような、曲がった」）や、ある状態になるという意味の自動詞（dekat「近い」> men-dekat「近くなる」）を作るのにも用いられます。meN- は†語幹の語頭の音が†無声音 p, t, k であればそれを同じ†調音位置の鼻音に替え、s の場合は ny に替え、子音自体（p/t/k/s）は†脱落します（paku「釘」> me-maku「釘を打つ」、timba「バケツ」> me-nimba「バケツで水を汲む」、ketam「鉋」> me-ngetam「鉋をかける」、sendok「さじ」> me-nyendok「さじですくう」）、†有声音 b, d, g, j と無声音 c と h の場合はその前で同じもしくは近い調音位置の†鼻音となって現れます（上記の mem-busur や men-dekat を参照）。そのほかにもさまざまな接頭辞や接尾辞、重複、およびその組み合わせによって、動詞から名詞を†派生させたり、†相互の表現を作ったりすることができます（peng-lihat-an「視覚・視力」、me-lihat-lihat「見物する」、ber-lihat-lihat-an「互いに見合わす」（ただし使用はまれ）、ke-lihat-an-nya「～のようである」）（牛江（1975: 22）による）。

統語論

†否定を示す語に4種類の区別があり、bukan は（代）名詞の否定、聞き手の予想の否定に使われ、tidak は（代）名詞以外の否定、陳述や意志の否定を示し、jangan は願望の否定、belum は「まだ～（してい）ない」のような未然の意味の否定を示します（Itu **bukan** buku saya. 'that not book I'「それは私の本ではない」、Dia **tidak** datang. '(s)he not come'「彼（女）は来ない」、Buku inu **tidak** baik. 'book this not good'「この本は良くない」、**Jangan** datang! 'not come'「来るな」、Dia **belum** datang. '(s)he not.yet come'「彼（女）はまだ来ていない」）。

時間に沿った動作の連続は、間に何も用いずに単に動詞を続けることもできますが、dan を使うこともできます（Saya pulang ke rumah, menonton TV (**dan**) kemudian tidur. 'I return to home watch TV and then sleep'「私は家に帰ってテレビを見て寝た」）。節による名詞修飾には関係代名詞 yang が使われます（buku yang saya beli kemarin 'book that I buy yesterday'「昨日私が買った本」）。

†Yes/No 疑問文は疑問の†イントネーションに変えることで作ります。-kah を文末につけることによっても Yes/No 疑問文を作ることができますが、この場合、-kah をつける位置によって†疑問の焦点を明示することができます（Dia datang besokkah? '(s)he come tomorrow- INTER「彼（女）は明日来ますか？」、Besokkah　dia　datang?「彼（女）が来るのは明日ですか？」、Datangkah dia besok?「明日彼（女）は来るんですか？」、Diakah yang datang besok?「明日来るのは彼（女）ですか？」）。†疑問詞疑問文には疑問詞を使えばよいのですが、主語を聞く場合には関係詞（yang）を使った表現にする必要があります（**Apa** ini? 'what this'「何これ？」、Anda makan **apa**? 'you eat what'「あなたは何を食べる？」、Di **mana** dia pergi? 'at where (s)he go'「どこへ彼（女）は行くのか？」、Si**apa yang** makan durian? 'who that eat durian'「ドリアンを食べるのは誰？」）（降幡 (2005: 120-121) による）。

牛江 (1975)、降幡 (2005)（②所収）

Pangeran Kecil

15

Planet keenam sepuluh kali lebih besar daripada planet sebelumnya.
[planet kəənam səpuluh kali ləbih bəsar daripada planet səbəlumɲa]

planet	ke-enam	se-puluh	kali	lebih	besar	daripada	sebelum-nya
惑星	ORD-六	一-十	回	比較	大きな	〜より	前の-それ

6番目の星は前の星よりも10倍大きなものでした。

Planet itu dihuni seorang pria tua yang menulis buku-buku besar.
[planet itu dihuni səoraŋ pria tua jaŋ mənulis bukubuku bəsar]

plenet	itu	di-huni	se-orang	pria	tua	yang	meN-tulis	buku~buku
惑星	その	PASS-住む	一-人	男	年老いた	REL	VT-書く	本-RD

besar
大きな

その星は大きな本を書いている、1人の年老いた男によって住まわれていました。

”Wah! Ada penjelajah datang!” serunya kepada diri sendiri ketika dia
melihat pangeran kecil.
[wah ada pəndʒəladʒah dataŋ səruɲa kəpada diri sendiri kətika dia məlihat paŋeran kətʃil]

wah	ada	pen-jelajah	datang	seru-nya	kepada	diri	sendiri	ketika
わあ	いる	〜する人-探検する	来る	叫ぶ-それ	〜に	自分	自身	時

dia	meN-lihat	pangeran	kecil
彼	VT-見る	王子	小さな

「わあ！　探検家が来たか」と、小さな王子さまを見て、自分自身に叫びました。

Pangeran kecil duduk di atas meja dan terengah sedikit.
[paŋeran kətʃil dudu? di atas medʒa dan tərəŋah sədikit]

pangeran	kecil	duduk	di	atas	meja	dan	ter-engah	sedikit
王子	小さな	座る	〜に	上	机	そして	SPON-息を切らす	少し

小さな王子さまは机に座り、少し息を切らしました。

Dia telah melakukan perjalanan sangat jauh.

[dia təlah məlakukan pərdʒalanan saŋat dʒauh]

dia	telah	meN-laku-kan	per-jalan-an	sangat	jauh
彼	すでに	VT-行う-VT	ABST-道-ABST	とても	遠い

彼はすでにとても遠い旅をしていました。

"Dari mana kau datang?" tanya si pria tua.

[dari mana kau dataŋ taɲa si pria tua]

dari	mana	kau	datang	tanya	si	pria	tua
～から	どこ	君	来る	尋ねる	～さん	男	年老いた

「君はどこから来たんだ？」と年老いたおじさんは尋ねました。

"Buku apa yang besar itu?" tanya pangeran kecil.

[buku apa jaŋ bəsar itu taɲa paŋeran kətʃil]

buku	apa	yang	besar	itu	tanya	pangeran	kecil
本	何	REL	大きい	その	尋ねる	王子	小さな

「その大きな本は何？」と小さな王子さまは尋ねました。

"Apa yang kaulakukan di sini?"

[apa jaŋ kaulakukan di sini]

apa	yang	kau=laku-kan	di	sini
何	REL	君=する-VT	～に	ここ

「ここでしているのは何？」

"Aku geografer," kata si pria tua.

[aku geografər kata si pria tua]

aku	geografer	kata	si	pria	tua
私	地理学者	言う	～さん	男	年老いた

「私は地理学者だ」とおじさんは言いました。

"Apa itu geografer?"
[apa itu geografər]

apa	itu	geografer
何	それ	地理学者

「地理学者って何？」

"Geografer adalah orang terpelajar yang tahu di mana letak semua laut, sungai, kota, gunung, dan gurun."
[geografər adalah oraŋ tərpəladʒar jaŋ tahu di mana ləta? səmua lauʈ suŋai kota gunuŋ dan gurun]

geografər	adalah	orang	ter-belajar	yang	tahu	di	mana	letak
地理学者	～だ	人	PASS-学ぶ	REL	知る	～に	どこ	位置

semua	laut	sungai	kota	gunung	dan	gurun
全て	海	川	町	山	そして	砂漠

「地理学者とは、海、川、町、山、そして砂漠が全部どこにあるか知っている、教養のある人だ」

"Wah, itu menarik sekali," kata pangeran kecil.
[wah itu mənari? səkali kata paŋeran kətʃil]

wah	itu	meN-tarik	sekali	kata	pangeran	kecil
わあ	それ	VT-惹きつける	とても	言う	王子	小さな

「わあ、それはとても興味深い」と小さな王子さまは言いました。

"Ini baru benar-benar profesi!"
[ini baru bənar bənar profesi]

ini	baru	benar~benar	profesi
これ	こそ	本当-RD	職業

「これこそ本当の職業だ！」

Dan pangeran kecil memandang berkeliling planet si geografer.
[dan paŋeran kətʃil məmandaŋ bərkəliliŋ planeʈ si geografər]

dan	pangeran	kecil	meN-pandang	ber-keliling	planet	si	geografer
そして	王子	小さな	VT-見る	VI-回る	惑星	～さん	地理学者

そして小さな王子さまは地理学者の星を見回しました。

Belum pernah dia melihat planet semegah itu.

[bəlum pərnah dia məlihat planet səməgah itu]

belum	pernah	dia	meN-lihat	planet	se-megah	itu
まだ～ない	かつて	彼	VT-見る	惑星	同じくらい-立派	それ

彼はそんなに立派な星をいまだかつて見たことがありませんでした。

"Planetmu sungguh indah. Apakah planetmu punya lautan?"

[planetmu suŋguh indah apakah planetmu puɲa lautan]

planet=mu	sungguh	indah	apakah	planet=mu	punya	lautan
惑星-君の	本当に	美しい	～か	惑星-君の	持つ	海

「きみの星は本当に美しいね。きみの星に海はある？」

"Aku tak tahu," kata si geografer.

[aku taʔ tahu kata si geografər]

aku	tak	tahu	kata	si	geografer
私	NEG	知る	言う	～さん	地理学者

「私は知らない」と地理学者は言いました。

"Ah!" (pangeran kecil kecewa.) "Dan gunung?"

[ah paŋeran kətʃil kətʃewa dan gunuŋ]

ah	pangeran	kecil	kecewa	dan	gunung
ああ	王子	小さな	がっかりする	そして	山

「ああ」（小さな王子さまはがっかりしました）「じゃあ山は？」

"Aku tak tahu," kata si geografer.

[aku taʔ tahu kata si geografər]

aku	tak	tahu	kata	si	geografer
私	NEG	知る	言う	～さん	地理学者

「私は知らない」と地理学者は言いました。

"Dan kota dan sungai dan gurun pasir?"

[dan kota dan suŋai dan gurun pasir]

dan kota dan sungai dan gurun pasir
そして 町 そして 川 そして 砂漠 砂

「町や川や砂漠は？」

”Itu aku juga tak tahu,” kata si geografer.
[itu aku dʒuga taʔ tahu kata si geografər]

itu aku juga tak tahu kata si geografer
それ 私 また NEG 知る 言う ～さん 地理学者

「それも私は知らない」と地理学者は言いました。

”Tetapi kau geografer!”
[tətapi kau geografər]

tetapi kau geografer
しかし 君 地理学者

「しかしきみは地理学者でしょ！」

”Memang,” kata si geografer.
[memaŋ kata si geografər]

memang kata si geografer
確かに 言う ～さん 地理学者

「確かに」と地理学者は言いました。

”Tetapi aku bukan penjelajah.
[tətapi aku bukan pəndʒəladʒah]

tetapi aku bukan penjelajah
しかし 私 NEG 探検家

「しかし私は探検家ではない。

Aku perlu sekali penjelajah.
[aku pərlu səkali pəndʒəladʒah]

aku perlu sekali penjelajah
私 必要がある とても 探検家

私には探検家が本当に必要だ。

Bukan tugas geografer untuk berkeliling menghitung kota, sungai, gunung, laut samudra, dan gurun pasir.

[bukan tugas geografər untuʔ bərkəliliŋ məŋhituŋ kota suŋai gunuŋ lauṫ samudra dan gurun pasir]

bukan	tugas	geografer	untuk	ber-keliling	meN-hitung	kota	sungai
NEG	仕事	地理学者	〜すること	VI-回る	VT-集計する	町	川

gunung	laut	samudra	dan	gurun	pasir
山	海	大洋	そして	砂漠	砂

地理学者が町、川、海、砂漠を数えるのは仕事ではない。

Geografer	terlalu	penting	untuk	berjalan-jalan.
地理学者	あまりに	重要な	〜すること	散歩する

地理学者は、歩き回るにはあまりに重要である。

Geografer	tidak	meninggalkan	kursinya.
地理学者	NEG	離れる	彼の椅子

地理学者は自分の椅子を離れられないのだ。

Dia duduk di sana dan menerima para penjelajah.
彼　座る　〜に　そこ　そして　受け入れる　〜たち　探検家

そこに座って探検家たちを受け入れる。

Dia mengajukan pertanyaan-pertanyaan kepada mereka, dan dia
彼　　申し込む　　　　質問-RD　　　　　　〜へ　　彼ら　そして　彼

mencatat apa yang mereka ingat itu kelihatannya menarik,
書き留める　何　REL　彼ら　覚えている　それ　思われる　惹きつける

si geografer akan memerintahkan penyelidikan atas
〜さん　地理学者　〜するつもりだ　　命じる　　　調査　　〜に対して

karakter moral si penjelajah yang bersangkutan. "
性格　道徳　〜さん　探検家　REL　　関係ある

彼らに質問し、面白かったものを記録し、地理学者はその探検家の道徳的性格について調査を命じる」

"Kenapa begitu? "
なぜ　　そう

「どうしてそうなの？」

"Karena penjelajah yang mengatakan kebohongan　akan
〜ので　探検家　REL　　言う　　　偽り　　〜するつもりだ

menimbulkan kekacauan pada buku-buku geografi.
引き起こす　　混乱　　〜で　本-RD　　地理

「嘘を言う探検家は地理の本に混乱を引き起こすかもしれないからね。

Demikian juga penjelajah yang terlalu banyak minum. "
そのような　また　探検家　REL　あまりに　たくさん　飲む

あまりにたくさん酒を飲む探検家も同様だ」

"Kenapa begitu? "
なぜ　　そう

「どうしてそうなの？」

"Karena peminum akan melihat segalanya dobel.
　　　～ので　　酒飲み　　～するつもりだ　　見る　　その全部　　倍

「酒飲みにはすべてがダブって見えるからだ。

Maka si geografer akan mencatat adanya dua gunung
そして　～さん　地理学者　～するつもりだ　書き留める　存在　二　山

di tempat yang sebetulnya gunungnya hanya satu."
～に　場所　REL　実は　　その山　　ただ　一

実際はただ一つの山がある場所に二つの山があると書き留めてしまう」

"Aku kenal orang, yang akan jadi penjelajah yang
私　知っている　人　REL　～するつもりだ　なる　探検家　REL

buruk," kata pangeran kecil.
悪い　言う　王子　小さな

「ぼく、悪い探検家になりそうな人を知ってるよ」と小さな王子さまは言いました。

"Mungkin saja.
おそらく　～だけ

「そうだろう。

Kemudian, jika ternyata moral si penjelajah ternyata
それから　もし　明らかになる　道徳　～さん　探検家　明らかになる

sehat, kami mengadakan penyelidikan soal penemuannya."
健康な　私たち　行う　調査　問題　彼の発見

それから探検家の道徳が健康であるとわかったら、私たちは彼の発見について調査を行う」

"Ada orang yang dikirim ke sana untuk memeriksa?"
いる　人　REL　送られる　～へ　そこ　～のために　調べる

「調査のために送られる人がいるの？」

"Tidak. Itu terlalu rumit.
　　NEG　それ　あまりに　面倒な

「いや。それはあまりに面倒だ。

Alih-alih mengirim orang, kami minta penjelajah
代わりに　　送る　　　人　私たち　頼む　　探検家

menyerahkan bukti-bukti.
渡す　　　　証拠-RD

人を送る代わりに、私たちは探検家に証拠を渡すよう頼む。

Misalnya, jika penemuannya adalah gunung besar, kami menuntutnya
例えば　もし　彼の発見　　～だ　　山　大きい　私たち　彼に要求する

untuk membawa pulang beberapa batu besar. "
～すること　持っていく　帰宅する　　いくつか　　石　大きい

例えば、もし彼の発見が大きな山だったら、いくつか大きな石を持って帰ること
を要求する」

Si geografer mendadak menjadi bergairah.
～さん　地理学者　　突然　　なる　　情熱的に

地理学者は突然熱くなりました。

"Tetapi kau, misalnya, kau datang dari jauh! Kau penjelajah!
しかし　君　例えば　君　来る　～から　遠い　君　探検家

「けど君は遠くから来た！　君は探検家だ！

Kau bisa mendeskripsikan planetmu kepadaku! "
君　できる　描写する　　　君の惑星　　私へ

君は私に自分の星を伝えることができる！」

Dan setelah membuka buku catatannya, si geografer
そして　～のあと　開く　　彼のノート　　～さん　地理学者

mulai   meraut   pensilnya.
始める   削る   彼の鉛筆

そしてノートを開いたあと、地理学者は鉛筆を削り始めました。

Karena   cerita   para   penjelajah   mula-mula   dicatat   dengan
なぜなら   話   ～たち   探検家   始まり[RD]   記録される   ～で

pensil   dulu.
鉛筆   まず

なぜなら、探検家たちの話は最初に鉛筆で記録されるからです。

Sebelum   cerita   itu   bisa   dicatat   dengan   tinta,   si
～まで   話   その   できる   記録される   ～で   インク   ～さん

penjelajah   harus   memberi   bukti.
探検家   ～しなければならない   与える   証拠

その話がインクで記録される前に、探検家は証拠を出さなければなりません。

"Ayo?" kata   si   geografer   penuh   harap.
 さあ   言う ～さん   地理学者   十分に   望む

「さあ」と地理学者は望んで言いました。

"Oh!   Tempat asalku   tidaklah   begitu   menarik," kata
 おう   私の故郷   NEG   そんなに   惹きつける   言う

pangeran   kecil.
 王子   小さな

「ええ！　ぼくの故郷はそんなに面白くないよ」と小さな王子さまは言いました。

"Segalanya   kecil.   Aku   punya   tiga   gunung   berapi.
 そのすべて   小さな   私   持つ   三   山   火を持つ

「すべてが小さいんだ。火山が三つあるね。

Dua aktif dan yang ketiga sudah mati. Tetapi kita tak pernah
二　　活動　そして　REL　三番目　すでに　死ぬ　しかし　私たち　NEG　かつて

tahu. ”
知る

二つは活火山で三つ目は死火山。でもぼくらには決してわからない」

” Kita tak pernah tahu, ” kata si geografer.
私たち　NEG　かつて　知る　言う　～さん　地理学者

「私たちには決してわからない」と地理学者は言いました。

” Aku juga punya sekuntum bunga. ”
私　また　持つ　一輪　花

「花もあるよ」

” Kami tidak mencatat bunga, ” kata si geografer.
私たち　NEG　記録する　花　言う　～さん　地理学者

「私たちは花を記録しない」と地理学者は言いました。

” Kenapa tidak! Bunga jauh lebih cantik dari segalanya! ”
なぜ　NEG　花　はるかに　～より　美しい　～から　その全て

「どうしてしないの！　花は何よりもずっと美しいのに！」

” Karena bunga itu fana. ”
なぜなら　花　その　はかない

「なぜなら、花というものははかないからだ」

” Apakah artinya 'fana'? ”
～ですか　つまり　はかない

「『はかない』ってつまり？」

"Buku-buku geografi," kata si geografer, "adalah yang
本-RD 　　地理 　　言う ～さん 　地理学者 　　～だ 　REL

paling berharga di antara semua buku.
最も 価値がある ～に ～の間で すべて 本

「地理の本は」と地理学者は言いました。「すべての本の中で最も価値があるもの
なのだ。

Mereka tak pernah ketinggalan zaman.
それら NEG かつて 置き去りにされる 時代

それらは時代に取り残されることがない。

Jarang sekali ada gunung yang berubah posisi.
滅多にない とても ある 山 REL 変える 場所

場所を変える山は滅多にない。

Jarang sekali ada laut yang kehabisan air.
滅多にない とても ある 海 REL なくなる 水

水がなくなる海は滅多にない。

Kami mencatat apa-apa yang abadi."
私たち 記録する 何-RD REL 永遠の

私たちは永遠に残るものを記録するのだ」

"Tetapi gunung berapi yang mati bisa aktif lagi,"
しかし 山 火を持つ REL 死ぬ できる 活動 再び

pangeran kecil menyela.
王子 小さな 割り込む

「でも死火山もまた活火山になるかもしれないよ」と小さな王子さまは割り込み
ました。

＂Apa　artinya　'fana'?＂
　　　　　何　　つまり　　はかない

「『はかない』ってつまり何？」

　　＂Apakah　gunung　berapi　aktif　atau　mati,　sama　saja　nilainya
　　　　　〜かどうか　　山　　火を持つ　活動　または　死ぬ　同じ　ただ　その値

　　bagi　kami,＂　kata　si　geografer.
　　〜にとって　私たち　　言う　〜さん　地理学者

「活火山か死火山かどうかにかかわらず、私たちとってそれは価値がある」と地
理学者は言いました。

　　＂Yang　penting　bagi　kami　adalah　gunungnya.
　　　　　REL　　重要な　〜にとって　私たち　〜だ　　その山

「私たちにとって重要なのはその山だ。

　Dan　gunung　itu　tidak　berubah.＂
　　そして　　山　　その　NEG　　変わる

そして山というものは変わらない」

　　＂Tetapi　apa　artinya　'fana'?＂　ulang　pangeran　kecil,　yang　seumur
　　　　　しかし　何　意味　はかない　　繰り返す　　王子　　小さな　REL　同じ年齢

　　hidup　tak　pernah　menyerah　kalau　sudah　mengajukan　pertanyaan.
　　　人生　NEG　かつて　　諦める　　もし　既に　　申し込む　　　質問

「でも『はかない』ってつまり何？」と質問することを諦めたことがない小さな王
子さまは繰り返しました。

　　＂Artinya,　'yang　terancam　oleh　datangnya　kematian'.＂
　　　　　すなわち　　REL　脅かされる　〜によって　来ること　死

「つまり、『死の到来によって脅かされている』ということだ」

　　＂Bungaku　terancam　oleh　datangnya　kematian?＂
　　　　　私の花　脅かされる　〜によって　来ること　死

「ぼくの花は死の到来によって脅かされているの？」

"Tentu."
　　確かに

「その通り」

"Bungaku fana," pangeran kecil berkata kepada diri sendiri,
　私の花　　はかない　　王子　　小さな　言う　　〜へ　自分　　自身
"dan dia cuma punya empat duri untuk mempertahankan
　そして 彼女　〜だけ　持つ　四　　とげ　〜のために　　　　守る
diri melawan dunia!
　自分　抵抗する　　世界

「ぼくの花ははかない」と小さな王子さまは自分自身に言いました。「世界から自分を守るために四つのとげしか持っていない。

Dan aku meninggalkannya sendirian di planetku!"
　そして　私　　それを残す　　　　一人ぼっち　〜に　私の惑星

そしてぼくは星に一人ぼっちにしてきた!」

Ini pertama kalinya dia merasakan penyesalan.
　これ　最初　その回　　彼　感じる　　　　後悔

このとき初めて彼は後悔を感じました。

Tetapi dia menguatkan diri lagi.
　しかし　彼　強める　　自分　再び

しかし彼は自分を再び励ましました。

"Menurutmu planet mana yang sebaiknya kukunjungi
　君によると　　惑星　どこ　REL　　〜するといい　私が訪れる
berikutnya?" dia bertanya.
　その次　　　　彼　尋ねる

「ぼくが次に訪れるべき星はどこ?」と彼は尋ねました。

"Planet Bumi," jawab si geografer.
　惑星　地球　　答える　〜さん　地理学者

「地球だ」と地理学者は答えました。

"Bumi punya reputasi bagus... "
　　地球　　持つ　　評判　　素晴らしい

「地球は素晴らしい評判だ」

Dan pangeran kecil berlalu seraya memikirkan bunganya.
　そして　　王子　　小さな　　去る　　〜しながら　　思う　　　彼の花

そして小さな王子さまは花のことを考えながら去りました。

Listiana Srisanti (2003) (tr.) *Pangeran Kecil*. Jakarta: Penerbit PT Gramedia Pustaka Utama. pp.62-67.

16 カンボジア語

ភាសាខ្មែរ
phèəsaa kmae

　系統的には†オーストロ・アジア語族の言語で類型的には†孤立型の言語です。同じ語族には、ベトナム語や、東南アジア大陸部で古くから発達した文明を持つ民族のモン（Mon）語が含まれます。

音韻論と文字体系

　†子音音素は /p, t, c, k, ʔ, b[ɓ~b], d[ɗ~d], m, n, ɲ, ŋ, v, j, s, h, l, r/ の17個です。†破裂音（p, t, c, k）には†音節の頭で†無気音と†有気音の対立があり、発音上きわめて重要ですが、†音韻的には /ph, th, ch, kh/ の子音連続として解釈されています。/b, d/ は音声的には、†入破音で発音されます。母音音素にはまず /i, e, ɛ, a, ɔ, o, u, ɯ, ə/ の9個があり、次に /ɛ/ 以外の8個には対応する長母音 /ii, ee, aa, ɔɔ, oo, uu, ɯɯ, əə/ があり、さらに†二重母音 /iə, ɯə, uo, ae, ɔə, aə, ao/ が7個あります。これら24個の母音は‡緊喉母音と呼ばれます。これに対してこうした緊喉母音の一部に対応する‡弛喉母音 /è, ɛ̀, ə̀, ɔ̀, ò/、/èe, ɛ̀ɛ, ə̀ə, ɔ̀ɔ, òo/、/èə, ɛ̀ə/ の12個があって、全部で36個となります。なお緊喉母音と弛喉母音の違いを母音音素の違いとしない説もあります。一方、個々の弛喉母音の†調音位置は対応する緊喉母音のそれとかなり異なるので、全部別個の母音とするという説もあります。二重母音では、前の母音がやや長く発音されます。

　単音節語もしくは、2音節語の第2音節の†音節構造は $C_1(C_2)V(C_3)$ です。C_1 と C_2 の組み合わせはきわめて多様で、/cŋaɲ/「おいしい」、/lʔɔɔ/「良い」、/kɲom/「私」、/mhoop/「料理」などの例があります。音節末子音 C_3 には /b, d, r, s/ を除いた13種類の子音が現れますが、短母音および /ɛ̀ə/ 以外は、C_3 がなくてもかまいません。C_3 に /ɲ/ も現れ、破裂音の場合には C_3 が†内破音であることはベトナム語も同じです。なお2音節

語の[†]アクセントは第2音節にきます。アクセントによる対立はありません。

　タイ語やビルマ語と同じ[†]南インド系の文字を使用しています。インド系の文字は、子音文字を中心に[†]母音符号などをその上下左右につけます。例えば、ឫ/bəj/「3」の母音符号◌̎は子音文字の上に、ម្ពួ/muoj/「1」の母音符号◌ុは子音文字の下に、ផែនដី/phaen/「大地」の母音符号 េ◌は子音文字の左に、ចា/cèə/（繋辞）の母音符号ាは子音文字の右についています。また、同じ語の中で子音が連続する場合には、第2、第3の子音は別形態になり、第1子音の下か、下から右にかけて、あるいは左につきます。例えば、ឆ្ងាញ់/cŋaɲ/「おいしい」の ង/ŋ/ は ្ង という形になり、ឆ/c/ の下についており、ប្រាំ/pram/「5」の រ/r/ は ្រ という形になり、ប/p/ の左についています。このような子音の別形態は音節内だけで現れるわけではなく、例えば、ដើម្បី/daəmbəj/ では、第2音節頭の ប/b/ 子音が別形態 ្ប となり、第1音節末の ម/m/ の下から右にかけてついています。また、子音音素には、同じ音の子音を表すのに2種類の文字を使うものがあります。例えば、ក と គ はいずれも /k/ を表します。現在同じ音を表している2種類の文字は、かつては[†]無声[†]有声で[†]対立する別の音を表していました。ところが無声有声の対立が消失し、代わりに母音の対立として残りました。中国語やベトナム語では無声有声の対立の消失は[†]声調の発生を引き起こしましたが、カンボジア語では母音の違いとなったのです。カンボジア語の方言には声調がありますが、それは子音の消失の代償です。

統語論

　次のような人称代名詞があります（〜をはさんで2つあるものは左がより丁寧です。1SG: kɲom, 1PL: jə̀əŋ, 2SG: nèək〜ʔaeŋ, 3SG: kɔət〜vèə）。1PL に[†]除外形と包括形の対立はありません。2SG については、次のような[†]親族名称が広く使われます（ʔəv/pòk「父」、mae「母」、koon「子」、bɔɔŋ「兄、姉」、pʔoon「弟、妹」、taa「祖父」、jèəj「祖母」、cav「孫」、ʔòm「伯父、伯母」、puu「叔父」、miiŋ「叔母」、kmuoj「甥、姪」）。[†]助数詞があり、［名詞＋数詞＋助数詞］の[†]語順を

とりますが、nὲək「～人」以外の助数詞は必須ではありません (koʔlaap pii (daəm) 'rose two CL'「バラの花 2 本」)。

　数詞には、まず 1 から 5 までと 10 (dɔp) があり、6 から 9 は、5 + 1, 5 + 2, 5 + 3, 5 + 4 という表現で表します (〈ប្រាំមួយ〉 pram-muoi「6」(5 + 1), 〈ប្រាំពីរ〉 pram-pii「7」(5 + 2), 〈ប្រាំបី〉 pram-bəi,「8」(5 + 3), 〈ប្រាំបួន〉 pram-buon「9」(5 + 4))。

　動詞と形容詞の違いは明確ではありません。形容詞も一種の (状態) 動詞とみることができます。語形変化がないので比較級も最上級もなく、cèəŋ「よりも」、bɔmphot「もっとも」を使って表現します (A cŋaŋ cèəŋ B. 'A delicious than B'「A は B よりおいしい」、A cŋaŋ bɔmphot. 'A delicious most'「A がもっともおいしい」)。

　基本†語順は†SVO 語順ですが、†目的語が†主題になる場合があります (nòm nuh kɲom ɲam 'cake that I eat'「そのお菓子は私が食べる」)。名詞の修飾要素は指示詞から (状態)†動詞、†数量詞、関係節に至るまですべて名詞に後置されます (srəi pii nὲək「女 二 人」)。副詞など動詞の修飾要素も後置されます。†否定辞は述語に先行します (mɯn riən 'not study'「勉強しない」、ʔɔt lʔɔɔ 'not good'「良くない」)。動詞をつなぐ際には、動詞と動詞の間に必ず「て」「たら」のような標識が現れるわけではありませんが、動作の起きた時間的な順序に従って並ぶという原則があります。したがって「勉強しに行く」という場合、「行く」ことが時間的に先に起きますので、日本語とは異なり、tὲv riən 'go study' の順序となります。

　東南アジア大陸部の諸言語に共通する特徴ですが、†意志動詞と†無意志動詞の区別が重要で、この違いはいろいろな形で現れます。意志動詞は結果を含意せず、無意志動詞は結果を含意するので、両者をこの順序で組み合わせた mèəl khəəɲ「見て 見えた」のような†動詞連続がよく使われます。動詞連続では、否定辞の位置に注意が必要です (deek mɯn lɔk 'lie not sleep'「(昨日はコーヒーを飲みすぎて) 眠れなかった」vs. mɯn baan deek 'not get lie'「(昨日は宿題が多すぎて) 寝なかった」)。

語　彙

　男女間で使用する語彙が異なることはあまりありませんが、「はい」と返事する際に、男性は baat、女性は caah を使います（上田 (2006) による）。

　かつては⁺接頭辞や⁺接中辞、重複による⁺語形成が行われていましたが、現在は基本的に接辞や重複によって新しい語を作ることはできません。本来のカンボジア語の語彙は、単音節語であるか、接辞か重複で⁺派生された2音節語のどちらかです。（接頭辞　⁺相互 thὲak「蹴る」> prɔɔ-thὲak「蹴り合う」、接中辞　動作主名詞化 ⟨m⟩: cam「番をする」> c⟨m⟩am「番人」　抽象名詞化 ⟨ɔmn⟩: kɯt「考える」> k⟨ɔmn⟩ɯt「考え」、重複（語幹の頭子音の重複 + ɔɔ）多回アスペク：doh「擦る」> dɔɔ-doh「何回も擦る」。

坂本 (1988)「クメール語」（⑦所収）、坂本 (1998)「カンボジア語」（①所収）、上田 (2019)「言語データ「否定、形容詞と連体修飾複文」—— クメール語」（⑪所収）、上田 (2006)「カンボジア語 文法モジュール」（⑨所収）、東京外国語大学アジア・アフリカ言語文化研究所（編）(2005) 第1部14章2節参照

ព្រះអង្គម្ចាស់តូច

prèah ʔɔŋ mcah tooc

16

ទីបំផុត ព្រះអង្គម្ចាស់តូចក៏មកដល់ភពទីប្រាំពីរ ដែលជាភពផែនដី។

[ti: bɔmpʰot prèah ʔɔŋ mcah to:č kɔ: mɔ̀ɔk dɔl pʰɔ̀p ti: pram pi: dael cèə pʰɔ̀p pʰaen dəj]

ទី	បំផុត	ព្រះ អង្គ ម្ចាស់	តូច	ក៏	មក	ដល់	ភព	ទី	ប្រាំ ពីរ	ដែល	ជា
tii	bɔmphot	prèah ʔɔŋ mcah	tooc	kɔɔ	mɔ̀ɔk	dɔl	phɔ̀p	tii	pram pii	dael	cèə
ORD	最後	王子	小さな	すると	来る	到着する	惑星	ORD	七	REL	〜だ

ភព	ផែន ដី
phɔ̀p	phaen dəj
惑星	地球

最後に、小さな王子さまは7番目の星、地球にたどり着きました。

ភពផែនដី មិនមែនជាភពធម្មតាទេ!

[pʰɔ̀p pʰaen dəj mɯn mɛ̀ɛn cèə pʰɔ̀p tʰɔəmmɛ̀əʔda: tèe]

ភព	ផែន ដី	មិន	មែន	ជា	ភព	ធម្មតា	ទេ
phɔ̀p	phaen dəj	mɯn	mɛ̀ɛn	cèə	phɔ̀p	thɔəmmɛ̀əʔdaa	tèe
惑星	地球	NEG	本当に	〜だ	惑星	普通	よ

地球は普通の星ではありません！

នៅលើភពនេះ មានស្ដេចមួយរយដប់មួយអង្គប្រាកដ ណាស់ (គឺរាប់ទាំងស្ដេចជនជាតិ ស្បែកខ្មៅផងដែរ) ភូមិវិទ្យាប្រាំពីរពាន់នាក់ ៣៣៣កជូករប្រាំបួនសែននាក់ អ្នកប្រមឹកប្រាំពីរលាននាក់កន្លះ មនុស្សអ្នកបីរយដប់ មួយលាននាក់ សរុបទៅមានមនុស្ស ចំប្រហែលពីរពាន់លាននាក់។

[nɑ̀v lɜ̀ə pʰɔ̀p nih mɛ̀ən sdac muoj rɔɔj dɑp muoj ʔɔŋ pra:kɔt nah kɯ: rɔəp tèəŋ sdac cɔn cèət sbaek kmav pʰɔ:ŋ dae pʰɯ:m viʔtu: pram pi: pɔɔn nèək pèəʔnecceəʔkɔ: pram buon saen nèək nèək prɔ:mɤk pram pi: lèən nèək kɔnlah mɔɔnuh ʔuot bəj rɔɔj dɑp muoj lèən nèək sarop tɤv mɛ̀ən mɔɔnuh tʰɔm prɔ:hael pi: pɔɔn lèən nèək]

នៅ	លើ	ភព	នេះ	មាន	ស្ដេច	មួយ	រយ	ដប់	មួយ	អង្គ	ប្រាកដ	ណាស់
nɑ̀v	lɜ̀ə	phɔ̀p	nih	mɛ̀ən	sdac	muoj	rɔɔj	dɑp	muoj	ʔɔŋ	praakɔt	nah
〜で	上	惑星	この	ある	王	一	百	十	一	CL	確かな	とても

គឺ	រាប់	ទាំង	ស្ដេច	ជន	ជាតិ	ស្បែក	ខ្មៅ	ផង	ដែរ	)	ភូមិវិទូ
kɨɨ	rɔəp	tèəŋ	sdac	còn	cèət	sbaek	kmaw	phɔɔŋ	dae		phuumviʔtuu
即ち	数える	～も	王	人	民族	皮膚	黒い	～も	～も		地理学者

ប្រាំពីរ	ពាន់	នាក់	ពាណិជ្ជករ	ប្រាំ	បួន	សែន	នាក់	អ្នក	ប្រមឹក	ប្រាំពីរ
pram pii	pɔən	nèək	pèəʔneccèəʔkɔɔ	pram	buon	saen	nèək	nèək	prɔɔmək	pram pii
七	千	CL	商人	九		十万	CL	者	酔っ払い	七

លាន	នាក់	កន្លះ	មនុស្ស	អ្នក	បី	រយ	ដប់	មួយ	លាន	នាក់	សរុប
lèən	nèək	kɔnlah	mɔɔnuh	nèək	ʔtot	bəi	rɔɔj	dɔp	muoj	lèən	nèək	saʔrop
百万	CL	半	人	自慢する	三	百	十	一	百万	CL	合計する

ទៅ	មាន	មនុស្ស	ចំ	ប្រហែល	ពីរ	ពាន់	លាន	នាក់
tèv	mèən	mɔɔnuh	tʰɔm	prɔɔhael	pii	pɔən	lèən	nèək
行く	ある	人	大きい	約	二	千	百万	CL

この星の上には、確実に111人の王がいて、（つまり黒人の王も数えてですが）、7000人の地理学者、90万人の商人[実業屋のこと]、750万人の酔っ払い、3億1100万人のうぬぼれ屋[虚栄心の強い男のこと]、合計すると約20億人の大人がいます。

ដើម្បីឲ្យកូយៗយល់ពីទំហំផែនដី ខ្ញុំសូមជំរាបកូយៗថា មុនពេលមានភ្លើង អគ្គិសនី គេត្រូវប្រើអ្នកអុជភ្លើងគោមមួយទាំងធំ ដែលមានគ្នាបួនសែនប្រាំមួយម៉ឺន ពីរពាន់ប្រាំរយដប់មួយនាក់ ដើម្បីបំភ្លឺទីបទាំងប្រាំមួយ។

[daəmbəj ʔaoj kmuoj kmuoj jɔl pi: tòmhom pʰaen dəj kɲom so:m còmrèəp kmuoj kmuoj tʰa: mun pèèl mèən plèəŋ ʔakkiʔsaʔni: kèè trɔv praə nèək ʔoc plèəŋ kòom muoj tɔəp tʰom dael mèən knèə buon saen pram muoj mɔ:n pi: nɔɔn pram rɔɔj dɔp muoj nèək daəmbəj bɔmplɯɯ: tvi:p̩ tèəŋ pram muoj]

ដើម្បី	ឲ្យ	កូយ	ៗ	យល់	ពី	ទំហំ	ផែនដី	ខ្ញុំ	សូម
daəmbəj	ʔaoj	kmuoi	kmuoi	jɔl	pii	tòmhom	phaen dəj	kɲom	soom
～のために	～させる	甥／姪	RD	理解する	～に関して	大きさ	地球	私	頼む

ជំរាប	កូយ	ៗ	ថា	មុន	ពេល	មាន	ភ្លើង	អគ្គិសនី	គេ
còmrèəp	kmuoj	kmuoj	thaa	mòn	pèèl	mèən	plèəŋ	ʔakkiʔsaʔnii	kèè
告げる	甥／姪	RD	～ということ	前	時	ある	灯り	電気	人々

ត្រូវ	ប្រើ	អ្នក	អុជ	ភ្លើង	គោម	មួយ	ទាំ	ធំ	ដែល	មាន	គ្នា
trəv	praə	nèək	ʔoc	plèəŋ	kòom	muoj	tɔəp	thɔm	dael	mèən	knèə
～する必要がある	使う	人	点ける	灯り	ランタン	一	軍隊	大きい	REL	ある	仲間

បួន	សែន	ប្រាំ មួយ	ម៉ឺន	ពីរ	ពាន់	ប្រាំ	រយ	ដប់	មួយ	នាក់	ដើម្បី	បំភ្លឺ
buon	saen	pram muoj	məən	pii	pɔən	pram	rɔɔj	dɔp	muoj	nèək	daəmbəj	bɔmplɯɯ
四	十万	六	万	二	千	五	百	十	一	CL	～のために	明るくする

ទ្វីប	ទាំង	ប្រាំ	មួយ
tviip	tèəŋ	pram muoj	
大陸	すべて	六	

地球の大きさに関して理解してもらうために、私はみなさんにお伝えします。電気が存在する以前、人々はランタンの灯り [街灯のこと] を点ける人たちの軍隊を使う必要がありました。彼らには、六大陸すべてを照らすために、46万2511人の仲間がいました。

មើលពីចំងាយ វាមានចលនាស្អាតអស្ចារ្យ។

[mə̀əl pi: cɔmŋa:i vèə mèən ca?la? s?a:t ?ɔscaː]

មើល	ពី	ចំងាយ	វា	មាន	ចលនា	ស្អាត	អស្ចារ្យ
mə̀əl	pii	cɔmŋaaj	vèə	mèən	ca?la?naa	s?aat	?ɔscaa
見る	～から	遠いところ	それ	ある	動作	美しい	素晴らしい

遠くから見ると、それは美しく素晴らしい動作でした。

រាល់ចលនារបស់ទ័ពនេះ ត្រូវបាន គេចាត់ចែងជាមុនដូចរបាំបាឡេ។

[rɔəl ca?la?naː rɔbɔh tɔəp nih trəv baːn kèe cat caeŋ cèə mun do:c rɔbam baːle:]

រាល់	ចលនា	របស់	ទ័ព	នេះ	ត្រូវ	បាន	គេ	ចាត់ចែង	ជា	មុន	ដូច	របាំ
rɔəl	ca?la?naa	rɔbɔh	tɔəp	nih	trəv	baan	kèe	cat caeŋ	cèə mòn		dooc	rɔbam
毎～	動作	～の	軍隊	この	PASS	得る	人々	指図する	あらかじめ		～のような	踊り

បាឡេ
baalee
バレエ

この軍隊の動作はすべて、バレエの踊りのようにあらかじめ指示されていました。

មុនដំបូង គឺជាវេនរបស់អ្នកអុជភ្លើងគោមនៅ ប្រទេសនូវែលសេឡង់ និងអូស្ត្រាលី។

[mòn dɔmbo:ŋ kɯː cèə vèen rɔbɔh nèək ?oc plèəŋ kòom nèv prɔ:tèèh nu:vèèlse:lɔŋ nɯŋ ?o:stra:li:]

មុន	ដំបូង	គឺ	ជា	វេន	របស់	អ្នក	អុជ	ភ្លើង	គោម	នៅ	ប្រទេស
mòn	dɔmbooŋ	kɯː	cèə	vèen	rɔbɔh	nèək	?oc	plèəŋ	kòosm	nèv	prɔ:tccəh
まず	最初	即ち	～だ	番	～の	人	点ける	灯り	ランタン	～に	国

នូវែលសេឡង់	និង	អូស្ត្រាលី
nuuvèɛlseelɔŋ	nɯŋ	?oostraalii
ニュージーランド	～と	オーストラリア

まず最初は、つまりニュージーランドとオーストラリアでランタンの灯りを点ける人の番です。

ក្រោយពីអុជរួច ពួកគេក៏ទៅដេក។

[kraoj pi: ʔoc ruoc puok kèe kɔ: tàv ɗe:k]

ក្រោយ	ពី	អុជ	រួច	ពួកគេ	ក៏	ទៅ	ដេក
kraoj	pii	ʔoc	ruoc	puok kèe	cɔɔ	tàv	deek
後	〜から	点ける	〜し終わる	彼ら	すると	行く	寝る

点け終わると、彼らは寝に行きます。

បន្ទាប់ មក ដល់វេនអ្នកអុជភ្លើងគោមនៅប្រទេសចិន និងតំបន់ស៊ីបេរីឡើងសំដែង។

[bɔntɔəp mɔck ɗɔl vèen nèək ʔoc plàəŋ kòom nɤv prɔ:tèeh cən nɯŋ ɗɔmbɔn si:be:ri: laəŋ sɔmdaeŋ]

បន្ទាប់	មក	ដល់	វេន	អ្នក	អុជ	ភ្លើង	គោម	នៅ	ប្រទេស	ចិន	និង
bɔntɔəp	mɔck	ɗɔl	vèen	nèək	ʔoc	plàəŋ	kòom	nɤv	prɔɔtèeh	cən	nɯŋ
次に	来る	着く	番	人	点ける	灯り	ランタン	〜に	国	中国	〜と

តំបន់	ស៊ីបេរី	ឡើង	សំដែង
ɗɔmbɔn	siibeerii	laəŋ	sɔmdaeŋ
地方	シベリア	上がる	演じる

次は、中国とシベリア地方でランタンの灯りを点ける人が舞台に上がって演じる番です。

ក្រោយមក ពួកគេក៏បាត់ខ្លួនទៅក្រោយឆាកដូចគ្នាដែរ។

[kraoj mɔck puok kèe kɔ: bat kluon tàv kraoj cha:k do:c knèa ɗae]

ក្រោយ	មក	ពួកគេ	ក៏	បាត់	ខ្លួន	ទៅ	ក្រោយ	ឆាក	ដូច	គ្នា	ដែរ
kraoj	mɔck	puok kèe	kɔɔ	bat	kluon	tàv	kraoj	chaak	dooc	knèa	dae
後	来る	彼ら	〜も	消す	身体	行く	後ろ	幕	同じ	互いに	〜も

その後で、彼らも同じく舞台の奥に姿を消します。

ពេលនោះ អ្នកអុជភ្លើង គោម នៅប្រទេសរុស្ស៊ី និងព័ណ្ណាឡើងសំដែងបន្ត
រួចហើយដល់វេនអ្នកអុជភ្លើង គោមនៅអាព្រិច និងអ៊ីរ៉ុប
តមកទៀតអ្នកនៅអាមេរិចខាងត្បូង និងចុងក្រោយ អ្នក នៅអាមេរិចខាងជើង។

[pèel nuh nèək ʔoc plàŋ kòom nɤv prɔ:tèeh rossi: nɯŋ ʔɔndèə laəŋ sɔmdaeŋ bɔntɔə: ruoc haəj ɗɔl vèen nèək ʔoc plàŋ kòom nɤv ʔa:prèc nɯŋ ʔə:rop tɔɔ mɔck tiət nèək nɤv ʔa:me:rèc kʰa:ŋ tbo:ŋ nɯŋ coŋ haəj nèək nɤv ʔa:me:rèc kʰa:ŋ cɔəŋ]

ពេល	នោះ	អ្នក	អុជ	ភ្លើង	គោម	នៅ	ប្រទេស	រុស្ស៊ី	និង	ឥណ្ឌា	ឡើង
pèel	nuh	nèək	ʔoc	plə̀əŋ	kòom	nə̀v	prɔtèɛh	ròssii	nɯŋ	ʔəndèa	laeŋ
時	その	人	点ける	灯り	ランタン	～に	国	ロシア	～と	インド	上がる

សំដែង	បន្ត	រូច	ហើយ	ដល់	វេន	អ្នក	អុជ	ភ្លើង	គោម	នៅ	អាប្រិច
sɔmdaeŋ	bɔntɔɔ	ruɔc	haəj	dɔl	vèen	nèək	ʔoc	plə̀əŋ	kòom	nə̀v	ʔaaprèc
演じる	～し続ける	終わる	そして	着く	番	人	点ける	灯り	ランタン	～に	アフリカ

និង	អឺរ៉ុប	ត	មក	ទៀត	អ្នក	នៅ	អាមេរិច	ខាង	ត្បូង	និង	ចុង
nɯŋ	ʔəərop	cɔɔ	mɔɔk	tiət	nèək	nə̀v	ʔaameerèc	khaaŋ	tbòoŋ	nɯŋ	cɔŋ
～と	ヨーロッパ	続く	来る	さらに	人	～に	アメリカ	側	南	～と	末端

ក្រោយ	អ្នក	នៅ	អាមេរិច	ខាង	ជើង
haəj	nèək	nə̀v	ʔaameerèc	khaaŋ	cə̀əŋ
後	人	～に	アメリカ	側	北

そのとき、ロシアとインドでランタンの灯りを点ける人が舞台に上がって仕事をします。するとアフリカとヨーロッパでランタンの灯りを点ける人の番になります。そして南アメリカの人、最後に北アメリカの人です。

ហើយពួកគេមិនចេះច្រឡំវេនចូលសំដែងទាល់តែសោះ។

[haəj puok kèe mɯn cɛh crɔːlɔm vèen coːl sɔmdaeŋ tɔːl tae sɔh]

ហើយ	ពួក គេ	មិន	ចេះ	ច្រឡំ	វេន	ចូល	សំដែង	ទាល់	តែ	សោះ
haəj	puok kèe	mɯn	cɛh	crɔlɔm	vèen	cool	sɔmdaeŋ	tɔəl	tae	sɔh
そして	彼ら	NEG	できる	間違う	番	入る	演じる	～まで	だけ	まったく

そして彼らが出番を間違えることとはまったくありません。

វា ជាទ្បាំងទស្សនីយភាពដ៏មហាស្ចារ្យមួយ។

[vèa cèa ptɛ̀əŋ tɔ̀ssaʔniːjɛ̀aʔpʰèəp dɔɔ mɛ̀aʔhascaː muoj]

វា	ជា	ផ្ទាំង	ទស្សនីយភាព	ដ៏	មហាស្ចារ្យ	មួយ
vèa	cèa	ptɛ̀əŋ	tɔ̀ssaniːjɛ̀aʔpʰèəp	dɔɔ	mɛ̀aʔhascaa	muoj
それ	～だ	一片	景色	PART	素晴らしい出来事	一

それは一つの素晴らしい景色なのです

មាន	តែ	អ្នក	អុជ	ភ្លើង	គោម	នៅ	ប៉ូល	ខាង	ជើង	ម្នាក់	និង	ប៉ូល	ខាង
mèən	tae	nèək	ʔoc	plðəŋ	kòom	nðv	pool	khaaŋ	cðəŋ	mnèək	nɯŋ	pool	khaaŋ
ある	～だけ	人	点ける	灯り	ランタン	～に	極	側	北	一人	～と	極	側

ត្បូង	ម្នាក់	ប៉ុន	នោះ	ដែល	មិន	សូវ	មាន	ការងារ	ធ្វើ	ហើយ	ទ្រមក់	ខ្ជិល
tbòoŋ	mnèək	pon	nuh	dael	mɯn	sðv	mèən	ka: ŋèə	tvðə	haəj	trɔcmɔk	kcɯl
南	一人	同じ	それ	REL	NEG	あまり	ある	仕事	する	そして	怠惰な	怠惰な

ច្រអូស	ទៀត	ផង	គឺ	ពួកគេ	ធ្វើ	ការ	តែ	ពីរ	ដង	ប៉ុន	នោះ	ក្នុង
crɔɔʔooh	tiət	phɔɔŋ	kɯɯ	puok kèə	tvðə	kaa	tae	pii	dooŋ	pon	nuh	knoŋ
怠惰な	さらに	～も	即ち	彼ら	する	仕事	～だけ	二	回	～のように	それ	～中で

មួយ	ឆ្នាំ	។
muoj	chnam	
一	年	

北極でランタンの灯りを点ける人は1人だけ、南極には同様に1人だけいます。彼らはあまり仕事をせず、また怠惰なのです。つまり、彼らは1年に2回しか仕事をしないのです。

ត្រីស្វហ ម៉ាក់តេ (2003) (tr.) ព្រះអង្គម្ចាស់តូច. ភ្នំពេ ញ: គ្រឹះ ស្ថា នបោះ ពុម្ពផ្សាយស៊ីប៉ា. pp.60-62.

17 タイ語

ภาษาไทย
phaasǎa thai

　タイ語は†系統的には†タイ・カダイ語族（語族としてみとめるかについて
は異論もあります）に属し、†類型的には†孤立型で、†単音節型の†声調言語
です。ラオス語とは声調のみ異なる語も多く、非常に近い言語です。

音韻論と文字体系

　†母音音素は /i, e, ε, a, ɔ, o, u, ə, ɯ/ の9つで、それぞれに短母音と長母
音の対立があり、さらに†二重母音の /ia, ɯa, ua/ があります。子音音素
は /p, t, c, k, pʰ, tʰ, cʰ, kʰ, b[ɓ~b], d[ɗ~d], m, n, ŋ, f, s, h, r, l, w, y[j], ʔ/ の
21個です。†破裂音には†無声における†無気音／有気音の†対立（⟨ไก่⟩ kày
「鶏」、⟨ไข่⟩ kʰày「卵」）とともに†有声音（/b/ と /d/ のみ）があります。ほかに、
/pr, pl, tr, kr, kl, kw, pʰr, pʰl, tʰr, kʰr, kʰl, kʰw/ といった子音の組み合わせが
可能とされています。†音節構造は C1(C2)V(C3) です。音節末の子音（C3）
は、†破裂音であれば閉鎖したままで終わる†内破音なので、次のような
語の聞き分けは日本語母語話者には難しいです（pʰáp「折る」、pʰát「扇ぐ」、
pʰák「休む」）。

　子音音素は方言によって違いがあり、例えば標準タイ語の /rák/「愛
する」は東北方言で /hák/ と発音されます。平声、低声、下声、高声、上
声の5種類の†声調があります（平声 /kʰay/「垢」、低声 /kʰày/「卵」、下声
/kʰây/「熱」、高声 /kʰáy/「こじ開ける」、上声 /kʰǎy/「解ける」）。声調も方言
によって異なります。

　文字は†南インド系の文字で、42の子音字があります（กขคฆงจฉชฌญ
ฎฏฐฑฒณดตถทธนบปผฝพฟภมยรลวศษสหฬอฮ）。その上下左右に†母音
符号をつけます（kaa: กา, kii: กี, kuu: กู, kɯɯ: กือ, kee: เก, kεε: แก, koo: โก, kɔɔ: กอ,
kəə: เกอ）。†声調符号は4つ（◌่, ◌้, ◌๊, ◌๋）のみです（ただしこのうちの後者の2

つはほとんど現れません）。まず閉鎖音（/p, t, k, ?/）で終わる音節（†促音節）は独自の声調規則に従います。それ以外の音節の声調は、声調記号によって単純に決まるのではなく、子音字と声調記号の組み合わせによって決まります。 これはなぜでしょうか？ 現在のタイ語において、/kʰâa/「価値、料金」と /kʰàa/「ナンキョウ（ショウガの一種）」という 2 つの語は、声調が違うだけで（下声と低声）、語頭子音は同じ音です。しかし 17 世紀くらいまでは gaa と kʰaa という違う語頭子音を持っていて、同じ声調でした（宇佐美 (1998: 32-34) による）。 その後、語頭子音は同じ音に変化してしまいましたが、その代わりに声調の違いが生じました。一方、文字のほうはかつての時代の状況を反映した表記を現在でもそのまま使っています。つまり違う子音の文字に同じ声調符号がついているのです。したがって文字の種類と声調符号の組み合わせが現在の発音とどのような関係にあるのかを把握しないと正確に読むことができない、ということになります。古いタイ語にはソノラント（†共鳴音）の系列の子音にも無声のものがありました。hm, hl など h 音を表す文字との組み合わせによって表記されているものがそうです（มา〈maa〉/maa/「来る」vs. หมา〈hmaa〉/mǎa/「犬」）。 この両者も昔は同じ声調を持っていました。 数字にも独自のタイ数字があります（1: ๑ , 2: ๒ , 3: ๓ , 4: ๔ , 5: ๕ , 6: ๖ , 7: ๗ , 8: ๘ , 9: ๙ , 0: ๐ ）。

統語論

　1 人称単数の代名詞には女性・男性による区別があり、また自分をへりくだって言うときの表現などいくつかの種類があります。年輩の女性は主に /dicʰán/ を用いますが、へりくだって言うときは /nuu/ を用います。より親密な相手には /cʰán/ と名乗ることもできます。しかしタイ人は自分のことを名前もしくはニックネームで名乗ることが多く、日本人もタイに行くとよくニックネームをつけられます。

　2 人称や 3 人称の代名詞にも丁寧さや状況による区別が存在します。3 人称単数では、男性・女性の区別はせず基本的に /kʰǎw/ で統一されています。1 人称複数の†除外形と†包括形の対立はありません。このほかに、

/pʰîi/「兄、姉」、/nɔ́ɔŋ/「弟、妹」、/pʰɔ̂ɔ/「父」、/mɛ̂ɛ/「母」、/lûuk/「子」
などの†親族名称や、/ʔaacaan/「（大学の）先生」などの地位や職業を表す
いくつかの名詞が、人称的に用いられ、†敬語の体系に組み入れられて
います。

　重要なのは†類別詞で、これは数詞に続けて使うばかりでなく、†指示
詞や†状態動詞で後ろから類別詞を修飾するときにも用いられて名詞句
を作ります。名詞を修飾するときには、これらの形を同格的に名詞に
後置します（pʰîinɔ́ɔŋ sǎam kʰon 'brother three person'「兄弟3人」、kûŋ tua yày tua níi
'shrimp one big one this'「エビのこの大きいやつ」）（三谷 (1989: 97) による）。

　動詞には語形変化がなく、†テンスもありません。文脈によって同じ
文が現在にも過去にもなります（pʰǒm pay rooŋrian 'I go school'「僕は学校に
（毎日／今日）行く／（昨日）行った」（三谷 (1989: 97) による））。語形変化が
ないので†品詞の分類も難しく、形容詞的な意味の語（つまり状態動詞）は、
たしかに多くの場合に名詞の後ろから名詞を修飾しますが、†コピュラ
なしで述語になりますし（kʰun caydii「あなたは親切だ」）、†否定のしかたも
動詞と一緒なので（kʰun mây caydii「あなたは親切ではない」）、動詞の一種
とみなすことができます。

　タイ語には日本語のデスマス体のような丁寧さを示す†文末助詞があ
り、これは話し手が男か女かによる使い分けがあります（pʰǒm pen kʰon
tʰay kʰráp. 'I be person Thai POL.M'「私（男）はタイ人です」、dicʰán pen kʰon tʰay
kʰâ?. 'I be person Thai POL.F'「私（女）はタイ人です」）。タイ語の文末助詞には、
さらに間柄などによって使い分けられるものがあり、時にはわざと乱
暴な語を使って会話に彩りを添えたりすることもあります。ʔaray「何？」
を用いて大雑把にニュアンスを示すと次のようです：ʔaray kʰráp（男）、
ʔaray kʰá?（女）「何ですか」、ʔaray há?「（ややくだけて）何すか？」、ʔaray cá?
「なあに？」、ʔaray yá?「何や？」、ʔaray wá?「何なんだよ ⁉」（三谷 (1989: 97-
98) による）。

語 彙

1音節の語がもっとも多く、これらの多くはタイ語に元からある語で

す。 一方、文化的な語は多音節語で多くはインド系の外来語です
（mahǎawíttʰayaalai「大学」）。 国王をはじめ王族、高官や僧侶に話しかけた
り言及したりするときには、raacʰaasàp ‡王族用語と呼ばれる特別な語彙
が用いられます。 例えば国王に対して1人称に kʰâapʰrápʰúttʰacâw「御仏
の僕」、王族の行為には phrárâatchadamnəən「行幸遊ばされる」のような
語を用いますが、これは王族のランクによっても変わります。 国王や
王族が所有するものにも特別な名詞があります（三谷 (1989: 104) による）。
孤立型の言語なので接辞はありませんが、†複合語はたくさんあります
（nám‑taa「水＋目＞涙」、fay‑fǎa「火＋空＞電気」、nám‑khɛŋ「水＋固い＞氷」）。

三谷 (1989)「タイ語」（⑦所収）、三谷 (1998)「タイ語」（①所収）、宇佐美 (1998)（第1部14章5節参照）

เจ้าชาย น้อย

càw chaay nɔ́ɔy

17

ยามใดที่เราอยากสร้างความตื่นเต้นเร้าใจ เราก็จำต้องโป้ปดบิดเบือนบ้าง
เล็กน้อย

[jaːm daj tʰîː raw jàːk sâːŋ kʰwaːm tɯ̀ːn tên ráw tɕaj raw kɔ̂ː tɕam tɔ̂ŋ pôː pòt bìt bɯan bâːŋ lék
nɔ́ːj]

ยาม	ใด	ที่	เรา	อยาก	สร้าง	ความ	ตื่นเต้น	เร้า	ใจ	เรา	ก็
yaam	day	thîi	raw	yàak	sâaŋ	khwaam	tɯ̀ɯn tên	ráw	cay	raw	kôɔ
時	ある	REL	私たち	〜したい	作る	NMLZ	興奮する 高揚する	気持ち	私たち	〜も	

จำ	ต้อง	โป้ปด	บิด	เบือน	บ้าง	เล็ก	น้อย
cam	tɔ̂ŋ	pôo pòt	bìt	bɯan	bâaŋ	lék	nɔ́ɔy
やむなく	〜のはず	嘘をつく	ねじる	変える	いくつかの	小さい	少し

何かしら高揚させたいと思うとき、誰でもやむなく少しばかりの嘘をつくことが
あります。

ผมไม่สู้ตรงไปตรงมานักที่เล่าเรื่องคนจุดคบไฟให้คุณฟัง

[pʰǒm mâj sûː troŋ paj troŋ maː nák tʰîː lâw rɯ̂aŋ kʰon tɕùt kʰóp faj hâj kʰun faŋ]

ผม	ไม่สู้	ตรง	ไป	ตรง	มา	นัก	ที่	เล่า	เรื่อง	คน	จุด
phǒm	mây sûu	troŋ	pay	troŋ	maa	nák	thîi	lâw	rɯ̂aŋ	khon	cùt
僕	それほど〜ではない	真っ直ぐ	行く	真っ直ぐ	来る	〜者	REL	話す	〜について	人	つける

คบ	ไฟ	ให้	คุณ	ฟัง
khóp	fay	hây	khun	faŋ
付き合う	灯り	〜のために	人	聞く

聴衆に街灯点灯人の話をしたとき、私はあまり正直者ではなかったのです。

ด้วยอาจป้อนความเข้าใจผิดๆเกี่ยวกับโลกมนุษย์ของเราแก่ผู้ที่ไม่รู้จักดาวเคราะห์ดวง
นี้ดีก็ได้

[dûaj àːt pɔ̂ːn kʰwaːm kʰâw tɕaj pʰìt pʰìt kìaw kàp lôːk manút kʰɔ̌ːŋ raw kɛ̀ː pʰûː tʰîː mâj rúː tɕàk
daːw kʰrɔ́ duaŋ níː diː kɔ̂ː dâːj]

ด้วย	อาจ	ป้อน	ความ	เข้าใจ	ผิด	ๆ	เกี่ยวกับ	โลก	มนุษย์	ของ
dûay	àat	pɔ̂ɔn	khwaam	khâw càj	phìt	phìt	kìaw kàp	lôok	manút	khɔ̌ɔŋ
そこで	~かもしれない	与える	NMLZ	理解する	間違い	EMP	~について	~界	人間	~の

เรา	แก่	ผู้	ที่	ไม่	รู้จัก	ดาวเคราะห์	ดวง	นี้	ดี	ก็	ได้
raw	kɛ̀ɛ	phûu	thîi	mây	rúu càk	daaw khrɔ́	duaŋ	níi	dii	kɔ̂ɔ	dâay
私たち	~に対して	人	REL	NEG	知っている	惑星	CL	この	良い	~でも	良い

そこで、地球をあまり知らない人々に、私たち人間界に対して誤解を与えるかもしれません。

ความจริงนั้น คนเราอาศัยจับจองอยู่บนพื้นที่เพียงน้อยนิดของโลกใบนี้

[kʰwaːm tɕiŋ nán kʰon raw aːsǎj tɕàp tɕɔːŋ jùː bon pʰɯ́ɯn tʰîː pʰiaŋ nɔ́ːj nít kʰɔ̌ːŋ lôːk baj níː]

ความ	จริง	นั้น	คนเรา	อาศัย	จับจอง	อยู่	บน	พื้นที่	เพียง	น้อยนิด
khwaam	ciŋ	nán	khon raw	aasǎy	càp cɔɔŋ	yùu	bon	phɯ́ɯn thîi	phiaŋ	nɔ́ɔy nít
NMLZ	真実	あれ	我々	住む	占領する	住む	~の上	土地	~だけ	少ない

ของ	โลก	ใบ	นี้
khɔ̌ɔŋ	lôok	bay	níi
~の	世界	CL	この

実は、私たち人間は地球のごくわずかな場所しか占めていないのです。

ถ้าจับประชากร ๒ พันล้านคนมายืนรวมติดๆกันเหมือนอย่างในงานเลี้ยงสักแห่ง ผู้คนทั้งหมดนี้จะกินเนื้อที่เพียง ๒๐ ตารางไมล์เท่านั้นเอง

[tʰâː tɕàp pratɕʰaːkɔːn sɔ̌ːŋ pʰan láːn kʰon maː juːn ruam tìt tìt kan mɯ̌an jàːŋ naj ŋaːn líaŋ sàk hɛ̀ŋ pʰûː kʰon tʰáŋ mòt níː tɕà kin nɯ́a tʰîː pʰiaŋ jîː sìp taːraːŋmaj tʰâw nán eːŋ]

ถ้า	จับ	ประชากร	๒ [สอง]	พัน	ล้าน	คน	มา	ยืน	รวม	ติด	ๆ
thâa	càp	prachaakɔɔn	sɔ̌ɔŋ	phan	láan	khon	maa	yɯɯn	ruam	tìt	tìt
もし	集める	国民	二	千	百万	~人	来る	立つ	合わせる	引っ付く	EMP

กัน	เหมือนอย่าง	ใน	งานเลี้ยง	สัก	แห่ง	ผู้คน	ทั้งหมด	นี้	จะ
kan	mɯ̌an yàaŋ	nay	ŋaan líaŋ	sàk	hɛ̀ŋ	phûu khon	tháŋ mòt	níi	cà
お互いに	~のように	~の中で	集会	少し	CL	人々	すべて	この	だろう

กิน	เนื้อที่	เพียง	๒๐ [ยี่สิบ]	ตารางไมล์	เท่านั้น	เอง
kin	nɯ́a thîi	phiaŋ	yîi sìp	taaraaŋmay	thâw nán	eeŋ
食う	面積	たった	二十	平方マイル	~だけ	EMP

もし地球に住む20億の住民が、集会に集まるときのように少し間を詰めて立っていれば、たった20平方マイルの広場に楽々収容されるでしょう。

หรืออีกนัยหนึ่ง เราสามารถอัดรวมคนทั้งโลกลงไปไว้บนเกาะเล็กๆในมหาสมุทร
แปซิฟิกเพียงเกาะเดียว อย่างไรอย่างนั้น

[rɯ̌ː iːk naj nɯ̀ŋ raw sǎːmâːt àt ruam kʰon tʰáŋ lôːk loŋ paj wáj bon kɔ̀ lék lék naj mahǎːsamùt
pēːsífìk pʰiaŋ kɔ̀ dīaw jàːŋ raj jàːŋ nán]

หรือ	อีก	นัย	หนึ่ง	เรา	สามารถ	อัด	รวม	คน	ทั้ง	โลก	ลง	ไป
rɯ̌ɯ	ìik	nay	nɯ̀ŋ	raw	sǎamâat	àt	ruam	khon	tháŋ	lôok	loŋ	pay
または	もう	ほのめかす	一つ	私たち	できる	圧縮する	集める	人	すべて	世界	下	行く

ไว้	บน	เกาะ	เล็ก	ๆ	ใน	มหาสมุทร	แปซิฟิก	เพียง	เกาะ	เดียว
wáy	bon	kɔ̀	lék	lék	nay	mahǎasamùt	pɛɛsífìk	phiaŋ	kɔ̀	dīaw
~しておく	上	島	小さい	EMP	~の中	海	太平洋	~だけ	島	一つ

อย่างไรอย่างนั้น
yàaŋ ray yàaŋ nán
そのような

または、太平洋に浮かぶような一つの小さな島にすべての人間を押し込めること
もできそうです。

แน่ละ ที่พวกผู้ใหญ่จะไม่เชื่อคุณตามนี้หรอก

[nɛ̂ː la tʰîː pʰûak pʰûː jàj tɕà mâj tɕʰɯ̂a kʰun taːm níː rɔ̀k]

แน่	ละ	ที่	พวก	ผู้ใหญ่	จะ	ไม่	เชื่อ	คุณ	ตาม	นี้	หรอก
nɛ̂ɛ	la	thîi	phûak	phûu yày	cà	mây	chɯ̂a	khun	taam	níi	rɔ̀k
確実	EMP	REL	PL	大人	~だろう	NEG	信じる	あなた	従う	これ	EMP

無論、大人はそんな話は信じないでしょう。

พวกเขาต่างคิดกันว่าตนเองกินเนื้อที่มากมาย

[pʰûak kʰǎw tàːŋ kʰíːt kan wâː ton eːŋ kin nɯ́a tʰîː mâːk maːj]

พวกเขา	ต่าง	คิดกัน	ว่า	ตนเอง	กิน	เนื้อที่	มากมาย
phûak khǎw	tàaŋ	khíit kan	wâa	ton eeŋ	kin	nɯ́a thîi	mâak maay
彼ら	それぞれ	思い込む	~と	自分たち	占める	場所	たくさんの

彼らは自分たちがたくさんの場所を占めていると思い込んでいるのでしょう。

เห็นว่าตนนั้นใหญ่โตมหึมาพอๆกับต้นไทรก็ว่าได้

[hěn wâː ton nán jàj toː máhɯ̀ma pʰɔː pʰɔː kàp tôn saj kɔ̀ː wâː dâːj]

เห็นว่า	ตนนั้น	ใหญ่โต	มหึมา	พอๆ	กับ	ต้นไทร	ก็	ว่า	ได้
hěn wâa	ton nán	yày too	máhɯ̀maa	phɔɔ phɔɔ	kàp	tôn say	kɔ̀ɔ	wâa	dâay
つまり	自分たち	立派	巨大	同じくらい	~と	バニヤン*	~すると	言う	できる

つまり、自分たちはバニヤンと同じくらい偉大だと思っています。

* 木の名前。他の言語のテキストにおけるバオバブにあたります。

คุณอาจแนะให้พวกเขาลองคิดคำนวณออกมาเป็นตัวเลขดูเอง

[kʰun àːt né hâj pʰûak kʰǎw lɔːŋ kʰít kham nuan ɔːk maː pen tua lêːk duː eːŋ]

คุณ	อาจ	แนะ	ให้	พวกเขา	ลอง	คิดคำนวณ	ออก	มา	เป็น
khun	àat	né	hây	phûak khǎw	lɔɔŋ	khít kham nuan	ɔ̀ɔk	maa	pen
あなた	～かもしれない	勧める	～に	彼ら	～してみる	計算する	出る	来る	～だ

ตัวเลข	ดู	เอง
tua lêek	duu	eeŋ
数字	～してみる	自身で

そこで大人には計算してみるように勧めてみてください。

พวกผู้ใหญ่ซึ่งโปรดปรานตัวเลขทั้งหลายจึงจะพอใจ

[pʰûak pʰûː jàj sɯ̂ŋ pròːt praːn tua lêːk tʰáŋ lǎːj tɕɯŋ tɕà pʰɔː tɕaj]

พวกผู้ใหญ่	ซึ่ง	โปรดปราน	ตัวเลข	ทั้งหลาย	จึง	จะ	พอใจ
phûak phûu yày	sɯ̂ŋ	pròot praan	tua lêek	tháŋ lǎay	cɯŋ	cà	phɔɔ cay
大人たち	REL	好む	数字	すべて	だから	～だろう	満足する

大人は数字が大好きですから、納得すると思います。

ทว่าคุณอย่าได้เสียเวลาไปกับความคิดดังกล่าวนี้เลย

[tʰawâː kʰun jàː dâːj sǐa weːlaː paj kàp kʰwaːm kʰít daŋ klàːw níː ləːj]

ทว่า	คุณ	อย่า	ได้	เสีย	เวลา	ไปกับ	ความคิด	ดังกล่าว
thawâa	khun	yàa	dâay	sǐa	weelaa	pay kàp	khwaam khít	daŋ klàaw
しかし	あなた	～してはいけない	する	無駄にする	時間	～で	考え事	前述の

นี้	เลย
níi	ləəy
この	EMP

しかし、あなたがたは、そんな仕事で時間を潰してはいけません。

ไม่มีประโยชน์ใดๆทั้งสิ้น เชื่อผมเถิด

[mâj miː prajòː daj daj tʰáŋ sîn tɕʰɯ̂a pʰǒm tʰɤ̀ːt]

ไม่	มี	ประโยชน์	ใด	ๆ	ทั้งสิ้น	เชื่อ	ผม	เถิด
mây	mii	prayòo	day	day	tháŋ sîn	chɯ̂a	phǒm	thɤ̀ɤt
NEG	ある	利益	いずれの	EMP	すべての	信じる	僕	～しなさい

無駄ですから。私を信用してください。

เมื่อเจ้าชายน้อยเดินทางมาถึงโลกมนุษย์ ก็ให้รู้สึกแปลกใจที่ไม่เห็นใครเลยสักคน

[mûa tɕâw tɕhaːj nɔ́ːj dəːn tʰaːŋ maː tʰǔŋ lôːk manút kɔ̂ː hâj rúːsɯ̀k plɛ̀ːk tɕaj tʰîː mâj hěn kʰraj ləːj sàk kʰon]

เมื่อ	เจ้าชาย	น้อย	เดินทาง	มา	ถึง	โลกมนุษย์	ก็	ให้	รู้สึก	แปลก
mûa	câw chaay	nɔ́ɔy	dəən thaaŋ	maa	thǔŋ	lôok manút	kɔ̂ɔ	hây	rúusɯ̀k	plɛ̀ɛk
～した時	王子	幼い	旅する	来る	～まで	地球	～すると PASS	思う	驚く

ใจ	ที่	ไม่	เห็น	ใคร	เลย	สัก	คน
cay	thîi	mây	hěn	khray	ləəy	sàk	khon
気持ち	REL	NEG	見える	誰	EMP	少しの	人

小さな王子さまは地上に降り立つと、人影がまったくないことにひどく驚きました。

เขาหวั่นๆว่าอาจจะมาผิดดาวก็ได้

[kʰǎw wàn wàn wâː àːt tɕà maː pʰìt daːw kɔ̂ː dâːj]

เขา	หวั่น	ๆ	ว่า	อาจจะ	มา	ผิด	ดาว	ก็ได้
khǎw	wàn	wàn	wâa	àat cà	maa	phìt	daaw	kɔ̂ɔ dâay
彼	恐れる	EMP	～と	もしかしたら	来る	間違える	惑星	～かもしれない

星を間違えたのではないかと心配になったのです。

ขณะนั้น	เขา	พลัน	สังเกต	เห็น	วัตถุ	หนึ่ง	เป็น	รูป	วงแหวน	สี
khanà nán	kháw	phlan	sǎŋ kèet	hěn	wát thù	nùŋ	pen	rûup	woŋ wěɛn	sǐi
その時	彼	突然	観測する	見る	もの	ある~	~だ	形	指輪	色

เหลือง	นวล	อย่าง	พระจันทร์	เขยื้อนไหว	ไป	มา	บน	พื้นทราย
lʉaŋ	nuan	yàaŋ	phrácan	khayʉ̂an wǎy	pay	maa	bon	phɯ́ɯn saay
黄	クリーム	~のような	月	移動する	行く	来る	~の中で	砂

そのとき、彼は突然、砂の中で動く月のような黄色の輪を見ました。

" สวัสดี "	เจ้าชาย	น้อย	กล่าวออก	ไป	ลอยๆ
sawàt dii	câw chaay	nɔ́ɔy	klàaw ɔ̀ɔk	pay	lɔɔy lɔɔy
こんにちは	王子	幼い	声をかける	~へ	考えずに

「こんにちは」と、小さな王子さまは深く考えず声をかけました。

" สวัสดี "	งู	ตัว	นั้น	ตอบ
sawàt dii	ŋuu	tua	nán	tɔ̀ɔp
こんにちは	蛇	~匹	その	答える

「こんにちは」と、その蛇は答えました。

" ฉัน	ตก	มา	บน	ดาว	อะไร	หรือ "	เจ้าชาย	น้อย	ถาม
chán	tòk	maa	bon	daaw	aray	rʉ̌ʉ	câw chaay	nɔ́ɔy	thǎam
私	落ちる	来る	~の上	惑星	どの	~か	王子	幼い	聞く

「ぼくは何という星に降りたのかな？」と、小さな王子さまは聞きました。

" บน	โลกมนุษย์	น่ะสิ	ใน	ทวีป	แอฟริกา "	งู	ตอบ
bon	lôok manút	nâ sì	nay	thawîip	ɛ̀ɛfríkaa	ŋuu	tɔ̀ɔp
~の上	地球	SFP	~の中	大陸	アフリカ	蛇	答える

「地球さ。アフリカ大陸だよ」と、蛇は答えました。

" อา ...	บน	โลกมนุษย์	ไม่	มี	ใคร	อยู่	เลย	หรือ	นี่ "
aa	bon	lôok manút	mây	mii	khray	yùu	ləəy	rʉ̌ʉ	nîi
ああ	~の上に	地球	NEG	ある	誰	住む	~も	~か	ここ

「ああ……この地球には誰もいないの？」

"ที่นี่ เป็น ทะเลทราย ไม่ มี ใคร อยู่ ใน ทะเลทราย กัน
thî nîi / pen / thalee saay / mây / mii / khray / yùu / nay / thalee saay / kan
ここ / ～である / 砂漠 / NEG / ある / 誰 / 居る / ～の中 / 砂漠 / 一緒に

หรอก โลกมนุษย์ น่ะ กว้าง ใหญ่ ออก " งู พูด
rɔ̀k / lôok manút / nâ / kwâaŋ / yày / ɔ̀ɔk / ŋuu / phûut
EMP / 地球 / ～よ / 広い / 大きい / 分かる / 蛇 / 話す

「ここは砂漠さ。砂漠には誰もいないよ。地球は大きいんだ」と、蛇が答えました。

เจ้าชาย น้อย นั่ง ลง บน หิน ก้อน หนึ่ง แล้ว ทอด
câw chaay / nɔ́ɔy / nâŋ / loŋ / bon / hĭn / kɔ̂ɔn / nɯ̀ŋ / lɛ́ɛw / thɔ̂t
王子 / 幼い / 座る / 下に / ～の上に / 石 / ～個 / 一 / そして / 投げる

สายตา มอง ขึ้น ไป บน ท้องฟ้า
săay taa / mɔɔŋ / chɯ́n / pay / bon / thɔ́ɔŋ fáa
視線 / 見る / 上げる / ～へ / 上 / 空

小さな王子さまは石の上に座って、空を見上げました。

"ฉัน กำลัง ถาม ตัวเอง อยู่ ที่เดียว ว่า " เขา พูด
chán / kamlaŋ / thăam / tua eeŋ / yùu / thîi dĭaw / wâa / khăw / phûut
僕 / ～している / 聞く / 自分自身 / ～している / 一つ / ～と / 彼 / 話す

「ぼくは自分に問いかけているんだ」と、小さな王子さまが言いました。

" ที่ เหล่า ดวงดาว ต่าง ส่อง สว่าง สุกใส นั้น ก็ เพื่อ
thîi / làw / duaŋdaaw / tàaŋ / sɔ̀ŋ / sawàaŋ / sùk săy / nán / kɔ̂ / phɯ̂a
～すること / ～たち / 惑星 / 各々 / 光る / 輝く / 明るい / あの / ～は / ～のために

จะ ให้ เรา แต่ละคน ได้ ตาม หา ดาว ของ ตน
cà / hây / raw / tɛ̀ɛ lá khon / dâay / taam / hăa / daaw / khɔ̆ɔŋ / ton
～だろう / ～になるように / 私たち / 一人一人 / ～できる / ～に従って / 探す / 星 / ～の / 個人

เจอเข้า สักวัน ใช่ไหม ดู ดาว ของ ฉัน นั่นสิ กำลัง โคจร
cəə khâw / sàk wan / chây máy / duu / daaw / khɔ̆ɔŋ / chán / nân sì / kamlaŋ / khɔɔ cɔɔn
見つける / いつか / ～だろうか / 見る / 星 / ～の / 私 / ～しなさい / ～している / 軌道を進む

มา อยู่ เหนือ ตัวเรา พอดี แต่ มัน ก็ ไกล เหลือ เกิน "
maa / yùu / nɯ̆a / tua raw / phɔɔ dii / tɛ̀ɛ / man / kɔ̂ / klay / lɯ̆a / kəən
来る / ある / 上 / 私たち / ちょうど / しかし / EMP / しかし / 遠い / あまり / ～すぎる

「星々が光っているのは、ぼくたち一人ひとりがそのおかげで、いつか自分の星を見つけられるようになるからじゃないかとね。ぼくの星を見てごらんよ。ぼくらの真上にある……でもあまりに遠すぎるよ！」

> " ดาว ของ เธอ สวย ดี นี่ " งู พูด " แล้ว เธอ มา ทำ อะไร ที่
> daaw khɔ̌ɔŋ thəə sǔay dii nîi ŋuu phûut lɛ́ɛw thəə maa tham aray thîi
> 星 ～の あなた 美しい いい これ 蛇 言う そして 君 来る する 何 場所
>
> นี่ ล่ะ "
> nîi lâ
> ここ EMP

「君の星は美しいね」と、蛇は言いました。「君はこの地球に何をしに来たんだい？」

> " ฉัน มี เรื่อง กับ ดอกไม้ ดอก หนึ่ง น่ะสิ " เจ้าชาย น้อย บอก
> chán mii rɯ̂aŋ kàp dɔ̀ɔk máay dɔ̀ɔk nɯ̀ŋ nâ sì câw chaay nɔ́ɔy bɔ̀ɔk
> 私 ある 事柄 ～と 花 CL とある SFP 王子 幼い 言う

「花といろいろあってね」と、小さな王子さまは答えました。

> " อ๋อ " งู อุทาน แล้ว ทั้ง สอง ก็ เงียบ งัน กัน ไป
> ɔ̌ɔ ŋuu ùthaan lɛ́ɛw tháŋ sɔ̌ɔŋ kɔ̂ ŋîap ŋan kan pay
> へえ 蛇 叫ぶ PERF 全て 二 そして 静か 静寂 お互い 方向

「へえ」と、蛇は叫びました。そして2人は黙りました。

> " พวก มนุษย์ อยู่ ที่ ไหน กัน " ในที่สุด เจ้าชาย น้อย ก็ ถาม ขึ้น
> phûak manút yùu thîi nǎy kan nay thîi sùt câw chaay nɔ́ɔy kɔ̂ thǎam khɯ̂n
> ～たち 人間 居る 場所 どこ 一緒 とうとう 王子 幼い そして 尋ねる 起きる
>
> " เรา ออก จะ อ้างว้าง อยู่ สัก หน่อย ใน ทะเลทราย อย่าง นี้ ..."
> raw ɔ̀ɔk cà âaŋ wâaŋ yùu sàk nɔ̀y nay thalee saay yàaŋ nîi
> 私たち わかる ～だろう 孤独な ～だ ～だけ 少し ～の中 砂漠 --のような この

「人間たちはどこにいるの？」と、とうとう小さな王子さまは尋ねました。「こんな砂漠にいると、ちょっと孤独だね……」

> " ถึง ใน แวดวง มนุษย์ เรา ก็ อ้างว้าง ด้วย เหมือนกัน "
> thɯ̌ŋ nay wɛ̂t woŋ manút raw kɔ̂ âaŋ wâaŋ dûay mǔan kan
> たとえ～でも ～の中 ～界 地球 私たち ～も 孤独 ～も 同じ

งู บอก เจ้าชาย น้อย จ้อง งู ตัวนั้น เนิ่นนาน
ŋuu bɔ̀ɔk câw chaay nɔ́ɔy cɔ̂ŋ ŋuu tua nán nə̀ən naan
蛇　言う　王子　幼い　見つめる　蛇　その　長い間

「人間界にいても孤独さ」と、蛇が答えました。小さな王子さまは長い間じっと蛇を見つめました。

" เธอ ดู เป็น สัตว์ ที่ น่า ขัน จัง " ในที่สุด เจ้าชาย
thəə duu pen sàt thîi nâa khǎn caŋ nay thîi sùt câw chaay
君　思う　～だ　動物　REL　～する価値がある　滑稽だ　とても　とうとう　王子

น้อย ก็ เอ่ย ขึ้น " ตัว ผอม ยัง กะ นิ้ว มือ เลย "
nɔ́ɔy kɔ̂ ə̀əy khɯ̂n tua phɔ̌ɔm yaŋ kà níw mɯɯ ləəy
幼い　そして　言い出す　上がる　体　細い　～のように　まるで　指　手　EMP

「きみは面白い動物だね」と、とうとう小さな王子さまは言いました。「まるで指のように細いし」

" แต่ ฉัน มี อานุภาพ มาก ยิ่ง กว่า นิ้ว มือ ของ พระราชา เสีย
tɛ̀ɛ chán mii aanúphâap mâak yîŋ kwàa níw mɯɯ khɔ̌ɔŋ phráraachaa sǐa
でも　私　ある　威力　とても　とても　～より　指　手　～の　王さま　EMP

อีก นะ " งู คุย
ìik nâ ŋuu khùy
さらに　～さ　蛇　自慢する

「でも、僕は王さまの指より強いのさ」と、蛇が自慢しました。

เจ้าชาย น้อย ระบาย ยิ้ม " เธอ ไม่ มี พิษสง สัก เท่าไหร่ หรอก เธอ ไม่
câw chaay nɔ́ɔy rabaay yím thəə mây mii phít sǒŋ sàk thâw rày rɔ̀k thəə mây
王子　幼い　出す　ほほえむ　彼　NEG　ある　毒　少し　いくらか　EMP　君　NEG

มี ขา อย่าง นี้ จะ เดิน ไป ไหน ต่อ ไหน ก็ ไม่ ได้ "
mii khǎa yàaŋ níi cà dəən pay nǎy tɔ̀ɔ nǎy kɔ̂ mây dâay
ある　足　～のような　この　～だろう　出かける　行く　どこ　～へ　どこ　～も　NEG　できる

小さな王子さまはほほえみました。「きみはいくらか毒を持っているわけでもないし、こんな足だってないし、どこに出かけることもできないし」

" ฉัน พา เธอ ไป ที่ ไหน ๆ ได้ ไกล กว่า เรือ เดิน สมุทร
chán phaa thəə pay thîi nǎy nǎy dâay klay kwàa rɯa dəən samùt
私　連れる　君　行く　場所　どこ　EMP　できる　遠い　～より　船　行く　海岸

เสีย	อีก	"	งู	พูด
sǐa	ìik		ŋuu	phûut
費やす	もっと		蛇	言う

「僕は船が航海するよりもっと遠くに君を運ぶこともできるさ」と、蛇は言いました。

แล้ว	มัน	ก็	ขด	ตัว	พัน	รอบ	ข้อ	เท้า	ของ	เจ้าชาย	น้อย
lέεw	man	kɔ̂	khòt	tua	phan	rɔ̂ɔp	khɔ̂ɔ	tháaw	khɔ̌ɔŋ	câw chaay	nɔ́ɔy
そして	それ	PART	巻く	体	巻きつける	周り	首	足	～の	王子	幼い

ดู	ราว	กับ	เป็น	สร้อย	ทอง	เส้น	หนึ่ง
duu	raaw	kàp	pen	sɔ̂y	thɔɔŋ	sên	nὺŋ
～のように	大体	～と	～だ	ネックレス	金	線	ある

蛇は、金のブレスレットのように王子さまのくるぶしに巻きつきました。

" ใคร	ก็ตาม	ที่	ฉัน	แตะต้อง	เข้า	ฉัน	จะ	ส่ง	ผู้	นั้น	กลับคืน
khray	kɔ̂ɔ taam	thîi	chán	tὲ tɔ̂ŋ	khâw	chán	cà	sòŋ	phûu	nán	klàp khɯɯn
誰	～であろうと	REL	私	触れる	入る	私	～だろう	送る	人	その	帰す

ลง	ดิน	ไป	ยัง	ที่	ที่	เขา	เกิด	เป็น	ตัว	เป็น	ตน	ขึ้น
loŋ	din	pay	yaŋ	thîi	thîi	khǎw	kə̀ət	pen	tua	pen	ton	khɯ̂n
～に	土	～に	まだ	場所	REL	彼	出てくる	～だ	体	～だ	自身	上

มา	นั่น	แหละ	" แล้ว	มัน	ก็	เสริม	ขึ้น	อีก	ว่า "	แต่	นี่
maa	nân	lὲ	lέεw	man	kɔ̂	sə̌əm	khɯ̂n	ìik	wâa	tὲε	nîi
～してくる	その	～さ	そして	それ	PART	付け足す	追加する	さらに	～と	でも	この

เธอ	แสน	จะ	บริสุทธิ์	ผุดผ่อง	แถม	ยัง	มา	จาก	ดาว	ดวง	อื่น ..."
thəə	sἔεn	cà	bɔɔrìsùt	phùt phɔ̀ŋ	thἔεm	yaŋ	maa	càak	daaw	duaŋ	ɯ̀ɯn
君	とても	～だろう	純粋な	現れる	しかも	まだ	来る	～から	星	CL	他の

「僕は、僕が触った者を、そいつが出てきた土に帰してやるのさ」と、さらに蛇は言いました。「でも君は純粋で、ほかの星から来た人だし……」

เจ้าชาย	น้อย	ไม่	ได้	ตอบ	โต้	ว่า	กระไร
câw chaay	nɔ́ɔy	mây	dâay	tɔ̀ɔp	tôo	wâa	kraray
王子	幼い	NEG	PST	答える	論じる	～と	何も

小さな王子さまは何も答えませんでした。

"เธอ ทำให้ ฉัน นึก เวทนา เธอ น่ะ แสน จะ อ่อนแอ บอบบาง
thəə tham hây chán núk wêetthánaa thəə nâ sɛ̌ɛn cà ɔ̀ɔnɛɛ bɔ̀ɔp baaŋ
君 させる 私 思う 気の毒だ 君 ~だよ とても ~だろう 弱い 壊れやすい

บน โลก แห่ง หิน ผา นี้ ฉัน ช่วย เธอ ได้ น่ะ ถ้า วัน
bon lôok hɛ̀ŋ hǐn phǎa níi chán chûay thəə dâay nâ thâa wan
~の上 地球 ~の 石 崖 この 私 助ける 君 できる ~よ もし 日

หนึ่ง วัน ใด เธอ เกิด คิดถึง ดวงดาว ของ เธอ เหลือ จะ
nùŋ wan day thəə kə̀ət kít thʉ̌ŋ duaŋ daaw khɔ̌ɔŋ thəə lʉ̌a cà
ある 日 ある 君 ~が起きる 恋しい 惑星 ~の 君 余る ~しよう

ทาน ทน ฉัน สามารถ ..."
thaan thon chán sǎamâat
施す 我慢する 私 できる

「君を見ているとかわいそうになる。そんなに弱いのに、この厳しい地球にいる
んだからね。もしいつか君が、自分の星が恋しくてたまらなくなったら君を助け
てあげられるよ。僕にはできるんだよ……」

"เอาละ ... ฉัน เข้าใจ ดี แล้ว" เจ้าชาย น้อย พูด "ว่าแต่ ทำไม
aw lá chán khâw cay dii lɛ́ɛw câw chaay nɔ́ɔy phûut wâa tɛ̀ tham may
ああ 私 理解する 良い PERF 王子 幼い 言う でも なぜ

เธอ ต้อง พูด อะไร เงื่อนงำ เป็น ปริศนา อยู่ เรื่อย เลย"
thəə tɔ̂ŋ phûut aray ŋûan ŋam pen prìtsanǎa yùu rʉ̂ay ləəy
君 ~しなければならない 言う 事 糸口 ~だ 謎 ある なんとなく EMP

「ああ……よくわかったよ」と、小さな王子さまは言いました。「でもどうしてき
みはいつも謎めいたことを言うの?」

"ฉัน ไข ปริศนา เหล่านั้น ได้ ทุก ข้อ ก็แล้วกัน" งู ตอบ
chán khǎy prìtsanǎa làw nán dâay thúk khɔ̂ɔ kɔ̂ɔ lɛ́ɛw kan ŋuu tɔ̀ɔp
私 解く 謎 それら できる すべて 問題 ~しましょう 蛇 答える

「僕がすべての謎を解くからさ」と、蛇は答えました。

แล้ว ทั้ง คู่ ก็ เงียบงัน อยู่ อย่าง นั้น
lɛ́ɛw thâŋ khûu kɔ̂ɔ ŋîap ŋan yùu yàaŋ nán
そして 両方 組 PART 沈黙 ~である ~のように その

そして、2人はまた黙りこみました。

พงาพันธุ์ โบบิเยร์ (1997) (tr.) เจ้าชายน้อย. กรุงเทพฯ: บริษัท ศรีสารา จำกัด. pp.115-118.

18 ラオス語

　ラオスという国の国語ということで、ラオス語といいます。ラオ族の言語ですので、ラオ語ともいいます。タイ語とは、互いに方言同士と言っても過言ではないぐらい、類似した言語です。タイの東北部の方言は、タイ語の4大方言の1つとして東北タイ方言（イサーン語）とも呼ばれますが、言語特徴から分類すると、むしろラオス語の方言とみるべきものです。両国の国境はメコン川ですが、両岸の往来は現在もさかんです。ラオス語もタイ語も†タイ・カダイ語族という語族に属し、親縁関係にある言語は中国の南部など、両国の周辺で話されています。

音韻論と文字体系

　†母音音素は /i, e, ɛ, a, ɔ, o, u, ə, ɯ/ の9つで、それぞれに長短の対立があり、†二重母音も3つ (ia, ɯa, ua) あります（これは方言にもよりますが、基本的にタイ語と同じです）。子音音素は全部で20個あります (/p, t, c, k, pʰ, tʰ, kʰ, b, d, m, n, ɲ, ŋ, f, s, h, l, w, y [j], ʔ/)。その中で末子音に現れるのは /p, t, k, ʔ, m, n, ŋ, w, y/ の9つのみです。子音はタイ語に比べて1つ少なく、まずタイ語にある /cʰ/ と /r/ がありません。一方タイ語にはない /ɲ/ があり、タイ語ではこの子音が /y/ で現れます (lao. ɲàa ∥ tha. yâa「草」)。

　†音節構造は頭子音を C_1、母音を V（長母音・二重母音を含みます）、末子音を C_2、†声調を T とすると、短母音の場合は C_1VC_2/T、長母音・二重母音の場合は $C_1V(C_2)/T$ となります。すなわち長母音・二重母音の後は子音の出現が任意になります。タイ語にみられるような音節頭の子音連続 (C_1C_2-) はありません (lao. paa ∥ tha. plaa「魚」)。-p, -t, -k, -ʔ で終わる†促音節においては主核母音が長母音・二重母音の場合は低降調と下降調の2つ、主核母音が短母音である場合は中平調と高昇調の2つ

がそれぞれ対立します。促音節以外では5つの声調のすべてが†対立します（第17章タイ語の概説も参照してください）。

　タイ語では頭子音の†無声化に伴って声調の分化が起きましたが、ラオス語では一部これが起きませんでした（lao. kʰay ‖ tha. kʰày「卵」、lao. mɛɛ ‖ tha. mêɛ「母」(三谷 (1992: 656) による))。

　見た目はやや異なりますが、ラオス文字のシステムはタイ文字のシステムとほとんど同じです（第17章タイ語の概説を参照してください）。ただしタイ文字では、タイ語の音素との対応では重複してしまう字母を、‡サンスクリット（語）・†パーリ語（ともにインドの古典語です）の音韻・表記との対応関係を維持するために形式的に残していますが、ラオス文字にはなく、現在では原則的に1字に1音が対応しています。

　　形態論

　†孤立型の言語なので、†形態的手法には†接辞が使われず、†複合や†重複が用いられます。文法や意味の違いはもっぱら助動詞的・†前置詞的にはたらく語や†語順によって表されます。助動詞的にはたらく語や、前置詞的にはたらく語は、単独でふつうの語として使われる語（特に動詞）が兼ねていることもよくあります。

　　統語論

　ラオス語の人称代名詞は多様です。話している相手との親密度や年齢の上下、社会的・文化的地位の上下関係によって代名詞が使い分けられます（以下、前にある方ほど丁寧です。1SG: kʰàaphacâw ~ kʰɔ̌y ~ háw ~ kǔu, 2SG: tʰaan ~ câw ~ tŏo ~ mûŋ, 3SG: pʰɔn ~ láaw ~ mán、上田 (1998: 381) による))。　複数は単数の代名詞の前に pʰûak をつけます（3PL には kʰacâw も用いられます）。人称代名詞以外では†数の区別は厳密でなく、一般名詞では、数詞と†類別詞を同時に伴うことなどによって数を示します。類別詞は［名詞　＋数詞＋類別詞］や［名詞＋類別詞＋状態動詞］のような構造で用います。名詞が何を指しているかわかっているときは［類別詞＋状態動

Laotian

詞]、［類別詞＋指示詞］のような構造を名詞相当語句として使うことができます。類別詞はそれが対象とする名詞によって次のようなものを使い分けます。以下の［　］は数える対象を示します（［人］khón (síp khón「10人」)、［動物、洋服］tŏo (măa nung tŏo「犬1匹」)、［大きい果物、大きい家具］nuay (taŋʔii hàa nuay /「5つのイス」)、さらに［線状のもの］、［本、根菜類］、［束状のもの］、などに用いる類別詞があります）。1～10の数詞そのものは次のようです（nɯŋ, sɔ̌ɔŋ, săam, sii, hàa, hók, cét, pɛ̀ɛt, kâw, síp）。2以上はすべて中国語からの借用語です（タイ語も同様です。なお「2」は〈双〉に由来します）。

†意志動詞と†無意志動詞の違いが重要で、例えば意志動詞と無意志動詞で使役表現が異なります（意志動詞［†使役主＋hày＋被使役者＋動詞句］mɛɛ hày lûuk pǎy sɯ̂ɯ kʰàwcii. 'mother CAUS child go buy bread'「母は子供にパンを買いに行かせた」、無意志動詞 kʰɔ̌y het cɔ̀ɔk tɛ̀ɛk. 'I caus cup break'「私は（うっかり）コップを割った」）。無意志動詞との†動詞連続を用いて、意志動詞の示す行為の結果を明確に示すこともあります。（kʰɔ̌y tʰup kʰay tɛ̀ɛk. 'I break egg be broken'「私は卵を割った」）。†受身表現は「受動者＋tʰɯ̀ɯk＋動作主＋動詞句」のようになります（kʰɔ̌y tʰɯ̀ɯk súk tii.「私はスックさんに叩かれた」）。「怒られた」や「盗られた」のようなマイナスの意味の表現で多く用いられます。文法要素としての†テンスはなく、テンスは時の副詞などによって示されます。†アスペクトには次のようなものがあります。完了［V lɛ̂ɛw］súk máa lɛ̂ɛw.「スックさんはもう来た」、†現在進行［(kǎmláŋ) V yuu］kʰɔ̌y kǎmláŋ kĭn màakmuaŋ nîi yuu.「私はこのマンゴーを食べています」、なお yuu は所在動詞です。習慣や恒常的真理を示すのには特別なアスペクトの形式を必要としません。

†SVO†語順ですが、定の†目的語をはじめとして†主題となる要素は SV のさらに前の位置に持って来ることができます。1つの動詞は1つの†補語しかとることができず、この点はタイ語との大きな違いです。ただし補語をとる動詞が必ずしも常に補語をとるわけではありません（ʔâay sɯ̂ɯ pûm máa ʔaan 'brother buy book come read'「兄は本を買ってきて読んだ」、この文で ʔaan 'read' は補語 pûm 'book' をとっていません）。

語彙論

　語彙の面でタイ語との違いが目立つものには、代名詞の lao. pʰǎy ‖ tha. kʰray「誰」、lao. ɲǎŋ ‖ tha. ʔaray「何」や文法的形式の lao. bɔɔ ‖ tha. mây「〜ない」があげられます（三谷 (1992: 656) による）。

三谷 (1992)「ラオ語」（⑦所収）、上田 (1998)「ラオス語」（①所収）、鈴木 (2010)「ラオス語」、鈴木 (2012)「ラオ語」、片井 (2019)（以上⑪所収）、橋本 (1978)（第1部14章5節参照）

ທ້າວນ້ອຍ

thâaw nɔ́ɔy

18

ທ້າວນ້ອຍຍ່າງຂ້າມທະເລຊາຍແລະໄດ້ພົບແຕ່ດອກໄມ້ດອກດຽວ.

[tʰâ:w nɔ̀:j ɲa:ŋ kʰà:m tʰalé:sá:j lɛʔ dâj pʰop̀ tɛ: dɔ̀:kmâj dɔ̀:k dĭaw]

ທ້າວ	ນ້ອຍ	ຍ່າງ	ຂ້າມ	ທະເລຊາຍ	ແລະ	ໄດ້	ພົບ	ແຕ່	ດອກໄມ້	ດອກ	ດຽວ
thâaw	nɔ́ɔy	ɲaaŋ	khàam	thaléesáay	lɛʔ	dây	phop	tɛɛ	dɔ̀ɔkmây	dɔ̀ɔk	dĭaw
~さん(男性)	小さな	歩く	渡る	砂漠	そして	得る	会う	~だけ	花	CL	唯一

小さい男の子 [小さな王子さまのこと] は砂漠を歩いていって、1本の花だけに出会いました。

ດອກໄມ້ທີ່ມີແຕ່ສາມກີບ, ດອກໄມ້ທີ່ບໍ່ມີຄວາມໝາຍຫຍັງ *ໝົດ...

[dɔ̀:kmâj tʰi: mí: tɛ: sǎ:m ki:p̀ dɔ̀:kmâj tʰi: bɔ: mí: kʰuwá:mmǎ:j ɲǎŋ mót]

ດອກໄມ້	ທີ່	ມີ	ແຕ່	ສາມ	ກີບ	ດອກໄມ້	ທີ່	ບໍ່	ມີ	ຄວາມ-ໝາຍ	ຫຍັງ	ໝົດ
dɔ̀ɔkmây	thii	míi	tɛɛ	sǎam	kìip	dɔ̀ɔkmây	thii	bɔɔ	míi	khuwáam-mǎay	ɲǎŋ	mót
花	REL	ある	~だけ	三	CL	花	REL	NEG	ある	NMLZ-意味する	何	すべて

三つだけ花びらがあって、何も価値がない花でした……。

* 原著では ຫຍັງ となっていますが、現在の正書法では ຫຍັງ と書くため、分析では修正してあります。

- ສະບາຍດີ, ທ້າວນ້ອຍເວົ້າ.

[sabǎ:jdĭ: tʰâ:w nɔ̀:j wâw]

ສະບາຍດີ	ທ້າວ	ນ້ອຍ	ເວົ້າ
sabǎaydĭi	thâaw	nɔ́ɔy	wâw
こんにちは	~さん(男性)	小さい	言う

「こんにちは」と小さな男の子は言いました。

- ສະບາຍດີ, ດອກໄມ້ເວົ້າ.

[sabǎ:jdĭ: dɔ̀:kmâj wâw]

ສະບາຍດີ	ດອກໄມ້	ເວົ້າ
sabǎaydĭi	dɔ̀ɔkmây	wâw
こんにちは	花	言う

「こんにちは」と花は言いました。

- ຄົນຢູ່ໃສ ?
[kʰón juː sǎj]

ຄົນ	ຢູ່	ໃສ
khón	yuu	sǎy
人	いる	どこ

「人はどこにいるの？」

ທ້າວນ້ອຍຖາມດ້ວຍຄວາມອະລິອະລອບ
[tʰâːw nɔ́ːj tʰǎːm dûaj kʰuwáːmʔaliʔalɔ̌ːp]

ທ້າວ	ນ້ອຍ	ຖາມ	ດ້ວຍ	ຄວາມ-ອະລິອະລອບ
thâaw	nɔ́ɔy	thǎam	dûay	khuwáam-ʔaliʔalɔɔp
~さん(男性)	小さな	尋ねる	~で	NMLZ-優しい

小さい男の子は優しく尋ねました。

ດອກໄມ້ເຄີຍເຫັນຂະບວນຄົນແທ່ເທື່ອໜຶ່ງ.
[dɔ̌ːkmâj kʰɤ́ːj hěn kʰabǔan kʰón hɛː tʰwa nɯɯŋ]

ດອກໄມ້	ເຄີຍ	ເຫັນ	ຂະບວນ	ຄົນ	ແທ່	ເທື່ອ	ໜຶ່ງ
dɔ̌ɔkmây	khɤ́ɤy	hěn	khabǔan	khón	hɛɛ	thwa	nɯŋ
花	~したことがある	見える	行列	人	行進	CL	一

花は一度、人間の行列を見たことがありました。

- ຄົນບໍ? ຂ້ອຍຄິດວ່າມີຢູ່ຫົກ ຫຼື ເຈັດຄົນນີ້ລະ.
[kʰón bɔ̌ː kʰɔ̀j kʰit waː míː juː hók lɯ̌ː cét kʰón nîː laʔ]

ຄົນ	ບໍ	ຂ້ອຍ	ຄິດ	ວ່າ	ມີ	ຢູ່	ຫົກ	ຫຼື	ເຈັດ	ຄົນ	ນີ້	ລະ
khón	bɔ̌ɔ	khɔ̀y	khit	waa	míi	yuu	hók	lɯ̌ɯ	cét	khón	nîi	laʔ
人	Q	私	思う	LK	ある	いる	六	または	七	人	EMP	SFP

「人？　6、7人くらいここにいたと思うわ。

ຂ້ອຍເຄີຍພບຕາເຫັນວ່າໆໜາຍປີກ່ອນໜ້ານີ້.
[kʰɔ̀j kʰɤ́ːj pʰáːn tǎː hěn waːŋ lǎːj píː kɔːn nàː nîː]

ຂ້ອຍ	ເຄີຍ	ພາມ	ຕາ	ເຫັນ	ຫວ່າງ	ຫຼາຍ	ປີ	ກ່ອນ	ໜ້າ	ນີ້
khɔ̀y	kháay	pháan	tǎa	hěn	waaŋ	lǎay	pǐi	kɔɔŋ	nàa	nɯ́ɯ
私	〜したことがある	出くわす	目	見える	間	たくさん	年	前	先	これ

私はこの何年間も前に見たことがあるの。

ແຕ່ດຽວນີ້ບໍ່ຮູ້ວ່າພວກເພິ່ນຢູ່ໃສ.

[tɛ: dǐawnîi bɔ: hûː waː pʰûakpʰən juː sǎj]

ແຕ່	ດຽວນີ້	ບໍ່	ຮູ້	ວ່າ	ພວກເພິ່ນ	ຢູ່	ໃສ
tɛɛ	dǐawnîi	bɔɔ	hûu	waa	pʰûak-pʰən	yuu	sǎy
しかし	今	NEG	知る	LK	〜たち彼/彼女	いる	どこ

でもいまは彼らがどこにいるかわからないわ。

       * 原著では ຢຸ່ となっていますが、正しくは ຢູ່ であると思われるため、分析では修正してあります。

ພວກເພິ່ນຖຶກກະແສລົມພັດໄປເພາະພວກເພິ່ນບໍ່ມີຮາກ.

[pʰûakpʰən tʰɯ̀ːk kasě: lóm pʰaṱ pǎj pʰɔʔ pʰûakpʰən bɔ: míi hâːk]

ພວກເພິ່ນ	ຖຶກ	ກະແສ	ລົມ	ພັດ	ໄປ	ເພາະ	ພວກເພິ່ນ	ບໍ່	ມີ	ຮາກ
pʰûak-pʰən	tʰɯ̀ɯk	kasɛɛ	lóm	phat	pǎy	phɔʔ	pʰûak-pʰən	bɔɔ	míi	hâak
〜たち彼/彼女	PASS	流れ	風	吹く	行く	なぜなら	〜たち彼/彼女	NEG	ある	根

彼らは根を持たないから、風に吹かれて行ってしまったの。

ອັນໄດ້ເຮັດໃຫ້ພວກເພິ່ນເດືອດຮ້ອນບໍ່ແມ່ນໜ້ອຍ.

[ʔǎn dâj hetʰàj pʰûakpʰən dɯ̀atʰɔ̀ːn bɔ: mɛ:n nɔ̀ːj]

ອັນ	ໄດ້	ເຮັດໃຫ້	ພວກເພິ່ນ	ເດືອດຮ້ອນ	ບໍ່	ແມ່ນ	ໜ້ອຍ
ʔǎn	dây	hethày	pʰûak-pʰən	dɯ̀athɔ́ɔn	bɔɔ	mɛɛn	nɔ̀y
もの	得る	CAUS	〜たち彼/彼女	困惑する	NEG	〜だ	少し

それが彼らをとても困らせているのね」

- ລາກ່ອນ, ທ້າວນ້ອຍເວົ້າ.

[láːkɔːn tʰâːw nɔ̀ːj wâw]

ລາກ່ອນ	ທ້າວ	ນ້ອຍ	ເວົ້າ
láakɔɔn	thâaw	nɔ̀y	wâw
さようなら	〜さん(男性)	小さな	言う

「さようなら」と小さい男の子は言いました。

- ລາກ່ອນ, ດອກໄມ້ຕອບ.

[láːkɔːn dɔ̀ːkmâj tɔ̀ːp̀]

ລາກ່ອນ	ດອກໄມ້	ຕອບ
láːkɔɔn	dɔ̀ːkmây	tɔ̀ːp
さようなら	花	答える

「さようなら」と花は返事をしました。

ສິສະຫຍ຋ວ ສະແຫວງສົງກາສາ (2002) (tr.) ທ້າວນ້ອຍ. ວຽງຈັນ: ASPB. p.53.

19　ベトナム語

Tiếng Việt

　ベトナム語は†オーストロ・アジア語族に属するとされています。この語族にはほかにカンボジア語やモン語、さらにインドで話されているムンダー語などが属しています。†類型的には†単音節孤立型の†声調言語です。北部・中部・南部に大別される方言の違いがあり（主に発音に関して）、首都ハノイで話される北部方言が標準語です。下記の記述も北部方言についてのものです。

音韻論と文字体系

　文字表記によって（一部には発音をつけて）示すと、†頭子音音素は /t, ch ~ [tɕ], c ~ k ~ q [k], th [tʰ], b [ɓ ~ b], đ [ɗ ~ d], m, n, nh [ɲ], ng ~ ngh [ŋ], ph [f], x ~ s [s], kh [x], h, v, d ~ gi ~ r [z], g ~ gh [ɣ], l/ の18個、†末子音は p [p̚], t [t̚], ch ~ c [k̚], m, n, nh ~ ng [ŋ], o ~ u [w], i ~ y [j] の8個、母音音素は /i ~ y [iː], ê [eː], e [ɛː], ă [a], a [aː], o [ɔː], ô [oː], u [uː], ư [ɯː], ơ [əː], â [ə]/ の11個、†二重母音は ⟨ia ~ iê ~ yê⟩ /iə/, ⟨ua ~ uô⟩ /uə/, ⟨ưa ~ ươ⟩ /ɯə/ の3つとなります。[ʔ] を示す文字はありませんが、表記上母音で始まっている音節は、実際の音声としては常に [ʔ] を前に伴って発音されます。

　†音節構造は C1 (S) VC2 で、介音（semivowel）は /w/ のみです。†円唇母音の後に ⟨-c, -ng⟩ の末子音がくるときには、わたり音 [u] が入り、続く末子音で [k̚p], [ŋ͡m] のような特徴的な発音が聞かれます。末子音の閉鎖音は 内破音なので聞き取りに注意が必要です。しかも†声調は6つもあります（南部方言は5つ）。中国語のように番号がついているわけではなく、それぞれに次のような名前がついています（水平な声調 ma「お化け」、懸かる声調 mà「~が（逆接の接続詞）」、鋭い声調 má「頬、母」、問う声調 mả「墓

地、巧みな」、倒れる声調 mǎ「馬」、重い声調 mạ「稲の苗」)。しかしさらに驚いたことに、かつてこの言語には声調はなかったことがわかっています。Haudricourt (1954) の説によれば、まず語末にあった声門摩擦音 h と†声門閉鎖音 ʔ の両者が消失し、どちらの末子音も持たなかったものと対立して3種類の声調ができました。その後、語頭子音の†有声†無声の†対立が失われた際に、代わりに上記の3種類のそれぞれが2つに分かれたので(第10章中国語の概説でみた第二声の発生と同様です)、合計で6つの声調になりました(冨田 (1988: 761) による)。同じ†語族の言語でありながら、隣の国で話されている同系統のカンボジア語に声調がないのも、このような理由によります。このように、ある対立が消失する代わりとして声調が発達することの研究を、‡声調発生論と言います。

抑揚 / 高低	平板 (-Ø)	降りて昇る (< -h)	昇る (5) と 降りる (6) (< -ʔ)
高	1. a	3. ả	5. á
低	2. à	4. ã	6. ạ

表:ベトナム語の声調の体系とその歴史的起源との関係(なお本書の音声的表記での声調の表示には表中の声調の数字を用いています)

文字は†ラテン文字ですが、母音を表す文字の不足と、声調標示の必要を†補助記号によってカバーしています。フランスの知識人の考案した表記を起源としているため、ベトナム語においては同じ音素である /k/ を ⟨c~k~q⟩ と書き分けます。かつては†チュー・ノム(Chữ Nôm 𡨸喃)と呼ばれる漢字(の要素)による表記を使用していました。これは当初、同音もしくは近似の音を持つ漢字によってベトナム語を書き表していたものから、次第に漢字における†会意や†形声の原理などを使って次第に独自の表記体系になっていったものです。日本語で‡万葉仮名(漢字の音読み・訓読みを利用して日本語を書いた表記)ができたのちに、「峠」や「畑」のような‡国字(日本で作った漢字)ができたというのとよく似たプロセスです。ベトナム語は抽象的・文化的な語彙を中心に大量の漢語を使用しているので、†漢字文化圏に属しています。ベトナム語

Vietnamese

の†漢字音も中国、日本、朝鮮の漢字音と対応します。

形態論・統語論

名詞句は［総数量＋数量＋†とりたて＋†類別詞＋名詞＋修飾語＋指示詞］のような†語順で構成されます（tất cả + những + cái + cuốn + sách + tiếng Việt + ấy「それらの全ての例のベトナム語の本」、川口 (1998: 295-296) による）。総数量の位置には tất cả「全ての」などの語がきます。cái（無生物）と con（生物）が最も基本的な類別詞で、さらに形状によってさまざまな語が使い分けられます。名詞が何であるか聞き手にもわかっている場合には類別詞が名詞句の中心になります。とりたての位置には強調、指示、軽蔑などを示す語が現れます。

人称代名詞には、相手の属性や相手との関係（性別、年齢、親疎、社会的関係）によってさまざまな語が使い分けられます。特に†親族名称は多用され、子供は父親に「お父さん、今日子供は学校へ行きました」のように言います。anh「兄」と em「弟／妹」は夫と妻との関係や、恋人同士の関係でも使います。親しくなると、tao「俺・あたし」と mày「おまえ」という言い方もあり、あまり親しくない間柄だと mình「自分」と bạn「友達」、と呼び合います。一人称複数の†除外形と†包括形を区別することもできます。

動詞には†テンスを示すことのできる文法要素がありますが（過去：đã V、未来時制：sẽ V）、「昨日」や「明日」などの時の副詞がある時には使わない方がふつうです。動詞の前に現れる†否定詞 không は中国語の〈空〉に由来します。

語順は†SVO・†NA です。名詞句の所有の場合、親族や家など、より譲渡不可能的なものは直接後置修飾できますが（mẹ tôi［母 私］「私の母」）、†譲渡可能的なものは của により所有を示します（sách của tôi［本 của 私］「私の本」）。所有と所在では異なった動詞を用います（Trên biển có nhiều tàu.［上 海 ある たくさん 船］「海上に多くの船がある」、tôi đang ở nhà hàng.［私 いる に レストラン］「私はレストランにいる」、なおこの特徴は東南アジア大陸部の†孤立型言語に共通して見られる特徴です）。

孤立型の言語なので'接辞は使われませんが、'重複はあります（以下の記述は冨田 (1988: 772-773) による）。機能的に見ると、名詞的な意味の語では複数を示し（người người「人々」）、形容詞的な意味の語（'状態動詞）では意味の軽減「やや～だ」を示します。重複は後部要素が本体で、前に向かって重複しますが（つまり前部要素が重複された要素です）、重複された要素の声調は、後ろの本体の要素の声調が上記の表の3～6である場合、1～2と交替します（1～2の場合はそのまま）。また、後ろの要素の音節末子音が閉鎖音である場合、同じ'調音位置の'鼻音と交替します（ngòn ngọt「やや甘い」）。1音節語の前後どちらかにもう1音節を加えて2音節にすることがよく行われますが、その場合、C_1 もしくは VC_2 のどちらかによって韻を踏んだ要素を加えます。

冨田 (1988)「ヴェトナム語」（⑦所収）、川口 (1998)「ベトナム語」（①所収）、Haudricourt, A. G. (1954), "De l'origine des tons en viêtnamien", *Journal Asiatique*, t. CCXLII. Paris.

Hoàng tử Bé

19

Hoàng tử Bé leo lên một ngọn núi cao.

[hwa·ŋ² tɯː⁴ ɓɛː³ lɛ·w¹ le·n¹ mo·t̚⁶ ŋɔ·n⁶ nu·j³ ka·w¹]

hoàng tử [皇子]	Bé	leo	lên	một	ngọn	núi	cao [高]
皇子	小さな	(高所に)登る	登る	一つの	頂上	山	高い

小さな王子さまはある高い山の頂上に登りました。

Trước đây chú chưa biết quả núi nào, ngoài ba ngọn núi lửa cao đến gần đầu gối chú.

[tɕɯɯək̚³ ɗəj¹ tɕu:³ tɕɯɯə¹ ɓiət̚³ kwa:⁴ nu·j³ na·w² ŋwa·j² ɓa:¹ ŋɔ·n⁶ nu·j³ lɯə⁴ ka·w¹ ɗe·n³ ɣən² ɗəw² ɣo·j³ tɕu:³]

trước	đây	chú	chưa	biết	quả	núi	nào	ngoài	ba	ngọn
前	ここ	彼	まだ~ない	知っている	㏌	山	どの	~以外の	三	頂上

núi	lửa	cao	đến	gần	đầu [頭]	gối	chú
山	火	高い	～へ	近い	頭	膝	彼

以前、彼は彼の膝小僧までの高さの火山三つ以外にどんな山も知りませんでした。

Và chú vẫn sử dụng ngọn núi lửa đã tắt làm ghế đẩu.

[va:² tɕu:³ vən⁵ sɯː⁴ zuŋ͡m⁶ ŋɔ·n⁶ nu·j³ lɯə⁴ ɗa:⁵ tat̚³ la·m² ɣeː³ ɗaŋ⁴]

và	chú	vẫn	sử dụng [使用]	ngọn	núi	lửa	đã	tắt	làm
そして	彼	依然として~だ	使う	頂上	山	火	㏘	消える	~にする

ghế đẩu
背もたれのない椅子

そして彼は依然として火の消えた火山を椅子として使っていました。

Lúc ấy, ý nghĩ đầu tiên của chú là:

[lukp̚³ ʔəj³ ʔi:³ ŋi:⁵ ɗəw² tiən¹ kuə⁴ tɕu:³ la:]

lúc ấy ý nghĩ[意擬] đầu tiên[頭先] của chú là:
~の時 その 考え 最初の ~の 彼 ~だ

そのとき、彼の最初の考えはこうでした。

"Trên một ngọn núi cao thế này, ta sẽ nhìn thấy toàn bộ hành tinh và mọi
người..."

[tɕe·n¹ moˀ·tˀ⁶ ŋɔ·n⁶ nu·j³ ka·w¹ tʰe:³ naj² ta:¹ sɛ:⁵ ŋi·n² tʰɔj³ twa·n² ɓo:⁶ hɛ̈ⁱ̊ŋ² tĭˀŋ¹ va:² mɔ·jˀ ŋɯɔj⁶]

trên một ngọn núi cao[高] thế này ta sẽ nhìn thấy
~の上で 一つの 頂上 山 高い そう この 俺 FUT 見る 感じる

toàn bộ[全部] hành tinh[行星] và mọi người
全部 惑星 ~と すべての 人

「こんな風に高い山の上なら、ぼくは星全体とすべての人が見えるだろう……」

Nhưng chú chỉ nhìn thấy những tảng đá nhọn sắc.

[ɲɯ·ŋ¹ tɕu:³ tɕi:⁵ ŋi·n² tʰɔj³ ɲɯ·ŋ⁵ ta·ŋ⁴ ɗa:³ ɲɔ·n⁶ sak³]

nhưng chú chỉ nhìn thấy những tảng đá nhọn sắc
しかし 彼 ~だけ 見る 感じる PL 大きなもの 岩 とがった 鋭い

しかし彼にはいくつもの鋭くとがった岩しか見えませんでした。

- Xin chào! - Chú lịch sự nói.

[si·n¹ tɕa·w² tɕu:³ lĭˀk̊⁶ sɯ:⁶ nɔ·j³]

xin chào chú lịch sự[歷事] nói
POL 挨拶をする 彼 礼儀正しい 言う

「こんにちは！」彼は礼儀正しく言いました。

"Xin chào... chào... chào..." - Tiếng vang đáp lại.

[si·n¹ tɕa·w² tɕa·w² tɕa·w² tiəŋ⁵ va·ŋ¹ ɗa·p³ la·j⁶]

xin chào chào chào tiếng vang đáp[答] lại
POL 挨拶をする 挨拶をする 挨拶をする 音 反響する 答える ~し返す

「こんにちは……こんにちは……こんにちは……」こだまが返事をしました。

- Ai đó? - Chú Hoàng tử hỏi.

[ʔa·jˀ¹ ɗɔː³ tɕuɯ³ hwa·ŋ² tɯː⁴ hɔ·jˀ⁴]

ai	đó	chú	Hoàng tử[皇子]	hỏi
誰	SFP	彼	皇子	尋ねる

「誰だい？」王子さまは尋ねました。

"Ai đó... ai đó... ai đó..." - Tiếng vang đáp lại.

[ʔa·jˀ¹ ɗɔː³ ʔa·jˀ¹ ɗɔː³ ʔa·jˀ¹ ɗɔː³ tiəŋ³ va·ŋ¹ ɗa·p³ la·jˀ⁶]

ai	đó	ai	đó	ai	đó	tiếng	vang	đáp[答]	lại
誰	SFP	誰	SFP	誰	SFP	音	反響する	答える	~し返す

「誰だい……誰だい……誰だい……」こだまが返事をしました。

- Hãy làm bạn với tôi, tôi cô đơn lắm. - Chú nói tiếp.

[haj⁵ la·m² ɓa·n⁶ və·jˀ³ to·jˀ¹ to·jˀ¹ koː¹ ɗə·n¹ lam³ tɕuɯ³ nɔ·jˀ³ tiəp³]

hãy	làm bạn[伴]	với	tôi	tôi	cô đơn[孤単]	lắm	chú	nói	tiếp[接]
~しよう	なる 友達	~と	私	私	孤独	とても	彼	言う	続けて~する

「ぼくと友達になろう。とっても孤独なんだ」彼は続けて言いました。

"Cô đơn lắm... cô đơn lắm... cô đơn lắm..." - Tiếng vang đáp lại.

[koː¹ ɗə·n¹ lam³ koː¹ ɗə·n¹ lam³ koː¹ ɗə·n¹ lam³ tiəŋ³ va·ŋ¹ ɗa·p³ la·jˀ⁶]

cô đơn[孤単]	lắm	cô đơn	lắm	cô đơn	lắm	tiếng	vang	đáp[答]	lại
孤独	とても	孤独	とても	孤独	とても	音	反響する	答える	~し返す

「とっても孤独なんだ……とっても孤独なんだ……とっても孤独なんだ……」こだまが返事をしました。

"Cái hành tinh vớ vẩn làm sao!

[ka·jˀ³ hɛˈŋˀ² tiˈŋ¹ vəː³ vən⁴ la·m² sa·w¹]

cái	hành tinh[行星]	vớ vẩn	làm sao
CL	惑星	でたらめな	どれほど

「何てでたらめな星なんだ！」

- Chú Hoàng tử nghĩ.

[tɕu:³ hwa·ŋ² tɯ:⁴ ŋi:⁵]

chú	Hoàng tử[皇子]	nghĩ
彼	皇子	考える

王子さまは考えました。

- Khô khan, nhọn hoắt và mặn chát.

[xo:¹ xa·n¹ ɲɔ·n⁶ hwat³ va:² man⁶ tɕa·t³]

khô	khan	nhọn hoắt	và	mặn	chát
乾いている	水が涸れている	鋭くとがった	そして	塩辛い	ひどい

「カラカラに乾いて、鋭くとがっていて、ひどく塩辛い。

Và con người sao mà thiếu óc tưởng tượng.

[va:² kɔ·n¹ ŋɯəj⁶ sa·w¹ ma:² tʰiəw³ ɔkp³ tɯəŋ⁴ tɯəŋ⁶]

và	con	người	sao mà	thiếu[少]	óc	tưởng tượng[想像]
そして	CL	人	一体どうして	足りない	脳	想像する

そして人間はなぜだか想像力に欠けている。

Họ chỉ lặp lại điều người ta nói...

[hɔ:⁶ tɕi:⁵ lap⁶ la·j⁶ diəw² ŋɯəj⁶ ta:¹ nɔ·j³]

họ	chỉ[只]	lặp	lại	điều[条]	người ta	nói
彼ら	～だけ	繰り返す	再び	こと	人々	言う

彼らは人が言ったことを繰り返すだけ……。

Ở nhà mình thì khác, mình có một bông hoa và nàng bao giờ cũng cất tiếng trước."

[ʔə:⁴ ɲa:² mïŋ² tʰi:² xa·k³ mïŋ² kɔ:³ mo·t⁶ boŋm¹ hwa:¹ va:² na·ŋ² ɓa·w¹ ðə:² kuŋm⁵ kət³ tiəŋ³ tɕɯək³]

ở	nhà	mình	thì	khác	mình	có	một	bông	hoa[花]	và
～で	家	自分	EMP	違う	自分	持っている	一つ(の)	CL	花	そして

nàng	bao giờ	cũng	cất	tiếng	trước
彼女	いつ	～もまた	声を上げる	音	先に

ぼくのうちでは違う。自分のところには1輪の花があって、彼女はいつも先に声を上げた」

Nguyễn Trường Tân (2008) (tr.) *Hoàng tử Bé*. Hà Nội: Nhà Xuất Bản Văn Hoá - Thông Tin. pp.71-72.

20　ビルマ語

မြန်မာဘာသာ
myāmà bàḍà

　ビルマ語はミャンマー連邦共和国の公用語であり、ミャンマー国内最大の民族であるビルマ族の母語です。系統的には†シナ・チベット語族、チベット・ビルマ語派、ロロ・ビルマ語支に属します。なおビルマ語は口語と文語がいろいろな点で大きく異なる言語です。以下の概説は口語についてのもので、分析に引用した『星の王子さま』のテキストは、会話部分を除いて文語体です。

音韻論と文字体系

　基本単語の多くは単音節ですが、複音節の動詞もあります。†音節構造は $C_1(C_2)V(C_3)$ です。C_1（頭子音）はどの†音節にも必須で、/p, ph[pʰ], b, ṭ, ḍ, t, th[tʰ], d, k, kh[kʰ], g, c[tɕ], ch[tɕʰ], j[dʑ], s, sh[sʰ], z, m, hm[m̥m], n, hn[n̥n], ŋ, hŋ[ŋ̊ŋ], ɲ, hɲ[ɲ̊ɲ], l, hl[l̥l], y[j], ɕ, w, hw[ʍw], ʔ, h, (f), (r[ɹ~r])/ の35個があります（ただし s と sh の区別は現在失われつつあります）。/f/ と /r/ が現れるのは†借用語のみです。†閉鎖音や†破擦音などには†無声†無気、無声有気、†有声の対立があります（/pà/[pà]「含む」、/phà/[pʰà]「行李」、/bà/[bà]「何」）。†鼻音や側面音などにも有声無声の対立があるのが特徴的です（例：/mà/[mà]「硬い」vs. /hmà/[m̥mà]「注文する」、/là/[là]「月」vs. /hlâ/[l̥lâ]「美しい」）。C_2（介子音）には /y[j]/ と /w/ があり、C_3（末子音）には /N/ と /ʔ/ があります。/N/ は末子音としてしか現れず、前の母音を†鼻母音化するだけの場合もあります。単母音は /i, e, ɛ, a, ɔ, o, u/ の7つです。†閉音節には単母音のほかに†二重母音も現れるので、†閉音節における母音と末子音の組み合わせには /iN[ɪN~ī], eiN[eɪN~eī], aiN[aɪN~aī], aN[aN~ã], auN[aʊN~aū], ouN[oʊN~oū], uN[ʊN~ū], iʔ[ɪʔ], eiʔ[eɪʔ], aiʔ[aɪʔ], ɛʔ, aʔ, auʔ[aʊʔ], ouʔ[oʊʔ], uʔ[ʊʔ]/ の15通りがあります。

Burmese

声調は3種類で、/ka/ を用いて示すと、下降調 /kâ/「踊る」(急激に下降し、喉に若干の緊張を伴う)、低平調 /kà/「防ぐ」(低く平ら)、高平調 /ká/「広がる」(高く平ら、他の音節が続かなければゆるやかに下降) です。2音節以上の語末以外の音節には極めて短く発音する†開音節「†軽声音節」もあります(例:/kămà/ [kămà~kəmà]「牡蠣」)。 ビルマ文字 (12世紀~) は†南インド系の文字であるモン文字を使ってビルマ語を表そうとしてできあがってきたもので、その後いろいろな改変を経つつ現在まで連綿と使われてきました。視力検査に使う記号のような丸い形で、例えばㅇは「ビルマ数字の1」、ㅇは /pâ/、ㅇは /ŋâ/、ㅇは /gâ/、ㅇは /wâ/ です。子音を表す「字母」を核とし、その上下左右に介子音、子音の†無声化、母音、声調、末子音などを示す†補助記号を付けます。 字母単独では下降調の母音 /â/ を付けて読みます (ㅇ/kâ/)。日曜日から土曜日までの曜日(水曜日だけは午前と午後に分けるため「八曜日」)に対してそれぞれ特定の字母が割り当てられています。生まれた曜日によって名前の最初に使う字母を決める習慣があり、名前の最初の音節を聞けばたいていその人が何曜日生まれなのかわかります (奥平 (1998: 268-269) による)。

形態論

日本語の†連濁 (「やまざくら」) とよく似た†有声化があります。すなわち†複合語の後部要素や†付属語 (助詞や助動詞) における無声の頭子音が対応する†有声音と交替します (thămín-zàiɴ「食堂」(< thămín「ごはん」+ shàiɴ「店」)、cáuɴ=gò「学校へ」(< cáuɴ「学校」+ =kò「~へ」))。 ただし ʔ で終わる†閉音節の後では起こりません (sàʔouʔ-shàiɴ「本屋」(< sàʔouʔ「本」)、sàdaiʔ=kò「郵便局へ」))。 約50組の動詞では、頭子音の†対立によって動詞の自他を区別します (câ「落ちる」vs. châ「落とす」、nó「覚める」vs. hnó「覚ます」)。

ビルマ語には名詞の†格変化や動詞の活用といった語形変化はありません。†派生は動詞から名詞を、名詞から名詞を生み出す場合のみです。動詞から名詞を†派生するには2つの方法 (†接辞の添加と†重複) があります。例えば†状態動詞の多くは、重複や 名詞化接頭辞 ʔă- の添加で名詞

化します。こうして名詞化した語は他の名詞と同格で並んだり、同格の名詞を修飾したりします（重複の例：sàʔouʔ káuɴ-gáuɴ［本 良い‐良い］「本の良いの、良い本」、接辞添加の例：ʔéinɟi ʔǎ-pyà［服 grnd‐青い］または ʔǎ-pyà ʔéinɟi［grnd‐青い 服］「青い服」）。副詞のように後の述語を修飾することもあります（重複の例：káuɴ-gáuɴ ʈîdɛ̀［良い‐良い 知っている］「良く知っている」、接辞添加の例：ʔǎ-myàɴ ʈwá=dɛ̀［grnd‐速い 行く =rls］「急いで行った」）。他の言語における形容詞の役割はこの状態動詞が担っており、「形容詞」を設定する必要がありません。

統語論

†語順は †SOV ですが、日本語などと同じく、主語や目的語などの名詞（句）は文脈上明らかな場合、現れません。指示詞や所有者名詞句、連体修飾節は被修飾名詞の前に、数量名詞句は後ろに来ます。ビルマ語の文は名詞述語文と動詞述語文に大きく分かれます。動詞述語文には †動詞文標識と呼ばれる †モダリティ標識が必須要素として現れます。動詞文標識には叙実法 =tɛ̀/dɛ̀、叙想法 =mɛ̀、活写法 =pi/bì、†命令 =ø、†否定 =phú/bú、禁止 =nɛ̂ などがあり、否定文と禁止文では、否定の †接頭辞 mǎ- を動詞に付加します（mǎ-là=bú［neg‐来る =neg］「来ない」、mǎ-là=nɛ̂［neg‐来る =～するな］「来るな」）。名詞述語文には動詞文標識が現れません。†Yes/No 疑問文では文末に =lá を、†疑問詞疑問文では文末に =lɛ́ を置きます。複雑な †動詞複合体を作ることができます（shɛʔ t̪ìɴ=kháiɴ=zè=ɟiɴ=d̪é=dɛ̀=lè［続けて［挿入動詞］習う［動詞］=～するよう命じる［†補助動詞］=～させる［助動詞］=～したい［助動詞］=dur［助動詞］=rls［動詞文標識（助動）］=よ［終助詞］］「引き続き習うように言わせたいですよ」（藪（1992: 571）による））。名詞と動詞によるイディオムが多数あります（seiʔ châ=dɛ̀「安心する」［心 落とす =rls］、ná mǎ-lɛ̀=bú「わからない」［耳 neg‐回る =neg］）。

　さまざまな †格助詞が名詞句の後に付いて文法関係を示しますが、主語、目的語、到着点などは特に必要がない場合ははだかのまま文内に現れることがふつうです（cǎnɔ̀ t̪û=gò cáuɴ laiʔ=pô=dɛ̀［私 彼 .obl=acc 学校 従う =送る =rls］「私は彼を学校に送って行った」（藪（1992: 586）による））。†とりた

てには、追加の =lɛ́「〜も」や対比の =tɔ̂/dɔ̂「〜は（というと）」などがあります（tù=lɛ́ t̪î=dè［彼＝も 知る =rls］「彼も知っている」、tù=dɔ̂ t̪î=dè［彼＝は 知る =rls］「彼は知っている」）。従属節には、=lô「〜ので」や =yìɴ「〜ば」などの接続助詞もよく用いられます。

　ものを数える場合には†数詞とともに†助数詞が必須ですが、指示詞や†状態動詞と名詞を結びつける場合には用いません。一般的に［名詞 数詞 - †助数詞］の†語順ですが、1の位が0の数詞（例えば20や100など）では［名詞（接頭辞 ʔǎ-）助数詞 + 数詞］となります。人称代名詞のうち、1・2人称にはさまざまな語が性別や社会的な立場によって使い分けられています。呼びかけには、人称代名詞のほか職階名や、（親族でなくとも）†親族名称をよく使います（年下への呼びかけにも使えます）。指示詞は近称 dì「この」と遠称 hò「あの」の区別が基礎で、ほかに ʔɛ́dì「その」があります。

　なお本書で引用した『星の王子さま』のビルマ語のテキストは翻訳の問題により、ネイティブの方から見て不自然に感じられる表現を多く含んでいます。ただ引用であるため、あくまでも原文を基に分析をつけ、ビルマ語としてかなり不自然と判断された部分のみ、注記し、分析でも訂正していることをおことわりしておきます。

藪 (1992)「ビルマ語」（⑦所収）、奥平 (1998)「ビルマ語」（①所収）、亀井・河野・千野（編）(1996)（⑦）、加藤 (2019)（第 1 部 14 章 5 節参照）

မင်းသားလေး

mínɖálé

20

ဖြစ်ချင်လာတော့ မင်းသားလေးသည် သဲတစ်တန်၊ ကျောက်တောင်များ တစ်တန်နှင့်
နှင်းတောင်များကို ကြာရှည်စွာ ဖြတ်လျှောက်လာပြီး နောက်ဆုံးတွင် လမ်းပေါ်သို့
ရောက်လာတော့သည်။

[pʰjíʔtɕʰìNlàdɔ́ mínɖálédì t̪édădàN tɕauʔtàuNmjá dădàNn̪n̪ìN ŋníndàuNmjágò tɕàɕèzwà pʰjaʔɕauʔlàbí nauʔsʰóuNdwìN láNbɔ̀ɖô jauʔlàdɔ̂ɖì]

ဖြစ်ချင်လာတော့	မင်းသားလေးသည်	သဲ	တစ်တန်	ကျောက်တောင်များ	တစ်တန်နှင့်
phyiʔchìNlàdɔ̂	mínɖá-lé=ɖì	t̪é	dă-dàN	cauʔtàuN=myá	dă-dàN=hnìN
しかるに	王子-DIM=NOM	砂	一-CL	岩山-PL	一-CL=COM

နှင်းတောင်များကို	ကြာရှည်စွာ	ဖြတ်လျှောက်လာပြီး	နောက်ဆုံးတွင်
hníNdàuN=myá=gò	càɕè-zwà	phyaʔɕauʔ=là-bí	nauʔshóuN-dwìN
雪山-PL=PERL	時間が長くかかる-ADV	通り抜ける-~してくる-~して	最後-LOC

လမ်းပေါ်သို့	ရောက်လာတော့သည်
láN-bɔ̀=ɖô	yauʔ-là-dɔ̂=ɖì
道-上-ALL	着く-~てくる-ついに~する-RLS

ところで、王子さまは砂、岩山と雪山を長い時間をかけて通り抜けた末、とある
道の上にたどり着きました。

လမ်းများသည် လူများရှိရာ အရပ်ကိုသာ ဦးဆောင်ညွှန်ပြတတ်သည်။

[láNmjáɖì lùmjáɕìjà ʔăjaʔkòɖà ʔúsʰàuNn̪n̪ùNpjàdaʔt̪ì]

လမ်းများသည်	လူများ	ရှိရာ	အရပ်ကိုသာ	ဦးဆောင်
láN=myá=ɖì	lù=myá	ɕî-yà	ʔăyaʔ=kò=ɖà	ʔúshàuN
道-PL=NOM	人=PL	いる-~するところの	場所-ALL=だけ	率いて向かう

ညွှန်ပြတတ်သည်
hn̪ùNpyá=daʔ=t̪ì
指示する-~する傾向がある-RLS

道というものは人々がいるところに向かって延びていることが多いのです。

'မင်္ဂလာရှိသော နံနက်ခင်းပါ'ဟု မင်းသားလေးက ပြောလေသည်။

[miNgălàɕîɖɔ́ nănɛʔkʰíNbàhù mínɖálégá pjɔ́lèɖì]

မင်္ဂလာ	ရှိသော	နံနက်ခင်းပါဟု	မင်းသားလေးက	ပြောလေသည်
mìngălà	ɕî=ɖɔ́	nǎnɛʔkʰín=bà=hû	mín̠ɖá-lé=gâ	pjɔ́=lè=ɖì
吉祥	ある=ATTR	午前=POL=QUOT	王子=DIM=NOM	話す=EMP=RLS

「吉祥の午前ですね（おはよう）」と王子さまが言いました。

နှင်းဆီပန်းများ ဝေဆာလျက် ပွင့်နေသော ပန်းခြံတစ်ခု ဖြစ်သည်။

[n̠nínzì̠bánmjá wèsʰàl̠ljɛʔ pwînnèɖɔ́ pán̠dzàn̠tăkʰû pʰjiʔt̠ì]

နှင်းဆီပန်းများ	ဝေဆာလျက်	ပွင့်နေသော	ပန်းခြံ	တစ်ခု	ဖြစ်သည်
hnínzì-bán=myá	wèshà=hlyɛʔ	pwîn=nè=ɖɔ́	pánjàn	tă-khû	phyiʔ=t̠ì
バラ-花=PL	生い茂る=〜して	咲く=〜している=ATTR	庭	一-CL	〜である=RLS

バラの花々が咲き茂った、とある庭でした。

‘ကောင်းသော နံနက်ခင်းပါ’ဟု နှင်းဆီပန်းများကလည်း＊ ပြန်ဖြေသည်။

[káun̠ɖɔ́ nǎnɛʔkʰínbàhû n̠nínzìbánmjágâlê pjànpʰjèɖì]

ကောင်းသော	နံနက်ခင်းပါဟု	နှင်းဆီပန်းများကလည်း	ပြန်	ဖြေသည်
káun=ɖɔ́	nǎnɛʔkʰín=bà=hû	hnínzì-bán=myá=gâ=lé	pyàn	phyè=ɖì
良い=ATTR	午前=POL=QUOT	バラ-花=PL=NOM=〜も	返す	答える=RLS

「良い午前ですね（おはよう）」とバラの花々も返答しました。

မင်းသားလေးသည် ရင်းပန်းများကို ငေး၍ ကြည့်နေမိသည်။

[mín̠ɖáléɖì lăgáun̠pánmjágò ŋéjwê tɕînèmîɖì]

မင်းသားလေးသည်	ရင်း	ပန်းများကို	ငေး၍	ကြည့်နေမိသည်
mín̠ɖá-lé=ɖì	lăgáun	pán=myá=gò	ŋé=ywê	cî=nè=mî=ɖì
王子=DIM=NOM	DEM	花=PL=ACC	ぼんやり眺める=〜して	見る=〜している=思わず〜する=RLS

王子さまは何となしにその花々をぼんやりと眺めていました。

ရင်းပန်းများ အားလုံးသည် သူ၏ပန်းကလေးနှင့် လွန်စွာ တူနေကြသည်။

[lăgáun̠pánmjá ʔálóun̠ɖì t̠ùʔípángăléŋnín lùnzwà tùnèdzâɖì]

ရင်း	ပန်း	များ	အားလုံးသည်	သူ၏	ပန်းကလေးနှင့်	လွန်စွာ	တူနေကြသည်
lăgáun	pán	=myá	ʔálóun=ɖì	t̠ù=ʔí	pán-gălé=hnín	lùn=zwà	tù=nè=jâ=ɖì
DEM	花	-PL	すべて=NOM	彼=POSS	花-DIM=COM	過度だ=ADV	似る=〜している=RECIP=RLS

その花々はどれも彼の花と非常によく似ていました。

‘သင် ဘယ်သူလဲ’ဟု ပန်းကလေးများကို မင်းသားလေးက အံ့အားသင့်စွာ မေးလိုက်သည်။

[t̪ɪ̀ɴ bǎd̪ùlɛ́hû pánɴɢǎlémjágò mínd̪álégâ ʔâɴʔáʈɪ̀ɴzwà mélaíʔt̪ì]

သင်	ဘယ်သူလဲဟု	ပန်းကလေးများကို	မင်းသားလေးက	အံ့အားသင့်စွာ
t̪ɪ̀ɴ	bǎd̪ù=lɛ́=hû	pán-gǎlé-myá=gò	mínd̪á-lé-gâ	ʔâɴʔáʈɪ̀ɴ-zwà
あなた	誰=Q=QUOT	花=DIM=PL=ACC	王子=DIM=NOM	唖然とする=ADV

မေးလိုက်သည်
mé=laíʔ=t̪ì
聞く=きっぱり〜する=RLS

「あなたは誰ですか？」と花々に王子さまは唖然として聞いたのでした。

‘ကျွန်မတို့ နှင်းဆီပန်းတွေ ဖြစ်ပါတယ်’ဟု ပန်းများက ပြန်ဖြေကြသည်။

[tɕǎmâdô n̥nɪ́ɴzìbándwè pʰjìʔpàdɛ̀hû pánmjágà pjàɴpʰjèdzâd̪ì]

ကျွန်မတို့	နှင်းဆီပန်းတွေ	ဖြစ်ပါတယ်ဟု	ပန်းများက	ပြန်	ဖြေကြသည်
cǎmâ=dô	hnínzì-bán=dwè	pʰyìʔ=pà=dɛ̀=hû	pán-myá=gà	pyàɴ	pʰyè=jâ=d̪ì
私=PL	バラ=花=PL	〜である=POL=RLS=QUOT	花=PL=NOM	返す	答える=RECIP=RLS

「私たちはバラの花です」と花々は返答しました。

‘ ‘ခြော် ’ဟု* မင်းသားလေးက အံ့အားသင့်မိသည်။

[ʔɔ̀hû (sʰòjwê) mínd̪álégâ ʔâɴʔáʈɪ̀ɴmídì]

ခြော်ဟု	ဆိုရှ်	မင်းသားလေးက	အံ့အားသင့်မိသည်
ʔɔ̀=hû	sʰò=ywê	mínd̪á-lé=gâ	ʔâɴʔáʈɪ̀ɴ-mî=d̪ì
あぁ=QUOT	言う=〜して	王子=DIM=NOM	唖然とする=思わず〜する=RLS

「あぁ！」と言って、王子さまは唖然としてしまいました。

       * この直後に ဆိုရှ် がないと文がつながらないために分析では追加していますが、これは原著
にはありません。原著の間違いであると考えられます。

သူသည် ဝမ်းနည်းမှု၏ ဖိစီးခြင်းဒဏ်ကို ခံစားရှ် နေမိသည်။

[t̪ùd̪ì wúɴném̥mû̀ì pʰîzídzíndàngò kʰànzájwê nèmíd̪ì]

သူသည်	ဝမ်းနည်းမှု၏	ဖိစီးခြင်း	ဒဏ်ကို	ခံစားရှ်	နေမိသည်
t̪ù=d̪ì	wúɴné=hmû=ʔì	pʰîzí-jín	dàɴ=gò	kʰànzá=ywê	nè=mî=d̪ì
彼=NOM	悲しい=件=POSS	抑圧される=NMLZ	苦痛=ACC	感じる=〜して	いる=思わず〜する=RLS

彼は悲しみに押しつぶされるような苦しみを感じざるをえませんでした。

သူ၏ ပန်းကလေးသည် စကြဝဠာ တစ်ခုလုံးတွင် သူသာလျှင် တစ်ပွင့်တည်း ရှိသည်ဟု ပြောခဲ့ဖူးလေသည်။

[t̪ù ʔì páŋɡāléɡì sɛʔtɕàwǎlà tăkʰúlóuɴdwìɴ t̪ùd̪àll̥jìɴ dābwîɴdé ɕîɡìhû pjóɡêbúlèd̪ì]

သူ၏	ပန်း-ကလေး-သည်	စကြဝဠာ	တစ်-ခု-လုံး-တွင်	သူ-သာ-လျှင်	တစ်-ပွင့်-တည်း	ရှိ-သည်-ဟု
t̪ù=ʔì	páɴ-ɡălé=d̪ì	sɛʔcàwǎlà	tă-kʰû-lóuɴ=dwìɴ	t̪ù=d̪àhlyìɴ	dă-bwîɴ=dé	ɕî=d̪ì=hû
彼=POSS	花-DIM=NOM	宇宙	一-CL-全部=LOC	彼=だけ	一-CL=だけ	ある=RLS=QUOT

ပြော-ခဲ့-ဖူး-လေ-သည်
pyɔ́=ɡê=bú=lè=d̪ì
話す=PST=EXP=EMP=RLS

彼の花は全宇宙に彼1輪しか存在しないと話してきました。

ဒီမှာတော့ ခြံတစ်ခြံထဲတွင် ဆင်တူရိုးမှား* နှင်းဆီပင်ပေါင်း ငါးထောင်ခန့် ရှိနေသည်။

[dìm̥màdɔ̂ tɕʰàɴtătɕʰàɴdédwìɴ sʰìɴdùjómmá ŋ̊nínzibìnbáuɴ ŋádàuɴkʰâɴ ɕìnèd̪ì]

ဒီမှာတော့	ခြံ	တစ်-ခြံ-ထဲ-တွင်	ဆင်တူ-ယို-မှာ	နှင်း-ဆီ-ပင်-ပေါင်း	ငါး-ထောင်-ခန့်
dì=hmà=dɔ̂	chàɴ	tă-chàɴ-dé=dwìɴ	shìɴdùyóhmá	hnínzì-bìn-báuɴ	ŋá-dàuɴ=kʰâɴ
この=LOC=はというと	庭	一-CL-中=LOC	酷似	バラ-木-合計	五-千-位

ရှိ-နေ-သည်
ɕî-nè=d̪ì
ある=〜している=RLS

ここにはというと、一つの庭の中にあまりによく似たバラが合計5000本くらいあるのです。

<small>* 正しくは ဆင်တူရိုး*မှား でなく、ဆင်တူယိုးမှား であるべきですが、原著の間違いであると考えられます。</small>

"သူများ ဒီပန်းတွေကို တွေ့ရင် သိပ်မခံမရနိုင် ဖြစ်ရှာမှာပဲ၊

[t̪ùmjá dìpáɴdwègò twêjìɴ tɕeiʔmăkʰàɴ măjaʔnàiɴ pʰjiʔɕàm̥màbé]

သူများ	ဒီ	ပန်း-တွေ-ကို	တွေ့-ရင်	သိပ်	မ-ခံ-မ-ရ-နိုင်
t̪ù=myá	dì	páɴ-dwè=gò	twê=yìɴ	tɕeiʔ	măkʰàɴ=măya=ʔnàiɴ
彼=なんか	この	花-PL=ACC	見つける=〜したら	あまり	悔しい

ဖြစ်-ရှာ-မှာ-ပဲ
phyiʔ=ɕà=hmà=bé
なる=可哀想に〜する=NC.IRR=FOC

「彼なんかがこの花々を見つけたら、かわいそうに、耐えられなくなるだろうな。

သူ့ကို မပြောင်မလှောင်နိုင်အောင် ချောင်းတွေ သိပ်ဆိုးပြီး သူ သေတော့မတတ်
သရုပ်ဆောင်ပြမှာပဲ၊

[t̪ûgò mǎpjàuɴmǎ̰l̥àuɴnàiɴʔàuɴ tɕʰáuɴdwè t̪ei̯ sʰópjâbí t̪ù t̪èdɔ̀mǎta̰ʔ t̪ǎjou̯ʔ sʰàuɴpjâm̥màbɛ́]

သူ့ကို	မပြောင်မလှောင်နိုင်အောင်	ချောင်းတွေ	သိပ်	ဆိုးပြီး	သူ
t̪û=gò	mǎpyàuɴmǎ̰hl̥àuɴnàiɴʔàuɴ	tɕʰáuɴ=dwè	t̪ei̯ʔ	sʰó=pyâ=bí	t̪ù
彼.OBL	からかえないように	咳.PL	非常に	払う.～してみせる.～して	彼

သေတော့မတတ်	သရုပ်ဆောင်ပြမှာပဲ
t̪è=dɔ̀=măta̰ʔ	t̪ǎyou̯ʔsʰàuɴ=pyâ=hmà=bɛ́
死ぬ.ついに.～する.将に～せんと	演じる.～してみせる=NC.IRR=FOC

からかわれないように大きな咳払いをしてみせては、もう死なんとばかりに演じ
てみせるだろう。

ကျွန်တော်ကလည်း ဟန်ဆောင်ပြီး သူ့ရဲ့ အသက်ကို ကယ်ဆယ်ရလေဦးမှာပဲ၊

[tɕănɔ̀gâlé hàɴsʰàuɴbí t̪ûjê ʔăt̪ɛʔkò kɛ̀zɛ̀jâlé ʔóuɴm̥màbɛ́]

ကျွန်တော်ကလည်း	ဟန်ဆောင်ပြီး	သူ့ရဲ့	အသက်ကို
cănɔ̀=gâ=lɛ́	hàɴsʰàuɴ=bí	t̪û=yê	ʔăt̪ɛʔ=kò
私.NOM.も	見せかける.～して	彼.OBL.POSS	命.ACC

ကယ်ဆယ်ရလေဦးမှာပဲ
kɛ̀zɛ̀=yâ=lè=ʔóuɴ=hmà=bɛ́
救う.～しなければならない.EMP.DUR.NC.IRR.FOC

ぼくも彼の命を助けるふりをしていかなければならないだろう。

သူ့ကို ပြုစုရပေဦးမှာပဲ။
t̪ûgò pyûzûɣâbɛ̂ʔóuɴhmàbɛ́

彼を　看護していかなければならないだろう

彼を看護していかなければならないだろう。

အကယ်၍ ကျွန်တော်က ဒီလို မလုပ်ခဲ့လျှင်၊ ကျွန်တော့်ကိုယ် ကျွန်တော်
ʔăkèɣwɛ̂ cănɔ̀gâ dìlò mălouʔkhɛ̂hlyìɴ cănɔ̀kòcănɔ̀

もしも　　　　私が　　　　そのように　　しなかったら　　　　　私自身

မနှိမ့်ချခဲ့လျှင် သူ့ကိုယ်သူ သေရန် အဆုံးစီရင်ပေလိမ့်မယ်　”
măhnêiɴchâgɛ̂hlyìɴ t̪ûkòt̪ù t̪èɣàɴ ʔăshóuɴsìɣiɴbèlêiɴmɛ̀

謙遜しなかったら　　彼自身　　死のうと　命を絶ってしまうかもしれない

もしもぼくがそのようにしなかったら、ぼく自身謙遜しなかったら、彼自身死のうと命を絶ってしまうかもしれない」

ထို့နောက် မင်းသားလေးသည် သူ့ကိုယ်သူ ပြန်၍ ပြောနေပြန်သည်။
thônauʔ míndálédì t̪ûkòt̪ù pyànɣwɛ̂ pyóɴèbyàɴd̪ì

それから　王子さまが　　彼自身　　返って　話している

それから、王子さまは再び自分に言い聞かせました。

“ ငါ တစ်ပွင့်တည်းသော ပန်းကလေးကို ပိုင်ဆိုင်ခဲ့ရတုန်းက ငါ သိပ်
ŋà dăbwîndédɔ́ páɴgălégò pàiɴshàiɴgɛ̂ɣâdóuɴgâ ŋà t̪eiʔ

僕　　一つだけの　　　花を　　　　所有できた時　　　僕　非常に

ချမ်းသာလှပြီလို့ အောက်မေ့ခဲ့တယ်၊
chánd̪àhlâbìlô ʔáuɴmêgɛ̂dɛ̀

とても裕福であると　　　　感じた

「ぼくがたった1輪だけの花を持つことができたというときは非常に裕福になったと感じていた。

အခုတော့ ငါ ပိုင်တဲ့ နှင်းဆီပွင့်ကလေးဟာ သာမန် နှင်းဆီပွင့်ကလေး တစ်ပွင့်ပါပဲလား။
ʔăkhûdɔ̂ ŋà pàiɴdɛ̂ hnínzibwîɴgăléhà t̪àmàɴ hnínzibwîɴgălé dăbwîɴbàbélá

今はというと　僕　所有する　　バラの花は　　普通　　バラの花　　　一つだなあ

それがいまや、ぼくの持っているバラの花が1輪の普通のバラの花にすぎないときた。

ဒ့ဲအပြင်	ငံ့	ဒူးခေါင်းလောက်	ရှိတဲ့	မီးတောင်	သုံးလုံးကိုပဲ	ငံ့	ပိုင်တယ်၊
dâʔăpyìɴ	ŋâ	dúgáuɴlauʔ	ɕîdɛ̂	mídàuɴ	tóuɴlóuɴgòbɛ́	ŋâ	pàiɴdɛ̀
この他	僕の	膝頭くらい	ある	火山	三つだけを	僕	所有する

このほかには、ぼくの膝頭ほどある火山を三つだけぼくは持っている。

အဲဒီထဲက	မီးတောင်	တစ်ခုကလည်း	အမြဲ	သေနေသေးတယ်။
ʔɛ́dìdégâ	mídàuɴ	tăkhûgâlɛ́	ʔămyɛ́	tènèdédɛ̀
その中から	火山	一つも	ずっと	死んでいる

その中の一つの火山もずっと死んだままだ。

ဒါတွေဟာ	ငံ့အတွက်	မင်းသားကြီး	တစ်ပါ	ဖြစ်နိုင်တဲ့	အခြေအနေမျိုးမှာ	မရှိပါလား....	”
dàdwèhà	ŋâʔătwɛʔ	míɴɟájí	dăbá	phyiʔnàindɛ̂	ʔăchèʔănèmyóhmà	măɕîbàlá	
これらは	僕のため	立派な王子	一人	なれる	種類の状況に	ないのだなあ	

これじゃあぼくが立派な王子になれるような状況にはないってことだ……」

မင်းသားလေးသည်	မြက်ခင်းပေါ်၌	လဲလျောင်းရှ့	ငိုနေတော့သည်။
míɴɖálɛ́dì	myɛʔkhíɴbɔ̀hnaiʔ	lélyáuɴywê	ŋònèdɔ̀dì
王子さまが	草地の上に	横たわって	ついに泣いている

王子さまは草原に横たわった挙句、泣いていました。

ခင်လေးမြင့်၊ ဒေါက်တာ (2001) (tr.) မင်းသားလေး။ ရန်ကုန်၊ ရာပြည့်စာအုပ်တိုက်။ pp.119-121.

21　ベンガル語

বাংলা
baŋla

　†印欧語族、†インド・イラン語派のインド・アーリア諸語の中でも東部のグループに属し、近縁の言語にはオリヤー語やアッサム語があります。インドの西ベンガル州とバングラデシュ（「ベンガルの国」という意味）の2国にまたがって話されています。宗教が異なるため、バングラデシュではアッサラームアライクム（＜アラビア語「あなた方の上に平安がありますように」の意）と、インド側ではノモシュカル（「合掌」の意）と挨拶します。

音声と文字

　歴史的な音変化の結果、古代アーリア語に比べ母音の数は増え、子音の数は減っています。†母音音素は /i, e, æ, a, ɔ, o, u/ の7つで、音声的にはそのそれぞれに長母音と†鼻母音が存在します。しかし†音韻論的にみると、長短で意味が変わることはなく、鼻母音は母音と鼻音化子音の結合に分析されます。1音節語はすべて長めに発音されます（/æk/ [æ·k]「1」）。後続の音節に狭母音 /i, u/ が来たり、同子音の連続が来たりすると、†接頭辞の場合を除き、1段狭い母音に変化するという†逆行同化の現象があります（例えば lekha「書く」の一人称単数形は lekhi でなく likhi）。母音 /ɔ/ は隣接して現れることがなく、†異化を起こして [o] と交互に現れます（/ɔpɔʃɔrɔn/ ＞ [ɔpoʃɔron]「撤退」奈良（1992: 968）による）。

　子音音素には /p, t, ʈ, tʃ, k, pʰ, tʰ, ʈʰ, tʃʰ, kʰ, b, d, ɖ, dʒ, g, bʱ, dʱ, ɖʱ, dʒʱ, gʱ, m, n, ŋ, s, ʃ, ɦ, r, l, ɽ, ɽʱ/ の30個があり、インド諸語に特徴的な†破裂音における4系列の対立（†無声†無気 vs. †無声†有気 vs. †有声無気 vs. †有声有気）や†反り舌音のあるのが特徴的です（†異音の現れを考慮し、もっと少ない20子音の体系に分析する音韻論もあります）。実際の発音では /s/ は [ʃ] のように

聞こえます。 ヒンディー語のような北インドの諸言語と比較すると、/w/ や /j/ のような†半母音が衰えている点が特徴的で、/w/ は /b/、/v/ は /bʱ/ に統合されています（bʱoʈ（＜eng. vote）など）。

　文字は†北インド系の文字で、文字と†音素については、対応していない点が少なくありません。例えば এ は /e/ と /æ/ の2通りの音素を示し、反対に ঙ と ণ はどちらも /n/ という1つの音素を示します。†半母音字の発音はかなり変化していて、かつての /j/ の文字は、現在では語頭で /ʤ/ の音となり、（ʤɔmna「ヤムナー 河」）、それ以外では日本語の†促音「っ」の表記のような働きをします。子音字の一部が合体する結合文字（第22章ヒンディー語の概説で後述）も多くあり、ヒンディー語同様、子音字に付いている潜在母音 /ɔ/ が消失することもあります。明らかに†デーヴァナーガリーとよく似た文字（（以下は、ベンガル文字 vs. デーヴァナーガリー）ন vs. न /na/ や ক vs. क /ka/ など）もありますが、大きく異なる字もあります（খ vs. ख /kha/ や ত vs. त /ta/ など）。 文字の形はデーヴァナーガリーに比べて尖っています。e/ai の母音記号はデーヴァナーガリーでは子音の上に書かれますが、ベンガル文字では南インドの文字と同様に左に書かれます（কে vs. के /ke/）。

　　形態論

　印欧語族インド語派の言語ですが、名詞にも代名詞にも†性はありません（第23章ウルドゥー語の概説で後述）。 古代アーリア語に比べると、名詞の変化も動詞の変化もより単純になっています。名詞の†格には主格（明示的な語尾なし）、処格（-e/-te etc.）、属格（-(e)r）、対格（-ke）の4つがあり、名詞および代名詞は†数（単／複）と格によって変化します。ただし代名詞には処格の形がありません。無生物の対格はふつうその主格と同じ形です。

　定冠詞のように働く接尾辞があり、†定辞と呼ばれています。 もっとも使われる -ʈa/-ʈi は名詞や形容詞に接尾し、その語が表すものを特定するだけでなく、そのものに対する話者の心情をも表します。ほかにも -gulo/-guli（複数）や -khana/-khani（薄いもの）といった定辞があり、

いずれも / の前は中立的な心情、後ろは親愛を表す形です。定辞と格の両方が名詞につくときには、［名詞 - 定辞 - 格語尾］の順序となります。†後置詞もたくさんあります。名詞から発達した後置詞には場所を示すものが多くあり、属格名詞に後続します（例えば、ta-r ʃamn-e「彼 - の 前 - に」）。動詞から発達した後置詞はさまざまな格の名詞に後続します（例えば、名詞（対格）+ dhor-e「～に沿って」）。

　†重複は名詞では複数（ke ke「誰々」）、動詞では並行動作（korte korte「しながら」）を示し、†反響語は「～のようなもの」を示します（ranna「調理」 > rannabanna「調理など」）。

　2人称の代名詞には†待遇（広い意味での敬語的表現）によって上中下の3種（上：apn-i (SG), apna-ra (PL)、中：tum-i (SG), tom-ra (PL)、下：tu-i (SG), to-ra (PL)）、3人称にも2種の区別（上：e など、中・下：ɛ̃ など）があります。3人称には指示代名詞を使いますが、指示代名詞はまず不定のもの（ki, kon）と†特定のものに分かれ、次に特定のものは話し手の視野外のもの（ʃe）と視野内のものに分かれ、さらに視野内のものは話し手の接触可能範囲内のもの（e）と範囲外のもの（o）に分かれます（奈良 (1992: 971-972) による）。

　数詞において、一の位が9の場合に†減算算法を用い、例えば39は「40-1」のように表現します（উনচল্লিশ /uno-colliʃ/）。†助数詞があり、基本的に［数詞 -ʈa］が用いられますが、人間には［数詞 -ɟon］が用いられます。

　動詞は主語の†人称（1人称、2人称［上・中・下］、3人称［上・中］）、†テンス（過去、現在、未来）、†アスペクト（非反復、反復、完了、未完了）、†ムード（直説法、命令法）の4つの要素によって活用します。さらに日本語のテ形のような機能の形（-e）や不定形（-te）があり、これらに†補助動詞を続けることによって、†使役や†受身、†やりもらい、†進行、試行、可能、†完了、始動などを表すことができます（試行 kor-e dækh-「して みる」、やりもらい likh-e de-「書いて あげる」、完遂 khe-e phæl-「食べつくす」（< phæl-「捨てる」））。後置詞や補助動詞の発達は、おそらくオーストロ・アジア語族やドラヴィダ語族の言語との接触によって生じたものと考えられます（奈良 (1992: 976)）。

統語論

†語順は†SOV ですが、†目的語が長くなる場合は†SVO の語順も可能です。形容詞などは前置修飾です。

文語体と口語体が大きく異なりますが、1910 年代に口語化運動が起きてからは、文語体と口語体が混在する時代を経て、現在では全面的に口語体で書かれるようになりました。ただし文語体の教育もなされていて、近現代の文学を含め文語体で書かれたものが今も読まれています（丹羽 (2015) による）。

奈良 (1992)「ベンガル語」（⑦所収）、丹羽 (2015)「ベンガル語：文語体から口語体へ」（⑥所収）

ছোট্ট এক রাজকুমার

cʰoʈʈo æk raɟkumar

21

ঠিক এই সময়ে আবির্ভাব ঘটল একটি খেঁকশেয়ালের।

[tʰik ei ʃɔmoĕe abirbʰab gʰoʈlo ækʈi kʰēkʃeăler]

ঠিক	এই	সময়ে	আবির্ভাব	ঘটল	একটি	খেঁকশেয়ালের
tʰik	ei	ʃɔmoĕ-e	abirbʰab	gʰoʈ-l-o	æk-ʈi	kʰēkʃeăl-er
ちょうど	その	時-LOC	出現	生じる-PST-3	一-DEF.SG	狐-GEN.SG

ちょうどそのとき狐が現れました。

খেঁকশেয়ালটি বলল, "সুপ্রভাত।"

[kʰēkʃeălʈi bollo ʃuprobʰat]

খেঁকশেয়ালটি	বলল	সুপ্রভাত
kʰēkʃeăl-ʈi	bol-l-o	ʃuprobʰat
狐-DEF.SG	言う-PST-3	おはよう

狐は言いました。「おはよう」

রাজকুমার নম্রভাবে জবাব দিল, "সুপ্রভাত।"

[raɟkumar nɔmrobʰabe ɟɔbab dilo ʃuprobʰat]

রাজকুমার	নম্রভাবে	জবাব	দিল	সুপ্রভাত
raɟkumar	nɔmro-bʰabe	ɟɔbab	di-l-o	ʃuprobʰat
王子	礼儀正しい-ADV	答え	与える-PST-3	おはよう

王子さまは礼儀正しく答えました。「おはよう」

– তাঁরপর সে পাশফিরে চারদিকে চোখ বুলিয়ে দেখল।

[tãrpɔr ʃe paʃpʰire cardike cokʰ buliĕe dekʰlo]

তাঁরপর	সে	পাশফিরে	চারদিকে	চোখ	বুলিয়ে	দেখল
tãr-pɔr	ʃe	paʃpʰir-e	car-dik-e	cokʰ	bul-iĕe	dekʰ-l-o
それSG.HON.GEN-〜の後	彼SG.NOM	振り返る-PTCP	四-方向-LOC	目	回す-PTCP	見る-PST-3

それから振り返って四方を見回しました。

কিন্তু সে কোথাও কাউকে দেখতে পেল না।

[kintu ʃe kotʰao kauke dekʰte pelo na]

কিন্তু	সে	কোথাও	কাউকে	দেখতে	পেল	না
kintu	ʃe	kotʰa=o	kauke	dekʰ-te	pe-l-o	na
しかし	彼.SG.NOM	どこ-～も	誰か.OBJ	見る-INF	得る-PST-3	NEG

しかし、どこにも誰も見えませんでした。

কিন্তু স্বরটি আবার শোনা গেল।

[kintu ʃurʈa abar ʃona gelo]

কিন্তু	স্বরটি	আবার	শোনা	গেল।
kintu	ʃur-ʈa	abar	ʃon-a	ge-l-o
しかし	声-DEF.SG	再度	聞く-VN	行く-PST-3

しかし、再度声が聞こえました。

সে বলছে, "এই যে, আমি এখানে, আপেল গাছের তলায়।"

[ʃe bolcʰe ei ʃe ami ekʰane æpel gacʰer tɔlaĕ]

সে	বলছে	এই	যে	আমি	এখানে	আপেল	গাছের	তলায়
ʃe	bol-cʰ-e	e=i	ʃe	ami	ekʰan-e	æpel	gacʰ-er	tɔla-ĕ
彼.SG.NOM	言う-PROG-PRS.3	DEM-EMP	REL.NOM	私.SG.NOM	ここ-LOC	リンゴ	木-GEN.SG	底-LOC

彼は言っています。「ほら、僕はここだよ。リンゴの木の下だよ」

রাজকুমার জিজ্ঞেস করল, "তুমি কে? তুমি তো দেখতে খুবই সুন্দর।"

[raʈkumar ʤiggæʃ korlo tumi ke tumi to dekʰte kʰubi ʃundor]

রাজকুমার	জিজ্ঞেস	করল	তুমি	কে	তুমি	তো	দেখতে	খুবই	সুন্দর
raʈkumar	ʤiggæʃ	kor-l-o	tumi	ke	tumi	to	dekʰ-te	kʰub=i	ʃundor
王子	質問	する-PST-3	君.SG.NOM	誰.NOM	君.SG.NOM	TOP	見る-INF	とても-EMP	きれい

王子さまは質問しました。「きみは誰？　きみってとてもきれいだね」

খেঁকশেয়ালটি জবাব দিল, "আমি একটি খেঁকশেয়াল।"

[kʰēkʃeăalʈi ʤɔbab dilo ami ækʈi kʰēkʃeăal]

খেঁকশেয়ালটি	জবাব	দিল	আমি	একটি	খেঁকশেয়াল
kʰēkʃeăal-ʈi	ʤɔbab	di-l-o	ami	æk-ʈi	kʰēkʃeăal
狐-DEF.SG	答え	与える-PST-3	私.SG.NOM	一-DEF.SG	狐

狐は答えました。「僕は狐だよ」

রাজকুমার বলল, "এদিকে এস, চল আমরা খেলা করি।

[raɟkumar bollo edike eʃo cɔlo amra kʰæla kɔri]

রাজকুমার	বলল	এদিকে	এস	চল	আমরা	খেলা	করি
raɟkumar	bol-l-o	e=dik-e	eʃ-o	cɔl-o	amra	kʰæl-a	kɔr-i
王子	言う-PST-3	この-方向-LOC	来る-IMP.PRS.2	行く-IMP.PRS.2	私PL.NOM	遊ぶ-VN	する-PRS.1

王子さまは言いました。「こっちにおいで。さあ遊ぼう。

আমি খুবই একা। আর ভীষণ অসুখী বোধ করছি।"

[ami kʰubi æka ebɔŋ bʰiʃɔn oʃukʰi bodʰ korcʰi]

আমি	খুবই	একা	আর	ভীষণ	অসুখী	বোধ	করছি
ami	kʰub=i	æka	ebɔŋ	bʰiʃɔn	oʃukʰi	bodʰ	kor-cʰ-i
私SG.NOM	とても-EMP	寂しい	そして	とても	悲しい	感じ	する-PROG-PRS.1

ぼくはとても寂しい。それにとても悲しい」

খেঁকশেয়ালটি বলল, "আমি তোমার সঙ্গে খেলতে পারি না।

[kʰēkʃeãalʈi bollo ami tomar ʃɔŋge kʰelte pari na]

খেঁকশেয়ালটি	বলল	আমি	তোমার	সঙ্গে	খেলতে	পারি	না
kʰēkʃeãal-ʈi	bol-l-o	ami	tomar	ʃɔŋg-e	kʰel-te	par-i	na
狐-DEF.SG	言う-PST-3	私SG.NOM	君SG.GEN	一緒-LOC	遊ぶ-INF	できる-PRS.1	NEG

狐は言いました。「僕は君と遊ぶことはできない。

কারণ আমি পোষা নই।

[karɔn ami poʃa noi]

কারণ	আমি	পোষা	নই
karɔn	ami	poʃa	no-i
理由	私SG.NOM	飼われた	～だ-NEG-1

なぜなら僕は飼われてないから」

রাজকুমার বলল, "ও! তাই বল। আমাকে ক্ষমা করবে। আমি বুঝতে পারিনি।"

[raɟkumar bollo o tai bolo amake kʰɔma korbe ami buɟʰte parini]

রাজকুমার বলল ও তাই বল আমাকে ক্ষমা করবে আমি বুঝতে

raʈkumar bol-l-o o ta-i bol-o amake kʰɔma korbe ami buɟʰ-te

王子　言う-PST-3　ああ　それ-EMP　言う-PRS.2　私.SG.OBJ　許し　する-IMP.FUT　1SG.NOM　理解する-INF

পারিনি

par-i=ni

できる-PRS.1-NEG.PFV

王子さまは言いました。「ああ、そうだ、ぼくを許して。ぼくはわかってなかった」

কিছুসময় চিন্তা করে রাজকুমার জানতে চাইল, "আচ্ছা, পোষা শব্দটির অর্থ কী?"

[kichuʃɔmoĕ cinta kore raʈkumar ɟante cailo accʰa poʃa ʃɔbdoʈir ɔrtʰo ki]

কিছুসময়	চিন্তা	করে	রাজকুমার	জানতে	চাইল	আচ্ছা
kichu-ʃɔmoĕ	cinta	kor-e	raʈkumar	ɟan-te	cai-l-o	accʰa
幾分·時間	思考	する-PTCP	王子	知る-INF	欲しい-PST-3	ねえ

পোষা	শব্দটির	অর্থ	কী
poʃa	ʃɔbdo-ʈi-r	ɔrtʰo	ki
飼われた	単語-DEF.SG-GEN.SG	意味	何

少しの間考えて、王子さまは聞きました。「ねえ、飼われた、という単語の意味は何？」

খেঁকশেয়ালটি বলল, "তুমি তো এখানে থাক না। তুমি এখানে কী খুঁজছ?"

[kʰẽkʃeăalʈi bollo tumi to ekʰane tʰako na tumi ekʰane ki kʰũɟcho]

খেঁকশেয়ালটি	বলল	তুমি	তো	এখানে	থাক	না	তুমি	এখানে
kʰẽkʃeăal-ʈi	bol-l-o	tumi	to	ekʰan-e	tʰak-o	na	tumi	ekʰan-e
狐-DEF.SG	言う-PST-3	君.SG.NOM	TOP	ここ-LOC	いる-IMP.PRS.2	NEG	君.SG.NOM	ここ-LOC

কী	খুঁজছ
ki	kʰũɟ-cʰ-o
何	探す-PROG-PRS.2

狐は言いました。「君はここにいちゃいけない。君はここで何を探しているんだい？」

"আমি মানুষজন খুঁজছি।" রাজকুমার আরো একটু আগ্রহী হয়ে বলল, "–পোষা শব্দটির অর্থ কী?"

[ami manuʃɟɔn kʰũɟcʰi raʈkumar aro æɛkʈu agrohi hoĕe bollo poʃa ʃɔbdoʈir ɔrtʰo ki]

আমি	মানুষজন	খুঁজছি	রাজকুমার	আরো	একটু	আগ্রহী	হয়ে
ami	manuʃʃɔn	kʰũj-cʰ-i	raɟkumar	ar=o	æktu	agrohi	ho-ěe
私.SG.NOM	人間	探す-PROG-PRS.1	王子	そして=～も	少し	熱心な	なる-PTCP

বলল	পোষা	শব্দটির	অর্থ	কী
bol-l-o	poʃa	ʃɔbdo-ʈi-r	ɔrtʰo	ki
言う-PST-3	飼われた	単語-DEF.SG-GEN.SG	意味	何

「ぼくは人を探しているんだ」と王子さまはさらに熱心になって言いました。「飼われた、という単語の意味は何 ?」

খেঁকশেয়ালটি উত্তরে বলল, "লোকজনের কথা বলছ?

[kʰēkʃeǎlʈi uttɔre bollo lokɟɔner kɔtʰa bolcʰo]

খেঁকশেয়ালটি	উত্তরে	বলল	লোকজনের	কথা	বলছ
kʰēkʃeǎl-ʈi	uttɔr-e	bol-l-o	lokɟɔn-er	kɔtʰa	bol-cʰ-o
狐-DEF.SG	答え-LOC	言う-PST-3	人間-GEN.SG	話	言う-PROG-PRS.2

狐は答えて言いました。「人間のことを言っているの ?」

তাদের বন্দুক আছে এবং তারা শিকার করে।

[tader bɔnduk acʰe ebɔŋ tara ʃikar kɔre]

তাদের	বন্দুক	আছে	এবং	তারা	শিকার	করে
tader	bɔnduk	acʰ-e	ebɔŋ	tara	ʃikar	kɔr-e
彼.PL.GEN	銃	ある-PRS.3	そして	彼.PL.NOM	狩り	する-PRS.3

彼らは銃を持ってる。そして猟をする。

এটি	খুবই	পীড়াদায়ক।
eṭi	kʰubi	piṛadaĕok
これ	とても	気分が悪い

これはとても気分が悪い。

অবশ্য	তারা	আবার	মুরগীর	ছানাও	পয়দা	করে।
ɔbɔʃʃo	tara	abar	murgir	cʰanao	pɔĕda	kɔre
もちろん	彼らは	また	鶏の	雛も	孵化	する

もちろんまた一方で、彼らは鶏の雛をかえすんだ。

ওটা	একটা	কাজের	কাজ	বটে।	তুমি	কি	মুরগীর	ছানা	খুঁজছ? ”
oʈa	æk̪ʈa	kajer	kaʈ	bɔʈe	tumi	ki	murgir	cʰana	kʰũʈcʰo
それは	一つの	仕事の	仕事	もちろん	君は	～か?	鶏の	雛	探している

それはもちろん有益な仕事だよ。君は鶏の雛を探しているの？」

রাজকুমার	উত্তর	দিল, “	না!	আমি	শুধু	একজন	বন্ধুর	সন্ধান	করছি।
raɟkumar	uttɔr	dilo	na	ami	ʃudʰu	æk̪jɔn	bɔndʰur	ʃɔndʰan	korcʰi
王子は	答え	与えた	NEG	私は	ただ	一人	友達の	探索	している

王子さまは答えました。「いや！　ぼくはただ1人の友達を探しているだけだよ。

কিন্তু	পোষা	শব্দটির	অর্থ	কী? ”
kintu	poʃa	ʃɔbdoʈir	ɔrtʰo	ki
しかし	飼われた	その単語の	意味	何

でも、飼われた、という単語の意味は何？」

খেঁকশেয়ালটি	বলল, “	এটিও	এক	ধরনের	কাজ–	যা	অনেক	সময়ই
kʰẽkʃeãalʈi	bollo	eʈio	æk	dʰorɔner	kaʈ	ja	ɔnek	ʃɔmoĕi
その狐は	言った	それも	一	種類の	仕事	REL	多くの	時間

হেলাফেলার	কারণ	হয়ে	পড়ে।
hepʰelar	karɔn	hoĕe	pare
無視の	理由	なって	落ちる

狐は言いました。「それも一つの仕事だよ。多くの場合、無視の理由となってしまう。

পোষা	শব্দটির	অর্থ	হল,	সম্পর্ক	সৃষ্টি	করা। "
poʃa	ʃɔbdoṭir	ɔrtʰo	holo	ʃɔmpɔrko	ʃriʃṭi	kɔra
飼われた	その単語の	意味	~だ	関係	創造	すること

飼われた、という単語の意味は、関係を築くことだよ」

" সম্পর্ক	সৃষ্টি	করা? "
ʃɔmpɔrko	ʃriʃṭi	kɔra
関係	創造	すること

「関係を築くこと？」

খেঁকশেয়ালটি	বলল,	" ঠিক	তাই। "
kʰẽkʃeãalṭi	bollo	tʰik	tai
その狐は	言った	まさに	それ

狐は言いました。「まさにそれだよ」

শেয়ালটি	একটু	ব্যাখ্যা	দিয়ে	বলল, "	– ধর	তুমি	একজন	বালক।
ʃeãalṭi	ækṭu	bækkʰa	diẽe	bollo	dʰoro	tumi	ækjɔn	balɔk
その狐は	少し	説明	与えて	言った	掴め	君は	一人の	少年

狐が少し説明して言いました。「例えば君は1人の少年だけど。

তুমি	আমার	কাছে	অন্যান্য	হাজার	হাজার	বালকের	মত	একটি	বালক
tumi	amar	kache	ɔnnanno	hajar	hajar	balɔker	mɔto	ækṭi	balɔk
君は	私の	近くで	他の	千	千	少年の	ように	その一人の	少年

ছাড়া	কিছুই	নও।
cʰaɽa	kicʰui	nɔo
~以外の	何か	~でない

君は僕にとって、ほかの何千もの少年みたいに、1人の少年以外の何者でもない。

এবং	এক্ষেত্রে	তোমাকে	আমার	প্রয়োজন	নেই।
ebɔŋ	ekʰetre	tomake	amar	prɔẽojɔn	nei
そして	この場合に	君を	私の	必要	ない

そしてその場合、僕には君が必要ないんだ。

ঠিক	তেমনিভাবে,	তোমার	কাছেও	আমি	অন্যান্য	হাজার	হাজার
tʰik	temonibʰabe	tomar	kacʰeo	ami	ɔnnanno	haɟar	haɟar
ちょうど	そのように	君の	近くでも	私は	他の	千	千

খেঁকশেয়ালের	মত	একটা	খেঁকশেয়াল	ছাড়া	কিছুই	নই।
kʰẽkʃeãaler	mɔto	ækʈa	kʰẽkʃeãal	cʰara	kicʰui	noi
狐の	ように	その一つの	狐	~以外	何か	~でない

ちょうど同じように、君にとっても僕はほかの何千もの狐みたいに1匹の狐以外の何者でない。

কিন্তু	তুমি	যদি	আমাকে	পোষ মানাও,	তাহলে	আমাদের	দু'জনের
kintu	tumi	ɟɔdi	amake	poʃ manao	tahole	amader	duɟoner
しかし	君が	もし	私を	飼う	それなら	私たちの	二人の

প্রয়োজনীয়তা	পরস্পরের	কাছে	খুবই	বেড়ে	যাবে।
prɔ̃ĕɔɟoniõta	pɔrʃpɔrer	kacʰe	kʰubi	bere	ɟabe
必要性	お互いの	近くで	とても	増えて	行くだろう

君がもし僕を飼うなら、僕ら2人の必要性はお互いにとって、とても増すだろう。

তুমি	যেমন	আমার	কাছে	এক	এবং	অনন্য	হয়ে	উঠবে,
tumi	ɟemon	amar	kacʰe	æk	ebɔŋ	ɔnɔnno	hoĕe	uʈʰbe
君が	REL	私の	近くで	一	そして	特別な	なって	立つだろう

তেমনি	আমিও	তোমার	কাছে	এক	এবং	অনন্য	হব...	"
temoni	amio	tomar	kacʰe	æk	ebɔŋ	ɔnɔnno	hobo	
そのように	私も	君の	近くで	一	そして	特別な	なるだろう	

君が僕にとって唯一かつ特別になるように、僕が君にとって唯一かつ特別になるだろう……」

রাজকুমার	বলল,	"	আমি	বুঝতে	পারছি–	এক	জায়গায়
raɟkumar	bollo		ami	buɟʰte	parcʰi	æk	ɟaẽgaẽ
王子は	言った		私は	理解すること	できている	一つの	場所で

একটা	ফুল	আছে...
ækʈa	pʰul	acʰe
その一つの	花	ある

王子さまは言いました。「わかるよ。ある場所に1つの花があって……。

আমার	মনে	হয়	সে	আমাকে	পোষ মানিয়ে	ফেলেছে...। ”
amar	mone	hɔe̯	ʃe	amake	poʃ manie̯e	pʰeleche
私の	心で	生じる	彼は	私を	飼って	投げた

ぼくが思うに、花はぼくを飼ってしまった……」

খেঁকশেয়ালটি	বলল,	“	হতে	পারে।
kʰẽkʃea̯alṭi	bollo		hote	pare
その狐は	言った		起こること	できる

狐は言いました。「そうかもね。

এই	পৃথিবীতে	কত	জন	কত	রকমভাবে	বিচার	করে। ”
ei	prithibite	kɔto	ɟɔn	kɔto	rɔkomer	bicar	kɔre
この	世界で	どれほど	人	どれほど	種類の	判断	する

この世界で、どれほどの人間がどれほどのやり方で判断することか」

রাজকুমার	বলল,	“	না	না,	ওটা	পৃথিবীতে	ঘটেনি!
raɟkumar	bollo		na	na	oṭa	prithibite	gʰoṭeni
王子は	言った		NEG	NEG	それは	世界で	起きなかった

王子さまは言いました。「いやいや、それは世界で起きていないよ！」

খেঁকশেয়ালটি	হতবুদ্ধি	হয়ে পড়ল,	কিন্তু একটু	কৌতুহলীও	হয়ে	ওঠল।
kʰẽkʃea̯alṭi	hɔtobuddʰi	hɔe̯e pɔrlo	kintu ækṭu	koutuholi	hɔe̯e	oṭʰlo
その狐は	黙った	なって落ちた	しかし少し	興味を持つようにも	なって	立った

狐は黙ってしまいましたが、しかし少し興味を持つようにもなりました。

“	তাহলে	ওটি	অন্য	গ্রহের	কথা	বলছ?	”
	tahole	oṭa	ɔnno	grɔher	kɔtʰa	bolcho	
	それなら	それは	他の	惑星の	話	(君が)言っている	

「それじゃ、それはほかの星の話をしているの？」

“	হ্যাঁ।	”
	hæ̃n	
	はい	

「うん」

" সেখানে   কী   সিকারীরাও   আছে? "
　ʃekʰane   ki   ʃikarirao   acʰe
　そこに   ～か   猟師たちも   いる

「そこに猟師たちもいるの？」

" না! "
　na
　いいえ

「いいや！」

" বাহ! কী   মজা! তাহলে সেখানে কী* মুরগীর   ছানাও   আছে? "
　bah   ki   mɔʈa   tahole ʃekʰane ki   murgir   cʰanao   acʰe
　おお   何 おもしろい それなら そこに   ～か   鶏の   雛も   いる

「おお、何と愉快なんだ！　それじゃ、そこに鶏の雛もいるの？」

*　正しくは **কী** でなく、**কি** であるべきですが、原著の間違いであると考えられます。

" না। "
　na
　いいえ

「いいや」

খেঁকশেয়ালটির   মন   খারাপ   হয়ে   গেল।
kʰẽkʃeãalʈir   mɔn   kʰarap   hoẽe   gelo
その狐の   心   悪い   なって   行った

狐の気分が悪くなってしまいました。

সে   দীর্ঘ   নিঃশ্বাস ফেলে বলল, " কোন   কিছুই মনের   মত   করে
ʃe   dirgʰo niʃʃaʃ   pʰele bollo   kono   kicʰui mɔner ɔto kore
彼は 長い   ため息   吐いて 言った 何らかの 何か   心の   ように して

পাবার   জন্য   খুঁতহীন   নয়। "
pabar   ɟɔnno   kʰuthin   nɔẽ
得ることの ために 傷なし   ～でない

彼は長いため息をついて言いました。「何かを思い通りにするには傷なしでは済
まないんだ」

তারপর	সে	তার	মূল	বিষয়ে	ফিরে	এল।
tarpɔr	ʃe	tar	mul	biʃɟ̆ee	pʰire	elo
その後	彼は	その	元の	話題に	戻って	来た

その後、彼は元の話題に戻ってきました。

রাজকুমারকে	সে	নিজের	মনের	কথা	শোনাতে	শুরু	করল।
raɟkumarke	ʃe	niɟer	mɔner	kɔtʰa	ʃonate	ʃuru	korlo
王子に	彼は	自分の	心の	話	聞かせること	始まり	した

王子さまに、彼は自分の心の話を聞かせ始めました。

খেঁকশেয়ালটি	দুঃখ	করে	বলল, "	আমার	জীবনটা	ভীষণ	একঘেঁয়ে
kʰẽkʃeăalṭi	dukkʰo	kore	bollo	amar	ɟibonṭa	bʰiʃɔn	akgʰẽee
その狐は	悲しみ	して	言った	私の	その人生	とても	味気ない

হয়ে	পড়েছে।
hoĕe	poɽecʰe
なって	落ちた

狐は悲しんで言いました。「僕の人生はとても味気なくなってしまった。

আমি	মুরগীর	ছানা	শিকার	করি।	মানুষ	আমাকে	শিকার	করে।
ami	murgir	cʰana	ʃikar	kori	manuʃ	amake	ʃikar	kɔre
私は	鶏の	雛	狩猟	する	人間	私を	狩猟	する

僕は鶏の雛を捕まえる。人間は僕を捕まえる。

সকল	মুরগীর	ছানা	যেমন	একরকম,	তেমনি	আমার	কাছে	সকল
ʃɔkol	murgir	cʰana	ɟemon	ӕkrɔkom	temoni	amar	kache	ʃɔkol
すべての	鶏の	雛	REL	一種類	そのように	私の	近くに	すべての

মানুষও	একই	রকম।
manuʃo	ӕki	rɔkom
人間も	—	種類

すべての鶏の雛が同じであるように、すべての人間も僕にとっては同じなんだ。

তুমি	যদি	আমাকে	পোষ মানাও	আমার	জীবনের	উজ্জ্বল	দিন	শুরু
tumi	ɔdi	amake	poʃ manao	amar	ɟibɔner	uɟjol	din	ʃuru
君が	もし	私を	飼う	私の	人生の	輝かしい	日	始まり

হবে।
hobe
生じるだろう

君がもし僕を飼うなら、僕の人生の輝かしい日々が始まる。

আমি	তোমার	পায়ের	একটি	শব্দ	পেলেই	তোমার	আগমনবার্তা
ami	tomar	paẽer	æckʈi	ʃɔbdo	pelei	tomar	agɔmonbarta
私は	君の	足の	その一つの	音	得れば	君の	到来の知らせ

বুঝতে	পারব।
buɟʰte	parbo
わかること	できるだろう

僕は君の足音を聞けばすぐに、君の到来を知ることができる。

অন্যের	পায়ের	শব্দে	আমি	গর্তে	লুকিয়ে	পড়তে	বাধ্য	হই।
ɔnner	paẽer	ʃɔbde	ami	gɔrte	lukiẽe	pɔrte	baddʰo	hoi
他の者の	足の	音に	私は	穴に	隠れて	落ちること	強いられた	なる

ほかの者の足音には、僕は穴に隠れなければならない。

তোমার	আগমনের	পদধ্বনি	সঙ্গীতের	মত	আমাকে	গর্ত	থেকে	টেনে
tomar	agɔmoner	pɔddʰoni	ʃɔngiter	mɔto	amake	gɔrto	theke	ʈene
君の	到来の	足音	歌の	ように	私を	穴	～から	引いて

তুলবে।
tulbe
引くだろう

君の到来の足音は歌のように、僕を穴から引き出すだろう。

ঐ	তো	শস্যক্ষেত,	তার	দিকে	তাকাও।
oi	to	ʃɔʃʃokhʰet	tar	dike	takao
あの	～は	穀物畑	その	方に	見ろ

ほらあの穀物畑、そっちの方を見てみて。

আমি	রুটি	খেতে	পছন্দ	করি	না।
ami	ruṭi	kʰete	pɔcʰond	kori	na
私は	パン	食べること	好き	する	NEG

僕はパンを食べるのは好きじゃない。

গমে	আমার	কোন	কাজ	হয়	না।
gɔme	amar	kono	kaɟ	hɔĕ	na
小麦に	私の	何かの〜も	働き	生じる	NEG

小麦は僕には何の役にも立たない。

আমাকে	উপহার	দেয়ার	মত	কোন	গানই	গম	ক্ষেতের	নেই।
amake	upɔhar	deăr	mɔto	kono	gani	gɔm	kʰeter	nei
私に	贈り物	与えることの	ような	何らかの〜も	歌	小麦	畑の	ない

小麦畑は、僕に贈り物をくれるような歌を持ってない。

তোমার	মাথার	সোনালী	চুল	অবিকলভাবে	গমের	স্বর্ণকেশের	মত।
tomar	matʰar	ʃonali	cul	obʰikolbʰabe	gɔmer	ʃɔrnokeʃer	mɔto
君の	頭の	金色の	髪	ちょうど	小麦の	金髪の	ような

君の頭の金色の髪はまさに小麦の金髪のようだ。

তুমি	আমাকে	পোষ মানালে	খুবই	মজা	হবে।
tumi	amake	poʃ manale	kʰubi	mɔɟa	hobe
君が	私を	飼うなら	とても	楽しさ	なるだろう

君が僕を飼うなら、とても楽しくなるだろう。

পাকা	ধানের	সোনালী	ক্ষেত	দেখলেই	তোমার	কথার	স্বর	স্মরণ	হবে।
paka	dʰaner	ʃonali	kʰet	dekʰlei	tomar	kɔtʰar	ʃɔr	ʃron	hobe
熟した	米の	金色の	畑	見ると	君の	話の	声	記憶	生じるだろう

成熟した米の金色の畑を見るとすぐに、君の話し声が思い出されるだろう。

পাকা	ধানের	বাতাসে	দোল	খাওয়া	কতই	না	ভালো	লাগবে...।	”
paka	dʰaner	bataʃe	dol	kʰaŏa	kɔtoi	na	bʰalo	lagbe	
熟した	米の	風に	揺れ	食べること	どれだけ	NEG	良い	感じるだろう	

成熟した米の風に揺られることがどれだけ気持ちいいことか……」

– বলতে বলতে খেঁকশেয়ালটি রাজকুমারের মুখের দিকে তাকিয়ে রইল।
bolte bolte kʰẽkʃeălʈi raɟkumarer mukʰer dike takiĕe roilo
言うこと 言うこと その狐は 王子の 顔の 方に 見て いた

言いながら狐は王子さまのほうを見続けていました。

সে এক সময় বলে উঠল, " আমাকে পোষ। "
ʃe æk ʃomoĕ bole uʈʰlo amake poʃo
彼は 一つの 時間 言って 立った 私を 飼え

彼はあるとき言い出しました。「僕を飼って」

রাজকুমার উত্তরে বলল, " আমিতো খুব করেই তোমাকে পোষতে চাই।
raɟkumar uttore bollo amito kʰub korei tomake poʃte cai
王子は 答えに 言った 私は とても して 君を 飼うこと 欲しい

王子さまは答えて言いました。「ぼくはとてもきみを飼いたい。

কিন্তু আমার হাতে অতো বেশি সময় নেই।
kintu amar hate ɔto beʃi ʃomoĕ nei
しかし 私の 手に そんな 過剰 時間 ない

しかしぼくにはそんなにたくさんの時間がないんだよ。

আমাকে অনেক বন্ধুবান্ধবের সন্ধান করতে হবে।
amake ɔnek bondʰubandʰober ʃondʰan korte hobe
私の たくさん 友達の 探索 すること なるだろう

ぼくはたくさんの友達を探さなければならない。

আর আমাকে বুঝতেও হবে অনেক কিছু। "
ar amake buɟʰteo hobe ɔnek kicʰu
そして 私を 理解することも なるだろう たくさんの 何か

そしてぼくはたくさんのことを理解もしなければならない」

খেঁকশেয়ালটি বলল, " কেউ কাউকে পোষলে সে তখন তাকে
k^hēkʃeăaḻi bollo keu kauke poʃle ʃe tɔkʰon take
その狐は 言った 誰かが 誰かを 飼えば 彼は その時 彼を

বুঝতে পারে।
buʝʰte pare
理解すること できる

狐は言いました。「誰かが誰かを飼えば、そのとき、理解することができるよ。

কিন্তু মানুষের বুঝবার সময় নেই।
kintu manuʃer buʝʰbar ʃɔmoĕ nei
しかし 人間の 理解することの 時間 ない

しかし人間には理解する時間がない。

তারা দোকান থেকে তৈরি জিনিস কিনে।
tara dokan tʰeke toiri ʝiniʃ kine
彼らは 店 ～から 作った 物 買う

彼らは店からできあがった物を買う。

কিন্তু এমন কোন দোকান খুঁজে পাবে না; যেখানে
kintu emɔn kono dokan kʰũʝe pabe na ʝekʰane
しかし このような 何かの 店 探して 得るだろう NEG REL

বন্ধুত্ব কিনতে পাওয়া যায়।
bɔndʰutto kinte paŏa ʝaĕ
友人関係 買うこと 得ること 行く

でも、友人関係を買えるような店は見つからない。

তাই মানুষের কোন বন্ধু থাকে না।
tai manuʃer kono bɔndʰu tʰake na
だから 人間の 何かの 友達 いる NEG

だから人間には友達がいない。

তুমি যদি একজন বন্ধু পেতে চাও আমাকে পোষ… "
tumi ʝɔdi ækʝɔn bɔndʰu pete cao amake poʃo
君が もし 一人の 友達 得ること 欲しい 私を 飼え

もし君が一人の友達が欲しいと思うなら、僕を飼って……」

"– তোমাকে পোষতে হলে কী করতে হবে?"
tomake poʃte hole ki korte hobe
君を 飼うこと なれば 何 すること なるだろう

「きみを飼おうとするなら、何をしなければならないの？」

খেঁকশেয়ালটি বলল, "তোমাকে খুব ধৈর্যশীল হতে হবে।
kʰẽkʃeăalʈi bollo tomake kʰub dʰoirɟoʃil hote hobe
その狐は 言った 君を とても 我慢強い なること なるだろう

狐は言いました。「君はとても我慢強くいなければならない。

প্রথমে তুমি আমার কাছ থেকে সামান্য দূরে ওরকম ঘাসের
protʰome tumi amar kacʰ tʰeke ʃamanno dure orɔkom gʰaser
最初に 君が 私の 近く ～から 少し 遠くに あのような 草の

ওপর বসবে।
opɔr boʃbe
上 座れ

まず君は私から少し離れてあのような草の上に座ってね。

আমি তোমাকে আড়চোখে দেখে নেব, কিন্তু তুমি কিছুই বলবে না।
ami tomake aɽcokʰe dekʰe nebo kintu tumi kicʰui bolbe na
私は 君を 横目で 見て 取るだろう しかし 君は 何か 言え NEG

僕は君を横目で見る。しかし君は何も言わないで。

চোখে চোখে বুঝে নিতে হবে। কোন কথা বলা যাবে না।
cokʰe cokʰe buɟʰe nite hobe kono kotʰa bɔla ɟabe na
目で 目で 理解すること 取ること なるだろう 何かの 話 言うこと 行くだろう NEG

目で理解しなければならない。何も話すことはできない。

কথা বললেই ভুল বোঝাবুঝি হবে।
kotʰa bollei bʰul boɟʰabuɟʰi hobe
話 言えば 間違い 理解 生じるだろう

話したら、すぐに誤解が生じてしまう。

কিন্তু	যতই	দিন	যাবে,	তুমি	একটু	একটু	করে	আমার	কাছে
kintu	ɟɔtoi	din	ɟabe	tumi	ækʈu	ækʈu	kore	amar	kacʰe
しかし	REL	日	行くだろう	君は	少し	少し	して	私の	近くに

ঘেঁষে	বসবে...	”
gʰẽʃe	boʃbe	
近づいて	座れ	

でも日が近づくごとに君は少しずつ僕のところに近づいて座って……」

পরদিন	রাজকুমার	আবার	এল।
pɔrdin	raɟkumar	abar	elo
後日	王子は	再度	来た

次の日、王子さまは再度やって来ました。

খেঁকশেয়ালটি	বলল, “	প্রত্যেক	বার	একই	সময়ে	এলে	খুব	ভাল	হয়।
kʰẽkʃeăalʈi	bollo	prottek	bar	æki	ʃɔmoĕe	ele	kʰub	bʰalo	hɔĕ
その狐は	言った	毎	回	一つの	時間に	来れば	とても	良い	なる

狐は言いました。「毎回同じ時間に来たら、とてもいい。

ধর,	যদি	তুমি	প্রত্যহ	বিকেল	চারটায়	আস,	আমি	বিকেল	তিনটা	থেকে
dʰɔro	ɟɔdi	tumi	prottoh	bikel	carʈaĕ	aʃo	ami	bikel	tinʈa	tʰeke
掴め	もし	君が	毎日	午後	四時に	来る	私は	午後	三時	~から

পুলকিত	হতে	থাকব।
pulokito	hote	tʰakbo
喜んだ	なること	いるだろう

例えば、もし君が毎日午後4時に来るなら、僕は午後3時から喜んでいるだろう。

যতই	বিকেল	চারটা	ঘনিয়ে	আসবে;	আমি	খুশি	থেকে	অত্যধিক
ɟɔtoi	bikel	carʈa	gʰoniĕe	aʃbe	ami	kʰuʃi	tʰeke	ɔttodʰik
REL	午後	四時	近づいて	来るだろう	私は	喜び	~から	とても

খুশি	হব।
kʰuʃi	hobo
喜んだ	なるだろう

午後4時に近づいてくるほど、僕は喜びがもっと増していくだろう。

বিকাল	চারটায়	আমি	আনন্দে	আত্মহারা	হয়ে	পড়ব	এবং
bikal	carṭaē	ami	anɔnnde	attohara	hoē	pɔrbo	ebɔŋ
午後	四時に	私は	喜びに	我を失った	なって	落ちるだろう	そして

উদ্বেলীত	মনে	লাফালাফি	শুরু	করে	দেব।
uddʰolito	mɔne	lapʰalapʰi	ʃuru	kore	debo
溢れた	心に	飛び跳ね	始まり	して	与えるだろう

午後4時に僕は喜びで我を失ってしまうだろう。そして満ちあふれた心で飛び跳ね始めるだろう。

আমি	তোমাকে	দেখিয়ে	বোঝাতে	পারবো,	আমি	কত	খুশি!
ami	tomake	dekʰiē	boɟʰate	parbo	ami	kɔto	kʰuʃi
私は	君を	見せて	理解させること	できるだろう	私は	どれほど	嬉しい

僕がどれほど喜んでいるのか、僕は君に見せてわからせることができるだろう！

কিন্তু	তুমি	যদি	যখন	খুশি	আস,	আমি	তো	তা	জানতে
kintu	tumi	jɔdi	jɔkʰon	kʰuʃi	aʃo	ami	to	ta	jante
しかし	君は	もし	REL	喜び	来る	私は	～は	それ	知ること

পারব	না।
parbo	na
できるだろう	NEG

しかし君が時間を気にせず好きなときに来ると、僕にはそれがわからない。

তাহলে	তোমার	জন্য	আমার	হৃদয়	কখন	থেকে	খুশি	হতে	থাকবে...
tahole	tomar	jɔnno	amar	hridɔē	kɔkʰon	tʰeke	kʰuʃi	hote	tʰakbe
それなら	君の	ために	私の	心	いつ	～から	喜んだ	なること	いるだろう

そしたら君のために、僕の心はいつから喜び続けるのだろう……。

প্রতিটি	কাজেরই	একটা	আচার-অনুষ্ঠান	আছে	তো...
protiṭi	kaɟeri	ækṭa	acar-onuʃtʰan	acʰe	to
そのそれぞれ	行いの	その一つの	ふるまい・式典	ある	～は

すべての行いに一つのしきたりがあるんだ……」

রাজকুমার বলল, " আচার অনুষ্ঠান কী? "
ra̧jkumar bollo acar onuʃtʰan ki
王子は 言った ふるまい 式典 何

王子さまは言いました。「しきたりって何？」

খেঁকশেয়ালটি বলল, " ওগুলো সেসব জিনিসের মধ্যে পড়ে যা
kʰẽkʃeăalʈi bollo ogulo ʃeʃɔb ɟiniʃer mɔddʰe pɔ̧e ɟa
その狐は 言った それら それすべて 物の 中に 落ちる REL

আজকাল আর খুব মানা হয় না।
a̧kalar ar kʰub mana hɔĕ na
最近 さらに とても 守ること 生じる NEG

狐は言いました。「それらは、最近はもうあまり守られていないものに入るんだ」

ওগুলো এমন জিনিস যা এক দিনকে অন্যদিন, এক সময়কে আরেক
ogulo emon ɟiniʃ ɟa æk dinke ɔnnodin æk ʃɔmŏeke arek
それら こんな 物 REL 一つの 日を 他の日 一つの 時を もう一つ

সময় থেকে পৃথক করে তোলে।
ʃɔmoĕ tʰeke pritʰɔk kore tole
時 ～から 異なった して 引き上げる

それらはある日をほかの日から、ある時をほかの時から分かつ物だよ。

উদাহরণ স্বরূপ শিকারীদের একটা আচারের কথা শোনা*।
udahɔron ʃɔrup ʃikarider ækʈa acarer kɔtʰa ʃono
例 ような 猟師の その一つの ふるまいの 話 聞け

例として、猟師のあるしきたりの話を聞いてほしい。

<small>* 原著では শোনা となっていますが、正しくは শোনো だと思われるため、分析では修正してあります。</small>

বিষ্যুদবার ওরা নাচের মেয়েদের সঙ্গে নাচতে থাকে।
biʃʃudbar ora nacer meĕeder ʃɔŋge nacte tʰake
木曜日 彼らは 踊りの 女子たちの 一緒に 踊ること いる

木曜日、彼らは踊りの女子たちと一緒に踊ってる。

তাই	প্রতি	বিষ্যুদবার	আমার	জন্য	চমৎকার	দিন!
tai	proti	biʃʃudbar	amar	ɔnno	ɔmotkar	din
だから	毎	木曜日	私の	ために	素晴らしい	日

だから木曜日は、僕にとって素晴らしい日なんだ。

আমি	মনের	সুখে	আঙুর	বাগান	পর্যন্ত	ঘুরে	আসতে	পারি।
ami	mɔner	ʃukhe	aŋur	bagan	pɔrɔnto	ghure	aʃte	pari
私は	心の	喜びに	ブドウ	庭	～まで	回って	来ること	できる

僕は心の喜びのうちにブドウ園まで散歩することができる。

কিন্তু	যদি	তারা	প্রত্যেক	দিনই	যখন	খুশি	নৃত্যে	মত	থাকে,
kintu	ɔdi	tara	prottek	dini	ɔkhon	khuʃi	nritte	motto	thake
しかし	もし	彼らが	それぞれの	日	REL	喜び	踊りに	酔った	いる

তাহলে	আমার	জন্য	তো	প্রত্যেক	দিনই	সমান।
tahole	amar	ɔnno	to	prottek	dini	ɔman
それなら	私の	ために	～は	それぞれの	日	同じ

でももし彼らが毎日好きなときに踊り狂っていたら、僕にとっては毎日が同じだ。

আমি	তো	আর	নির্ঝঞ্ঝাট	সময়	পাচ্ছি	না।	”
ami	to	ar	nirɟhonɟat	ʃomoě	pacchi	na	
私が	～は	さらに	平和な	時	得ている	NEG	

僕はもう、平和なときは得られない」

অবশেষে	রাজকুমার	খেঁকশেয়ালটিকে	পোষল।
ɔboʃeʃe	raɟkumar	khẽkʃeăltike	poʃlo
最後に	王子	その狐を	飼った

ついに王子さまは狐を飼いました。

রাজকুমারের	বিদায়ের	সময়	যখন	ঘনিয়ে	এল,	খেঁকশেয়ালটি	আক্ষেপ
raɟkumarer	bidaěr	ʃomoě	ɔkhon	ghoniěe	elo	khẽkʃeălti	akkhep
王子の	別れの	時	REL	近づいて	来た	その狐は	悲しみ

করে	বলল,	–	“আমার	এখন	কাঁদতে	ইচ্ছে	করছে।	”
kore	bollo		amar	ekhon	kãdte	icche	korche	
して	言った		私の	今	泣くこと	望み	していた	

王子さまの別れのときが近づいてきたとき、狐は悲しんで言いました。「僕はいま、泣くことを望んでる」

রাজকুমার	বলল,	"	এটা	তো	তোমার	নিজেরই	বোকামী।
raɟkumar	bollo		eʈa	to	tomar	niɟeri	bokami
王子は	言った		それ	〜は	君の	自分の	馬鹿

王子さまは言いました。「それはきみ自身の愚かさだよ。

আমার	কখনোই	তোমাকে	সামান্য	মাত্র	কষ্ট	দেয়ার	ইচ্ছে	ছিল	না।
amar	kɔkʰonoi	tomake	ʃamanno	matro	kɔʃʈo	deăar	icche	chilo	na
私は	いつも	君に	少し	ほんの	苦労	与えることの	望み	ある	NEG

ぼくはまったく、きみにほんの少しの苦労もかけたくなかったんだ。

কিন্তু	তুমিই	তো	চেয়েছিলে	আমি	তোমাকে	পোষি…।	"
kintu	tumii	to	ceĕechile	ami	tomake	poʃi	
しかし	君が	〜は	欲しかった	私が	君を	飼う	

でも、ぼくがきみを飼うことを、きみが望んだ……」

খেঁকশেয়ালটি	বলল,	"	হ্যাঁ,	অরকমই	তো	বলেছিলাম।	"
kʰẽkʃeăalʈi	bollo		hæn	ɔrokomi	to	bolechilam	
その狐は	言った		はい	そのように	〜は	言った	

狐は言いました。「うん。そのようには言った」

রাজকুমার	বলল,	"	অথচ	তুমি	এখন	কাঁন্নাকাটি	করতে	চাইছ!	"
raɟkumar	bollo		ɔtʰoco	tumi	ekʰon	kannakaʈi	korte	caicho	
王子は	言った		けれど	君は	今	泣き	すること	欲しい	

王子さまは言いました。「でもきみはいま、泣きたがってる！」

খেঁকশেয়ালটি	জবাবে	বলল,	"	হ্যাঁ,	তাই।	"
kʰẽkʃeăalʈi	ɟɔbabe	bollo		hæn	tai	
その狐は	答えに	言った		はい	そう	

狐は答えて言いました。「うん。そうだね」

"তাহলে তো তোমার কোন উপকার হল না।"
tahole to tomar kono upokar holo na
それなら ～は 君の 何かの 利益 生じた NEG

「それなら、きみには何の利益にもならなかった」

খেঁকশেয়ালটি বলল, "আমার অনেক ভাল হয়েছে।
kʰēkʃeãalṭi bollo amar ɔnek bʰalo hoeche
その狐は 言った 私の たくさん 良いこと 生じた

狐は言いました。「僕にはとても良いことがあった。

কারণ গম ক্ষেতের সোনালী রং সেটাও তোমার জন্যই পেলাম।
karon gɔm kʰeter ʃonali rɔŋ ʃeṭao tomar jɔnnoi pelam
理由 小麦 畑の 黄金の 色 それも 君の ために 得た

なぜなら小麦畑の金色、それも君のおかげで手に入れた。

শেয়ালটি আরো বলল, "– যাও আবার গোলাপগুলোর দিকে তাকাও।
ʃeãalṭi aro bollo jao abar golapgulo dike takao
その狐は さらに 言った 行け 再度 バラたちの 方へ 見ろ

狐はさらに言いました。「行って。もう一度バラたちのほうを見て。

তুমি বুঝতে পারবে তোমার ফুলটিই পৃথিবীতে অনন্য ও অতুলনীয়।
tumi bujʰte parbe tomar pʰulṭii prithibite ɔnonno o otulonio
君は 理解して できるだろう 君の 花 世界で 特別な そして 比類なき

君の花が世界で特別で比類なきものだということが理解できるだろう。

তারপর আমার কাছে ফিরে এসো। আমি তোমাকে উপহার হিসেবে একটা
tarpɔr amar kache pʰire eʃo ami tomake upɔhar hiʃebe ӕkṭa
その後 私の 近くに 帰って 来い 私は 君に 贈り物 として 一つの

গোলাপের কথা বলব।"
golaper kɔtha bolbo
バラの 話 話そう

それから僕のところへ帰って来て。僕が君に贈り物として、とあるバラの話をしよう」

রাজকুমার	গোলাপদের	কাছে	গেল।	আর	একবার	গোলাপদের	দিকে	তাকিয়ে
raɟkumar	golapder	kacʰe	gelo	ar	ækbar	golapder	dike	takie
王子は	バラたちの	近くに	行った	そして	一度	バラたちの	方へ	見て

বলল,	"	তাইতো;	তোমরা	তো	কেউই	আমার	গোলাপটির	মত	নও!
bollo		taito	tomra	to	keui	amar	golapṭir	mɔto	nao
言った		そうだ	君たちは	〜は	誰かが	私の	バラの	ような	〜でない

王子さまはバラのところに行きました。そして一度バラたちのほうを見て言いました。「そうだ。きみたちは誰もぼくのバラと同じじゃない！

তোমাদেরকে	কেউ	পোষেনি	এবং	তোমরাও	কাউকে	পোষনি।
tomaderke	keu	poʃeni	ebɔŋ	tomrao	kauke	poʃni
君たちを	誰かが	飼わなかった	そして	君たちも	誰かを	飼わなかった

きみたちを誰も飼ってない。そしてきみたちも誰も飼ってない。

তোমরা	তাই	কিছুই	হয়ে	ওঠনি।	আমি	খেঁকশেয়ালটিকে	প্রথম
tomra	tai	kicʰui	hoe	oṭʰni	ami	kʰēkʃeãalṭike	protʰom
君たちは	だから	何か	なって	立たなかった	私は	その狐を	最初

যেরকম	দেখেছি,	তোমরা	ঠিক	সে	রকমই।
ɟerkom	dekʰecʰi	tomra	ṭʰik	ʃe	rɔkomi
〜ように	見た	君たちは	まさに	その	ような

だからきみたちは何者にもなってない。ぼくが狐を最初に見たように、きみたちもまさにそのようなものなんだ。

সে	অন্যান্য	হাজার	হাজার	শেয়ালের	মত	সাদামাটা	একটা	শেয়ালই
ʃe	ɔnnanno	hajar	hajar	ʃeãaler	mɔto	ʃadamaṭa	ækṭa	ʃeãali
彼は	他の	千	千	狐の	ような	白い	一匹の	狐

ছিল	মাত্র	–এর	বেশি	কিছু	নয়!
cʰilo	mattro	er	beʃi	kicʰu	nɔẽ
〜だった	〜だけ	その	以上	何か	〜でない

彼はほかの何千もの狐のように白い1匹の狐でしかなかった。それ以上のものではないんだ！

কিন্তু	আমি	তাকে	আমার	বন্ধু	করেছি।	আমার	কাছে	সে	বিশ্বজগতে
kintu	ami	take	amar	bɔndʰu	korechi	amar	kache	ʃe	biʃʃɔjɔgote
しかし	私は	彼を	私の	友達	した	私の	近くで	彼は	世界で

অনন্য	অনিন্দ্যসুন্দর।	”
ɔnonno	ɔnindoʃundor	
特別な	文句なく美しい	

でもぼくは彼をぼくの友達にした。ぼくにとって彼は世界で特別で文句なく美しい」

গোলাপরা	রাজকুমারের	কথা	শুনতে	শুনতে	লজ্জায়	ভীষণ
golapra	rajkumar	kɔtha	ʃunte	ʃunte	lɔjjaē	bʰiʃɔn
バラたちは	王子の	話	聞いて	聞いて	恥ずかしさで	とても

বিব্রত	হয়ে	পড়ল।
bibbroto	hoe	porlo
狼狽した	なって	落ちた

バラたちは王子さまの話を聞きながら、恥ずかしさでとても狼狽してしまいました。

রাজকুমার	বলেই	চলল–
rajkumar	bolei	collo
王子は	言って	行った

王子さまは言い続けました。

”	তোমরা	সুন্দর,	কিন্তু	তোমাদের	ভেতরটা	শূন্য।	”
	tomra	ʃundor	kintu	tomader	bʰetorʈa	ʃunno	
	君たちは	きれい	しかし	君たちの	中身	空っぽ	

「きみたちはきれいだけど、きみたちの中身は空っぽだ」

সে	আরো	বলল,	”	তোমাদের	জন্য	কেউ	জান	দিতে	চাইবে	না।
ʃe	aro	bollo		tomader	jɔnno	keu	jan	dite	caibe	na
彼は	さらに	言った		君たちの	ために	誰かが	命	与えて	欲しい	NEG

彼はさらに言いました。「きみたちのために、誰も命を与えたがらない。

মামুলি পথিকরা হয়তবা মনে করবে তাদের গোলাপটিও
mamuli pothikra hɔĕtoba mɔne korbe tader golapṭio
普通の 通行人たちは もしかしたら 心に するだろう 彼らの そのバラも

তোমাদের মত।
tomader mɔto
君たちの ような

普通の通行人たちは、もしかしたら彼らのバラもきみたちと同じだと思うかもしれない。

কিন্তু আমার গোলাপটি নিজ থেকেই তোমাদের মত শত সহস্র
kintu amar golapṭi niǰ thekei tomader mɔto ʃɔto ʃɔhossro
しかし 私の そのバラは 自身 ~から 君たちの ような 百 千

গোলাপের চাইতে অনেক বেশি মূল্যবান।
golaper caite ɔnek beʃi mulloban
バラの ~より たくさん 多く 価値がある

でもぼくのバラ自身は、きみたちのような何百何千のバラよりずっとはるかに価値がある。

কারণ এই গোলাপটিকে আমি পানি দিয়ে পরিচর্যা করেছি। কাঁচের
karɔn ei golapṭike ami pani die poricɔrja korechi kãcer
理由 その そのバラに 私は 水 与えて 世話 した ガラスの

আধারে ঢেকে রেখেছি।
adhare dheke rekhechi
器に 入れて 置いた

なぜなら、そのバラにぼくは水をやって世話した。ガラスの器に入れておいた。

শীত-গরমে আড়াল দিয়ে রেখেছি।
ʃit-gɔrome aṛal die rekhechi
寒さや暑さに 遮り 与えて 置いた

寒さや暑さのためにカバーをかけておいた。

তার জন্যই আমি শুককীটগুলো ধ্বংশ করেছি (প্রজাপতি হওয়ার
tar ǰɔnnoi ami ʃukkiṭgulo dhɔnʃo korechi projapoti hɔĕtoba
彼の ために 私は 幼虫たち 破滅 した 蝶 なることの

জন্য	মাত্র	দু-তিনটি	রেখে	দিয়েছি)।
ɔnno	mattro	dutinṭi	rekʰe	diechi
ために	ほんの	二、三匹	置いて	あげた

バラのためにぼくは幼虫たちを滅した（蝶にするために2、3匹はとっておいてあげた）

যখন	সে	আমতা	আমতা	করছে,	কিংবা	রাগ–অভিমান	করেছে
ɔkʰon	ʃe	amta	amta	korcʰe	kiɲba	rag-obʰiman	korecʰe
～する時	彼が	言い淀み	言い淀み	している	または	怒りや不満	した

এবং	বড়াই	অথবা	নিরবতা*	দেখিয়েছে	আমি	তার	সবই	শুনেছি।
ebɔŋ	bɔraĩ	ɔtʰoba	nirobota	dekʰiecʰe	ami	tar	ʃɔbi	ʃunecʰi
そして	高慢	または	沈黙	見せた	私は	その	全て	聞いた

バラが言い淀んでいるとき、もしくは怒りや不満を言ったとき、そして高慢や沈黙を示したとき、ぼくはそのすべてを聞いた。

* 正しくは নিরবতা でなく、নীরবতা であるべきですが、原著の間違いであると考えられます。

মনোযোগের	সঙ্গে	শুনেছি।	কারণ	সে	তো	আমারই	ফুল। "
monoɟoger	ʃɔnge	ʃunecʰi	karɔn	ʃe	to	amari	pʰul
集中の	～と共に	聞いた	理由	彼は	～は	私の	花

集中とともに聞いた。なぜなら、それはぼくの花だから」

তারপর	রাজকুমার	খেঁকশেয়ালটির	সঙ্গে	বিদায়ী	দেখা	করার
tarpɔr	raɟkumar	kʰēkʃeãalṭir	ʃɔnge	bidai	dækʰa	korar
その後	王子は	その狐の	一緒に	お別れの	会うこと	することの

জন্য	গেল।
ɔnno	gelo
ために	行った

それから王子さまは狐に別れを告げに行きました。

সে	বলল,	" বিদায়। "	খেঁকশেয়ালটিও	বলল,	" বিদায় "	এখন	তোমাকে
ʃe	bollo	bidaē	kʰēkʃeãalṭio	bollo	bidaē	ekʰɔn	tomake
彼は	言った	さよなら	その狐も	言った	さよなら	今	君に

গোপন	বিষয়টা	জানাই।	এটা	খুব	সহজ	ব্যাপার।
gopon	biʃɔ̌eʈa	janai	eʈa	kʰub	ʃhoj	bæpar
秘密	話	教えよう	それは	とても	簡単な	状況

彼は言いました。「さようなら」 狐も言いました。「お別れだね。いま、君に秘密の話を教えよう。これはとても簡単なことだよ。

এটি	শুধু	হৃদয়ানুভুতির	কাজ।
eʈi	ʃudʰu	rhidɔanubʰuti	kaj
それ	ただの	心と感情の	仕事

これは単に心と感情の仕事だよ。

হৃদয়	দিয়ে	দেখলেই	যেকেউ	ঠিকভাবে	বুঝতে	পারে।
rhidɔ̌e	die	dekʰlei	jekeǔ	ʈʰikbʰabe	bujhte	pare
心	～で	見ればすぐに	誰もが	ちゃんと	理解して	できる

心で見ればすぐに誰もがちゃんと理解できる。

আসল	জিনিস	চোখ	দিয়ে	কখনো	দেখা	যায়	না। ”
aʃol	jiniʃ	cokʰ	die	kɔkʰono	dekʰa	jaě	na
本当の	もの	目	～で	いつの時も	見ること	行く	NEG

本物は目では決して見ることができない」

রাজকুমার	নিজে	নিজে	আওড়াতে	থাকল,	“ আসল	জিনিস	চোখে	দেখা
rajkumar	nije	nije	aǒɽate	tʰaklo	aʃol	jiniʃ	cokʰe	dækʰa
王子は	自分で	自分で	暗唱して	いた	本当の	物	目で	見ること

যায়	না।
jaě	na
行く	NEG

王子さまは自分で暗唱し続けました。「本当のことは目では見ることができない」

সে	ঠিক	করে	নিল–	এটি	তাকে	মনে	রাখতে	হবে।
ʃe	tʰik	kore	nilo	eʈi	take	mɔne	rakʰte	hobe
彼は	正しい	して	取った	これ	彼は	心に	置いて	なろう

彼は正しく取りました。彼はこれを覚えていなければなりません。

সে মনে রাখবে...
ʃe mɔne rakʰbe
彼は 心に 置くだろう

彼は覚えているでしょう……。

" তুমি গোলাপের জন্য সময় ব্যয় করেছ, সেই ত্যাগ ও শ্রমই
tumi golaper ɔnno ʃmoĕ bæĕ korecho ʃei tæg o sromi
君は バラの ために 時間 消費 した その 犠牲 ～と 労力

গোলাপকে তোমার কাছে এত বেশি মূল্যবান করে তুলেছে...।"
golapke tomar kache eto beʃi mulloban kore tuleche
バラを 君の 近くで これほど 過剰 価値のある して 引いた

「君はバラのために時間を費やした。その犠牲と労力が、バラを君にとって、これほどすごく価値の高いものにしてみせた……」

সে আবার বিড়বিড় করে বলল, " আমি গোলাপের জন্য সময় ব্যয়
ʃe abar biɽbiɽ kore bollo ami golaper ɔnno ʃmoĕ bæĕ
彼は 再度 ぶつぶつ して 言った 私は バラの ために 時間 消費

করেছি, তাকে আমার মনে রাখতে হবে। "
korechi take amar mɔne rakʰte hobe
した 彼を 私の 心に 置いて なろう

彼は再度ぶつぶつ言いました。「ぼくはバラのために時間を費やした。バラのことを覚えていなければならない」

খেঁকশেয়ালটি বলল, " মানুষ এই সত্যটিই ভুলে গেছে।
kʰẽkʃeãlʈi bollo manuʃ ei ʃottoʈii bʰule gele
その狐は 言った 人間 この 真実 忘れて 行った

狐は言いました。「人間はこの真実を忘れてしまった。

তুমি যাকিছু পোষবে তার জন্য তোমাকেই চিরদিন দায়ী
tumi ʝakichu poʃbe tar ɔnno tomakei cirodin dai
君は ～するものすべて 飼う それの ために 君を 永久に 責任がある

থাকতে হবে।
tʰakte hobe
いて なろう

君が飼うものすべてに対して、君は永久に責任を持たなければならない。

তুমিও	দায়ী	থাকবে	তোমার	গোলাপের	জন্য... "
tumio	dai	tʰakbe	tomar	golaper	jɔnno
君も	責任がある	いる	君の	バラの	ために

君も君のバラのために、責任を持ち続けるんだ……」

রাজকুমারকে	এই	কথাটিই	মনে	রাখতে	হবে।
raɟkumarke	ei	kɔtʰaʈii	mɔne	rakʰte	hobe
王子は	この	こと	心に	置いて	なろう

王子さまはこのことを覚えていなければなりません。

তাই	সে	মনে	মনে	আওড়াতে	থাকল	"–আমাকে	আমার	গোলাপটির
tai	ʃe	mɔne	mɔne	aõɽate	tʰaklo	amake	amar	golapʈir
だから	彼は	心で	心で	暗唱して	いた	私は	私の	そのバラの

দায়ীত্ব	নিতে	হবে। "
daitto	nite	hobe
責任	とって	なろう

だから彼は心の中で暗唱し続けました。「ぼくはぼくのバラの責任をとらなければならない」

রতন বাঙালী (2000) (tr.) ছোট্ট এক রাজকুমার. ঢাকা: জাগৃতি প্রকাশনী, pp. 48-53.

22　ヒンディー語

हिंदी
hindī

　†印欧語族の†インド・イラン語派のインド語派に属す言語です。イン
ドには印欧語族の諸言語のほかに、ドラヴィダ語族およびムンダー諸語
(オーストロ・アジア語族)、チベット・ビルマ語族の言語を話す人々がいて、
共存しています。これらのインドの諸言語には、語族を超えて共通す
るいくつかの特徴があり、これは†インド的言語特徴と呼ばれています
(亀井・河野・千野 (編) (81-82, 1085) による)。そのためこうした特徴を共
有するこの地域を†インド言語領域とも言います。インド的言語特徴は、
歯音と†反り舌音の対立 (t vs. ʈ など)、派生的な†使役の形、†接続分詞や
†補助動詞の使用、†与格構文、反響語 (ヒンディー語で kitāb-sitāb「本など」
(kitāb「本」))、擬音語・†擬態語、†補文末引用詞 (「~と」のようなもの)、
†SOV で [修飾語 - 被修飾語] の†語順、膠着語的な†名詞形態論、2 人称お
よび 3 人称複数代名詞による敬意の表現、†カースト言語やインド英語な
どをはじめとする多言語使用など、その特徴は音声から文法、語彙、社
会言語学的特徴に至るまでの多岐にわたります。なおこれらの特徴の
いくつかは日本語とも似ています。

音韻論と文字体系

　†子音音素は /p, t̪, ʈ, tʃ, k, pʰ, t̪ʰ, ʈʰ, tʃʰ, kʰ, b, d̪, ɖ, dʒ, g, bʱ, d̪ʱ, ɖʱ, dʒʱ, gʱ, m, n
(~ [ɲ] ~ [ɳ] ~ [ŋ]), s, ʃ, ɦ, ɾ, ɽ, l, j, v~w/ の30個です (†外来語に現れる音な
どを入れるとより多くなり、最大で40個あるとする説や、/ɽ/ を /ɖ/ の†異音
とする説もあります)。母音音素は /ɪ, ə, ʊ, ɑː, iː, eː, ɛː, ɔː, oː, uː/ の10個に、
それぞれの母音を†鼻母音にする要素 /x̃/ が加わった11個です。文字は
†デーヴァナーガリーです。どの文字も母音を伴って発音されますが、
以下では子音のみを、†翻字を添えて示します (なお母音で始まる語の母

Hindi

हिंदी　411

音を書くための独立した母音字がさらにあります）： प p, त t[t̪], ट t[ʈ], च c[tʃ], क k, फ ph[pʰ], थ th[t̪ʰ], ठ ṭh[ʈʰ], छ ch[tʃʰ], ख kh[kʰ], ब b, द d[d̪], ड ḍ[ḍ], ज j[dʒ], ग g[g], भ bh[bʱ], ध dh[d̪ʱ], ढ ḍh[ḍʱ], झ jh[dʒʱ], घ gh[gʱ], म m, न n, ञ ñ[ɲ], ण ṇ[n], ङ ṅ[ŋ], स s, श ś[ʃ], ष ṣ[ʃ], ह h[ɦ], र r[ɾ], ल l, य y[j], व v（以下の文字は外来語用です）क़ q, फ़ f, ज़ z, ख़ x, ग़ y, ड़ ṛ[ɽ], ढ़ ṛh[ɽʱ]）。本書のテキストはこの翻字に拠っています。ナーガリーは「ナガラ（都市）」の文字という意味で、それがのちに神聖化され「デーヴァ（神）」を加え、‡デーヴァナーガリー（神聖なる都市文字）と呼ばれるようになりました。各文字が‡シローレーカー（śirorekha 頭線）と呼ばれる上部の横線でつながっている点が特徴的です。この横線は、書き順から言えばそれぞれの文字のパーツを書いた後にまとめて書かれます。なお母音記号のつかない子音字に内在している母音əはまったく発音されないことがあり、このことが綴りと発音のずれの最大の原因となっています。

形態論

名詞は男性名詞（多くは -ā (SG)/-e (PL) に終わります）と女性名詞（多くは -ī/-iyā (PL) に終わります）に分かれます。‡主語と（一部の）‡目的語以外の名詞の機能はもっぱら‡後置詞（例えば mẽ 'in', se 'from', par 'on' などです）によって示されます。名詞は後ろに後置詞が来る場合に、‡後置格と呼ばれる‡斜格形になります。単数主格で -ā に終わる男性名詞は -e (SG. OBL)、-õ (PL.OBL)、同じく単数主格で -ī に終わる女性名詞は -ī (SG.OBL)、-iyõ (PL.OBL) となります。

形容詞をはじめ名詞を修飾する語もすべて後置格形になります。男性単数で -ā に終わる形容詞は男性主格複数および後置格単複で -e になりますが、女性では主格単複後置格単複すべてで -ī のままです。後述する‡コピュラ動詞の‡過去形・推測形・非現実仮定形や、一般動詞の未来形も、主語の‡性‡数に応じてこの形容詞と同じ変化を示します（過去形は女性複数だけ‡鼻母音化した -ī̃ になります）。目的語は人間以外の場合にはふつう主格と同じ形ですが、（定の）人間の場合には後置格になり、後置詞 ko をとります（vah laṛkā yah kitāb dekh-e=g-ā. 'that boy this book see-

SBJN=FUT-3SG.M'「あの少年はこの本を見るだろう」vs. vah laṛkā is larkī=ko dekh-e=g-ā 'that boy this girl. OBL=OBL. CASE see-SBJN=FUT-3SG.M'「あの少年はこの少女を見るだろう」)。3つの⁺人称と数に対応した人称代名詞があり、2人称と3人称の代名詞の複数形は敬意を示すのにも使われます。

　動詞は⁺ムードによって、⁺接続法-{e}、未来法（[接続法＋未来標識]）{e}=g[ā]、⁺命令法-{ie}、依頼法-{iegā}、直説法の5つに分かれます（なお{ }内は人称と数によって変化し、[ā]は性と数によって上記の形容詞型に変化します、町田(1998: 281)による）。直説法は⁺語幹に未完了-t[ā]、もしくは⁺完了-[ā]をつけて⁺分詞にしたものをそのまま使うか、その分詞にコピュラ動詞を後続させて作ります。コピュラ動詞は現在h{ai}、過去th[ā]、推測h{o}=g[ā]、仮想h{o}、⁺反実仮想hot[ā]の5つの形になるので、コピュラなしの場合を含めると、直説法は2×6で12の形を持ちます。「昨日」と「明日」はkal、「一昨日」「明後日」もparsōという同じ語で表されますが、動詞の方で⁺テンスを示しているので、混乱することはありません。語幹に「与える」、「行く」、「取る」などの意味の語幹（10種類ほどあります）を後続させて⁺複合動詞を作ることができ、日本語の「～てあげる」などのような表現を作ることができます。他にも⁺進行rah-、⁺受身jā-、可能sak-などによって⁺動詞複合体を形成することができます。連続して起きた動作を表現するのには英語におけるandのような接続詞を使うほかに、conjunctive participle（直訳すると⁺接続分詞）と呼ばれる形を使う方法があります（例えばdekh-「見る」の接続分詞は、dekh=kar「見て」となります）。

統語論

　SOVで修飾語は被修飾語に前置されますが、⁺否定辞nahīは動詞の直前に置かれます（vah laṛkā yah kitāb nahī dekhegā.「あの少年はこの本を見ないだろう」）。動詞の直後に置かれると、強い否定「～であるわけがない」の意味になります。英語のI have a fever. のような文はmujhe buxār hai. 'me fever is'「私に熱がある」のように表現されます。同様に「私はそれが好きだ」、「私はそれを知った」、「私は急いでいる」、「私はお腹が空いてい

る」、「私は寒い」なども与格の mujhe を用いて、mujhe pasand hai.、mujhe mālūm thā.、mujhe jaldī hai.、mujhe bhūkh lagī hai.、mujhe ṭhaṇḍ lag rahī hai. のように表現されます（これらを‡与格構文といいます）。存在表現でも 'have' のような動詞は使わず、「〜のところに〜がある」のように表現します。なおヒンディー語の西部方言には能格絶対格構文も見られます（能格絶対格構文については第23章ウルドゥー語の概説を参照）。

町田 (1992)「ヒンディー語」(⑦所収)、町田 (1998)「ヒンディー語」(①所収)、亀井・河野・千野 (編) (1996)「インド言語領域」(⑦所収)

छोटा राजकुमार
choṭā rājkumār

22

"नमस्ते !" छोटे राजकुमार ने कहा ।
[nəməsʈe: tʃʰo:ʈe: ra:dʒkʊma:r ne kəha:]

नमस्ते	छोटे	राजकुमार	ने	कहा
namaste	choṭ-e	rājkumār	ne	kah-Ø-ā
こんにちは	小さな-M.SG.OBL	王子.M.SG.OBL	ERG	言う-PF-M.SG

「こんにちは！」と小さな王子さまは言いました。

"नमस्ते !" रेलवे के कैंची बदलने वाले ने कहा ।
[nəməsʈe: re:lwe: ke kɛ̃:tʃi: bədəlne: wa:le: ne kəha:]

नमस्ते	रेलवे	के	कैंची	बदलने	वाले	ने	कहा
namaste	relwe	k-e	kāĩc-ī	badal-n-e	wāl-e	ne	kah-Ø-ā
こんにちは	鉄道.F.SG.OBL	〜の-M.SG.OBL	転轍機.F-SG.NOM	変える-INF.M.SG.OBL	〜する者-M.SG.OBL	ERG	言う-PF-M.SG

「こんにちは！」と鉄道の転轍機を切り替える人は言いました。

"तुम यहाँ क्या करते हो ?" छोटे राजकुमार ने पूछा ।
[ʈum jəɦã: kja: kərʈe: ɦo: tʃʰo:ʈe: ra:dʒkʊma:r ne pu:tʃʰa:]

तुम	यहाँ	क्या	करते	हो	छोटे	राजकुमार	ने	पूछा
tum	yahā̃	kyā	kar-t-e	h-o	choṭ-e	rājkumār	ne	pūch-Ø-ā
君.PL.NOM	ここ	何.NOM	する-IMPF-M.PL	〜だ.PRS-2PL	小さな-M.SG.OBL	王子.M.SG.OBL	ERG	尋ねる-PF-M.SG

「きみはここで何をしているの？」と小さな王子さまは尋ねました。

"मैं यात्रियों को हज़ार-हज़ार के समूह में छाँटता हूँ ।"
[mɛ̃: ja:ʈrijõ: ko ɦəza:r ɦəza:r ke səmu:ɦ mɛ̃ tʃʰã:ʈʈa: ɦũ:]

मैं	यात्रियों	को	हज़ार-हज़ार	के	समूह	में	छाँटता	हूँ
māĩ	yātri-yõ	ko	hazār=hazār	k-e	samūh	mē	chāṭ-t-ā	h-ū̃
私.SG.NOM	旅行者-M-PL.OBL	OBJ	千.M=千.M.SG.OBL	〜の-M.SG.OBL	グループ.M.SG.OBL	〜に	分ける-IMPF-M.SG	〜だ.PRS-1SG

「私は旅行者たちを1000人ごとのグループに分けているんだ」

कैंचीवाले ने उत्तर दिया,

[kɛ̃ːʧiːwaːle: ne ʊt̪t̪ər d̪ijaː]

कैंचीवाले	ने	उत्तर	दिया
kãĩcī+wāl-e	ne	uttar	di-yā
転轍機+〜する者-M.SG.OBL	ERG	返事.M.SG.NOM	与える.PF-M.SG

転轍機係は答えました。

"मैं रेलगाड़ियों को भेजता हूँ जो उन्हें ले जाती हैं, कभी दाहिनी ओर और कभी बाईं ओर ।"

[mɛ̃ː reːlgaːɽijõː ko bʰeːd̪ʒt̪aː hũː d̪ʒo ʊnɦẽː le: d̪ʒaːt̪i ɦɛ̃ː kəbɦiː d̪aːɦini oːr ɔːr kəbɦiː baːĩː oːr]

मैं	रेलगाड़ियों	को	भेजता	हूँ	जो	उन्हें	ले	जाती
mãĩ	relgāṛi-yõ	ko	bhej-t-ā	h-ū̃	jo	un-hē	le	jā-t-ī
私.SG.NOM	列車-F-PL.OBL	OBJ	送る-IMPF-M.SG	〜だ.PRS-1SG	REL.NOM	あれ.OBL-PL.OBL	取る	行く-IMPF-F

हैं	कभी	दाहिनी	ओर	और	कभी	बाईं	ओर
h-ãĩ	kabhī	dāhin-ī	or	aur	kabhī	bā-ĩ	or
〜だ.PRS-3PL	時に	右の-F.SG.OBL	方向.F.SG.OBL	そして	時に	左の-F.SG.OBL	方向.F.SG.OBL

「私は彼らを連れていく列車を送っているんだ。時には右方向へ。そして時には左方向へ」

और चमकती हुई और बिजली की तरह गजरती हुई तेज़ रेलगाड़ी ने कैंचीवाले के कैबिन को कँपा दिया ।

[ɔːr ʧʃəməkt̪iː ɦʊiː ɔːr bɪd̪ʒli ki t̪ərəɦ gʊd̪ʒərt̪iː ɦʊiː t̪eːz reːlgaːɽiː ne kɛ̃ːʧiːwaːle: ke kɛːbɪn ko kãːpaː d̪ijaː]

और	चमकती	हुई	और	बिजली	की	तरह	गजरती	हुई	तेज़
aur	camak-t-ī	hu-ī	aur	bijl-ī	k-ī	tarah	gujar-t-ī	hu-ī	tez
そして	光る-IMPF-F	〜だ.PF-F	そして	電光.F.SG.OBL	〜の.F.SG.OBL	様.F.SG.OBL	過ぎる-IMPF-F	〜だ.PF-F	速い

रेलगाड़ी	ने	कैंचीवाले	के	कैबिन	को	कँपा	दिया
relgāṛ-ī	ne	kãĩcī+wāl-e	k-e	kaibin	ko	kãp-ā	di-yā
列車.F.SG.OBL	ERG	転轍機+〜する者-M.SG.OBL	〜の-M.SG.OBL	キャビン.M.SG.OBL	OBJ	震える-CAUS	与える.PF-M.SG

すると、光りながら、また電光のように過ぎていく速い列車が転轍機係のキャビンを震わせました。

"इन लोगों को बहुत जल्दी पड़ी है ।"

[ɪn loːgõː ko bəɦʊt̪ d̪ʒəld̪iː pəɽiː ɦɛː]

इन	लोगों	को	बहुत	जल्दी	पड़ी	है
in	log-õ	ko	bahut	jald-ī	paṛ-Ø-ī	h-ai
この.PL.OBL	人々.M-PL.OBL	OBJ	非常な	急ぎ.F-SG.NOM	落ちる-PF-F.SG	〜だ.PRS-3SG

「この人たちはかなり急いでいるね」

छोटे राजकुमार ने कहा, "ये लोग ढूँढ़ते क्या हैं?"

[tʃʰoːʈe ɾaːdʒkʊmaːɾ ne kəhaː jeː loːg dʰũːɽʰʈe kjaː ɦɛ̃ː]

छोटे	राजकुमार	ने	कहा	ये	लोग	ढूँढ़ते	क्या	हैं
choṭ-e	rājkumār	ne	kah-Ø-ā	ye	log	dhūrh-t-e	kyā	h-āĩ
小さな-M.SG.OBL	王子.M.SG.OBL	ERG	言う-PF-M.SG	この.PL.NOM	人々.M.PL.NOM	探す-IMPF-M.PL	何.NOM	～だ.PRS-3PL

小さな王子さまは言いました。「この人たちは何を探しているの？」

"इंजन चलाने वाले आदमी को भी इसका पता नहीं।"

[ɪndʒən tʃəlaːne waːle aːɖmiː ko bʰiː ɪska pəʈa nəhiː]

इंजन	चलाने	वाले	आदमी	को	भी	इसका
injan	cal-ā-n-e	wāl-e	ādmī	ko	bhī	is-k-ā
エンジン.M.SG.NOM	動く-CAUS-INF-M.SG.OBL	～する者-M.SG.OBL	人.M.SG.OBL	OBJ	～も	これ.SG.OBL=～の-M.SG.NOM

पता	नहीं
pat-ā	nahĩ
手掛かり-M.SG.NOM	NEG

「エンジンを動かす係の人にもそれはわからないんだ」

कैंची वाले ने कहा।

[kɛ̃ːtʃiː waːle ne kəhaː]

कैंची	वाले	ने	कहा
kāĩc-ī	wāl-e	ne	kah-Ø-ā
転轍機.F-SG.NOM	～する者-M.SG.OBL	ERG	言う-PF-M.SG

転轍機係は言いました。

और एक दूसरी चमकदार तेज़ गाड़ी विपरीत दिशा में गरजती हुई निकल गई।

[ɔːr eːk duːsriː tʃəməkɖaːr ʈeːz gaːɽiː wɪpəɾiːʈ dɪʃaː mẽ gərədʒʈiː ɦʊiː nɪkəl gəiː]

और	एक	दूसरी	चमकदार	तेज	गाड़ी	विपरीत	दिशा	में	गरजती
aur	ek	dūsr-ī	camak-dār	tez	gār-ī	wiparīt	diśā	mẽ	garaj-t-ī
そして	一つの	別の-F.NOM	光.～を持った	速い	列車.F-SG.NOM	反対の	方向.F.SG.OBL	～に	轟く-IMPF-F

हुई	निकल	गई
hu-ī	nikal	ga-ī
～だ.PF-F	出る	行く.PF-F.SG

するともう1台、ライトをつけた速い列車が反対側方向に轟音を立てながら現れ
ました。

"अरे, ये लोग लौट भी आए ?"
[əre: je: lo:g lɔːʈ bʰiː aːeː]

अरे	ये	लोग	लौट	भी	आए
are	ye	log	lauṭ	bhī	ā-Ø-e
おや	この.PL.NOM	人々.M.PL.NOM	戻る	〜も	来る-PF-M.PL

「おや、これらの人々は戻ってきたの？」

छोटे राजकुमार ने पूछा ।
[tʃʰoːʈe raːdʒkumaːɾ ne puːtʃʰaː]

छोटे	राजकुमार	ने	पूछा
choṭ-e	rājkumār	ne	pūch-Ø-ā
小さな-M.SG.OBL	王子.M.SG.OBL	ERG	尋ねる-PF-M.SG

小さな王子さまは尋ねました。

"ये वही लोग थोड़ी हैं," कैंचीवाले ने कहा, "अदला-बदली हो रही है।"
[je: wəhiː lo:g tʰoːɽi: hɛ̃ː kɛ̃ːtʃi: waːleː ne kəhaː ədlaːbədli: ɦo ɾəhi: ɦɛː]

ये	वही	लोग	थोड़ी	हैं	कैंचीवाले	ने	कहा
ye	wa-hī	log	thoṛ-ī	h-ãĩ	kãĩcī-wāl-e	ne	kah-Ø-ā
これ.PL.NOM	あの-EMP	人々.M.PL.NOM	わずか-EMP	〜だ.PRS-3PL	転轍機.〜する者-M.SG.OBL	ERG	言う-PF-M.SG

अदला-बदली	हो	रही	है
adlā_badlī	ho	rah-ī	h-ai
入れ替わり.F.SG.NOM	なる	PROG-F	〜だ.PRS-3SG

「これらはあの人たちではないよ」と転轍機係は言いました。「入れ替わりになっ
ているんだ」

"ये लोग जहाँ थे, वहाँ पर संतुष्ट नहीं थे क्या ?"
[je: lo:g dʒəɦãː tʰe: wəhãː pər səntuʃʈ nəɦiː tʰe kjaː]

ये	लोग	जहाँ	थे	वहाँ	पर	संतुष्ट	नहीं	थे	क्या
ye	log	jahã̄	th-e	wahã̄	par	sātuṣṭ	nahī̃	th-e	kyā
この.PL.NOM	人々.M.PL.NOM	REL.ADV	〜だ.PST-M.PL	そこ	〜に	満足した	NEG	〜だ.PST-M.PL	Q

「この人たちは自分のいたところに満足いかなかったの？」

"लोग जहाँ होते हैं, वहाँ कभी संतुष्ट नहीं रहते।"
log jahã hote hãĩ wahã kabhī sātuṣṭ nahī̃ rahte
人々 REL ある 〜だ そこ 時に 満足した NEG 留まる

「安定した満足のないところに、人々はいるものだよ」

कैंचीवाले ने कहा।
kãīcīwāle ne kahā
転轍機係 ERG 言った

転轍機係は言いました。

और तभी तीसरी चमकदार तेज़ गाड़ी गरजती हुई वहाँ से
aur tabhī tīsrī camakdār tez gāṛī garajtī huī wahã se
そして ちょうどその時 三番目の 輝きを持った 速い 列車 轟いて ながら そこ 〜から

निकली।
niklī
出た

するとちょうどそのとき、3台目のライトをつけた速い列車が轟音を立てながらそこから出ました。

" ये क्या पहले वाले यात्रियों का पीछा कर रहे हैं? "
ye kyā pahle wāle yātriyõ ka pīchā kar rahe hãĩ
これら Q 一番目の 〜の者 旅行者たち 〜の 後ろ する PROG 〜だ

「これらは最初の旅行者たちを追っているの？」

छोटे राजकुमार ने पूछा।
choṭe rājkumār ne pūchā
小さな 王子 ERG 尋ねた

小さな王子さまは尋ねました。

" ये किसी का पीछा-वीछा नहीं करते," कैंचीवाले ने उत्तर दिया,
ye kisī ka pīchā_vīchā nahī̃ karte kāīcīwāle ne uttar diyā
これら 何か ～の 後 NEG する 転轍機係 ERG 返事 与えた

「この人たちは何も追いかけていないよ」と転轍機係は答えました。

"या तो ये वहाँ सोते हैं, या फिर उबासी लेते हैं।
yā to ye wahā̃ sote hāĩ yā phir ubāsī lete hāĩ
～か これら そこ 寝る ～だ ～か あくび 取る ～だ

「この人たちはそこで寝るか、あくびをするかなんだ。

केवल बच्चे शीशों से अपनी नाक सटाए हुए हैं।"
kewal bacce śīśõ se apnī nāk saṭāe hue hāĩ
～だけ 子供たち ガラス ～から 自分の 鼻 押し当てて ながら ～だ

子供たちだけがガラスに自分の鼻を押し当てている」

"केवल बच्चे जानते हैं कि उन्हें किसकी खोज है,"
kewal bacce jānte hāĩ ki unhẽ kiskī khoj hai
～だけ 子供たち 知っている ～だ CMPL 彼らに 何の 探すこと ～だ

「子供たちだけが、自分が何を探しているのか知っているんだね」

छोटे राजकुमार ने कहा,
choṭe rājkumār ne kahā
小さな 王子 ERG 言った

小さな王子さまは言いました。

" वे	चिथड़ों	की	गुड़िया	के	लिए	समय	लगाते	हैं,
ve	cithṛõ	kī	guriyā	ke	lie	samae	lagāte	hãĩ
彼ら	ぼろきれ	~の	人形	~の	ために	時間	くっつける	~だ

「彼らはぼろきれの人形のために時間をかけるんだ。

और	वह	उनके	लिए	बहुत	महत्त्वपूर्ण	हो	जाती	है	और	यदि	कोई
aur	vo	unke	lie	bahut	mahattvapūrṇ	ho	jātī	hai	aur	yadi	koī
そして	それ	彼らの	ために	とても	大切	なる	行く	~だ	そして	もし	誰か

उसे	उनसे	छीन	ले	तो	वे	रोने	लगते	हैं...। "
use	unse	chīn	le	to	ve	rone	lagte	hãĩ
それらを	彼らから	奪う	取る	~と	彼ら	泣くこと	始める	~だ

そしてそれは彼らにとって非常に大切になるんだ。また、誰かがそれを彼らから奪い取ると彼らは泣き出すんだよ……」

" वे	बहुत	भाग्यशाली	हैं। "	कैंचीवाले	ने	कहा।
ve	bahut	bhāgyaśālī	hãĩ	kãĩcīwāle	ne	kahā
彼ら	非常に	幸せ	~だ	転轍機係	ERG	言った

「彼らはとても幸せだね」と転轍機係は言いました。

बलबीर, जगवंश किशोर (1995) (tr.) छोटा राजकुमार. नई दिल्लीः हिन्द पॉकिट बुक्स. pp.95-96.

23　ウルドゥー語

اردو
urdū

　†印欧語族のインド・†イラン語派のインド語派に属す言語です。イスラム教を背景にインドから分離独立したパキスタンの国語です。話し言葉はヒンディー語とほぼ同じで、言語学的には両者は同じ言語と考えられます（ですので、文法の概略については第22章ヒンディー語の概説を参考にしてください）。主な違いは、†デーヴァナーガリーで書き、†サンスクリット語源の†借用語が多いヒンディー語に対して、ウルドゥー語は†アラビア文字ベースの表記を用いアラビア語やペルシア語起源の借用語を多く持っている、という点にあります。パキスタンの国語はウルドゥー語なのですが、パキスタンにはさまざまな言語があり、ウルドゥー語を母語とする人はむしろ少数派（8パーセント）です。他の人々は2言語以上を併用して、母語のほかにウルドゥー語を使っている、ということになります。一方、インドにもたくさんのウルドゥー語話者がいます。

音韻論と文字体系

　†母音音素は /ɪ, ə, ʊ, ɑː, iː, eː, ɛː, ɔː, oː, uː / の 10 個と、これらを†鼻母音化する要素 /x̃/ の 11 個です（鼻母音を全部別個の母音とすれば20個）。†子音音素は /p, ʈ, ʈ, tʃ, k, q, pʰ, ʈʰ, ʈʰ, tʃʰ, kʰ, b, ɖ, ɖ, dʒ, g, bʱ, ɖʱ, ɖʱ, dʒʱ, gʱ, f, s, z, ʃ, ʒ, x, ɣ, ɦ, m, n, ɾ, ɽ, ɽʱ, l, j, w/ の 37 個で、ペルシア語からの借用語に現れる音を音素として認めている分、ヒンディー語より多くなっています。[q, f, z, ʒ, x, ɣ] は借用語にのみ現れます。長母音が連続しそうになった場合には、/ j / が挿入されます。

　文字はペルシア文字の体系32文字にさらに†反り舌音を示す3文字（ٹ, ڈ, ڑ）を加えた35文字（ا Ø, ب b, پ p, ت t [ṯ], ٹ ṭ [ṭ], ث s, ج j [dʒ], چ c [tʃ], ح h [ɦ], خ x, د d [ḏ], ڈ ḍ [ḍ], ذ z, ر r [ṟ], ڑ ṛ [ṭ], ز z, ژ ź [ʒ], س s, ش ś [ʃ], ص s, ض z, ط t [ṭ], ظ z,

ع Ø, غ ɣ, ف f, ق q, ک k, گ g[g], ل l, م m, ن n, و w, ہ h[ɦ], ی y[j], ے eː/ɛː）を使用し
ています。†デーヴァナーガリーでは1文字で書く11の†有気音は、対応す
る†無気音の文字に ھ〈h〉を続けて書きます（کھ kh[kʰ], گھ gh[gɦ], تھ
th[tʰ], دھ [dɦ] など）。ے (barī yē) は、語末の母音 /eː, ɛː/ を表しますが、
語末以外では通常の ی を使用します。一方、語末の ی は /iː/ を表します。
さらに ں（点のない ن）が鼻母音を表すために用いられます。

　アラビア語に特有の†咽頭音や咽頭摩擦音、さらに†声門破裂音を示す
文字もありますが、それらはウルドゥー語の音素で置き換えられるか、
もしくは発音されません。他方、アラビア文字と同様に、短母音は通常
書かれることはなく、語中と語末の長母音は ا (alif), ی/ے (yē), و (wāo) に
よって、語頭の /ɑː/ は ا (alif) の上にマッダ記号（ˇ）をつけて書きます
（آ）。文字の書体も手書きのスタイルに近い†ナスタアリーク体を印刷
にも用いているので、アラビア文字やペルシア文字とは見た目がだいぶ
異なっています（本書のテキストもそうです）。

　アラビア文字は右から左へ、基本的に続けて書くのが原則で、その一
方で ا, د, ر, و およびそれに点などのついた形の文字は次の文字につな
げて書いてはならないことになっています。つながるかつながらない
かによって形の似た文字を区別することができます。個々の文字には
語頭の形（†頭字形）と語中の形（†中字形）と語末の形（†末字形）と†独立
形の4つの形があり、このシステムによって語の境界が明確になります。
例えば ب /b/ なら頭字形 بـ 中字形 ـبـ 末字形 ـب、ج /dʒ/ なら頭字形 جـ 中
字形 ـجـ 末字形 ـج、ل /l/ なら頭字形 لـ　中字形 ـلـ 末字形 ـل のようになり
ます（一方で†ラテン文字にあるような大文字／小文字の区別はありません）。
上記のように、つながらない文字があるため、つながっていないからと
いってそこが語の境界だということにはなりません。そのため分かち
書きのほかにさらに頭字形・中字形・末字形の区別があって、これが語
境界をはっきりさせるためによく働いているというわけです。

形態論

　名詞には男女の†性があります。南アジア印欧語のうち、南西に位置

するグジャラート語、マラーティー語は男女中の3性を持ち、東に位置するベンガル語やオリヤー語は性を持たず、中部から北西に位置するヒンディー／ウルドゥー 語は男女の2性ということになります（鈴木 (1988: 857) による）。これらの†祖語であるサンスクリットなどでは性は3つあったので、インドの東の方の言語では文法性は減少もしくは消滅したということになります。

　自動詞の†他動詞化と†使役化には同じ†派生の方法が使われます。次のように†自動詞は他動詞に、さらに使役形になります（uṭhnā「起きる」 > uṭhānā「起こす」 > uṭhwānā「起こさせる」）。他動詞から使役形を作ると、それをさらに二重使役形にすることができます（khānā「食べる」 > khilānā「食べさせる」 > khilwānā「（仲介者を介して）食べさせる」）。

　　統語論

　†SOV が基本ですが、†語順は比較的自由です。†コピュラ文は māī jāpānī hū̃. 'I Japanese am'「私は日本人です」のようになりますが、S（māī）と C（jāpānī）と V（hū̃）の間では、V が文頭に来ない4つの語順（つまり SCV, CSV, SVC, CVS）が可能です。動詞に†人称や†性、†数による変化があるので、特に文脈からわかる場合などで、†主語は省略可能です。ウルドゥー語およびヒンディー語の西部方言に見られる特徴の1つは、†能格絶対格のシステムです。未完了アスペクトの文は†主格対格システムですが、完了アスペクトの文は能格絶対格システムになります。このようなことを格構造の‡スプリット（分裂）と言います（「彼は来る」vo ā-t-ā h-ai. 'he come-impf-M.SG COP.PRS-3SG'‖「彼は来た」vo ā-yā h-ai. 'he come-M.SG COP.PRS-3SG'‖「彼はリンゴを食べた」us ne seb khā li-yā h-ai. 'he.obl erg apple eat take.pf-M.SG COP.PRS-3SG'‖「彼はリンゴを食べています」vo seb khā rah-ā h-ai. 'he apple eat prog-M.SG COP COPULA .PRS-3SG'）。過去時制の文は能格絶対格構文の場合、動詞は目的語の性、数に†一致します（ただし目的語が後置詞を伴う場合には動詞は男性単数形になります）。インドの西側に位置するパンジャーブ語やグジャラート語にも能格絶対格システムがありますが、東側のベンガル語やオリヤー語にはなく、したがってウルドゥー語・ヒンディー語西部方言

とヒンディー語東部方言の間にある東西の境界線は、南アジアのこうした諸言語全体における能格絶対格システムの存在／非存在の境界線でもあります（町田 (1992: 624-625) による）。

Urdu

鈴木 (1988)「ウルドゥー語」（⑦所収）、萬宮 (2012)「ウルドゥー語におけるヴォイス」（⑪所収）、
町田 (1992)「ヒンディー語」（⑦所収）

ننھا شہزادہ

nannhā śahzādah

23

"صبح بخیر، ننھا شہزادہ* نے کہا۔

[sʊbaː bəxɛːɾ nənnʰaː ʃəɦzaːɖaː ne kəhaː]

کہا	نے	شہزادے	ننھے	بخیر	صبح
kah-Ø-ā	ne	śahzād-e	nannh-e	ba-xair	subah
言う-PF-M.SG	ERG	王子-M.SG.OBL	幼い-M.SG.OBL	〜に良さ	朝.F.SG.NOM

「おはよう」と小さな王子さまは言いました。

* 文法的には主格شہزادہ ではなく、斜格でشہزادے となるべきであるため分析では修正して
  あります。これは原著の間違いであると考えられます。なお、後の方で同様の構造が見ら
  れますが、そちらは文法的に正しい斜格になっています。

‒صبح بخیر"، دكاندار بولا۔

[sʊbaː bəxɛːɾ ɖʊkaːnɖaːɾ boːlaː]

بولا	دكاندار	بخیر	صبح
bol-Ø-ā	dukān-dār	ba-xair	subah
話す-Ø-M.SG	店〜を持った.M.SG.NOM	〜に-良さ	朝.F.SG.NOM

「おはよう」と店主は言いました。

یہ ایک دكاندار تھا جو پیاس بجھانے والی بڑی زبردست گولیاں بیچتا تھا۔

[je eːk ɖʊkaːnɖaːɾ tʰaː dʒo pjaːs bʊdʒʰaːneː waːliː bəɾiː zəbəɾɖəst goːlɪjãː beːtʃtaː tʰaː]

بجھانے	پیاس	جو	تھا	دكاندار	ایک	یہ
bujhā-n-e	pyās-Ø	jo	th-ā	dukān-dār	ek	ye
鎮める-INF-M.SG.OBL	渇き.F.SG.NOM	REL.SG.NOM	〜だ PST-M.SG	店〜を持った.M.SG.NOM	一つの	これ.SG.NOM

تھا	بیچتا	گولیاں	زبردست	بڑی	والی
th-ā	bec-t-ā	goli-yā̃	zabardast	bar-ī	wāl-ī
〜だ PST-M.SG	売る-IMPF-M.SG	丸薬.F-PL.NOM	強力な	大きい-F.SG.NOM	〜する者-F.NOM

これは、渇きを鎮める大きく強力な丸薬を売っていた一人の店主でした。

اس گولی کو اگر آپ ہفتہ میں ایک مرتبہ نگل لیں، تو آپ کو پانی پینے کی ضرورت ہی محسوس نہیں ہوگی۔

[ɪs goːliː ko əgər aːp ɦəfteː mẽ eːk mərtəba nɪgəl lẽː to aːp ko paːniː piːneː ki zəruːrət̪ ɦiː məɦsuːs nəɦiː ɦoːgiː]

اس	گولی	کو	اگر	آپ	ہفتہ	میں	ایک	مرتبہ	نگل
is	gol-ī	ko	agar	āp	haft-e	mẽ	ek	martabah	nigal
この.SG.OBL	丸薬-F-SG.OBL	OBJ	もし	あなた.PL.NOM	週-M.SG.OBL	～に	一つの	回	飲み下す

لیں	تو	آپ	کو	پانی	پینے	کی	ضرورت	ہی
l-ẽ	to	āp	ko	pānī	pī-n-e	k-ī	zarūrat	hī
取る-SBJV.3PL	ならば	あなた.PL.NOM	OBJ	水.M.SG.OBL	飲む-INF-M.SG.OBL	～の-F.SG.NOM	必要.F.SG.NOM	EMP

محسوس	نہیں	ہوگی
mahsūs	nahī̃	h-o=g-ī
感じられる	NEG	なる-SBJV.3SG-FUT-F

この丸薬をあなたが週に1回飲み込めば、あなたには水を飲む必要が感じられなくなるでしょう。

"تم یہ گولیاں کیوں بیچ رہے ہو؟ ننھے شہزادے نے پوچھا۔

[t̪um je goːlijãː kjõː beːtʃ rəɦeː ɦo nənnʰeː ʃəɦzaːɖeː ne puːtʃʰaː]

تم	یہ	گولیاں	کیوں	بیچ	رہے	ہو	ننھے	شہزادے
tum	ye	goli-yã̃	kyõ	bec	rahe	h-o	nannh-e	śahzād-e
君.PL.NOM	この.SG.NOM	丸薬-F-PL.NOM	なぜ	売る	PROG-M.PL	～だ.PRS-2PL	幼い-M.SG.OBL	王子-M.SG.OBL

نے	پوچھا
ne	pūch-∅-ā
ERG	尋ねる-PF-SG.NOM

「きみはこの丸薬をどうして売ってるの？」と小さな王子さまは尋ねました。

‐ان سے وقت کی بہت بچت ہو سکتی ہے۔

[ɪn se wəqt̪ ki bəɦut̪ bətʃət ɦoː səkt̪iː ɦɛː]

ان	سے	وقت	کی	بہت	بچت	ہو	سکتی	ہے
in	se	waqt	k-ī	bahut	bacat	ho	sak-t-ī	h-ai
これ.PL.OBL	～から	時間.M.SG.OBL	～の-F.SG.NOM	非常な	節約.F.SG.NOM	なる	できる-IMPF-F	～だ.PRS-3SG

「これらによって、かなりの時間の節約ができるのです。

ماہرین اس کا حساب لگا چکے ہیں۔

[ma:ɦiri:n ɪs ka ɦɪsa:b ləga: tʃuke: ɦɛ̃:]

ماہرین	اس	کا	حساب	لگا	چکے	ہیں
māhirīn	is	k-ā	hisāb	lag-ā	cuk-∅-e	h-āĩ
専門家.M.PL.NOM	これ.SG.OBL	～の-M.SG.NOM	計算.M.SG.NOM	付く-CAUS	～してしまう-PF-M.PL	～だ.PRS-3PL

専門家たちがこれの計算をしました。

ہم ہفتہ میں ترپین منٹ بچا سکتے ہیں۔

[ɦəm ɦəfte: mẽ ʈɪre:pən mɪnəʈ bətʃa: səkte: ɦɛ̃:]

ہم	ہفتہ	میں	ترپین	منٹ	بچا	سکتے	ہیں
ham	haft-e	mē	tirepan	minaṭ	bac-ā	sak-t-e	h-āĩ
私.PL.NOM	週.M-SG.OBL	～に	五十三	分.M.PL.NOM	余る-CAUS	できる-IMPF-M.PL	～だ.PRS-1PL

我々は週に53分余すことができるのです」

– او پھر ان ترپین منٹوں کا ہم کیا استعمال کریں؟

[ɔ: pʰɪr ʊn ʈɪre:pən mɪnəʈõ: ka ɦəm kja: ɪsʈema:l kərẽ:]

او پھر	ان	ترپین	منٹوں	کا	ہم	کیا	استعمال	کریں
au phir	un	tirepan	minaṭ-õ	k-ā	ham	kyā	istemāl	kar-ē
それで	あの.PL.OBL	五十三	分.M-PL.OBL	～の-M.SG.NOM	私.PL.NOM	何.NOM	使用.M.SG.NOM	する-SBJV.1PL

「それで、その53分はぼくたち、何に使えばいいの？」

– کچھ بھی، جیسے ہمارا جی چاہے۔۔۔"

[kʊtʃʰ bʰi: dʒɛ:se: ɦəma:ra: dʒi: tʃa:ɦe:]

کچھ	بھی	جیسے	ہمارا	جی	چاہے
kuch	bhī	jaise	hamār-ā	jī	cāh-e
いくらか	～も	REL.ADV	私たちの-M.SG.NOM	心.M.SG.NOM	欲する-SBJV.3SG

「いくらでも、我々の心が欲するように……」

"اگر میرے پاس تریپن منٹ ہوتے، ننھے شہزادے نے اپنے آپ سے کہا، تو میں خراماں خراماں پانی کے چشمے کی طرف جاتا۔"

[əgər meːre: paːs ṭireːpən mɪnəṭ hoːṭe: nənnᵸe: ʃəhzaːɖe: ne əpne: aːp se kəhaː to mɛ̃: xɪraːmã: xɪraːmã: paːni: ke tʃəʃme: ki ṭərəf dʒaːṭaː]

اگر	میرے	پاس	تریپن	منٹ	ہوتے	ننھے	شہزادے	نے
agar	mer-e	pās	tirepan	minaṭ	ho-t-e	nannh-e	śahzād-e	ne
もし	私の-M.SG.OBL	もと-M.SG.OBL	五十三	分-M.PL.NOM	なる-IMPF-M.PL	幼い-M.SG.OBL	王子-M.SG.OBL	ERG

کے	پانی	خراماں	خراماں	میں	تو	کہا	سے	آپ	اپنے
apn-e	āp	se	kah-Ø-ā	to	mā̃ī	xirāmã̄	xirāmã̄	pānī	k-e
REFL-M.SG.OBL	自身-M.SG.OBL	〜から	言う-PF-M.SG	ならば	私-SG.NOM	ゆっくり	ゆっくり	水-M.SG.OBL	〜の-M.SG.OBL

چشمے	کی	طرف	جاتا
caśm-e	k-ī	taraf	jā-t-ā
泉-M.SG.OBL	〜の-F.SG.NOM	方向-F.SG.NOM	行く-IMPF-M.SG

「もしぼくに53分あったとしたら」と小さな王子さまは自分自身に言いました。
「ぼくはのんびり水の泉のほうへ行くのに」

ناز، ثفیق اور بلقیس ناز (2003) (tr.) ننھا شہزادہ. اسلام آباد: الحمرا پبلشنگ. p.75.

Urdu

24 ペルシア語

فارسی
fârsi

　ペルシア語は、†印欧語族インド・†イラン語派のイラン語派に属する言語です。per. pedar ‖ eng. father「父」、per. mādar ‖ eng. mother「母」、per. pā ‖ fra. pied「足」、per. noh ‖ eng. nine「9」などの基礎語彙をみると、印欧語族の言語であることが感じられます（縄田 (1992: 944) による）。イラン、アフガニスタン、タジキスタンなどの公用語です。多言語多民族社会であるこの3つの国で、ペルシア語は†リンガ・フランカとなっています。古代ペルシア語は高度に†屈折的な言語でしたが、現代ペルシア語は†類型的に見てかなり†分析的で†膠着的な言語に変化しています（縄田 (1992: 944) による）。4つの国にまたがって暮らしているものの自分たちを中心とする国を持たないクルド人、アフガニスタンやパキスタンに暮らすパシュトゥーン人の言語もイラン語派の言語です。

音韻論と文字体系

　†子音音素は /p, t, k, b, d, g[g], m, n, f, s, š[ʃ], x, q[ɢ], h, z, ž[ʒ], č[tʃ] j[dʒ], l, r, v~w, y[j], ’[ʔ] / の23個、母音音素は /i, e, a, ā[ɑ], o, u/ の6個です。28の†アラビア文字に p, č, ž, g (پ, چ, ژ, گ) を加えた32文字を用います。しかしアラビア文字の [sˁ, dˁ, tˁ, zˁ, θ, ħ, ð] の音声を示す文字は、ペルシア語の音素にないのでそれぞれ [s, z, t, z, s, h, z] で発音されます。この結果、同じ音を表す文字が複数見られます。母音のうち語中の /e, a, o/ は表記されません。語頭の /e, a, o/ はアレフ（ا）、語末では /e/ はヘ（ه）、/o/ はヴァーヴ（و）で書かれます。/ā/ はアレフ（آ）、/u/ はヴァーヴ（و）、/i/ はイェ（ی）によって書かれます（語頭では آ/ā/, او/u/, ای/i/ と書きます）。一般書などで用いられる簡易表記では /i/, /u/ は ī, ū と書かれることがありますが、母音の長さは意味の弁別に関与せず、環

境によって長めにも短めにも発音されます。/š/, /ž/, /x/, /č/ は簡易表記では sh, zh, kh, ch と書かれることもあります。/q/ は環境により [ɢ], [q], [ʁ] などのバリエーションを持ちますが、いずれの音も〈غ〉または〈ق〉で表します。〈غ〉を gh、〈ق〉を q で表記する方法もあります。音節構造は CV(C)(C) です。母音が2つ連続することはなく、接尾辞がついて母音が連続しそうになった場合には y や ' などが挿入されます（mu 'hair' + -am 'my' > mu-yam 'my hair'）。強勢アクセントは語末にありますが、否定と継続の動詞接頭辞（後述）など、例外的に語頭にアクセントが来る場合があります（縄田 (1992: 944) による）。

形態論

　印欧語族の言語ですが、名詞には性がなく、格変化もありません。数による変化はありますが、数詞が修飾する場合に名詞は複数形（-hā, -ān）になりません（se miz 'three tables'）。冠詞はなく、不定冠詞の機能は接尾辞 -i または yek「1」によって表されます。名詞には①複数接辞 -hā または -ān、②不定を示す -i、③人称接語（1SG: =am, 2SG: =at, 3SG: =aš, 1PL: =emān, 2PL: =etān, 3PL: =ešān）、④定の目的語を示す前接語（または後置詞）=rā があり、N - ① - |②／③| - ④の順序でつき得ます（ketāb-hā-i=rā 'book-PL-INDEF=ACC'「ある本（複数）を」、ketāb-hā=yam=rā 'book-PL-1SG-ACC'「私の本を」（縄田 (1992: 945) による））。なお①複数接辞にはアクセントが来ますが、②③④にはアクセントは来ません。形容詞は不変化で通常は後ろから修飾します。形容詞や所有などで名詞を修飾する場合、被修飾名詞と修飾語句の間に接辞 -e（母音に接続する場合は -ye）を入れて連結します。これはエザーフェと呼ばれています（dast-e bozorg 'hand-EZ big'「大きな手」）。エザーフェはさまざまな語句の連結に広く使われ、数に制限なく続けて使うことができます（čarx-e māšin-e pedar-e dust-e xāne-ye baqali=yam「（私の）隣の家の友達のお父さんの車のタイヤ」、吉枝 (2013: 377) による）。指示詞、不定形容詞、疑問詞、形容詞の最上級、数詞、-in をもつ序数詞は前から修飾しますが、この場合は前に置かれる語がアクセントをとり、被修飾名詞のアクセントは失われます（ín ketāb「この本」、hár ketāb「おのおのの本」、

kodām ketāb「どの本」、behtarín ketāb「一番良い本」)。指示詞は近称 in「これ」、遠称 ān「あれ」の2系列です。†関係節は ke で始まり、先行詞に後置されます（doxtar-i ke bāzi mikonad xāhar-e maryam ast. 'girl-INDEF REL game do. PRS-3SG sister-EZ Maryam COP-PRS-3SG'「遊んでいる女の子はマルヤムの妹です」)。

　人称代名詞には独立形（1SG: man, 2SG: to, 3SG: u, 1PL: mā, 2PL: šomā, 3PL: ānhā）と†接語として用いられる形（1SG: =am, 2SG: =at, 3SG: =aš, 1PL: =emān, 2PL: =etān, 3PL: =ešān）があります。

　動詞活用形の諸形式は†現在語幹と†過去語幹から作られます。不定詞は -dan, -tan（無声子音の後ろで）で終わる形で、辞書の見出し語としても用いられます（以下、動詞はこの不定詞の形で示します）。

　不定詞から -an を取り去った形が†過去語幹です。現在語幹は個々の動詞によってさまざまに不規則な形を示します。動詞の†接頭辞には mi-, be-、否定 na-/ne- があります。ムードには直説法、†接続法、命令法があり、直説法現在は［mi - 現在語幹 - 人称］(mi-zan-am：zadan「打つ」1SG。以下の例も同様に zadan「打つ」の変化形です）、直説法過去は［過去語幹 - 人称］(zad-am)、接続法現在は［be - 現在語幹 - 人称］(be-zan-am)、命令法は［be - 現在語幹（または - id）］(be-zan/be-zan-id)、未完了過去形は［mi - 過去語幹 - 人称］(mi-zad-am) で作られます（縄田 (1992: 946) による）。†動詞人称接辞は 1SG: -am, 2SG: -i, 3SG: -ad/-ø, 1PL: -im, 2PL: -id, 3PL: -and です（過去語幹系では 3SG は -ø）。

　さらに、過去分詞（過去語幹 + -e）と助動詞 budan「〜である、ある」の現在形／過去形を用いて、直説法現在完了（zad-e-am）や直説法過去完了（zad-e bud-am）を、xāstan「欲する」の現在語幹 + 人称語尾に動詞の過去語幹を後続させて未来形（xāh-am zad）を、過去分詞と šodan「なる」を用いて†受動構文（zad-e šod-am）を作ります。なお受動構文は、行為者が不明または一般的な場合にのみ用いられます（mahmud dar jang košte šod-ø. 'Mahmud in war kill become. PST-3SG'「マフムードは戦死した」)。

　ペルシア語の動詞（句）の†語形成上の特徴は、名詞、形容詞と、kardan「する」、šodan「なる」、zadan「打つ」、xordan「食べる」、gereftan「取る」、dādan「与える」などの動詞との結合による†複合動詞（または‡句動詞）が多彩で、高い頻度で用いられることです。単純動詞が存在するにもか

かわらず、わざわざ句動詞で表現することも多く見られます。(sabr kardan「待つ［忍耐＋する］」、bidār šodan「目を覚ます［覚めて＋なる］」、harf zadan「話す［言葉＋打つ］」、zamin xordan「転ぶ［土地＋食べる］」、yād gereftan「習う［記憶＋取る］」（単純動詞で āmuxtan「習う」もある）、hokm dādan「判決を下す［判決＋与える］」、縄田 (1992: 946) による）。

統語論

　基本的に SOV 語順です。他の文法関係はもっぱら前置詞によって表されます（az 'from, through, about', bā 'with, by', bar 'on', be 'to', tā 'until', dar 'at, in', bi 'without' など。英語による意味はあくまで目安です）。しかし上述のように、定の目的語を示す後置詞 =rā も 1 つだけあります（man ān do ketāb =rā xarid-am. 'I that two book=ACC buy-PST.1SG'「私はあの 2 冊の本を買った」）。man sar=am dard mi-konad. 'I head=PRN.CLT.1SG pain PROG-do-PRS.3SG'「私は頭が痛い」、tehrān jam'iyat=aš ziyād ast-Ø. 'Tehran population=PRN.CLT.3SG much be-PRS.3SG'「テヘランは人口が多い」のような二重主語文もよく使われます（縄田 (1992: 947) による）。

縄田 (1992)「ペルシア語」（⑦所収）、縄田 (1998)「ペルシア語」（①所収）、吉枝 (2013)「ペルシア語」（⑪所収）

شهریار کوچولو
šahryāre kūčūlū

24

هشتمین روزِ خرابیِ هواپیمام تو کویر بود که، در حال نوشیدنِ آخرین چکهٔ ذخیرهٔ آبم به قضیهٔ پیله وره گوش داده بودم.

[haʃto'min 'ruze xarɑ'bije havɑpej'mɑm tu ka'vir bud ke dar 'hɑle nuʃi'dane ɑxɑ'rin tʃek'keje zaxi'reje 'ɑbam be ɣɑzi'jeje 'pilevare guʃ dɑ'de 'budam]

حال	در	که	بود	کویر	تو	هواپیمام	خرابی	روز	هشتمین
hāl-e	dar	ke	bud-Ø	kavir	tu	havāpeymā=m	xarābi-ye	ruz-e	haštomin
状態-EZ	～の中に	COMPL	～だ PST-3SG	砂漠	～の中に	飛行機-PRN.CLT.1SG	故障-EZ	日-EZ	八番目

گوش	پیله وره	قضیهٔ	به	آبم	چکهٔ	ذخیرهٔ	آخرین	نوشیدن
guš	pilevar-e	qaziye-ye	be	āb=am	čekke-ye	zaxire-ye	āxarin	nušidan-e
耳	行商人-DEF	物語-EZ	～に	水-PRN.CLT.1SG	滴-EZ	たくわえ-EZ	最後の	飲む INF-EZ

بودم	داده
bud-am	dād-e
～だ AUX.PST-1SG	与える PST-PTCP

私の飛行機が故障して8日目、砂漠でのことでした。たくわえていた水の最後の1滴を飲みながら、その行商人 [店主の] の話を耳にしたのです。

به شهریار کوچولو گفتم:

[be ʃah'rjare kutʃu'lu 'goftam]

گفتم	کوچولو	شهریار	به
goft-am	kučulu	šahryār-e	be
言う PST-1SG	小さい	王子-EZ	～に

私は小さな王子さまに言いました。

ـ خاطرات تو راستی راستی زیباند اما من هنوز از پسِ تعمیر هواپیمایم بر نیامده‌ام، یک چکه آب هم ندارم.

[xate'rɑte to rɑs'ti rɑs'ti zi'bɑnd 'ammɑ man ha'nuz az 'pase taʔ'mire havɑpej'mɑjam bar 'nɑjɑmadeam jek tʃek'keje 'ɑb ham 'nɑdɑram]

پس	از	هنوز	من	اما	زیبا=ند	راستی	راستی	تو	خاطرات
pas-e	az	hanuz	man	ammā	zibā=nd	rāsti	rāsti	to	xāterāt-e
後ろ	～から	まだ	私	しかし	美しい~だ	本当に	本当に	君	思い出

ندارم	هم	آب	چکه	یک	بر نیامده‌ام	هواپیمایم	تعمیر
na-dār-am	ham	āb	čekke-ye	yek	bar na-yāmad-e=am	havāpeimā-yam	ta'mir-e
持つ	～も	水	滴	一つの	できる	飛行機	修理

「君の思い出は本当に美しいけれど、私はまだ飛行機の修理ができていないし、1滴の水も持っていないんだ。

> bar āmadan という複合動詞ですが、活用したり接辞がついたりするのは āmadan「来る」の部分になります。これを二つに分けてしまうと意味をなさないため、グロスの表記と少しずれてしまいますが、このように分析しています。

و راستی که من هم اگر می‌توانستم خوش خوشک به طرف چشمه‌ئی بروم سعادتی احساس می‌کردم که نگو!

[va ras'ti ke man ham 'agar 'mitavanestam xoʃ xo'ʃak be ta'rafe tʃeʃ'meʔi 'beravam saʔa'dati eh'sas 'mikardam ke na'gu]

طرف	به	خوش خوشک	می‌توانستم	اگر	هم	من	که	راستی	و
va	rāsti	ke	man	ham	agar	mi-tavānest-am	xoš xošak	be	taraf-e
そして	本当に		私	～も	もし	できる	ゆっくりと	～に	方向

نگو	که	می‌کردم	احساس	سعادتی	بروم	چشمه‌ئی
češme-i	be-rav-am	sa'ādat-i	ehsās	mi-kard-am	ke	na-gu
泉	行く	幸福	感情	する	～こと	言う

そして本当に、私もゆっくりと泉のほうへ向かうことができるのなら、何と幸せなことだろうに！」

درآمد که: ـ دوستم روباه ...

[da'ramad ke 'dustam ru'bah]

روباه	دوستم	که	درآمد
dar āmad-Ø	ke	dust-am	rubāh
現れる PST-3SG	CMPL	友人-PRN.CLT.1SG	狐

彼は言い出しました。「ぼくの友、狐……」

گفتم: ـ آقا کوچواو، دورِ روباه را قلم بگیر!

['goftam a'ɣa kutʃu'lu 'dowre ru'bah ra 'ɣalam 'begir]

گفتم آقا کوچولو دورِ روباه را قلم بگیر
goft-am āqā kučulu dowr-e rubāh rā qalam be-gir-Ø
言う PST-1SG ～さん 小さな 周囲 EZ 狐 ～を ペン IMPF 取る PRS-3SG

私は言いました。「小さな君、狐には関わらないでよ！」

ـ واسه چی؟

[va'se tʃi]

واسه چی
vāse či
～のために 何

「どうして？」

ـ واسه این که تشنگی کارمان را می‌سازد. واسه این!

[va'se in ke teʃne'gi 'kareman ra 'misazad va'se in]

واسه این که تشنگی کارمان را می‌سازد واسه این
vāse in ke tešnegi kār=emān rā mi-sāz-ad vāse in
～のために これ CMPL 喉の渇き 用事-PRN.CLT.1PL ～を IMPF 作る PRS-3SG ～のために これ

「私たちは喉が渇いて死にそうだからだよ。だから！」

از استدلال من چیزی حالیش نشد و در جوابم گفت:

[az este'dlale man 'tʃizi ha'lijeʃ 'naʃod va dar dʒa'vabam goft]

از استدلال من چیزی حالیش نشد و در
az estedlāl-e man čiz-i hāli=yaš na-šod-Ø va dar
～から 推論 EZ 私 何 INDEF 示された -PRN.CLT.3SG NEG ～になる PST-3SG そして ～の中に

جوابم گفت
javāb=am goft-Ø
答え PRN.CLT.1SG 言う PST-3SG

彼は私の話が理解できず、私に答えて言いました。

ـ حتا اگر آدم دمِ مرگ باشد هم داشتنِ یک دوست عالی است.

['hatta 'agar a'dam 'dame 'marg 'baʃad ham daʃ tane jek dust ʔa'li ast]

حتا اگر آدم دمِ مرگ باشد هم داشتنِ یک دوست عالی است

hattā agar ādam dám-e marg bāš-ad ham dāštan-e yek dust 'āli ast

~さえ もし 人 瞬間 死 ~だ SBJV-3SG ~も 持つ NF-EZ ― 友 素晴らしい ~だ PRS.3SG

「死ぬ瞬間だったとしても、友人がいるというのは素晴らしいことだよ。

من که از داشتنِ یک دوستِ روباه خیلی خوشحالم ...

[man ke az daʃ'tane jek 'duste ru'bah xej'li xoʃ'halam]

خوشحالم خیلی روباه دوستِ یک داشتن از که من

man ke az dāštan-e yek dust-e rubāh xeyli xošhāl=am

私 EUP ~から 持つ NF-EZ ― 友 EZ 狐 非常に 嬉しい ~だ PRS.1SG

ぼくには狐の友人がいるから、とても幸せなんだ……」

به خودم گفتم نمی‌تواند میزان خطر را تخمین بزند :

[be 'xodam 'goftam 'nemitavanad mi'zane xa'tar ra tax'min 'bezanad]

بزند تخمین را خطر میزان نمی‌تواند گفتم خودم به

be xod-am goft-am ne-mi-tavān-ad mizān-e xatar rā taxmin be-zan-ad

~に 自分 PRN.CLT.1SG 言う PST.1SG NEG-IMPF-~できる PRS.3SG 量 危険 ~を 見積もり SBJV-打つ PRS.3SG

私は、どれだけ危険であるのか、彼には想像できないのだと思いました。

آخر او هیچ وقت نه تشنه‌اش می شود نه گشنه‌اش.

[ɑ'xar u 'hitʃvaɣt na teʃ'neaʃ 'miʃavad na goʃ'neaʃ]

آخر او هیچ وقت نه تشنه‌اش می‌شود نه گشنه‌اش

āxar u hičvaqt na tešne=aš mi-šav-ad na gošne=aš

最後に 彼 決して~ない NEG 喉の渇き PRN.CLT.3SG IMPF-~になる PRS.3SG NEG 空腹 PRN.CLT.3SG

まったく、彼は喉も渇くこともなければ、おなかが空くこともないのです。

یک ذره آفتاب بسش است ...

[jek zar'reje af'tab 'basaʃ ast]

یک ذره آفتاب بسش است

yek zarre-ye āftāb bas=aš ast

一つの 少量 EZ 日光 十分 PRN.CLT.3SG ~だ PRS.3SG

日光が少しばかりあれば彼にとっては十分なのです……。

اما او به من نگاه کرد و در جواب فکرم گفت :

['amma u be man ne'gah kard va dar dʒa'vabe fekram goft]

اما	او	به	من	نگاه	کرد	و	در	جواب
ammā	u	be	man	negāh	kard-Ø	va	dar	javāb-e
しかし	彼	~に	私	見ること	する	そして	~の中に	答え

فکرم	گفت
fekr=am	goft-Ø
考え	言う

しかし、彼は私を見て、私の考えに答えて言いました。

_ من هم تشنهم است...

[man ham teʃ'neam ast]

من	هم	تشنهم	است
man	ham	tešne=am	ast
私	~も	喉の渇き	~だ

「ぼくも喉が渇いたよ……。

بگردیم یک چاه پیدا کنیم ...

['begardim jek tʃah pej'da 'konim]

بگردیم	یک	چاه	پیدا	کنیم
be-gard-im	yek	čāh	peydā	kon-im
探す	一つの	井戸	明らかな	する

さあ、井戸を探しに行こうよ……」

از سرِ خستگی حرکتی کردم :

[az 'sare xaste'gi hara'kati 'kardam]

از	سر	خستگی	حرکتی	کردم
az	sar-e	xastegi	harakat-i	kard-am
~から	頭	疲れ	動き	する

私は疲れたというような身振りをしました。

ـ این جوری تو کویرِ برهوت رو هوا پیِ چاه گشتن احمقانه است.

گشتن	چاه	پیِ	هوا	رو	برهوت	کویرِ	تو	جوری	این
gaštan	čāh	peyy-e	havā	ru	barahut	kavir-e	tu	juri	in
探すこと	井戸	~を求めて	空気	~の上に	灼熱	砂漠	~の中で	方法	この

احمقانه	است
ahmaqāne	ast
愚かな	~だ

こんな風に灼熱の砂漠で井戸を探すことはばかげていました。

و با وجود این به راه افتادیم.

افتادیم	راه	به	این	وجود	با	و
oftādim	rāh	be	in	vojud-e	bā	va
(私たちは)落ちた	道	~に	これ	存在	~と	そして

それでも私たちは歩き始めました。

پس از ساعت‌ها که در سکوت راه رفتیم شب شد و ستاره‌ها یکی یکی درآمدند.

و شد شب رفتیم راه سکوت در که ساعت‌ها پس از
va šod šab raftim rāh sokut dar ke sā'athā pas az
そして なった 夜 (私たちは)行った 道 沈黙 ~で ~ということ 時間 ~の後で

ستاره‌ها یکی یکی درآمدند
setārehā yeki yeki dar āmadand
星々 一つ 一つ 現れた

私たちがしばらく黙って歩くうちに夜になり、星々が次々に現れました。

من که از زور تشنگی تب کرده بودم انگار آن‌ها را خواب می‌دیدم.

می‌دیدم خواب را آن‌ها انگار بودم کرده تب تشنگی زور از که من
man ke az zur-e tešnegi tab karde budam engār ānhā rā xāb mididam
私 REL ~から 力 EZ 喉の渇き 熱 した ~だ まるで それら ~を 夢 見ていた

私はというと、喉の渇きで熱があったので、まるでそれらを夢で見ているようでした。

حرف‌های شهریار کوچولو تو ذهنم می‌رقصید.

حرف‌های شهریار کوچولو تو ذهنم می‌رقصید
harfhā-ye šahryār-e kučulu tu zehnam miraqsid
言葉 EZ 王子 EZ 小さな ~の中で 私の記憶 踊っていた

小さな王子さまの言葉は、私の記憶の中で踊っていました。

ازش پرسیدم: ─پس تو هم تشنه‌ات است، ها ؟

ها است تشنه‌ات هم تو پس پرسیدم ازش
azaš porsidam pas tu ham tešneat ast hā
彼に (私は)尋ねた では 君 ~も 君の喉の渇き ~だ ~か？

私は彼に尋ねました。「それじゃあ、君も喉が渇いているのかい？」

اما او به سؤالِ من جواب نداد فقط در نهایت سادگی گفت :

گفت سادگی نهایت در فقط نداد جواب من سؤالِ به او اما
ammā u be soāl-e man javāb nadād faqat dar nahāyat-e sādegi goft
しかし 彼 ~に 質問 EZ 私 答え 与えなかった 単に ~の中に 限界 EZ 簡単 言った

しかし、彼は私の問いには答えず、極めて簡潔に言っただけでした。

ـ آب ممکن است برای دلِ من هم خوب باشد ...

باشد	خوب	هم	من	دل	برای	است	ممکن	آب
bāšad	xub	ham	man	del-e	barāye	ast	momken	āb
～だ	良い	～も	私	心	～のために	～だ	可能な	水

「水は、ぼくの心にとっても良いものかもしれないね……」

از حرفش چیزی دستگیرم نشد اما ساکت ماندم.

ماندم	ساکت	اما	نشد	دستگیرم	چیزی	حرفش	از
māndam	sāket	ammā	našod	dastgiram	čizi	harfaš	az
(私は)～のままだった	静かな	しかし	ならなかった	(私は)理解した	何も	彼の言葉	～から

私は彼の言葉を何も理解できなかったけれど、黙っていました。

می‌دانستم از او نباید حرف کشید.

می‌دانستم	از	او	نباید	حرف	کشید
midānestam	az	u	nabāyad	harf	kešid
(私は)知っていた	～から	彼	～してはならない	言葉	引くこと

私は彼から言葉を引き出してはいけないことを知っていたのです。

خسته شده بود.

خسته	شده	بود
xaste	šode	bud
疲れた	なった	～だった

彼は疲れていたのでした。

گرفت نشست.

نشست	گرفت
nešast	gereft
捕えた	座った

彼は座り込んでしまいました。

من هم کنارش نشستم.

من	هم	کنارش	نشستم
man	ham	kenāraš	nešastam
私	～も	彼のそば	座った

私も彼のそばに座りました。

پس از مدتی سکوت گفت :

پس	از	مدتی	سکوت	گفت
pas	az	moddati-ye	sokut	goft
後	～から	ある期間	沈黙	(彼は)言った

少し黙った後、彼は言いました。

ـ قشنگیِ ستاره‌ها واسه خاطرِ گلی است که ما نمی‌بینیمش...

قشنگی	ستاره‌ها	واسه	خاطر	گلی	است	که	ما
qašangi-ye	setārehā	vase	xāter-e	goli	ast	ke	mā
～の美しさ	星々	～ために	理由	花	～だ	REL	私たち

نمی‌بینیمش
namibinimaš
私たちはそれを見ていない

「星々の美しさは、ぼくたちが見ていない花のためなんだね……」

گفتم « همین‌طور است » و بدون حرف در مهتاب غرق تماشای چین و
شکن‌های شن شدم.

گفتم	همین‌طور	است	و	بدون	حرف	در	مهتاب
goftam	hamintowr	ast	va	bedun-e	harf	dar	mahtāb
(私は)言った	その通り	～だ	そして	～なしで	言葉	～の中で	月光

غرق	تماشای	چین و	شکن‌های	شن	شدم
qarq-e	tamāšā-ye	čin=o	šekanhā-ye	šen	šodam
沈んだ	見物	ひだ ～と	しわ	砂	(私は)～になった

私は「その通りだよ」と言って、言葉もなく、月の光の中で、砂のひだやしわ（模様）を眺めました。

باز گفت: ـ کویر زیباست.

بار	گفت	کویر	زیباست
bāz	goft	kavir	zibāst
再び	(彼は)言った	砂漠	美しい

ふたたび彼は言いました。「砂漠は美しいね」

و حق با او بود.

و	حق	با	او	بود
va	haqq	bā	u	bud
そして	正しい	～と共に	彼	～だった

それは彼の言う通りでした。

من همیشه عاشق کویر بودهام.

من	همیشه	عاشق	کویر	بودهام
man	hamiše	’āšeq-e	kavir	budeam
私	いつも	愛した	砂漠	～だった

私はいつも砂漠を愛していました。

آدم بالای تودهی شن لغزان مینشیند، هیچی نمیبیند و هیچی نمیشنود اما با وجود این چیزی تو سکوت برق برق میزند.

آدم	بالای	تودهی	شن	لغزان	مینشیند	هیچی ,
ādam	bālā-ye	tude'i	šen-e	laqzān	minešinad	hiči
人	～の上	積み重ね	砂	滑りやすい	座っている	何も

نمیبیند	و	هیچی	نمیشنود	اما	با	وجود	این
nemibinad	va	hiči	nemišenavad	ammā	bā	vojud-e	in
見ていない	そして	何も	聞いていない	しかし	～と共に	存在	この

چیزی	تو	سکوت	برق برق	میزند
čizi	tu	sokut	barq barq	mizanad
何か	～の中で	沈黙	キラキラ	打っている

さらさらした砂が積み重なった上に座っていると、何も見えず、何も聞こえません。にもかかわらず、何かが静けさの中でキラキラするのです。

شهریار کوچولو گفت: ــ چیزی که کویر را زیبا می‌کند این است که یک جائی
یک چاه قایم کرده ...

شهریار	کوچولو	گفت	چیزی	که	کویر	را	زیبا	می‌کند
šahryār-e	kučulu	goft	čizi	ke	kavir	rā	zibā	mikonad
王子-EZ	小さな	言った	何か	REL	砂漠	~を	美しい	している

کرده	قایم	چاه	یک	جائی	یک	که	است	این
karde	qāyem	čāh	yek	jā'i	yek	ke	ast	in
した	隠れた	井戸	一つの	場所	一つの	~ということ	~だ	これ

小さな王子さまは言いました。「砂漠を美しくしているのは、どこかに井戸を隠
しているからなんだよ……」

از این که ناگهان به راز آن درخششِ اسرارآمیزِ شن پی بردم حیرت زده شدم.

درخشش	آن	راز	به	ناگهان	که	این	از
deraxšaš-e	ān	rāz-e	be	nāgahān	ke	in	az
輝き-EZ	その	秘密-EZ	~に	突然に	~ということ	これ	~から

شدم	زده	حیرت	بردم	پی	شن	اسرارآمیز
šodam	zade	heyrat	bordam	pey	šen	asrārāmiz-e
(私は)~された	打つ	驚いた	(私は)運んだ	足跡	砂	神秘的な-EZ

私は、砂の神秘的な輝きの秘密が急にわかったことに驚きました。

بچگی‌هام تو خانهٔ کهنه‌سازی می‌نشستیم که معروف بود آن تو گنجی چال
کرده‌اند.

که	می‌نشستیم	کهنه‌سازی	خانهٔ	تو	بچگی‌هام
ke	minešastim	kohnesāzi	xāne-ye	tu	baččegihām
REL	(私たちは)座っていた	古い	家-EZ	~の中で	私の子供時代

کرده‌اند	چال	گنجی	تو	آن	بود	معروف
kardeand	čāl	ganji	tu	ān	bud	ma'ruf
した	穴	ある宝物	~の中で	それ	~だった	有名な

子供のころ、私たちは宝物が埋められているとして有名な古い家に住んでいまし
た。

البته نگفته پیداست که هیچوقت کسی آن را پیدا نکرد و شاید حتا اصلا کسی دنبالش هم نگشت اما فکرش همهٔ اهل خانه را تردماغ می‌کرد :

البته	نگفته	پیداست	که	هیچوقت	کسی	آن	را
albatte	nagofte	peydāst	ke	hičvaqt	kasi	ān	rā
もちろん	言われない	明白だ	～こと	決して～ない	誰も	それ	～を

دنبالش	کسی	اصلا	حتا	شاید	و	نکرد	پیدا
donbāleš	kasi	aslan	hattā	šāyad	va	nakard	peydā
それを求めて	誰も	決して～ない	～さえ	恐らく	そして	しなかった	明白な

را	خانه	اهل	همهٔ	فکرش	اما	نگشت	هم
rā	xāne	ahl-e	hame-ye	fekraš	ammā	nagašt	ham
～を	家	住人	全て	その考え	しかし	探さなかった	～も

تردماغ	می‌کرد
tardamāq	mikard
陽気な	していた

もちろん、誰も決してそれを見つけたことはないし、恐らく誰も探そうとすらしなかったことは明白ですが、そのことは家を陽気にしていました。

خانهٔ ما تهِ دلش رازی پنهان کرده بود ...

خانه	ما	ته	دلش	رازی	پنهان	کرده	بود
xāne-ye	mā	tah-e	delaš	rāzi	penhān	karde	bud
家	私たち	底	その心	ある秘密	隠れた	した	～だった

私たちの家は、その奥に秘密を隠していたのでした……。

گفتم: ـ آره.

آره	گفتم
āre	goftam
はい	(私は)言った

私は言いました。「そうだよ」

چه خانه باشد چه ستاره، چه کویر، چیزی که اسباب زیبائی‌ش می‌شود نامرئی است !

چه خانه چه باشد چه ستاره چه کویر ، چیزی که اسباب
če xāne bāšad če setāre če kavir čizi ke asbāb-e
何　家　~だろうが　何　星　何　砂漠　何か　REL　原因

زیبائیش می‌شود نامرئی است
zibā'iyaš mišavad nāmar'i ast
その美しさ　なっている　目に見えない　~だ

「家だろうが、星だろうが、砂漠だろうが、その美しさのもととなっているものは、目に見えないんだ！」

گفت: ـ خوشحالم که با روباه من توافق داری.
goft xošhālam ke bā rubāh-e man tavāfoq dāri
(彼は)言った　私は嬉しい　~ということ　~と　狐-EZ　私　同意　(君は)持つ

彼は言いました。「きみはぼくの狐と同じ意見で、うれしいよ」

چون خوابش برده بود بغلش کردم و راه افتادم.
čun xābaš borde bud beqalaš kardam va rāh oftādam
~だから　彼の眠り　運んだ　(彼は)~だった AUX　脇　(私は)した　そして　道　(私は)落ちた

彼が眠ってしまったので、私は彼を脇に抱えて出発しました。

دست و دلم می‌لرزید.
dast=o delam milarzid
手 ~と　私の心　震えていた

私の手と心は震えていました。

انگار چیز شکستنیِ بسیار گرانبهائی را روی دست می‌بردم.
engār čiz-e šekastani-ye besyār gerānbahā'i rā ruy-e dast mibordam
まるで　何か-EZ　壊れやすい-EZ　非常に　貴重な　~を　~の上で-EZ　手　(私は)運んでいた

まるでとても貴重で壊れやすい何かを手で運んでいるかのようでした。

حتا به نظرم می‌آمد که تو تمام عالم چیزی شکستنی‌تر از آن به هم نمی‌رسد.

تمام	تو	که	می‌آمد	نظرم	به	حتا
tamām-e	tu	ke	miyāmad	nazaram	be	hattā
全体	~の中に	~ということ	来ていた	私の考え	~に	~さえ

عالم	چیزی	شکستنی‌تر	از	آن	به هم	نمی‌رسد
'ālam	čizi	šekastanitar	az	ān	be ham	namiresad
世界	~の何か	より壊れやすい	~より	それ	共に	達していない

世界中でそれよりも壊れやすいものは存在しないとさえ私には思えました。

تو روشنی مهتاب به آن پیشانی رنگ پریده و آن چشم‌های بسته و آن طره‌های
مو که باد می‌جنباند نگاه می‌کردم و تو دلم گفتم:

چشم‌های آن	و	رنگ پریده	پیشانی آن	به	مهتاب	روشنی	تو
čašmhā-ye	va	rang paride	ān pišāni-ye	be	mahtāb	rowšani-ye	tu
両目	それ	色褪せた	その 額	~に	月光	輝き	~の中に

می‌کردم	نگاه	می‌جنباند	باد	که	مو	طره‌های	آن	و	بسته
mikardam	negāh	mijonbānd	bād	ke	mu	torrehā-ye	ān	va	baste
(私は)していた	見ること	動かしていた	風	毛	前髪	それ	そして	閉じた

گفتم	دلم	تو	و
goftam	delam	tu	va
言った	私の心	~の中で	そして

月光の輝きの中で、その青白い額、その閉じた両目、風が揺らしているその前髪
を見て、私は心に言いました。

« آنچه می‌بینم صورت ظاهری بیش‌تر نیست.

آنچه	می‌بینم	صورت	ظاهری	بیش‌تر	نیست
ānče	mibinam	surat-e	zāheri	bištar	nist
~するもの	(私が)見ている	姿	見せかけの	より多い	~でない

「私が見ているものは、見せかけの姿でしかないんだ。

مهم‌ترش را با چشم نمی‌شود دید ... »

مهم‌ترش	را	با	چشم	نمی‌شود	دید
mohemtaraš	rā	bā	čašm	nemišavad	did
それより大切な	~を	~で	目	~にならない	見ること

もっと大切なことは、目には見えないんだ……」

باز، چون دهان نیمه‌بازش طرح کم‌رنگِ نیمه لبخندی را داشت به خودم گفتم.

باز	چون	دهان	نیمه‌بازش	طرح	کم‌رنگ	نیمه	لبخندی	را	داشت
bāz	čon	dahān-e	nimebāzaš	tarh-e	kamrang-e	nime	labxandi	rā	dāšt
再び	～だから	口-EZ	彼の半分開いた	輪郭-EZ	色の薄い-EZ	半分	ほほえみ	～を	持った

به	خودم	گفتم
be	xodam	goftam
～に	私自身	(私は)言った

ふたたび、半分開いた彼の口がかすかにほほえんでいるようだったので、私は自分に言いました。

« چیزی که تو شهریار کوچولوی خوابیده مرا به این شدت متأثر می‌کند وفاداری اوست به یک گل :

چیزی	که	تو	شهریار	کوچولوی	خوابیده	مرا	به	این
čizi	ke	tu	šahryār-e	kučulu-ye	xābide	marā	be	in
何か	REL	～で	王子-EZ	小さい-EZ	眠った	私を	～に	この

شدت	متأثر	می‌کند	وفاداری	اوست	به	یک	گل
šeddat	mota'asser	mikonad	vafādari-ye	ust	be	yek	gol
強烈	感動した	している	忠誠-EZ	彼だ	～に	一つの	バラ

「眠っている小さな王子さまの中で、私をこれほどまでに感動させているものは、バラに対する彼の忠誠だ。

او تصویرِ گل سرخی است که مثل شعلهٔ چراغی حتا در خوابِ ناز هم که هست تو وجودش می‌درخشد ... »

او	تصویر	گل	سرخی	است	که	مثل	شعلهٔ	چراغی
u	tasvir-e	gol-e	sorxi	ast	ke	mesl-e	šo'le-ye	čerāqi
それ	映像-EZ	バラ-EZ	赤い	～だ	REL	～のように-EZ	炎-EZ	ランプ

حتا	در	خواب	ناز	هم	که	هست	تو	وجودش
hattā	dar	xāb-e	nāz	ham	ke	hast	tu	vojudaš
～さえ	～に	眠り-EZ	かわいい	～も	REL	ある	～で	彼の存在

می‌درخشد
mideraxšad
輝いている

心地よい眠りの中でさえ、ランプの炎のように彼の存在の中で輝いている、赤いバラの記憶なんだ……」

و آن وقت او را بازهم شکننده‌تر دیدم.

و	آن	وقت	او	را	بازهم	شکننده‌تر	دیدم
va	ān	vaqt	u	rā	bāz ham	šekanandetar	didam
そして	その	時	彼	～を	再び	より脆い	(私は)見た

そしてそのとき、私には、彼がまた、ずっと脆いものに見えました。

حس کردم باید خیلی مواظبش باشم :

حس	کردم	باید	خیلی	مواظبش	باشم
hess	kardam	bāyad	xeyli	movāzeb=aš	bāšam
感覚	(私は)した	～しなければならない	とても	注意深い・彼	(私は)～だ

私は彼をとても大事にしなければならないと感じました。

به شعلهٔ چراغی می‌مانست که یک وزش باد هم می‌توانست خاموشش کند.

به	شعلهٔ	چراغی	می‌مانست	که	یک	وزش	باد
be	šo'le-ye	čerāqi	mimānest	ke	yek	vazaš-e	bād
～に	炎-EZ	ランプ	似ていた	REL	一つの	吹くこと-EZ	風

هم	می‌توانست	خاموشش	کند
ham	tavānest	xāmuš=aš	konad
～も	できていた	静かな・それ	消す

それはひと吹きの風でも消してしまえるようなランプの炎に似ていました。

و همان طور در حال راه رفتن بود که دمدمهٔ سحر چاه را پیدا کردم.

و	همان	طور	در حال	راه	رفتن	بود
va	hamān	towr	dar hāl-e	rāh	raftan	bud
そして	まさに	方法	～しながら-EZ	道	行くこと	～だった

که	دمدمهٔ	سحر	چاه	را	پیدا	کردم
ke	damdame-ye	sahar	čāh	rā	peydā	kardam
～ということ	近く(時)-EZ	夜明け	井戸	～を	明らかな	(私は)した

そうして、そんな風に歩きながら、私は夜明け近くに井戸を発見したのでした。

شاملو، احمد (2001-2002) (tr.) شهریار کوچولو. تهران: مؤسسهٔ انتشارات نگاه. pp.83-86

Persian

25　アラビア語

العربية
al‘arabīyatu

アラビア語はアフロ・[†]アジア語族のセム語派に属します。サウジアラ
ビア、イラク、レバノン、シリアなど西アジアのアラブ諸国や、北アフリ
カのアラブ諸国で使われています。宗教・民族的な争いが絶えないイ
スラエルのヘブライ語も同じセム語派で、言語自体はアラビア語と大変
よく似ています。ほかにアフリカのアムハラ語も同じセム語派です。ア
ラビア語には標準アラビア語（[†]フスハー）と口語アラビア語（[‡]アーンミー
ヤ）があります。標準アラビア語は、アラブ諸国などで公用語とされ、
コーランなどの古典アラビア語もフスハーと呼ばれますが、現代標準語
とは多少異なります。口語アラビア語は話されている言葉で、地域に
よってさまざまに異なります。以下の記述は現代標準アラビア語につ
いてのものです。

音声と文字

標準アラビア語の[†]子音音素は28個あります（以下、一般的な[†]翻字法に
音声を付して示します）。[†]破裂音 /b, t, d, k, q, ’[ʔ] /、[†]鼻音 /m, n/、[†]摩擦音 /f,
ṯ[θ], ḏ[ð], s, z[dz], š[ʃ], x, ġ[ɣ], h/、[†]破擦音 /j[dʒ] /、[†]流音・[†]接近音 /r, l,
w, y[j] / のほか、[†]咽頭摩擦音 /ḥ[ħ], ‘[ʕ] /、[†]咽頭化音 /ṭ[tˤ], ḍ[dˤ], ṣ[sˤ],
ẓ[ðˤ] / があるのが大きな特徴です（古典や口語では /lˤ, rˤ, mˤ/ などもありま
す）。他方、母音音素は /a, i, u/ の3つで、それぞれに短母音と長母音が
あり、また[†]二重母音は /aw/, /ay[aj] / があります。[†]音節構造は CV, CVV,
CVC で、会話では語末に CVCC, CVVC が許されます。[†]強弱アクセントで、
後ろから2番目の音節が[†]閉音節 CVC や長母音・二重母音を持つ音節
CVV であればそこに、それが[†]開音節ならさらにその前の音節にアクセ
ントが置かれます。アラビア文字は28文字あり、1つの文字が1子音に

あたります。短母音は文字では示されず、長母音や二重母音の2ᵗモーラ目（CVVの2つめのV）は書かれます。

形態論

　セム語派には、多くの語でᵗ語根が3子音からなる、という形態上の特徴があります。例えば、「書」のような概念をもつ語根k-t-bの単語には、kataba「書く」、kitaab「本」、kaatib「作家」、maktab「机」のような単語があります。ただし4つの子音からなる語根もあり、これにはzilzaal「地震」（語根z-l-z-l）やrafrafa「はためく」（語根r-f-r-f）など擬音語・ᵗ擬態語と関連するものがあります。

　セム語派の言語では語形変化や単語のᵗ派生の方法に、他の言語にもよくあるᵗ接頭辞・ᵗ接尾辞のほかに、語根が子音だけでできているために、母音を変えるᵗ内部屈折という方法が広範囲に見られます。内部屈折にはある程度パターンがあるので、単母音を書かなくともたいてい単語を特定することができます。たとえば、子音3つからなる名詞の複数にはCuCuuCパターン（bajt (SG.)-bujuut (PL.)「家」）、ʔaCCaaCパターン（walad (SG.)-ʔawlaad (PL.)「子」）が多く、子音4つからなる名詞の複数形は多くがCaCaaCiCパターン（madrasa (SG.)-madaaris (PL.)「学校」、tardʒama (SG.)-taraadʒim (PL.)「翻訳」）です。

　名詞には男女のᵗ性があり、①語末が -aの名詞、②人間の女性を意味する名詞（ʔumm「母」など）、③地名などが女性名詞です。ᵗ数は、単数形、双数形（語尾 -aani）、複数形があります。複数形は多くは内部屈折によりますが、人間名詞には語尾 -uunaをつけるものもあり、語尾 -aの名詞には語尾を -aatに替えるものがあります。動植物名詞の一部には、基本形が集合（種類）を表すものがあります。例えば、ʃadʒarは「木」というもの全般を指し、語尾 -aをつけたʃadʒaraは1本、内部屈折の複数形ʔaʃdʒaarは具体的な複数を表します。名詞には、語尾の母音で示される主格（-u）、属格（-i）、対格（-a）の3つのᵗ格変化があります。ᵗ主語は主格となり、名詞を修飾する名詞と、ᵗ前置詞のついた名詞は属格となり、それ以外、すなわちᵗ目的語のほか、al-jawm-a「今日、」のように副詞とし

Arabic

العربية　451

て用いる場合は対格となります。ただし口語には格はなく、標準語で
も話す時は格語尾をつけないのが普通です。

統語論

　名詞を修飾する形容詞は、名詞の†性、†数、†格に一致させます。ただ
し複数を要求するのは人間名詞のみで、人間以外の名詞の複数形は女
性単数扱いです。さらに名詞には、†定と†不定の区別があり、普通名詞
が定のときは定冠詞 ʔal- をつけ、これを修飾する形容詞や†関係節も定・
不定を一致させます（ʔal-walad ʔal-kabiir「その大きな少年」）。形容詞には
定冠詞 ʔal- をつけ、関係節には定冠詞の役割をする ʔallaðii（男性）、
ʔallatii（女性）を前置して定にします。冠詞の l の部分は j を除く歯音・
歯茎音で始まる名詞ではその音に†同化します（[ʔas-salaːm]（< ʔal-salaːm）
'the peace'）。なお英語に入っている algebra, alcohol などの語は冠詞のつい
た形をまるごとアラビア語から†借用したものです。
　動詞は主語の†性、†数、そして 3 つの†人称に†一致させて活用します。
現在形（未完了形とも呼ぶ）は 1 人称は ʔa-、2 人称は ta-、3 人称は ya- の
ように†接頭辞が変わり、†過去形（完了形とも）は 1 人称 -tu、2 人称 -ta、
3 人称 -a のように†接尾辞が変わります。
　動詞の†テンスは、現在形（未完了形）ya-ʃrab「彼は飲む」と過去形（完
了形）ʃarib-a「彼は飲んだ」があり、未来（意志）は、現在形に接頭辞 sa-
をつけて sa-ya-ʃrab「彼は飲むだろう」のように表します。†アスペクトは、
時制動詞 kaana の過去形や現在形に動詞の現在形を組み合わせて kaan-a
ya-ʃrab とすれば過去進行「彼は飲んでいた」、動詞の過去形を組み合わ
せて kaan-a ʃarib-a とすれば過去完了「彼は飲んでしまっていた」となり
ます。†現在進行と近未来はどちらも現在形で表し、また完了（結果状態）
と過去はどちらも過去形で表し、区別がありません。口語では進行ア
スペクトの接頭辞（エジプトでは bi- をつけて bi-yi-ʃrab「彼は飲んでいる」）や、
完了形（結果状態）ʃaarib「飲んでしまった」があり、これらを厳密に区別
します。
　†否定は、口語では動詞には maa を、名詞や形容詞などには mu(ʃ) を前

置します。文語では否定辞がテンスを担うことが特徴で、語尾の母音がそれぞれ替わりますが否定される方の動詞は現在形を使います。k-t-b「書く」という動詞を例にすると、過去の否定なら否定辞 lam (lam jaktub)、現在の否定なら laa (laa jaktubu)、未来の否定には lan (lan jaktuba) を使います。古典や慣用句では過去の否定に maa+ 過去形も使われます。

　語順は原則的に⁺VSO ですが、主語が長いときは VOS になることもあります。主語を文頭に置きたいときは強調の小詞 ʔinna を用いるなどの操作が必要です。また人称代名詞主語の場合は⁺SVO となります。その他の文の成分にはもっぱら前置詞を使います。名詞の修飾は後ろからかかるので、文全体の語順は日本語とほとんど真逆になります。「今日、韓国レストランで牛肉を食べた」は、ʔakal-tu laḥm-a l-baqar-i fi l-maṭʕam -i l-kuuriiy-i ʔal-yawm-a 'I.ate meat-ACC the-cow-GEN in the-restaurant-GEN the-Korean-GEN the-day-ACC' となります（長渡 (2017: 36) による）。一方、名詞述語文では主語、述語名詞の順になります。

松田 (1988)「アラビア語」（⑦所収）、長渡 (2017)「ふしぎな、ふしぎなアラビア語」（⑥所収）

الأمير الصغير

l'amīru ṣṣaġīru

25

قال الأمير الصغير :

[qaːla l ʔamiːru sˤsˤaʁiːru]

الصغير	الأمير	قال
ṣ=ṣaġīr-u [s-ġ-r]	l=ʾamīr-u [ʾ-m-r]	qāl-a [q-w-l]
DEF=小さな.M.SG-NOM	DEF=王子.M.SG-NOM	言う.PFV-3SG.M

小さな王子さまは言いました。

« – يتزاحم الناس في القطارات السريعة، لكنّهم لا يعرفون عماذا يبحثون،
فيضطربون ويدورون في حلقة مفرغة ... »

[jatazaːħamu nnaːsu fiː l qitˤaːraːti ssariːʕati laːkinnahum laː jaʕrifuːna ʕammaːðaː jabħaθuːna fa
jatˤtˤaribuːna wa jaduruːna fiː: ħalqatin mufarraʁatin]

لكنّهم	السريعة	القطارات	في	الناس	يتزاحم
lākinna=hum	s-sarrīʕat-i [s-r-ʕ]	l=qiṭārāt-i [q-ṭ-r]	fī	n=nās-u [ʾ-n-s]	ya-tazāḥam-u [z-ḥ-m]
しかし=3PL.M.CLT	DEF=速い.F.SG-GEN	DEF=列車.M.PL-GEN	～の中に	DEF=人々.M.PL-NOM	3SG.M押し合う.IPFV-3SG.M

فيضطربون	يبحثون	عماذا	يعرفون	لا
fa=ya-ḍṭarib-ūna [ḍ-r-b]	ya-bḥaṭ-ūna [b-ḥ-ṭ]	'am+māḏā	ya-'rif-ūna ['-r-f]	lā
そして=3PL.M混乱する.IPFV-3PL.M	3PL.M探し求める.IPFV-3PL.M	～について+何	3PL.M知っている.IPFV-3PL.M	NEG

مفرغة	حلقة	في	ويدورون
mufarraġat-in [f-r-ġ]	ḥalqat-in [ḥ-l-q]	fī	wa=ya-dūr-ūna [d-w-r]
空っぽの.F.SG-GEN	輪.F.SG-GEN	～の中で	そして=3PL.M回る.IPFV-3PL.M

「人々は急行列車の中で押し合いへし合いしてる。でも彼らは自分らが何を探し
求めているのか知らないんだ。そして混乱して、堂々巡りしてる……」

ثم أردف : « لا داعي ... »

[θumma ʔardafa laː daːʕija]

داعي	لا	أردف	ثم
dā'iy-a [d-'-w]	lā	'ardaf-a [r-d-f]	ṭumma
やる意味.M.SG-ACC	NEG	付け加える.PFV-3SG.M	すると

さらに小さな王子さまはこのように付け加えました。「無意味だな……」

لم تكن البئر التي بلغناها تشبه الآبار الصحراوية.

[lam takuni l biʔru llati: balaʁnaːhaː tuʃbihu l ʔaːbaːra sˁsˁaḥraːwiːjata]

تشبه	بلغناها	التي	البئر	تكن	لم
tu-šbih-u [š-b-h]	balaḡ-nā=hā [b-l-ḡ]	llatī	l=biʔr-u [b-ʔ-r]	ta-kun=i [k-w-n]	lam
似ている.IPFV-3SG.F	到達する.PFV-1PL=3SG.F.CLT	REL.F.SG.ACC	DEF=井戸.F.SG-NOM	3SG.F=～だ.JUSS:E	NEG

الصحراوية	الآبار
ṣ=ṣaḥrāwīyat-a [ṣ-ḥ-r]	l=ʾābār-a [b-ʾ-r]
DEF=砂漠の.F.SG-ACC	DEF=井戸.PL-ACC

私たちがたどり着いた井戸は、砂漠の井戸には似ていませんでした。

فالآبار الصحراوية مجرّد ثقوب في الرمل،

[fa l ʔaːbaːru sˁsˁaḥraːwiːjatu muʤarradu θuquːbin fiː rramli]

في	ثقوب	مجرّد	الصحراوية	فالآبار
fi	ṯuqūb-in [t-q-b]	mujarrad-u [j-r-d]	ṣ=ṣaḥrāwīyat-u [ṣ-ḥ-r]	fa-l=ʾābār-u [b-ʾ-r]
～の中で	穴.PL-GEN	単なる.M.SG-NOM	DEF=砂漠の.F.SG-NOM	そして=DEF=井戸.PL-NOM

الرمل
r=raml-i [r-m-l]
DEF=砂.M.SG-GEN

砂漠の井戸は、砂の中にあるただの穴なのです。

أما هذه فتشبه بئر القرية، بالرغم من أنّه لا وجود لقرية،

[ʔammaː haːðihi fa tuʃbihu biʔra l qarjati bi rraʁmi min ʔannahu laː wuʤuːda li qarjatin]

القرية	بئر	فتشبه	هذه	أما
l=qaryat-i [q-r-y]	biʔr-a [b-ʾ-r]	fa-tu-šbih-u [š-b-h]	hāḏihi	'ammā
DEF=村.F.SG-GEN	井戸.F.SG-ACC	すると=3SG.F.似ている.IPFV-3SG.F	これ.F.SG	～について言えば

لقرية	وجود	لا	أنّه	بالرغم من
li=qaryat-in [q-r-y]	wujūd-a [w-j-d]	lā	'anna=hu	bi=r-raḡm-i [r-ḡ-m] min
～の.村.F.SG-GEN	存在.M.SG-ACC	NEG	～から.CMPL=3SG.CLT	～で=DEF=強勢.M.SG.GEN

村などはないにもかかわらず、この井戸について言えば、これは村の井戸に似ています。

وظننت أنّني أحلم.

[wa ðˤanantu ʔannaniː ʔaħlamu]

وظننت	أنّني	أحلم
wa-ẓanan-tu [ẓ-n-n]	ʾanna-nī	ʾa-ḥlam-u [ḥ-l-m]
そして=思う.PFV-1SG	CMPL=1SG.CLT	1SG.夢を見る.IPFV-1SG

私は自分が夢を見ているのではないかと思いました。

فقلت للأمير الصغير :

[fa qultu li l ʔamiːri sˤsˤaʁiːri]

فقلت	للأمير	الصغير
fa=qul-tu [q-w-l]	li=l=ʾamīr-i [ʾ-m-r]	ṣ=ṣaḡīr-i [ṣ-ḡ-r]
そして=言う.PFV-1SG	~に=DEF=王子.M.SG-GEN	DEF=小さな.M.SG-GEN

それから私は小さな王子さまに言いました。

« – هذا غريب، كل شيء جاهز : البكرة والدلو والحبل ... »

[haːða: ʁariːbun kullu ʃaiʔin dʒaːhizun al-bakratu wa ddalwu wa l ħablu]

هذا	غريب	كل	شيء	جاهز	البكرة
hāḏā	ḡarīb-un [ḡ-r-b]	kull-u [k-l-l]	šaiʾ-in [š-y-ʾ]	jāhiz-un [j-h-z]	al=bakrat-u [b-k-r]
これ.M.SG	奇妙な.M.SG-NOM	すべて.M-NOM	物.M.SG-GEN	用意されている-NOM	DEF=滑車.M.SG-NOM

والدلو	والحبل
wa=d=dalw-u [d-l-w]	wa=l=ḥabl-u [ḥ-b-l]
そして=DEF=桶.M.SG-NOM	そして=DEF=ロープ.M.SG-NOM

「これは奇妙なことだね。滑車も桶もロープも、すべて揃ってる……」

ضحك ثم لمس الحبل وأدار البكرة فصرّت كما تصرّ دوّارة ريح قديمة
نامت عنها الريح لمدة طويلة.

[dˤaħika θumma lamasa l ħabla wa ʾadāra l bakrati fa sˤarrati l bakratu kamaː tasˤirru dawwaːratu riːhin qadiːmatin naːmat ʕanhaː rriːhu li muddatin tˤawiːlatin]

البكرة	وأدار	الحبل	لمس	ثم	ضحك
l=bakrat-a [b-k-r]	wa=ʾadār-a [d-w-r]	l=ḥabl-a [ḥ-b-l]	lamas-a [l-m-s]	ṯumma	ḍaḥik-a [d-ḥ-k]
DEF=滑車.M.SG-ACC	そして=回す.PFV-3SG.M	DEF=ロープ.M.SG-ACC	触れる.PFV-3SG.M	そして	笑う.PFV-3SG.M

ريح	دوّارة	تصرّ	كما	البكرة	فصرّت
rīḥ-in [r-w-ḥ]	dawwārat-u [d-w-r]	ta-ṣirr-u [ṣ-r-r]	kamā	l=bakrat-u [b-k-r]	fa=ṣarr-at=i [ṣ-r-r]
風.F.SG-GEN	回転具.F.SG-NOM	3SG.F-軋む.IPFV-3SG.F	~のように	DEF=滑車.F.SG-NOM	そして=軋む.PFV-3SG.F-E

قديمة قديمة qadīmat-in [q-d-m] 古い.F.SG-GEN

نامت nām-at [n-w-m] 忘れる.PFV-3SG.F

عنها 'an=hā ～について=3SG.F.CLT

الريح r=rīḥ-u [r-w-ḥ] DEF=風.F.SG-NOM

لمدة li=muddat-in [m-d-d] ～の間=期間.F.SG-GEN

طويلة ṭawīlat-in [t-w-l] 長い.F.SG-GEN

（その小さな王子さまは）笑って、それからロープに触れて、滑車を動かしました。まるで長い間風に忘れ去られていた古い風見鶏のように、滑車は軋みました。

وقال الأمير الصغير :

[wa qa:la l ʔami:ru sˤsˤaʁi:ru]

وقال wa=qāl-a [q-w-l] そして:言う.PFV-3SG.M

الأمير l=ʔamīr-u [ʔ-m-r] DEF=王子.M.SG-NOM

الصغير ṣ=ṣaġīr-u [ṣ-ġ-r] DEF=小さな.M.SG-NOM

小さな王子さまは言いました。

« – أسمعت، أيقظنا هذه البئر فراحت تغنّي ... »

[ʔa samiʕta ʔaiqaðˤna: ha:ðihi l biʔra fa ra:ḥat tuʁanni:]

أسمعت 'a=samiʕ-ta [s-m-ʕ] ～かどうか:聞く.IPFV-2SG.M

أيقظنا 'aiqaẓ-nā [y-q-ẓ] 目覚めさせる.PFV-1PL

هذه hāðihi この.F.SG

البئر l=biʔr-a [b-ʔ-r] DEF=井戸.F.SG-ACC

فراحت fa=rāḥ-at [r-w-ḥ] そして:～し始める.PFV-3SG.F

تغنّي tu-ḡann-ī [ḡ-n-n] 3SG.F-歌う.SBJV-3SG.F

「聞いたかい？　ぼくたちは井戸を目覚めさせたよ。井戸が歌い始めた……」

ولم أُرِده أن يبذل جهدا، فقلت له :

[wa lam ʔuridhu ʔan jabðula dʒahdan fa qultu lahu]

ولم wa=lam そして:NEG

أُرده 'u-rid=hu [r-w-d] 1SG-欲する.JUSS=3SG.M.CLT

أن 'an CMPL

يبذل ya-bḏul-a [b-ḏ-l] 3SG.M-費やす.SBJV-3SG.M

جهدا jahd-an [j-h-d] 努力.M.SG-ACC

فقلت fa=qul-tu [q-w-l] そして:言う.PFV-1SG

له la-hu ～に=3SG.M.CLT

小さな王子さまに骨を折ってほしくなかったので、私は彼に言いました。

Arabic

« – دعني أفعل ذلك بدلاً منك، هذا ثقيل عليك.»

[daʕni: afʕalu ða:lika badalan minka ha:ða: θaqi:lun ʕalaika]

ثقيل	هذا	منك	بدلًا	ذلك	أفعل	دعني
ṭaqīl-un [t-q-l]	hāḏā	min=ka	badal-an [b-d-l]	ḏālika	'a-fʕal-u [f-ʕ-l]	da'=nī [w-d-']
重い.M.SG-NOM	これ.M.SG	~から=2SG.M.CLT	代替物.M.SG-ACC	あれ.M.SG	1SG=する.IPFV-1SG	任せる.IMP.SG.M=1SG.ACC

عليك
'alai=ka ['-l-w]
~の上に=2SG.M.CLT

「君の代わりに、私にそれをさせておくれ。これは君には重いよ」

ببطء رفعت الدلو حتّى حافة البئر، وأرسيته عليها.

[bi buṭʕin rafaʕtu d dalwa ḥatta: ḥa:fati l biʔ ri wa ʔarsaituhu ʕalaiha:]

البئر	حافة	حتّى	الدلو	رفعت	ببطء
l=bi'r-i [b-'-r]	ḥāfat-i [ḥ-w-f]	ḥattā	d=dalw-a [d-l-w]	rafaʕ-tu [r-f-ʕ]	bi=buṭʕ-in [b-ṭ-']
DEF=井戸.F.SG-GEN	端.F.SG-GEN	~まで	DEF=桶.SG.M-ACC	持ち上げる.PFV-1SG	~で=遅さ.M.SG-GEN

وأرسيته	عليها
wa='arsai-tu=hu [r-s-w]	'alai=hā ['-l-w]
そして=据える.PFV-1SG=3SG.M.CLT	~の上に=3SG.F.CLT

私は桶を井戸の端までゆっくりと持ち上げ、そこにその桶を据えました。

وظلّ يتردّد في مسمعي نشيد البكرة، ورأيت الشمس وهي تتراقص على صفحة الماء المتماوج.

ورأيت	البكرة	نشيد	مسمعي	في	يتردّد	وظلّ
wa-ra'aitu	l-bakrati	našīdu	misma'-ī	fī	yataraddadu	wa-ẓalla
そして~見た	その_滑車の	歌が	耳の_私の	~の中で	鳴り響く	そして~し続ける

الشمس	وهي	تتراقص	على	صفحة	الماء	المتماوج
š-šamsa	wa-hiya	tatarāqaṣu	'alā	ṣafḥati	l-mā'i	l-mutamāwiji
その_太陽を	~しながら_それが	踊る	~の上で	表面	その_水の	その_波打っている

私の耳の中では、滑車の歌が響き続けました。私は太陽を見ました。太陽は波立つ水面の上で踊っています。

فقال الأمير الصغير :

فقال	الأمير	الصغير
fa-qāla	l-'amīru	ṣ-ṣaġīru
その時_言った	その_王子は	その_小さな

その小さな王子さまは言いました。

« أنا متعطّش لهذا الماء. ناولني لأشرب … »

أنا	متعطّش	لهذا	الماء	ناولني	لأشرب
'anā	muta'aṭṭišun	lihāḏā	l-mā'i	nāwil-nī	li-'ašraba
私は	渇望している	これに	その_水	手渡せ_私に	~のために~(私が)飲む

「ぼくはこの水を渇望してる。ぼくが飲むために、ぼくに手渡しておくれ」

وأدركت ما كان يبحث عنه !

وأدركت	ما	كان	يبحث	عنه
wa-'adraktu	mā	kāna	yabḥaṭu	'anhu
そして~(私は)知った	物	~していた	探し求める	それを

私は彼が探し求めていたものを知りました！

رفعت الدلو حتّى شفتيه فشرب وهو مغمض العينين.

رفعت	الدلو	حتّى	شفتيه	فشرب	وهو
rafa'tu	d-dalwa	ḥattā	šafatai-hi	fa-šariba	wa-huwa
(私は)持ち上げた	その_桶を	~まで	両唇を_彼の	そして~(彼は)飲んだ	~しながら_彼は

العينين	مغمض
l=ʿainaini	muḡmaḍu
その:両目	閉じられている

私は桶を小さな王子さまの唇まで持ち上げました。王子さまは両目をつぶった
まま飲みました。

كان المنظر جميلا. مثل عيد.

كان	المنظر	جميلا	مثل	عيد
kāna	l=manẓaru	jamīlan	miṯla	ʿīdin
~だった	その:光景は	美しい	~のように	祭り

その光景は美しいものでした。まるで祭典のように。

ولم يكن هذا الماء مجرّد غذاء.

ولم	يكن	هذا	الماء	مجرّد	غذاء
wa=lam	yakun	hāḏa	l=māʾu	mujarrada	ḡiḏāʾin
そして:~なかった	~だ	この	その:水は	単なる	食糧

この水は単なる食糧ではありませんでした。

لقد ولد هذا الماء من السير تحت النجوم، من نشيد البكرة، من جهد
ساعدَيَّ.

نشيد	من	النجوم	تحت	السير	من	الماء	هذا	ولد	لقد
našīdi	min	n=nujūmi	taḥta	s=sairi	mina	l=māʾu	hāḏa	wulida	laqad
歌	~から	その:星	~の下で	その:進むこと	~から	その:水は	この	生み出された	すでに

البكرة	من	جهد	ساعدَيَّ
l=bakrati	min	jahdi	sāʿidai=ya
その:滑車の	~から	努力	両腕の:私の

この水は、星の下を旅することから、滑車の歌から、私の両腕の努力から生み出
されました。

كان مفيدا للقلب، مثل هديّة.

كان	مفيدا	للقلب	مثل	هديّة
kāna	mufīdan	li=l=qalbi	miṯla	hadīyatin
~だった	有益な	~に:その:心	~のように	贈り物

それは贈り物のように、心に良いものでした。

لمّا كنت طفلا صغيرا، كان ضوء شجرة الميلاد وموسيقى قداس منتصف الليل وعذوبة الابتسامات، كل ذلك كان يخلق إشعاع الهدية التي أحصل عليها في عيد الميلاد.

وموسيقى	الميلاد	شجرة	ضوء	كان	صغيرا	طفلا	كنت	لمّا
wa=mūsīqā	l=mīlādi	šajarati	ḍau'u	kāna	ṣaḡīran	ṭiflan	kuntu	lammā
そして·音楽は	その·生誕の	木の	光は	～だった	小さな	子供	～だった	～時

كان	ذلك	كل	الابتسامات	وعذوبة	الليل	منتصف	قداس
kāna	ḏālika	kullu	l=ibtisāmāti	wa=ʿuḏūbati	l=laili	muntaṣafa	quddāsin
～いた	その	すべてが	その·ほほえみの	そして·甘さの	その·夜の	～の半ばの	ミサの

يخلق	إشعاع	الهدية	التي	أحصل	عليها	في	عيد	الميلاد
yakluqu	'išʿāʿa	l=hadīyati	llatī	'aḥṣulu	ʿalaihā	fī	ʿīdi	l=mīlādi
創り出して	光の放射を	その·贈り物の	その	(私が)獲得する	その上に	～の中で	祭	その·生誕の

私が小さな子供だったころ、クリスマスツリーの光、真夜中のミサの音楽、ほほえみの柔和さは、これらすべてが、私がクリスマスにもらうプレゼントのきらめきを作り出していました。

وقال الأمير الصغير :

وقال	الأمير	الصغير
wa=qāla	l=ʾamīru	ṣ=ṣaḡīru
そして·言った	その·王子は	その·小さな

小さな王子さまは言いました。

« أبناء بلدك يغرسون خمسة آلاف وردة في حديقة واحدة ... ولا يجدون فيها ما يبحثون عنه ... »

أبناء	بلدك	يغرسون	خمسة	آلاف	وردة	في	حديقة
'abnā'u	baladika	yaḡrisūna	ḵamsata	'ālāfin	wardatin	fī	hadīqatin
子孫たちは	君の国の	植える	五を	千の	バラの	～の中で	庭の

واحدة	ولا	يجدون	فيها	ما	يبحثون	عنه
wāḥidatin	wa=lā	yajidūna	fīhā	mā	yabḥaṯūna	ʿanhu
一つの	そして·ない	見つける	その中で	～もの	探し求める	それを

「きみの国の人々は、一つの庭に5000本もバラの花を植える……。それなのに彼らは自分たちが探し求めてるものをその庭の中では見つけてないんだ……」

أجبت: لا يجدون.

يجدون	لا	أجبت
yajidūna	lā	'ajabtu
（彼らは）見つける	〜ない	（私は）返事をした

私は答えました。「見つけてないね」

وأكمل الأمير الصغير:

الصغير	الأمير	وأكمل
ṣ=ṣaġīru	l='amīru	wa='akmala
その‐小さな	その‐王子は	そして‐完成させた

すると小さな王子さまは付け足しました。

مع أن ما يبحثون عنه يمكن أن يجدوه في وردة واحدة أو في قليل من الماء...

يجدوه	أن	يمكن	عنه	يبحثون	ما	أن	مع
yajidū=hu	'an	yumkinu	'anhu	yabḥaṯūna	mā	'anna	ma'a
（彼らが）見つける‐それを	〜ことが	できる	それを	探し求める	〜もの	〜ということ	〜と

في	وردة	واحدة	أو	في	قليل	من	الماء
fī	wardatin	wāḥidatin	'au	fī	qalīlin	mina	l=mā'i
〜の中に	バラの花の	一つの	または	〜の中に	少量	〜の内の	その‐水の

「彼らが探し求めてるものは、1輪のバラの花の中で、あるいは少しの水の中で見つけることができるんだけど……」

قلت : بالطبع. «

قلت	بالطبع
qultu	bi=ṭ=ṭab'i
（私は）言った	〜で‐その‐天性

私は言いました。「もちろんさ」

ثم أردف الأمير الصغير :

الصغير	الأمير	أردف	ثم
ṣ=ṣaġīru	l='amīru	'ardafa	ṯumma
その‐小さな	その‐王子は	付け加えた	すると

すると、小さな王子さまは付け加えました。

« لكن العيون عمياء، ينبغي البحث بالقلب. »

لكن	العيون	عمياء	ينبغي	البحث	بالقلب
lākinna	l-ʿuyūna	ʿamyāʾu	yanbaġī	l-baḥṭu	bi-l-qalbi
しかし	その-目	盲目だ	義務である	その-探求	~で-その-心

「でも目というものは盲目なんだ。心で探求しなくちゃいけない」

كنت قد شربت، وتنفست جيدا.

كنت	قد	شربت	وتنفست	جيدا
kuntu	qad	šaribtu	wa-tanaffastu	jaiyid
(私は)した	すでに	(私は)飲んだ	そして-(私は)呼吸した	上手に

私はすでに水を飲んでいて、そしてうまく息をしました。

كانت الرمال في مطلع النهار بلون العسل.

كانت	الرمال	في	مطلع	النهار	بلون	العسل
kānati	r-rimālu	fī	maṭlaʿi	n-nahāri	bi-launi	l-ʿasali
~だった	その-砂は	~の中で	上昇	その-日の	~で-色	その-蜂蜜の

日が昇る中、砂は蜂蜜色をしていました。

وكنت مبتهجا بلون العسل هذا أيضا.

وكنت	مبتهجا	بلون	العسل	هذا	أيضا
wa-kuntu	mubtahijan	bi-launi	l-ʿasali	hāḏā	ʾaiḍan
そして-(私は)~だった	嬉しい	~で-色	その-蜂蜜の	この	~も

私もまた、この蜂蜜色を見てうれしかったのです。

لماذا كان يلزم أن أشعر بالضيق ...

لماذا	كان	يلزم	أن	أشعر	بالضيق
limāḏā	kāna	yalzamu	ʾan	ʾašʿura	bi-ḍ-ḍīqi
どうして	~た	~しなければならない	~こと	(私は)感じる	~を-その-不安

どうして私は不安を感じなければならなかったのでしょうか……。

الأمير الصغير 463

« – ينبغي أن تفي بوعدك، قال لي بهدوء الأمير الصغير الذي جلس من جديد بقربي.

بهدوء	لي	قال	بوعدك	تفي	أن	ينبغي
bi≈hudū'ini	lī	qāla	bi≈wa'di≈ka	tafiya	'an	yanbaġī
～に≈静か	私に	(彼は)言った	～を≈約束≈君の	(君が)履行する	～こと	義務である

الأمير	الصغير	الذي	جلس	من	جديد	بقربي
l≈'amīru	ṣ≈ṣaġīru	llaḏī	jalasa	min	jadīdin	bi≈qurb≈ī
その≈王子は	その≈小さな	その	(彼は)座った	～から	新しい	～で≈近く≈私の

「きみは約束を果たさなくちゃいけない」ともう一度私の近くに座った小さな王子さまは、静かに私に言いました。

– أي وعد ؟

أي	وعد
'aiyu	wa'din
いかなる	約束

「何の約束？」

–أنت تعلم … كمامة لخروفي… فأنا مسؤول على تلك الزهرة ! »

مسؤول	فأنا	لخروفي	كمامة	تعلم	أنت
mas'ūlun	fa≈'anā	li≈ḵarūf≈ī	kimāmatun	ta'lamu	'anta
責任がある	そして≈私は	～のために≈羊≈私の	口輪は	(君は)知っている	君は

على	تلك	الزهرة
'alā	tilka	z≈zahrati
～について	あの	その≈花の

「きみ、知ってるでしょ……。ぼくの羊にはめるための口輪だよ……。ぼくはあの花に関して、責任を負ってるんだから！」

أخرجت من جيبي محاولاتي الأولى في الرسم.

أخرجت	من	جيبي	محاولاتي	الأولى	في	الرسم
'aḵrajtu	min	jaib≈ī	muḥāwalāt≈i	l≈'ūlā	fī	r≈rasmi
(私は)出した	～から	ポケット≈私の	試作品≈私の	その≈最初の	～における	その≈絵

私は自分のポケットから、最初の下書きを出しました。

وما كاد الأمير الصغير يراها حتى قال وهو يضحك :

الصغير	الأمير	كاد	وما
ṣ=ṣaġīru	l=ʾamīru	kāda	wa=mā
その-小さな	その-王子は	(彼は)まさに〜している	そして〜ない

يضحك :	وهو	قال	حتى	يراها
yaḍḥaku	wa=huwa	qāla	ḥattā	yarā=hā
(彼は)笑う	〜しながら-彼が	(彼は)言った	〜時までに	(彼は)見る-それを

小さな王子さまは、その下書きを見るやいなや、笑いながら言いました。

« ‒ أشجار الباوباب التي رسمت تشبه إلى حد ما نبات الكرنب ...

أشجار	الباوباب	التي	رسمت	تشبه	إلى
ʾašjāru	l=bāubābi	llatī	rasamta	tušbihu	ʾilā
木々は	その-バオバブの	その	(君が)描いた	似ている	〜へ

حد	ما	نبات	الكرنب
ḥaddin	mā	nabāta	l = kurunbi
程度	いくらか	植物に	その-キャベツの

「きみが描いたバオバブの木は、ある程度キャベツに似てるね……」

‒ حقًّا ! »

حقًّا !
ḥaqqan
真実

「本当かい！」

أنا من كنت فخورا برسوم أشجار الباوباب !

أنا	من	كنت	فخورا	برسوم	أشجار	الباوباب
ʾanā	man	kuntu	faḳūran	bi=rusūmi	ʾašjāri	l=bāubābi
私は	〜する人	(私は)〜だった	自信のある	〜に-絵	木々の	その-バオバブの

私は、バオバブの木の絵について自信があったのです！

‒ « ثعلبك ... أذناه تشبه إلى حد قرنين ... إنها بالغة الطول !»

قرنين	حد	إلى	تشبه	أذناه	ثعلبك
qurnaini	ḥaddin	'ilā	tušbihu	'uḏnā=hu	ṯa'labu-ka
二つの角に	ある程度	~に	似ている	両耳が:彼の	狐は:君の

الطول	بالغة	إنها
ṭ-ṭūli	bāliġatu	'inna=hā
その:長さが	甚大である	実に:それは

「きみの狐は……耳がある程度2本の角に似ている……。その角は実に長すぎる！」

واسترسل في الضحك.

الضحك	في	واسترسل
ḍ=ḍaḥki	fi	wa=starsala
その:笑うこと	~に	そして:(彼は)専念した

そして彼は笑い続けました。

قلت أنت جائر في حكمك أيّها الولد الصغير، لم أكن أتقن رسم شيء سوى
ثعبان البوا من الداخل والخارج.

قلت	أنت	جائر	في	حكمك	أيّها	الولد
qultu	'anta	jā'irun	fī	ḥukmi=ka	'aiyuha	l-waladu
(私は)言った	君は	不公平だ	~において	判断:君の	~よ	その:子供

الصغير	لم	أكن	أتقن	رسم
ṣ=ṣaġīru	lam	'akun	'utqinu	rasma
その:小さな	~なかった	(私は)している	(私は)熟達している	描くことに

والخارج	الداخل	من	ثعبان	البوا	سوى	شيء
wa-l-kāriji	d-dākili	mina	ṯu'bāni	l-buwā	siwā	šai'in
~と:その:外側	その:内側	~から	蛇	その:ボア	~以外に	物を

「幼い子供よ、君の判断は不公平だよ。私は、ボア［大蛇のこと］を内側と外側から描くこと以外はうまくできなかったんだ」

قال أوه! هذا يكفي. كل الأطفال يستطيعون رسمه.

رسمه	يستطيعون	الأطفال	كل	يكفي	هذا	! أوه	قال
rasma=hu	yastaṭī'ūna	l-'aṭfāli	kullu	yakfī	hāḏā	'ūh	qāla
描くことが:それを	できる	その:子供たちの	すべては	十分だ	これは	ああ	(彼は)言った

彼は「ああ！ これで十分だよ。子供たちはみなそれを描くことができる」と言いました。

وخططت إذن كمامة.

كمامة	إذن	وخططت
kimāmatan	'iḍan	wa=ḵaṭaṭtu
口輪を	そこで	そして‐(私は)描画した

そこで私は口輪を描きました。

وشعرت بالفيق وأنا أمدّها له قائلاً :

قائلاً	له	أمدّها	وأنا	بالفيق	وشعرت
qā'ilan	la=hu	'umiddu=hā	wa='anā	bi=ḍaiqi	wa=ša'artu
言いながら	～に‐彼	与える‐それを	そして‐私が	～を‐その‐窮屈さ	そして‐(私は)感じた

私がそれを彼に渡したとき、私は窮屈さを感じながらこう言いました。

« … أجهلها مشاريع لديك – »

أجهلها	مشاريع	لديك
'ajhalu=hā	mašārī'u	ladai=ka
(私が)知らない‐それを	計画が	ある‐君には

「君は、私が知らないことをもくろんでいるんだね……」

لكنه لم يجبني، وقال :

لكنه	لم	يجبني	وقال
lākinna=hu	lam	yujib=nī	wa=qāla
しかし‐彼は	～なかった	答え‐私に	そして‐言った

しかし彼は私の言葉に答えてくれませんでした。そしてこう言いました。

« … السنوية ذكراه ستحلّ غدا … الأرض على سقوطي، أتعلم، – »

أتعلم	سقوطي	على	الأرض	غدا	ستحلّ
'a=ta'lamu	suqūṭ=ī	'ala	l='arḍi	ḡadan	satahillu
～か‐(君は)知っている	落下‐私の	～の上に	その‐地球	明日	やってくるだろう

ذكراه	السنوية
ḍikrā=hu	s-sanawīyati
記念が‐それの	その‐一年の

「知っているかい？ 明日で……ぼくが地球上に落下してから1年になるんだ
……」

Arabic

وبعد صمت، استرسل يقول :

يقول	استرسل	صمت	وبعد
yaqūlu	istarsala	ṣamtin	wa=ba'da
(彼は)言う	熱中した	沈黙	そして〜の後

そして沈黙ののち、熱中して彼は言いました。

« سقطتُ قريبا من هنا ... »

هنا	من	قريبا	سقطتُ
hunā	min	qarīban	saqaṭtu
ここ	〜から	近くに	(私は)落ちた

「ぼくはこの近くに落下したんだ……」

وامتقع لونه.

لونه	وامتقع
launu=hu	wa=mtuqi'a
色が=彼の	そして=青ざめた

すると彼の顔色は青ざめました。

وشعرت من جديد بحزن غريب، من دون أن أعرف له سببا.

وشعرت	من	جديد	بحزن	غريب	من دون
wa=ša'artu	min	jadīdin	bi=ḥuznin	ğarībin	min_dūni
そして=(私は)感じた	〜から	新しい	〜を=悲しみ	変な	〜なしで

أن	أعرف	له	سببا
'an	'a'rifa	la=hu	sababan
〜こと	(私が)知る	〜のために=それの	理由を

理由はわからなかったのですが、私は改めて妙な悲しみを感じました。

بيد أن سؤالا راودني :

بيد	أن	سؤالا	راودني
baida	'anna	su'ālan	rāwada=nī
〜にもかかわらず	〜こと	質問が	近づいた=私に

けれども私に質問が私の頭に浮かびました。

« – ليس صدفة إذن أن كنت تتجوّل وحيدا هكذا يوم لقيتك قبل أسبوع،
بعيدا بألف ميل عن أقرب مكان مأهول !

هكذا	وحيدا	تتجوّل	كنت	أن	إذن	صدفة	ليس
hākaḍā	waḥīda	tatajawwalu	kunta	'an	'iḏan	ṣudfatan	laisa
このように	独りで	(君が) 歩き回って	(君が) いた	～ことは	それでは	偶然	～ではない

مكان	أقرب	عن	ميل	بألف	بعيدا	أسبوع	قبل	لقيتك	يوم
makānin	'aqrabi	'an	mailin	bi-'alfi	ba'īdan	'usbū'in	qabla	luqyati-ka	yauma
場所	最も近い	～から	マイル	で・千	遠く	一週間	～前	出会い・君の	日に

مأهول
ma'hūlin
人が住んでいる

「それじゃ、1週間前君と初めて出会った日に、人が住んでいる最寄りの場所から
1000マイルも離れて君が歩き回っていたことは、偶然じゃないんだね！

كنت عائدا إلى نقطة سقوطك ؟ »

كنت	عائدا	إلى	نقطة	سقوطك
kunta	'ā'idan	'ilā	nuqṭati	suqūṭi-ka
(君は) ～いた	戻って	～へ	地点	落下の・君の

君は、君が落ちてきた地点に戻ろうとしていたのかい？」

وزاد امتقاع الأمير، ثم أضفت مترددّا : « ربّما بسبب الذكرى ؟ ... »

وزاد	امتقاع	الأمير	ثم	أضفت
wa-zāda	mtiqā'u	l-'amīri	ṯumma	'aḍaftu
そして・増えた	青白さが	その・王子の	それから	(私は) 付け加えた

متردّدا	ربّما	بسبب	الذكرى
mutaraddidan	rubbamā	bi-sababi	ḏ-ḏikrā
ためらいながら	恐らく	～で・理由	その・記念の

すると王子さまはますます青ざめてしまいました。それから私はためらいなが
ら付け加えました。「たぶん、1周年記念のためでしょ……？」

وامتقع الأمير من جديد.

وامتقع	الأمير	من	جديد
wa-mtuqi'a	l-'amīru	min	jadīdin
そして・青ざめた	その・王子は	～から	新しい

そしてもう一度王子さまは青ざめました。

لم يجب أبدا عن الأسئلة، لكن حين يمتقع لون المرء، فهذا يدل على أن الجوان « نعم »، أليس كذلك ؟

لم	يجب	أبدا	عن	الأسئلة	لكن	حين
lam	yujib	'abadan	'ani	l='as'ilati	lākin	hīna
~なかった	(彼は)答え	決して	~について	その‐質問	しかし	~時

يمتقع	لون	المرء	فهذا	يدل	على	أن
yumtaqa'u	launu	l=mar'i	fa=hāḏā	yadullu	'alā	'anna
青ざめる	色が	その‐人の	すなわち‐これが	示す	~を	~こと

الجواب	نعم	أليس	كذلك
l=jawāba	na'am	'a=laisa	kaḏ'ālika
その‐返事が	はい	~か~ではない	そのよう

彼はまったく質問に答えてくれませんでした。けれども、人の顔が青ざめるとき、それは返事が「はい」であることを表しているものではないでしょうか？

قلت أوه ! أشعر بالخوف.

قلت	أوه	أشعر	بالخوف
qultu	'ūh	'aš'uru	bi=l=ḵaufi
(私は)言った	ああ	(私は)感じる	~を‐その‐恐怖を

私は「ああ！ 怖いよ」と言いました。

لكنّه أجابني :

لكنّه	أجابني
lākinna=hu	'ajāba=nī
しかし‐彼は	答えた‐私に

しかし、小さな王子さまは私に対してこう答えました。

« – عليك أن تعمل الآن.

عليك	أن	تعمل	الآن
'alai=ka	'an	ta'mala	l'āna
~の上にある‐君の	~ことは	(君が)働く	今

「きみはいま働かなければならないよ。

ينبغي أن تعود لطائرتك.

ينبغي	أن	تعود	لطائرتك
yanbaḡī	'an	ta'ūda	li=ṭā'irati=ka
義務だ	～ことは	(君が)戻る	～に·飛行機·君の

きみは飛行機に戻らなければならない。

سأنتظرك ها هنا.

سأنتظرك	ها	هنا
sa'antaẓiru=ka	hā	hunā
(私は)待つだろう·君を	ほら	ここ

ぼくはここできみを待っているよ。

« ... عد غدا مساء

عد	غدا	مساء
'ud	ḡadan	masā'an
戻れ	明日	夕方

明日の夕方に戻ってきておくれ……」

لكن الأمر لم يكن مؤكدا.

لكن	الأمر	لم	يكن	مؤكدا
lākinna	l=amra	lam	yakun	mu'akkidan
しかし	その·事は	～なかった	～だ	確実だ

でもそれは確実ではありませんでした。

تذكّرت الثعلب.

تذكرت	الثعلب
taḏakkartu	t=ṯa'laba
(私は)思い出した	その·狐を

私は狐のことを思い出しました。

قد نبكي قليلا إذا ما سمحنا لأنفسنا بأن نُدجّن ...

بأن	لأنفسنا	سمحنا	إذا ما	قليلا	نبكي	قد
bi='an	li='anfusi=nā	samaḥnā	'iḏā_mā	qalīlan	nabkī	qad
~を~すること	~に=自身=私たち	(私たちが)許した	もし~したら	少し	(私たちは)泣く	~だろう

نُدجّن
nudajjana
(私たちが)飼いならされる

我々は飼いならされてしまうと、少し泣いてしまうこともあります……。

التهامي العماري، مُحمّد (tr.) (2011) الأمير الصغير . الدار البيضاء: المركز الثقافي العربي . pp.82-85.

†チュルク語族の中でももっとも西に位置する言語です。イスタンブール方言を標準語としています。チュルク語族にはトルコ語やトルクメン語が属する南西語群（オグズ語群とも）、タタール語やカザフ語が属する北西語群（キプチャク語群とも）、ウズベク語とウイグル語が属する南東語群（チャガタイ語群とも）、サハ語やトゥバ語などが属する北東語群（シベリア語群とも）という4つの主なグループがあります（さらに早くに分岐したと考えられるかなり異なった言語として、チュヴァシュ語という言語があります）。このようにチュルク諸語は中央アジアに広く分布し、さらに北はシベリア、東は中国に至る広大な地域に広がっています。もっとも古いチュルク諸語の記録は現在のモンゴルの地などに見出される†突厥碑文と呼ばれるものです。

音韻論と文字体系

†子音音素は /p, t, ç[tʃ], k, b, d, g[g], ğ /:/, c[dʒ], m, n, f, s, ş[ʃ], h, v, z, l, r, y[j] / の20個あります。ただし†外来語に現れる音声を考慮すると音素はもっと多くなります。/r/ は語末でよく†無声化し、摩擦音のように聞こえます。/p/, /t/, /ç/, /k/ で終わる語に母音で始まる†接尾辞がつくと、†有声化します（dip「底」> dib-e「底へ」）。/k/ で終わる語では ğ（後述）と交替します（sokak「通り」> sokağ-a「通りへ」）。逆に、無声音で終わる語に /dʒ/, /g/, /d/ で始まる接尾辞がつくと†順行同化の†無声化を起こして /tʃ/, /k/, /t/ になります（ev-den「家から」vs. dip-ten「底から」）。母音音素は下記の表の8つですが、さらに外来語にのみ見られる長母音 /aː/, /eː/, /uː/, /iː/ があります。

	狭		広	
	円唇	非円唇	円唇	非円唇
前	ü [y]	i	ö [ø]	e
後	u	ı [ɯ]	o	a

表3：トルコ語の母音

　†母音調和があり、1語の中の母音はすべて前舌と後舌のどちらかに偏っていて、共起しません。第2音節以後の†狭母音は、円唇・非円唇について第1音節と同形をとります。†接辞も母音調和による異形態を示します。これには2種類あり、e～aに交代するもの（例：与格 yol-a「道へ」、ev-e「家へ」）と、4つの狭母音の間で i～ı～u～ü に交代するもの（例：対格 ev-i「家を」、baş-ı「頭を」、kol-u「手を」、gün-ü「日を」）があります（以下ではこれらの†異形態を大文字の E と I で代表させて示します）。単音節語には V、VC、CV、CVC、VCC、CVCC、CCVC、CCVCC のような†音節構造が見られます。†アクセントは語の最終音節に来ますが、地名や外来語には例外が多くあります（Ánkara「アンカラ」）。接尾辞がつくと最終音節のアクセントはどんどん後ろに移動します（yol「道」、yol-cú「旅人」、yol-cu-lúk「旅」、yolculuk-lar-dá 'travel-PL-LOC'「旅（複数）において」、林 (1989: 1387) による）。ただし†否定辞 -mE、†人称接尾辞の一部などには移りません。進行形の接尾辞 -(I)yor では母音 I にアクセントが移ります。これらの接辞には、それがかつては独立した別の語だったことが原因で、アクセントが移動しないものもあります。

　トルコ語の文字は a b c ç d e f g ğ h ı i j k l m n o ö p r s ş t u ü v y z の29個です。このうち ğ は語頭には現れません。前後の母音に似た短い音か、前の母音を伸ばしたような音として実現します（dağ [daɯ～daː]「山」、doğru [doːru]「まっすぐな」、göğüs [gøjys]「胸」）。これを子音音素の /ː/ と解釈します（なおテキストの音声的な表記では [ː] を長母音化の記号として用いていることに注意してください）。基本的に1文字1音素に対応し、ç は /tʃ/、c は /dʒ/、ş は /ʃ/ と読みます。この正書法はアタテュルク（「父なるトルコ人」という意味）の文字改革により1928年から用いられていますが、それまでは†アラビア文字で書いていました。

形態論

　全般に†重複はわずかで、†接頭辞はなく、語を組み立てる†形態的手法は†複合以外、大部分が†接尾辞です。

　名詞には、複数、†所属人称、†格、がこの順序でつきます（araba-lar-ım-dan 'car-PL-1SG-ABL「私の車から」）。所属人称というのは、その名詞の所属先を示すもので、所有構造は†二重標示型になります（kız-ın ev-i 'daughter-GEN house-3「娘の家」）。一方、複合名詞だと前の方の名詞に属格がつきません（kahve fincan-ı 'coffee cup-3「コーヒーカップ」）。 格は主要なものが5つあります（対格 -(y)I、与格 -(y)E、位格 -dE、奪格 -dEn、属格 -(n)In）。なお主語の名詞には何もつきません。目的語も†不定のもので動詞の直前位置にあれば対格をとりません。 名詞に†性はなく、3人称の代名詞も性別に関わらず o のみで、これは指示代名詞「あれ」でもあります。 相手への敬意を示す際には、2人称複数代名詞の siz が使われます。 名詞の修飾語は、［指示詞 数詞 形容詞（名詞）］のような順序で並びますが、数詞のうち「1」だけは形容詞の後ろにくることもでき、その名詞が†不特定であることを示します（bir eski araba「1台の古い車」、eski bir araba「ある古い車」）。 なお名詞述語文などについては第27章ウズベク語の概説も参照してください。

　動詞は日本語で「食べ-させ-られ-た」となるのと似て、「-させ-られ」のような文法的派生接辞で語幹を拡張し、「-た」のような†屈折語尾で終わります。†文法的派生接辞には、†否定 -mE、可能 -(y)Ebil、†受身 -Il/-(I)n、†再帰 -In、†相互 -Iş、使役 -dIr など、があります。 屈折語尾には†モダリティを示すものがあり、さらに†テンス・アスペクトを示すものと主語の†人称を示すものがあります。 これらが†膠着的に次々に接続すると、anla-ş-tır-ıl-ma-yacak=tı-nız 'understand-RECIP-CAUS-PASS-NEG-FUT=PST-2PL'「君たちは合意させられないはずだった」（林 (1989: 1391) による）のような長い†動詞複合体が作れます。 モダリティには、提案 -(y)EyIm、勧誘 -(y)ElIm などがあり、さらに†語幹のみの形が†命令を示します。 過去形には直接体験過去 -dI と推測・伝聞の過去 -mIş という、証

Turkish

拠性に関しての対立があります (gel-di「(彼が) 来た」、gel-miş「(彼が) 来た {らしい／そうだ}」)。現在形は -(I)yor、未来形は -(y)EcEk で、さらに恒常的なテンス (習慣など) を示す -Er/-Ir/-r があります。

　この他に、日本語の連用的な†諸形や†連体形のように働く†連接の形が多くある点が特徴的です。一方でペルシア語から入った関係代名詞のようなものも使われます。

統語論

　基本的に†SOV†語順で、†主語は現れないこともよくありますが、動詞に†人称がつくのでこれによって主語の人称がわかります。動詞の前にある語の間の語順は自由で、修飾語は被修飾語に先行します。したがって、日本語とよく似た語順を示します。

林 (1989)「トルコ語」(⑦所収)

Küçük Prens

26-1

Kuyunun yanında yıkık bir duvar kalıntısı vardı.

[kujunun janwnda jwkwk bir duvar kalwntwsw vardw]

kuyu-nun	yan-ı-nda	yıkık	bir	duvar	kalıntı-sı	var-dı
井戸-GEN	隣-POSS.3SG-LOC	壊れた	INDEF	壁	残骸-POSS.3SG	ある-PST

井戸のそばに壊れた壁の残骸がありました。

Ertesi akşam işimi bırakıp geldiğimde küçük prensi duvarın üzerine oturmuş, ayaklarını sallarken gördüm.

[ertesi akʃam iʃimi bwrakwp geldi:mde kytʃyk prensi duvarwn yzerine oturmuʃ ajaklarwnw sallarken gørdym]

erte-si	akşam	iş-im-i	bırak-ıp	gel-diğ-im-de	küçük	prens-i
次-POSS.3SG	晩	仕事-POSS.1SG-ACC	残す-CONV	来る-PTCP-POSS.1SG-LOC	小さな	王子-ACC

duvar-ın	üzer-i-ne	otur-muş	ayak-lar-ı-nı	salla-r-ken	gör-dü-m
壁-GEN	表面-POSS.3SG-DAT	座る-PST	足-PL-POSS.3SG-ACC	揺らす-AOR-CONV	見る-PST-1SG

次の晩、私の仕事をやめてきたとき、小さな王子さまを、壁の上に座って足を揺らしているとき、私は見ました。

Bir yandan da, "Yanlış hatırlıyorsun. Burası değil," diyordu.

[bir jandan da janlwʃ hatwrlwjorsun burasw dejil dijordu]

bir	yan-dan	da	yanlış	hatırlı-yor-sun	bura-sı	değil	di-yor-du
一つの	隣-ABL	CLT	間違い	覚える-PROG-2SG	ここ-POSS.3SG	NEG	言う-PROG-PST

一つの側から、「きみは間違えて覚えているね。ここではないよ」と言っていました。

Birisi ona yanıt veriyor olmalıydı ki, yine, "Evet, evet! Bugün, ama burası değil," dedi.

[birisi ona janwt verijor olmalwjdw ki jine evet evet buɡyn ama burasw dejil dedi]

biri-si	o-na	yanıt	ver-iyor	ol-malı-ydı	ki	yine	evet	evet	bugün
誰か-POSS.3SG	彼-DAT	答え	与える-PROG	～だ-OBLG-PST	CLT	再び	はい	はい	今日

ama	bura-sı	değil	de-di
しかし	ここ-POSS.3SG	NEG	言う-PST

誰かが彼に返答しているに違いありませんでした。というのも、また、「うん、うん！ 今日だよ。でもここじゃないよ」と言ったからです。

Duvara doğru yürüdüm.

[duvara do:ru jyrydym]

duvar-a	doğru	yürü-dü-m
壁-DAT	向かって	歩く-PST-1SG

私は壁に向かって歩きました。

Henüz kimseyi görememiştim.

[henyz kimseji gørememiʃtim]

henüz	kimse-yi	gör-e-me-miş-ti-m
まだ	誰か-ACC	見る-POT-NEG-PF-PST-1SG

まだ誰も見ることができていませんでした。

Ama küçük prens yine, "Aynen öyle," dedi.

[ama kytʃyk prens jine ajnen øjle dedi]

ama	küçük	prens	yine	aynen	öyle	de-di
しかし	小さな	王子	再び	同じく	そのように	言う-PST

しかし小さな王子さまは、また、「まさにその通り」と言いました。

"Kumda ayak izlerimin başladığı yeri göreceksin.

[kumda ajak izlcrimin baʃladɯ: jeri gøredʒeksin]

kum-da	ayak	iz-ler-im-in	başla-dığ-ı	yer-i	gör-ecek-sin
砂-LOC	足	跡-PL-POSS.1SG-GEN	始まる-PTCP-POSS.3SG	場所-ACC	見る-FUT-2SG

「きみは砂にぼくの足跡が始まっている場所を見るだろう。

İşte orada bekle beni, bu gece geleceğim."

[iʃte orada bekle beni bu gedʒe geledʒejim]

işte ora-da bekle ben-i bu gece gel-eceğ-im
さて　そこ-LOC　待つ　私.SG-ACC　この　夜　来る-FUT-1SG

そこで待ってて、ぼくを。今夜ぼくは来るから」

Duvardan yirmi metre uzaktaydım.

[duvardan jirmi metre uzaktajdɯm]

duvar-dan yirmi metre uzak-ta-ydı-m
壁-ABL　二十　メートル　遠い-LOC-PST-1SG

私は壁から20メートル離れたところにいました。

Hâlâ kimse gözükmüyordu.

[ha:la: kimse gøzykmjordu]

hâlâ kimse gözük-mü-yor-du
まだ　誰も　見える-NEG-PROG-PST

まだ誰も見えませんでした。

Bir süre sustuktan sonra küçük prens yine konuştu.

[bir syre sustuktan sonra kytʃyk prens jine konuʃtu]

bir süre sus-tuk-tan sonra küçük prens yine konuş-tu
INDEF　期間　黙る-PTCP-ABL　後　小さな　王子　再び　話す-PST

少し黙ってから、小さな王子さまは再び話しました。

"Zehirin etkili mi? Bana fazla acı çektirmeyeceğine emin misin?"

[zehirin etkili mi bana fazla adʒɯ tʃektirmejedʒejine emin misin]

zehir-in etkili mi ban-a fazla acı çek-tir-me-yeceğ-in-e emin
毒-POSS.2SG　有効　Q　私.SG-DAT　あまりにも　苦しみ　引く-CAUS-NEG-FUT-POSS.2SG-DAT　確か

mi-sin
Q-2SG

「毒は効くかな？　ぼくにあまりにも苦しみを引かせないこと、君は確信してる？」

Olduğum yerde kalakaldım.

[oldu:m jerde kalakaldɯm]

ol-duğ-um   yer-de   kalakal-dı-m
なる-PTCP-POSS.1SG   場所-LOC   立ち尽くす-PST-1SG

私のいる場所で、私は立ち尽くしてしまいました。

Yüreğim parça parçaydı, ama hâlâ bir şey anlamıyordum.
[jyrejim partʃa partʃajdɯ ama haːlaː bir ʃej anlamɯjordum]

yüreğ-im   parça   parça=ydı   ama   hâlâ   bir   şey   anla-mı-yor-du-m
心臓-POSS.1SG   破片   破片=PST   しかし   まだ   INDEF   もの   わかる-NEG-PROG-PST-1SG

私の心臓はバラバラでした。でもまだ何もわからなかったのです。

"Şimdi git," dedi küçük prens.
[ʃimdi git dedi kytʃyk prens]

şimdi   git   de-di   küçük   prens
今   行く   言う-PST   小さな   王子

「さあ、行って」と小さな王子さまは言いました。

"Duvardan inmek istiyorum."
[duvardan inmek istijorum]

duvar-dan   in-mek   ist-iyor-um
壁-ABL   降りる-GER   欲する-PROG-1SG

「ぼくは壁から降りたいんだ」

O zaman duvarın dibine baktım.
[o zaman duvarɯn dibine baktɯm]

o   zaman   duvar-ın   dib-i-ne   bak-tı-m
その   時   壁-GEN   底-POSS.3SG-DAT   見る-PST-1SG

そのとき、壁の底を見ました。

Bakar bakmaz da yerimden sıçradım.
[bakar bakmaz da jerimden sɯtʃradɯm]

bak-ar   bak-maz   da   yer-im-den   sıçra-dı-m
見る-AOR   見る-NEG.AOR   CLT   場所-POSS.1SG-ABL   跳ぶ-PST-1SG

見るやいなや、私はその場所から跳び退きました。

Önümde, küçük prensin tam karşısında insanı otuz saniyede öteki dünyaya yollayacak sarı yılanlardan biri duruyordu.

[ønymde kytʃyk prensin tam karʃɯsɯnda insanɯ otuz saːnijede øteki dynjaːja jollajadʒak sarɯ jɯlanlardan biri durujordu]

ön-üm-de	küçük	prens-in	tam	karşı-sı-nda	insan-ı	otuz	saniye-de
前-POSS.1SG-LOC	小さな	王子-GEN	ちょうど	反対-POSS.3SG-LOC	人-ACC	三十	秒-LOC

öteki	dünya-ya	yolla-yacak	sarı	yılan-lar-dan	bir-i	dur-uyor-du
他の	世界-DAT	送る-PTCP.FUT	黄色い	蛇-PL-ABL	一-POSS.3SG	留まる-PROG-PST

私の前、小さな王子さまの真正面に、人を30秒であの世に連れていく、黄色い蛇が1匹いたのです。

Tabancamı çıkarmak üzere elimi cebime atarken bile geriye sıçramaktan kendimi alamadım.

[tabandʒamɯ tʃɯkarmak yzere elimi dʒebime atarken bile gerije sɯtʃramaktan kendimi alamadɯm]

tabanca-m-ı	çık-ar-mak	üzere	el-im-i	ceb-im-e	at-ar-ken
銃-POSS.1SG-ACC	出る-CAUS-GER	～のために	手-POSS.1SG-ACC	ポケット-POSS.1SG-DAT	投げる-AOR-CONV

bile	geri-ye	sıçra-mak-tan	kendi-m-i	al-a-ma-dı-m
～さえ	後ろ-DAT	跳ぶ-GER-ABL	自身-POSS.1SG-ACC	取る-POT-NEG-PST-1SG

私の銃を取り出そうと、手をポケットに入れたときでさえ、後ろに跳ばざるを得ませんでした。

Ama çıkardığım ses üzerine, yılan hafif metalik bir ses çıkararak hiç acele etmeden suyu kesilen bir fıskıye gibi küçülüp kayaların arasında kayboldu gitti.

[ama tʃɯkardɯːm ses yzerine jɯlan hafif metalik bir ses tʃɯkararak hitʃ adʒele etmeden suju kesilen bir fɯskɯje gibi kytʃylyp kajalarɯn arasɯnda kajboldu gitti]

ama	çık-ar-dığ-ım	ses	üzer-i-ne	yılan	hafif	metalik	bir	ses
しかし	出る-CAUS-PTCP-POSS.1SG	音	表面-POSS.3SG-DAT	蛇	軽い	金属の	一つの	音

çık-ar-arak	hiç	acele	et-meden	su-yu	kes-il-en	bir	fıskıye
出る-CAUS-CONV	まったく	緊急	する-CONV	水-POSS.3SG	切る-PASS-PTCP	一つの	水流

gibi	küçül-üp	kaya-lar-ın	ara-sı-nda	kaybol-du	git-ti
～のように	小さくなる-CONV	岩-PL-GEN	間-POSS.3SG-LOC	消える-PST	行く-PST

しかし私が出した音に対して、蛇は軽い金属音を出しながらもまったく急がずに、水が尽きる噴水のように小さくなって、岩々の間に消えてしまいました。

Turkish

　　Tam　zamanında　duvara　sıçrayıp　küçük　adamımı　kollarıma
　　ちょうど　その時間で　　壁に　　跳んで　　小さな　　私の男を　　私の両腕に

　　aldım.
　　（私は）取った

ちょうどそのとき、壁に跳んで私の小さな男 [小さな王子さまのこと] を腕に取りました。

　　Yüzü　kar　　gibi　beyazdı.
　　彼の顔　雪　〜のように　白かった

その顔は雪のように白いものでした。

　　"Ne　oluyor?　"　diye　bağırdım.
　　何　起こっている　　〜と　（私は）叫んだ

「何があったんだい？」と私は叫びました。

　　"Neden　yılanla　konuşuyorsun?　"
　　なぜ　　蛇と　　（君は）話している

「なぜ君は蛇と話しているんだい？」

Hep boynunda duran altın sarısı　atkısını　gevşettim.
いつも　彼の首に　止まる　金　その黄色　彼のスカーフを　(私は)緩めた

私は、彼の首全体に巻き付いている黄金のスカーフを緩めました。

Şakaklarını　ıslattım　ve　biraz su verdim.
彼のこめかみを　(私は)濡らして　そして　少し　水　(私は)与えた

彼のこめかみを濡らして、少し水を与えました。

Ona soru sormanın　sırası　değildi.
彼に　質問　尋ねることの　その順番　～ではなかった

彼に質問をする番ではありませんでした。

Yüzüme çok ciddi baktı ve kollarını boynuma doladı.
私の顔に　とても　真剣に　見た　そして　彼の両腕を　私の首に　回した

私の顔をとても真剣に見ました。そして彼は腕を私の首に回しました。

Yüreği vurulmuş, ölmek üzere olan bir küçük kuşun
彼の心臓　打たれたような　死ぬこと　～しそうな　～である　一つの　小さな　鳥の

yüreği gibi çarpıyordu...
その心臓　～のように　打っていた

彼の心臓は撃たれたような、死にそうな小鳥の心臓みたいに脈打っていました
……。

" Uçağının motorundaki arızayı bulmana sevindim, " dedi.
君の飛行機の　そのエンジンにある　故障を　(君が)見つけることに　(私は)嬉しい　言った

「きみが飛行機のエンジンに故障を見つけたのがぼくは嬉しいよ」と彼は言いました。

" Artık evine dönebileceksin."
もう　君の家に　(君は)戻れるだろう

「もう、きみは家に戻れるね」

〝Bunu　nerden　biliyorsun?〞
　これを　どこから　（君は）知っている

「君はこれをどうして知っているんだい？」

Ben　de　tam,　hiç　beklemediğim　bir　anda　motoru　tamir
私　〜も　ちょうど　まったく　待たない　一つの　瞬間に　エンジンを　修理

etmeyi　başardığımı　söylemeye　geliyordum.
することを　成功することを　言うことに　来ていた

私はちょうど、まったく期待していないときにエンジンの修理をするのに成功したことを言おうとして来ていたのです。

Sorumu　yanıtlamadı,　onun　yerine　ekledi:
私の質問を　答えなかった　彼の　その場所に　加えた

私の問いに彼は答えず、その代わりに付け加えました。

〝Bugün　ben　de　evime　dönüyorum...〞
今日　私　〜も　私の家に　戻っている

「ぼくも、今日うちに帰るよ……」

Sonra　üzüntüyle,〝Çok　daha　uzak...　Çok　daha　zor...〞dedi.
後　悲しみで　とても　もっと　遠い　とても　もっと　難しい　言った

それから悲しみとともに、「もっととても遠く……とても難しい……」と言いました。

Olağandışı　bir　şeylerin　olduğunun　farkındaydım.
普通でない　一つの　ことの　起こったことの　（私は）認識にあった

普通でないことが起こったということに、私は気づいていました。

Küçücük　bir　çocukmuş　gibi　kollarımda　tutuyordum　onu,
小さい　一人の　子供だった　〜のように　私の腕に　（私は）持っていた　彼を

| ama bana öyle geliyordu ki hızla korkunç bir uçuruma |
| しかし 私に そのように 来ていた CLT 速く 恐ろしい 一つの 結果に |

| doğru gidiyordu ve onu kurtarmak için yapabileceğim |
| 向かって 行っていた そして 彼を 救うこと ～のために (私が)できること |

| hiçbir şey yoktu... |
| まったく こと なかった |

小さな子供のように、私は腕に抱えていました、彼を。しかし私には次のように感じられました。彼は恐ろしい結末に向かっていたのです。そして彼を救うために私にできることはまったくありませんでした……。

| Bakışları çok uzaklarda bir yere bakıyormuş gibi |
| (彼の)視線 とても 遠い 一つの 場所に 見ている ～のように |

| donuklaşmıştı. |
| ぼやけた |

彼の視線は、とても遠くの場所を見ているかのようにぼやけていました。

| ″ Koyunum var artık. |
| 私の羊 ある もう |

「ぼくはもう、羊を持っているんだ。

| Kutusu ve ağızlığı da var... ″ |
| その箱 そして その口輪 ～も ある |

箱も口輪もある……」

| Acıyla gülümsedi. |
| 苦痛で ほほえんだ |

苦しみながらほほえみました。

| Uzun süre bekledim. |
| 長い 期間 (私は)待った |

長い間私は待ちました。

Yavaş yavaş canlandığını fark ediyordum.
遅い   遅い   (彼が)生き返ることを 違い (私は)していた

そろそろ生き返ることに、私は気づいていました。

" Küçük adamım, " dedim. " Korkuyorsun sen... "
小さい (私の)男 (私は)言った 恐れている 君は

「私の小さな少年」と私は言いました。「怖がっているんだ、君は……」

Korktuğu kesindi.
(彼が)恐れること 明白だった

彼が怖がっていることは明白でした。

Ama hafifçe güldü.
しかし 軽く 笑った

しかし彼は軽く笑いました。

" Bu akşam daha çok korkacağım... "
この 晩 もっと とても (私は)恐れるだろう

「今晩、ぼくはもっと怖がるよ……」

Buz gibi hissettim kendimi yine, onarılmayacak, geri
氷 〜のように (私は)感じた 私自身を 再び 治らないだろう 後ろ

getirilemeyecek bir şeylerin sezgisiyle.
持って来られることはできないだろう 一つの ことの 彼の直観で

私は自分を氷のように感じました。治まることはないだろう、取り戻すことはな
いだろう、と直感して。

Onun gülüşünü bir daha hiç duymayacak olmayı
彼の 笑いを 一つ もっと まったく 聞かないだろう 〜であることを

kaldıramayacağımı biliyordum.
(私が)耐えられないであろうことを (私は)知っていた

彼の笑いを二度と聞けなくなることに耐えられないと、私は知っていました。

Benim için çölün ortasında bir tatlı su kaynağıydı o.
私の ～にとって 砂漠の 中で 一つの 甘い 水 源だった 彼は

私にとって、砂漠の真ん中での飲み水だったのです、彼は。

" Küçük adam, " dedim.
小さな 男 (私は)言った

「小さな少年」と私は言いました。

" Gülüşünü duymak istiyorum yine. "
君の笑いを 聞くこと (私は)欲している 再び

「君が笑うのをまた聞きたいんだ」

Ama o, " Bu gece, tam bir yıl olacak, " dedi.
しかし 彼 この 夜 全部 一 年 ～であるだろう 言った

しかし彼は、「今夜、ちょうど1年になる」と言いました。

" Yıldızım, bir yıl önce Dünya'ya indiğim yerde tam tepemde
私の星 一 年 前 地球に (私が)降りる 場所で 全部 (私の)丘で

olacak bu gece... "
～であるだろう この 夜

「ぼくの星は、1年前地球にぼくが降り立った場所で、ちょうどぼくのてっぺんに
来るんだ、今夜……」

" Küçük adam, " dedim.
小さな 男 (私は)言った

「小さな少年」と私は言いました。

" Ne olur bunun yalnızca kötü bir düş olduğunu söyle bana;
何 ～だ これの ただ 悪い 一つの 夢 ～であることを 言う 私に

şu yılanla konuşmanın, buluşma yerinin ve yıldızın filan... "
その 蛇と (君が)話すことの 会うこと 場所の そして 星の など

「お願いだ。これはただの悪い夢だと言ってくれ、私に。あの蛇と君が話したこ
と、待ち合わせの場所、そして君の星のこととか……」

Ama yakarışıma kulak asmadı.
しかし　私の頼みに　　耳　掛けなかった

しかし、私の頼みに彼は耳を貸しませんでした。

Onun yerine, "Asıl önemli olan, gözle görülmeyendir..." dedi.
それの　場所に　　本当に　大事な　～であるもの　目で　　見られないものだ　　言った

その代わりに、「本当に大切なものは、目で見られることのないものなんだよ
……」と彼は言いました。

"Evet, biliyorum..."
はい　（私は）知っている

「ああ、知ってるよ……」

"Çiçekle olduğu gibi tıpkı.
花と　　～であること　～のように　ちょうど

「ちょうど花に関して、そうであるように。

Bir yıldızda yaşayan bir çiçeği seviyorsanız, geceleyin
一つの　星で　　　生きること　一つの　その花　（君たちが）好んでいる　　夜に

yıldızlara bakmak hoştur.
星々に　　　見ること　楽しみだ

ある星で暮らしている花のことを好きなら、夜に星々を見るのが楽しみなはずだ
ね。

Bütün yıldızlar çiçek açmış gibidir..."
すべて　　星々　　　花　　開いた　　～ようだ

全部の星が、花が咲いたようなんだよ……」

"Evet, biliyorum..."
はい　（私は）知っている

「ああ、知ってるよ……」

488　　トルコ語

" Su için de öyle.
水　　〜にとって　〜も　そのような

「水にとってもそうさ。

Çıkrık ve ip sayesinde vermiş olduğun su müzik
車輪　そして　綱　おかげで　与えた　(君が)〜であること　水　音楽

gibi geldi bana.
〜のような　来た　私に

車輪とロープのおかげできみがくれた水は、音楽のようだったんだ、ぼくには。

Hatırlıyor musun, ne hoştu. "
覚えている　　〜か　　何　楽しかった

きみは覚えているかい？　どれだけ楽しかったか」

" Evet, biliyorum... "
はい　(私は)知っている

「ああ、知ってるよ……」

" Ve geceleri gökyüzüne bakarsın.
そして　その夜　空に　　見るように

「そして夜ごとにきみは空を見るんだ。

Her şeyin çok küçük olduğu gezegenimin yerini
毎　ことの　とても　小さな　〜である　(私の)惑星の　場所を

gösteremem sana.
(私は)見せられない　君に

すべてがとても小さいぼくの星の場所を、ぼくはきみに示せなかったね。

Belki böylesi daha iyi.
たぶん　このような　もっと　良い

きっとこのほうが良いんだ。

Yıldızım senin için herhangi bir yıldız olsun.
(私の)星　　君の　　〜のために　どれでも　一つの　　星　　〜であるように

ぼくの星は、きみにとってどの星だってかまわない。

Böylece gökyüzündeki bütün yıldızlara bakmayı seveceksin...
このように　その空にあるもの　全部　　星々に　　見ることを　　好むように

こうして空の全部の星々を見ることを、きみは好きになれる……。

Hepsi senin dostların olacak.
全部　　君の　　親友　　〜であるだろう

すべてがきみの親友になるだろうさ。

Hem sana bir armağan vereceğim... ”
〜も　君に　一つの　贈り物　(私は)与えるだろう

きみに、贈り物もあげよう……」

Sonra yine güldü.
後　　また　笑った

そして、彼はまた笑いました。

“Küçük prens, sevgili küçük prens, bu gülüşünü çok seviyorum! ”
小さな　王子　愛しい　小さな　王子　これ　(君の)笑いを　とても　(私は)好んでいる

「小さな王子さま、愛しい小さな王子さま。この笑顔が私はとても好きだったのに！」

“ İşte bu benim armağanım.
さあ　これ　私の　　贈り物

「さあ、これがぼくの贈り物だよ。

Yalnızca bu suyu içtiğimiz zamanki gibi olacak. ”
たった　この　水を　(私たちが)飲む　時間の　〜のように　〜であるだろう

ただこれだけによって、ぼくたちが水を飲んだときにそうであったようになるんだ」

Erdoğan, Fatih (1987) (tr.) *Küçük Prens*. İstanbul: Mavibulut Yayıncılık. pp.83-87.

27 ウズベク語

　トルコ語と同じく、†チュルク語族に属し、そのうちの南東語群に属す
る言語です。ウズベク語の標準語はタシケント、ブハラ、サマルカンド
やフェルガナ盆地で話される方言、いわゆる都市方言をもとにしていま
す。

音韻論と文字体系

　ウズベキスタンでは長らくキリル文字による正書法が使用されてい
ましたが、1993年に新ラテン文字の正書法が制定され、その後1995年に
改訂が行われて現在に至っています（ただ現在でもなおキリル文字による
表記は広く用いられており、本書で引用した『星の王子さま』のテキストもキ
リル文字によるものです）。†母音音素は6つ（/i, e, a, ɔ, o, u/）で、子音音素
は25個（/p, b, t, d, k, g, q, f[ɸ～f], s, z, ʃ, ʒ, x, ɣ, h, ts, tʃ, dʒ, m, n, ŋ, w[v～w], l, r,
j/）です。ただし /f/, /ts/, /ʒ/ はもっぱら†外来語のみで使われます。ト
ルコ語と比べると、前舌の†円唇母音 (y, ø) や†中舌母音を持たず、一方
/o/ と /ɔ/ が対立しています。さらにチュルク諸語（さらにはアルタイ諸
言語全般）に特徴的な†母音調和がありません（方言や口語では母音調和が
観察されますが、標準語の正書法では失われています）。ペルシア語をはじ
めとするイラン系言語の強い影響によってこのように大きな変化が起
きたものと考えられています。†ラテン文字正書法では次のような文字
を使います（a, b, v/w/, g, d, e, j/ʒ/, dʒ/, z, i, y/j/, k, l, m, n, o/ɔ/, p, r, s, t, u, q,
f/ɸ～f/, x, ch/tʃ/, sh/ʃ/, h/h/, ' /ʔ/, o'/o/, g'/ɣ/）。oで表記されるのは /ɔ/、
o'で表記されるのが /o/ であることに注意しましょう。ラテン文字とキ
リル文字の表記は、ë/jo/、ю/ju/、я/ja/ などを除いて、ほぼ1対1に対応
します。キリル文字正書法では次のような文字を使います：а, б, в, г, д, е,

ё, ж, з, и, й, к, л, м, н, о/ɔ/, п, р, с, т, у, ф, х, ц, ч, ш, щ, ъ, ь, э, ю, я, ў/o/, қ/q/, ғ/ɣ/, ҳ/h/(第7章ロシア語の概説も参照してください)。†音節構造が (C)V(C)(C)であるところや、基本的に語の最終音節に†アクセントが来ることはトルコ語と同じです。

形態論

トルコ語と同じく†接尾辞と若干の†重複、および†複合を†形態的手法として用います。名詞には複数、†所属人称、†格を示す接尾辞がこの順序でつく点も同じです。それぞれの形式もトルコ語とよく似ていますが、母音調和による†異形態がないのが特徴的です (PL-lar, 1SG-(i)m, 1PL-(i)miz, 2SG-(i)ng, 2PL-(i)ngiz, 3-(s)i, NOM-Ø, GEN-ning, DEF.ACC-ni, DIR-ga, LOC-da, ABL-dan)。複数接辞によって単数の人への敬意を示すことができます (ota-m-lar 'father-1SG-PL'「私のお父様」。一方、本来の接辞の順序で ota-lar-im 'father-PL-1SG' とすると「私の父たち」(父や義父が複数いる、あるいは「父」を先祖一般の意味で用いる場合) となります)。

名詞述語文では†コピュラを用いません (Sanjar talaba.「サンジャルは学生です」)。†否定文は emas を用います (Sanjar talaba emas.「サンジャルは学生ではありません」。なおトルコ語では değil を使います。Elif öğrenci değil.「エリフは学生ではありません」)。†Yes/No 疑問文は文末に mi をつけます (Sanjar talabami?「サンジャルは学生ですか？」)。トルコ語での mI は母音調和し (大文字で代表させる表記については、第26章トルコ語の概説を参照)、文中のいろいろな位置に現れて疑問の†焦点を示しますが、ウズベク語では文末に現れます (名詞述語文では1人称を除き人称の†付属語の前です)。3人称以外が主語である場合の名詞述語文では、述語名詞に人称の付属語が付きます ({Men/Biz/Sen(lar)/Siz(lar)}　{talabaman/talabamiz/talabasan(lar)/talabasiz(lar)}.「{私は／私たちは／君 (たち) は／あなた (たち) は} 学生です」)。

指示詞には bu, shu, u, o'sha, manavi/mana bu, anavi/ana u があって、これらは定不定、遠近、可視不可視によって使い分けられる複雑な体系を示します (島田 (2019: 41) による)。

アルタイ諸言語全般に共通している点ですが、名詞と形容詞と副詞

の境界はあまり明確でなく、形容詞的な意味を示す語はそのままで複数や†格の接辞をとって名詞のように使われたり、やはりそのままで副詞的に使うことができます（yaxshi uy「良い 家」、Bu uy yaxshi.「この家は良い」、yaxshi-si-ni ber! 'good-3-ACC give'「（そのうちの）良いのを くれ」、yaxshi o'rgan-di「良く学んだ」）。なお bir「1」を形容詞と名詞の間に用いることで†不定を示すことができる点もトルコ語と同じです（yaxshi bir uy「ある良い家」）。

　動詞は†連接、モダリティ、テンス、人称によって変化します。動詞の人称には 1SG -m, 1PL -miz, 2SG -san, 2PL -siz, 3SG-Ø, 3PL (-lar) のようなセット（セット①とします）と 1SG -m, 2SG -ng, 1PL-k, 2PL-ngiz, 3SG- Ø, 3PL (-lar) のようなセット（セット②とします）があり、セット①は完了 -gan、不確定未来 -(a)r、継続 -moqda、意志 -moqchi、非過去 -a、伝聞過去 -(i)b、現在進行 -yap の後ろにつき（ただし非過去と伝聞過去の3人称では 3SG-di, 3PL-di(lar)、現在進行では 3SG-ti, 3PL-ti(lar) となります）、セット②は過去 -di の他に†条件副動詞形の -sa につきます。このような2つの人称のセットとその使い分けのシステムは基本的にトルコ語でも同じです。なお動詞の基本形（辞書形）の接辞は -moq です。2人称の人物に対してだけでなく、3人称の人物に対しても動詞を複数形にすることによってその人物に対する敬意を示すことができます（Ota-m-lar ol-ib kel-di-lar. 'father-1SG.POSS-PL take-CONV come-PAST-3PL「父上が持っていらっしゃった」）。

　連接の諸形式のうち†連体形ではトルコ語と次のような違いがあります。すなわち、トルコ語では動作主が被修飾語になるか、それ以外の語が被修飾語になるかによって、異なる連体形を用います（oku-**yan** çocuk「読む（読んだ）子供」vs. çocuǧ-un oku-**duǧ**-u kitap 'child-GEN read-PTCP-3 book'「子供の 読んだ 本」）。これに対しウズベク語では連体形にそのような区別はありません（o'qi-gan bola「読んだ 子供」、bolaning o'qi-gan kitob-i「子供の 読んだ 本」）。一方、†連用的な諸形には -(i)b「〜して」、-may「〜せずに」、-a/-y「〜しながら」、-gach「〜すると」、-guncha「〜するまで」、-gani「〜するために」などがあります。

　動詞の語幹を拡張する†派生接辞には、†使役（-tir/-dir etc.）、†受身（-(i)l/-(i)n）、†相互（-(i)sh）のように†態を表わすもの、可能（-(y)ol）、†否定（-ma）などがあります（bil-dir-moq「知らせる」、bil-in-moq「知られる」、tanish-moq「識り合う」、ishla-yol-moq「働ける」、bil-ma-moq「知らない」))。

　トルコ語とは異なり、さまざまな補助動詞が使われています。ye-b ko‘rmoq「食べて　みる」（< ko‘rmoq「見る」）、bil-ib　olmoq「（自分のために）知る（lit. 知っ-て とる）（< olmoq「とる」）、yoz-ib bermoq「書いてやる」（< bermoq「与える」）、to‘xta-b　qolmoq「止まって　しまう」（< qolmoq「残る」）、tush-ib ketmoq「落ちて しまう」（< ketmoq「去る」）、yoz-ib qo‘ymoq「書いておく」（< qo‘ymoq「置く」）、kul-ib yubormoq「笑いだす」（< yubormoq「送る」）、gapir-a bermoq「（かまわずに）話し続ける」（< bermoq「与える」）、o‘qi-y boshlamoq「読み始める」（< boshlamoq「始める」）、など（島田 (2019: 196-199) による）。

　tur-「立つ」、yur-「歩く」、yot-「横になる」、o‘tir-「座る」はともに進行「～ている」の意味の補助動詞として使われますが、それぞれもとの動詞のニュアンスを残しているため、より相性のよい動詞に接続する傾向があります。

統語論

　ウズベク語の統語論の基本的な部分は、トルコ語とほとんど違いがありません。ですので、第26章トルコ語の概説を参照してください。

島田 (2019)（第1部14章5節参照）

Кичкина Шаҳзода

Kichkina Shahzoda

26-2

— Йўғ-э?

[joɣe]

йўғ=э
yoʻgʻ=e
ない-EMP

「何だって？」

— Ҳар кимнинг ўз юлдузи бор.

[har kimniŋ oz julduzi bɔr]

ҳар	кимнинг	ўз	юлдузи	бор
har	kim-ning	oʻz	yulduz-i	bor
毎	誰-GEN	自身	星-3.POSS	ある

「誰にも自分自身の星がある。

Баъзиларга, айтайлик, сарбону сайёҳларга — улар йўл кўрсатувчи,
баъзиларга эса шунчаки митти шуъла, холос, олимларга — ечиш
лозим бўлган масала, мен кўрган корчалонга эса — олтин бўлиб
кўринади улар.

[baʔzilarga, ajtajlik sarbɔnu sajjɔhlarga ular jol korsatuwtʃi baʔzilarga esa ʃuntʃaki mitti ʃuʔla xɔlɔs
ɔlimlarga jetʃiʃ lɔzim bolgan masala men korgan kɔrtʃalɔnga esa ɔltin bolib korinadi ular]

баъзиларга	айтайлик	сарбону	сайёҳларга	улар	йўл
baʼzi-lar-ga	aytaylik	sarbon=u	sayyoh-lar-ga	ular	yoʻl
幾人-PL-DAT	例えば	隊商の長=〜と	旅人-PL-DAT	それら	道

кўрсатувчи	баъзиларга	эса	шунчаки	митти	шуъла	холос
koʻrsat-uvchi	baʼzi-lar-ga	esa	shunchaki	mitti	shuʼla	xolos
見せる-PTCP	幾人-PL-DAT	TOP	単なる	小さい	光	単に

олимларга	еч-иш	лозим	бўл-ган	масала	мен	кўрган
olim-lar-ga	yech-ish	lozim	boʻl-gan	masala	men	koʻr-gan
学者-PL-DAT	解く-VN	必要な	〜だ-PTCP.PST	問題	私	見る-PTCP.PST

Uzbek

корчалон-га	эса	олтин	бўлиб	кўринади	улар
korchalon-ga	esa	oltin	bo'l-ib	ko'r-in-a=di	ular
知ったかぶり-DAT	TOP	金	である-CONV	見る-PASS-NPST=3SG	それら

誰かにとって、例えば、隊商の長と旅人たちにとっては、それらは道しるべで、
誰かにとっては、単なる小さな光で、学者にとっては、解くべき重要な問題で、
ぼくが見た知ったかぶりの人［実業屋のこと］にとっては、金として見えるんだ、それらは。

Аммо бу одамларнинг барчаси учун юлдузлар безабон.

[ammɔ bu ɔdamlarniŋ bartʃasi utʃun julduzlar bezabɔn]

аммо	бу	одамларнинг	барчаси	учун	юлдузлар	безабон
ammo	bu	odam-lar-ning	barcha-si	uchun	yulduz-lar	bezabon
しかし	この	人-PL-GEN	すべて-3.POSS	～のために	星-PL	言葉がない

でも、これらの人たちのために、星は言葉を出さない。

Сенинг юлдузларинг эса бутунлай ўзгача бўлади...

[seniŋ julduzlariŋ esa butunlaj ozgatʃa boladi]

сенинг	юлдузларинг	эса	бутунлай	ўзгача	бўлади
sening	yulduz-lar-ing	esa	butunlay	o'zgacha	bo'l-a=di
君.GEN	星-PL-2SG	TOP	まったく	違った	いる-NPST=3

きみの星は、まったく違っている……」

― Ўзгача дейсанми?

[ozgatʃa dejsanmi]

ўзгача	дейсанми
o'zgacha	de-y=san=mi
違った	言う-NPST=2SG=Q

「違うと言うのかい？」

― Кечалари осмонга боқасану мен яшайдиган, менинг кулгим янграётган юлдузларнинг барчаси жилмайиб кулаётгандек туюлади.

[ketʃalari ɔsmɔnga bɔqasanu men jaʃajdigan meniŋ kulgim jaŋrajɔtgan julduzlarniŋ bartʃasi dʒilmajib kulajɔtgandek tujuladi]

кечалари	осмонга	боқасану	мен	яшайдиган	менинг
kecha-lar-i	osmon-ga	boq-a=san-u	men	yasha-ydigan	mening
夜-PL-3.POSS	空-DAT	眺める-NPST=2SG=～と	私	住む-PTCP.NPST	私.GEN

кулгим	янграётган	юлдузларнинг	барчаси	жилмайиб
kulgi-m	yangra-yotgan	yulduz-lar-ning	barcha-si	jilmay-ib
笑い声-1POSS	響く-PTCP.PRS	星-PL-GEN	すべて-3POSS	ほほえむ-CONV

кулаётгандек	туюлади
kul-ayotgan=dek	tuy-ul-a=di
笑う-PTCP.PRS-ように	感じる-PASS-NPST-3

「きみは夜に空を眺めて、ぼくの住んでいる、ぼくの笑い声が響く星たちのすべてがほほえんでいるように感じられるよ。

Ҳа, сенинг кула биладиган юлдузларинг бўлади!

[ha seniŋ kula biladigan julduzlariŋ boladi]

ҳа	сенинг	кула	биладиган	юлдузларинг	бўлади
ha	sening	kul-a	bil-adigan	yulduz-lar-ing	bo'l-a=di!
はい	君-GEN	笑う-CONV	知る-PTCP.NPST	星-PL-2SG	～だ-NPST-3

そう、きみが笑える星なんだ！」

У шундай деди-ю, кулиб юборди.

[u ʃunday dediju kulib jubərdi]

у	шундай	деди-ю	кулиб	юборди
u	shun=day	de-di=yu	kul-ib	yubor-di-Ø
彼	その-ように	言う-PST-～と	笑う-CONV	送る-PST-3

彼はそのように言って、笑いました。

— Юпанганингдан кейин эса (охир-оқибат доим юпанасан бари бир) қачондир мен билан ошна бўлганингни эслаб, юрагинг қувончга тўлади.

[jupanganiŋdan kejin esa əxirəqibat dəim jupanasan bari bir qatʃəndir men bilan əʃna bolganiŋni eslab juragiŋ kuvəntʃga toladi]

юпанганингдан	кейин	эса	охир-оқибат	доим	юпанасан
yupan-gan-ing-dan	keyin	esa	oxir-oqibat	doim	yupan-a=san
安堵する-PTCP.PST-2SG-ABL	後に	TOP	最後-結果	いつも	安堵する-NPST-2SG

бари	бир	қачондир	мен	билан	ошна	бўлганингни
bari	bir	qachon=dir	men	bilan	oshna	bo'l-gan-ing-ni
すべて	一つ	いつ-INDEF	私	～と共に	知人	なる-PTCP.PST-2SG.POSS-ACC

эслаб	юрагинг	қувончга	тўл-а=ди
esla-b	yurag-ing	quvonch-ga	to'l-a=di
思い出す-CONV	心-2SG.POSS	喜び-DAT	満ちる-NPST-3

「きみが安堵してから（結局、いつもきみは安堵する、どのみち）、いつかぼくと友達になったことを思い出して、きみの心が喜びに満ちる。

Сен ҳамиша менинг дўстим бўлиб қоласан, ҳамиша менга қўшилиб кулишни истаб юрасан.

[sen hamiʃa meniŋ dostim bolib qɔlasan, hamiʃa menga qoʃilib kuliʃni istab jurasan]

сен	ҳамиша	менинг	дўстим	бўлиб	қоласан	ҳамиша	менга
sen	hamisha	mening	do'st-im	bo'l-ib	qol-a=san	hamisha	men-ga
君	いつも	私.GEN	友達-1SG.POSS	なる-CONV	残る-NPST=2SG	いつも	私.DAT

қўшилиб	кулишни	истаб	юрасан
qo'shil-ib	kul-ish-ni	ista-b	yur-a=san
一緒になる-CONV	笑う-VN-ACC	望む-CONV	歩く-NPST=2SG

きみはいつもぼくの友達になってしまい、いつもぼくと一緒に笑うことを望んでいる。

Баъзан деразангни мана шундай ланг очиб юборасану шодумон бўлиб кетасан...

[baʔzan derazangni mana ʃunday laŋ ɔtʃib jubɔrasanu ʃɔdumɔn bolib ketasan]

баъзан	деразангни	мана	шундай	ланг	очиб	юборасану
ba'zan	deraza-ng-ni	mana	shun-day	lang	och-ib	yubor-a=san=u
時々	窓-2SG.POSS-ACC	まさに	その-ように	広く	開ける-CONV	送る-NPST=2SG=〜と

шодумон	бўлиб	кетасан
shodumon	bo'l-ib	ket-a=san
楽しい	なる-CONV	去る-NPST=2SG

ときどき、きみは窓を、まさにそのように開ける。楽しくなりながら……。

Шунда дўстларинг, нега у осмонга боқиб бунчалар хурсанд бўлаётган экан, деб қаттиқ ҳайрон бўладилар.

[ʃunda dostlariŋ nega u ɔsmɔnga bɔqib buntʃalar xursand bolajɔtgan ekan deb qattiq hajrɔn boladilar]

шунда	дўстларинг	нега	у	осмонга	боқиб	бунчалар	хурсанд
shunda	do'st-lar-ing	nega	u	osmon-ga	boq-ib	buncha-lar	xursand
その時	友達-PL-2SG	なぜ	彼	空-DAT	眺める-CONV	こんなに-PL	嬉しい

бӯлаётган	экан	деб	қаттиқ	ҳайрон	бӯладилар
bo'l-ayotgan	ekan	deb	qattiq	hayron	bo'l-a=dilar
~だ-PTCP.PRS	そうだ	~と	激しく	驚き	~だ-NPST-3PL

それで、きみの友達は、なぜ彼は空を眺めてこんなに嬉しそうにしているのかと、非常に驚く。

Сен бӯлса уларга: «Ҳа, ҳа, мен доимо юлдузларга боқиб хушхандон куламан!» дейсан.

[sen bolsa ularga ha ha men dɔimɔ julduzlarga bɔqib xuʃxandɔn kulaman dejsan]

сен	бӯлса	уларга	ҳа	ҳа	мен	доимо	юлдузларга	боқиб
sen	bo'lsa	ular-ga	ha	ha	men	doimo	yulduz-lar-ga	boq-ib
君	TOP	彼ら-DAT	はい	はい	私	いつも	星-PL-DAT	眺める-CONV

хушхандон	куламан	дейсан
xushxandon	kul-a-man	de-y=san
おどけて	笑う-NPST-1SG	言う-NPST-2SG

きみは彼らに『うん、うん、私はいつも星を眺めておかしくなって笑うんだ！』と言う。

Улар эса сени ақлдан озиб қолдимикан, деб гумон қилишади... кӯрдингми, қандай чатоқ ҳазил бошладим сен билан...

[ular esa seni aqldan ɔzib qɔldimikan deb gumɔn qiliʃadi kordingmi qandaj tʃatɔq hazil bɔʃladim sen bilan]

улар	эса	сени	ақлдан	озиб	қолдимикан	деб	гумон
ular	esa	seni	aql-dan	oz-ib	qol-di=mi=kan	deb	gumon
彼ら	TOP	君-ACC	知能-ABL	見失う-CONV	残る-PST-Q-~そうだ	~と	疑問

қилишади	кӯрдингми	қандай	чатоқ	ҳазил	бошладим
qilish-a-di	ko'r-di-ng=mi	qanday	chatoq	hazil	boshla-di-m
する-NPST-3	見る-PST-2SG-Q	どんなに	厄介な	冗談	始める-PST-1SG

сен	билан
sen	bilan
君	~と共に

彼らはきみがおかしくなってしまったのだろうかと疑う……きみはわかったかい？ ぼくがどんなに厄介な冗談を始めたのか、きみと一緒に……」

У   яна   қўнғироқдек   товуш   билан   кулиб   юборди.
u   yana   qo'ng'iroqdek   tovush   bilan   kulib   yubordi
彼   また   鈴のように   声   ～と共に   笑って   しまった

彼はまた鈴のように声を上げて笑いました。

— Гўё   юлдузнинг   ўрнига   сенга   бир   шода   жарангдор
Go'yo   yulduzning   o'rniga   senga   bir   shoda   jarangdor
まるで   星の   代わりに   君に   一つ   連なり   鳴り響く

қўнғироқ   совға   қилгандек   бўлдим...
qo'ng'iroq   sovg'a   qilgandek   bo'ldim
鈴   贈り物   したように   (私は)なった

「ぼくは、星の代わりに、きみに一束の鳴り響く鈴を贈ったようなものだよ……」

Яна   хандон   ташлаб   кулди,   сўнг   тағин   жиддий   тортди:
yana   xandon   tashlab   kuldi   so'ng   tag'in   jiddiy   tortdi
また   笑って   捨てて   笑う   あとに   また   真剣に   引く

また一瞬ほほえみを浮かべました。それからまた、真剣になりました。

— Биласанми... бугун кечаси... йўқ, яхшиси келмай
   bilasanmi   bugun   kechasi   yo'q   yaxshisi   kelmay
   (君は)知っているか   今日   夜   いいえ   いいこと   来ないで
қўяқол.
   qo'yaqol
   おいておけ

「きみは知っているかい……今夜……いや、来ないほうがいい」

— Мен сени ёлғиз қолдирмайман.
   men   seni   yolg'iz   qoldirmayman
   私   君を   一人   (私は)残さない

「私は君を一人にさせない」

— Сенга, бирор жойим оғриётгандек... хатто жон
   senga   biror   joyim   og'riyotgandek   xatto   jon
   君には   いくつかの   私の部分   痛んでいるように   さえ   魂
бераётгандек бўлиб туюлишим ҳам мумкин.
   berayotgandek   bo'lib   tuyulishim   ham   mumkin
   与えているように   なって   (私が)感じること   ～も   できる

「きみには、ぼくの体のところどころが痛んでいるように……ぼくが死にそうに
さえなっていると感じられるかもしれない。

Шунақа бўлади ўзи.
   shunaqa   bo'ladi   o'zi
   こんな   なる   それ自体

こんな風になっているんだ。

Келмай қўяқол, керакмас.
   kelmay   qo'yaqol   kerakmas
   来ないで   おいておけ   必要ない

来ないほうがいい。必要ないんだ」

Uzbek

— Мен сени ёлғиз қолдирмайман.
men   seni   yolg'iz   qoldirmayman
私   君を   ひとり   (私は)残さない

「私は君を一人にさせない」

У нимадандир қаттиқ ташвишманд кўринарди.
u   nimadandir   qattiq   tashvishmand   ko'rinardi
彼   何かから   ひどく   心配そうに   ようであった

彼は何かをひどく心配しているようでした。

— Биласанми... ҳалиги... илонни ўйлаяпман.
Bilasanmi   haligi   ilonni   o'ylayapman
(君は)知っているか   まだ   蛇を   (私は)考えている

「きみは知っているかい……まだ……ぼくが蛇のことを考えているのを。

Тағин у сени чақиб олса-я?
tag'in   u   seni   chaqib   olsa-ya
また   彼   君を   嚙んで   もらったら

また蛇がきみを嚙んでしまったら?

Ахир у ёвуз ҳайвон-ку.
axir   u   yovuz   hayvon-ku
結局   彼   邪悪な   動物だなあ

結局、蛇は邪悪な動物なんだなあ。

Бировни чақса, ҳузур қилади.
birovni   chaqsa   huzur   qiladi
誰かを   嚙んだら   満足   する

誰かを嚙むと、落ち着くんだ」

— Мен сени ёлғиз қолдирмайман.
men   seni   yolg'iz   qoldirmayman
私   君を   ひとり   (私は)残さない

「私は君を一人にさせない」

У бирдан хотиржам тортди:
u birdan xotirjam tortdi
彼 急に 安心 引いた

彼は急に安心して

— Ҳа, айтмоқчи, унинг заҳри икки кишига етмайди...
ha aytmoqchi uning zahri ikki kishiga yetmaydi
はい ところで 彼の 毒 二つ 人に 足りない

「そうだ。ところで、蛇の毒は2人分ないんだ……」

Кечаси унинг қандай туриб кетганини сезмай қолибман.
kechasi uning qanday turib ketganini sezmay qolibman
その夜 彼の どんなに 立って 去ったのを 感じずに しまったようだ

その夜、私は彼がどのように立ち上がって去ったのかを感じなかったようです。

У сассиз-шарпасиз сирғалиб кетиб қолган эди.
u sassiz-sharpasiz sirg'alib ketib qolgan edi
彼 音もなく スッと 去って しまった ～だった

彼は、音もなくスッと去ってしまったのでした。

Ниҳоят, уни қувиб етганимда, у жадал, дадил одим
nihoyat uni quvib yetganimda u jadal dadil odim
ついに 彼を 追って (私が)着いた時に 彼 早く 勇猛果敢な 歩み

отиб борарди.
otib borardi
投げて 行っていた

ついに、彼に追いつくと、彼は勇んで早足で歩いていました。

Мени кўриб:
meni ko'rib
私を 見て

私を見て

— Ҳа, сенмисан... — деди, холос.
　　　　ha　　senmisan　　　　dedi　　xolos
　　　　はい　　君か　　　　　　～と言った　だけだ

「ああ、きみか ……」と言っただけでした。

　Сўнгра　аста　қўлимдан　тутди-ю,　алланимадан　чўчигандек
　so'ngra　asta　qo'limdan　tutdi-yu　allanimadan　cho'chigandek
　そのあと　静かに　私の手から　つかんで　何かから　おびえたように

　дарров　тортиб　олди:
　darrov　tortib　oldi
　すぐに　引いて　取った

そのあと、静かに私の手をつかんで、何かにおびえたように、すぐに引き寄せました。

　　— Бекор　келяпсан　мен　билан.
　　　bekor　kelyapsan　men　bilan
　　　意味もなく　(君は)来ている　私　～と共に

「きみは意味もなく来ている。ぼくと一緒に。

　Аҳволимни　кўриб　қийналасан.
　ahvolimni　ko'rib　qiynalasan.
　私の様子を　見て　(君は)悩んでいる

きみはぼくの様子を見て悩んでいる。

　Назарингда　ўлаётгандек　кўринаман,　лекин　бу　ёлғон
　nazaringda　o'layotgandek　ko'rinaman,　lekin　bu　yolg'on
　君の目に　死んでいるように　(私が)見えるだろう　でも　これは　嘘

　бўлади...
　bo'ladi
　なんだ

きみの目には、ぼくが死んでいるように見えるだろう。でも、これは嘘なんだ ……」

Мен индамай боравердим.

men indamay boraverdim.

私　言わずに　(私は)進み続けた

私は話さずに進み続けました。

— Биласанми... йўлим ниҳоятда олис, жисмим эса

bilasanmi　yo'lim　nihoyatda　olis,　jismim　esa

(君は)知っているか　私の道　とても　遠い　私の体　〜は

ниҳоятда оғир.

nihoyatda og'ir.

とても　重い

「知っているかい……。ぼくの道はとても遠くて、ぼくの体はとても重いんだ。

Мен уни олиб кетолмайман.

men uni olib ketolmayman

私　それを　持って　(私は)行けない

ぼくはそれを運べない」

Мен индамай боравердим.

men indamay boraverdim

私　言わずに　(私は)進み続けた

私は話さずに進み続けました。

— Бу худди эски қобиқни ташлагандек бир гап.

bu xuddi eski qobiqni tashlagandek bir gap

これは　まさに　古い　殻を　捨てたような　一つ　話

「これは、まさに古い殻を捨てたようなものさ。

Ҳеч бир қайғурадиган жойи йўқ бунинг.

hech bir qayg'uradigan joyi yo'q buning

〜もない　一つ　悲しむ　ところ　ない　これの

何も悲しむところはないよ。これの」

Uzbek

Мен индамай боравердим.
men indamay boraverdim
私 言わずに （私は)進み続けた

私は話さずに進み続けました。

Унинг бир оз руҳи тушди, аммо бари бир зўр берди:
uning bir oz ruhi tushdi ammo bari bir zo'r berdi
彼の 一つ 少し 彼の魂 落ちた しかし すべて 一つ 奮闘 与えた

彼は少し気落ちしましたが、それでも自分を奮い立たせました。

— Мана кўрасан, жуда соз бўлади ҳали.
mana ko'rasan juda soz bo'ladi hali
ほら （君は)見る とても 良い なる 今しがた

「ほら見て。とてもいい、いましがた。

Мен ҳам юлдузларга термиламан.
men ham yulduzlarga termilaman
私 〜も 星たちを （私は)見つめる

ぼくも星を見つめよう。

Шунда жамики юлдуз ғичирлаб айланадиган чамбаракли
shunda jamiki yulduz g'ichirlab aylanadigan chambarakli
その時 すべて 星 ギシギシ言って 回る 滑車付きの

кўҳна қудуқ бўлиб кўринади.
ko'hna quduq bo'lib ko'rinadi
古い 井戸 なって 見える

それで、すべての星は、ギシギシいって回る滑車付きの古い井戸に見える。

Ва уларнинг ҳар бири менга ичгани сув беради...
va ularning har biri menga ichgani suv beradi
そして それらの 毎 一つ 私に 飲むための 水 くれる

そして、それらの一つずつがぼくに飲み水をくれる……」

Мен индамай боравердим.
men indamay boraverdim
私 言わずに （私は)進み続けた

私は話さずに進み続けました。

— Бир ўйлаб кўргин-а, қанчалик соз бўлади ўшанда!
bir o'ylab ko'rgin-a qanchalik soz bo'ladi o'shanda
一つ 考えて みてよ どれだけ 良い なる その場合

「ちょっと考えてみてよ。どれだけいいか、その場合！

Сенда беш миллион қўнғироқ бўлади, менда эса — беш
Senda besh million qo'ng'iroq bo'ladi, menda esa besh
きみに 五 百万 鈴 ある 私に 〜は 五

миллион булоқ...
million buloq
百万 泉

きみには500万の鈴になり、ぼくには500万の泉に……」

У бирдан жимиб қолди — бўғзига йиғи тиқилиб келди.
u birdan jimib qoldi bo'g'ziga yig'i tiqilib keldi
彼 突然 黙って しまった 喉に 悲しみ 詰まって きた

彼は突然黙ってしまいました――喉に悲しみが詰まってきました。

— Мана, етиб ҳам келдик.
Mana, yetib ham keldik.
ほら 着いて 〜も （私たちは)来た

「ほら、着いたよ。

Қўй энди мени, буёғига ўзим борай.
qo'y endi meni buyog'iga o'zim boray
置け 今 私を そちら側に 私自身で 行こう

離れて、ぼくから。そこへ自分で行こう」

Uzbek

Шундай деб кум узра бемажол чўкди — юрагини қўрқув
shunday deb kum uzra bemajol cho'kdi yuragini qo'rquv
そのように 言って 砂 〜の上に 力無く 沈んだ (彼の)心を 恐れ

чулғади.
chulg'adi
覆った

そのように言って、砂の上に力なく沈みました——彼の心を恐れが覆いました。

Хиёл ўтгач, секингина шивирлади:
xiyol o'tgach sekingina shivirladi
少し 過ぎて 小声で ささやいた

少し経って、小声でささやきました。

— Биласанми... гулим... мен гулимга жавобгарман.
bilasanmi gulim men gulimga javobgarman
(君は)知っているか 私の花 私 私の花に (私は)責任がある

「きみは知っているかい……ぼくの花……ぼくは自分の花に責任があるんだ。

Чунки у шунчалар заиф, ночорки!
chunki u shunchalar zaif nochorki
なぜなら それ とても 脆弱で 非力な

なぜなら、それはとても弱くて非力だからなんだ！

Соддалигини айтмайсанми?
soddaligini aytmaysanmi
(それの)純朴さを (君は)話さないのか

きみはその純朴さを話さないのかい？

Ўзини ҳимоя қилмоққа тўрттагина арзимас тиканидан
o'zini himoya qilmoqqa to'rttagina arzimas tikanidan
それ自体を 守ること するために たった四つの ちょっとした とげより

бошқа нарсаси йўқ...
boshqa narsasi yo'q
他に もの ない

自身を守るために、たった四つのちょっとしたとげのほかにないんだ……」

Мен	ҳам	қумга	мук тушдим,	оёқларимдан	мадор	қочиб,
men	ham	qumga	muk tushdim	oyoqlarimdan	mador	qochib
私	～も	砂に	(私は)うつ伏せに倒れ込んだ	私の脚から	力	逃げて

чалишиб	кетмоқда	эдим.
chalishib	ketmoqda	edim
もつれて	しまっている	(私は)～だった

私も砂にうつ伏せに倒れ込みました。私の脚から力が抜けて、もつれてしまっているのでした。

— Мана...	тамом	энди... —	деди	у.
mana	tamom	endi	dedi	u
ほら	終了	今	言った	彼

「ほら……終わった、いま……」と彼は言いました。

Бир	лаҳза	тек	қолди-ю,	сўнг	ўрнидан	турди.
bir	lahza	tek	qoldi-yu	so'ng	o'rnidan	turdi.
—	瞬間	何もせず	残った	そして	その後	その場所から	立った

その瞬間、そのままでした。その後、その場所から立ちました。

Бир	қадам	илгари	босди...
bir	qadam	ilgari	bosdi
—	歩	前に	進んだ

一歩前に進みました……。

Мен	эса	ҳамон	жойимдан	қўзғалолмас	эдим.
men	esa	hamon	joyimdan	qo'zg'alolmas	edim
私	～は	すぐに	自分の場所から	動けない	(私は)だった

私はすぐにその場から動けずにいました。

Оёқлари	остида	гўё	сариқ	яшин	чақнагандек	бўлди,	бир
oyoqlari	ostida	go'yo	sariq	yashin	chaqnagandek	bo'ldi	bir
脚	上に	まるで	黄色い	雷光	閃光を発したように	なった	—

дақиқа	қотиб	қолди.
daqiqa	qotib	qoldi
瞬間	固まって	しまった

Uzbek

足の上で、まるで黄色い雷光が光ったようになりました。彼は一瞬固まってしまいました。

Йиғламади, бўзламади.
yig'lamadi bo'zlamadi
泣かなかった 叫ばなかった

泣きませんでした。叫びませんでした。

Сўнг худди болта урилган дарахтдек оҳиста кулади: на
so'ng xuddi bolta urilgan daraxtdek ohista kuladi na
その後 まさに 斧 打たれた 木のように そっと 笑う ～もなく
бир шарпа, на бир сас...
bir sharpa na bir sas
一つ 音 ～もなく 一つ 声

その後、まさに斧が打たれた木のようにそっと笑いました。音も声もなく……。

Илло, қум зарралари тиқ этган товушни ҳам ютиб
illo qum zarralari tiq etgan tovushni ham yutib
ただ 砂 粒 コツン ～とした 音を ～も 吸い込んで
юборади-да.
yuboradi-da
しまったのだ

ただ、砂粒がコツンとした音をも吸収してしまったのでした。

Султонов, Хайриддин (1988) (tr.) *Кичкиа шаҳзода*. Тошкент: Ғафур Ғулом номидаги Адабиёт ва санъат нашриёти. pp.280-283.

28 日本語

　日本語と同†系統の言語は見つかっておらず、日本語の系統は今なお不明です。ただ『三国史記』(朝鮮半島に現存する最古の歴史書)に残る朝鮮半島の地名には「みっつ」、「なな」、「たに」などを [密]、[難隠]、[頓] などの漢字で記したものがあり、かつては朝鮮半島でも日本語と同系統の言語が話されていたと考えられています。日本国内の言語のうち、†アイヌ語は日本語とは音韻も文法も語彙もまったく異なっており、日本語との系統関係はないと考えられますが、沖縄や奄美の†琉球諸方言は疑いなく、他の日本語諸方言と同じ起源にさかのぼる言葉です。

音声と文字

　表記はかなり特徴的で、まず†表語文字である漢字を現在使用しているのは、本書の28言語の中では中国語と日本語だけです。漢字には†音読み・†訓読みがあり、そのそれぞれにいくつもの読み方があるものもあります (例えば〈生〉:セイ、ショウ、い‐きる、う‐まれる、は‐える、き、なま など)。これは学習者にとってもっとも困難な点であると言われています (中国語では基本的に1つの漢字の読み方は1通りだけです)。 ひらがなは漢字の草書体から、カタカナは漢字の一部分をとって作ったもので、いずれも†音節文字です。世界ではほかに、例えばエチオピアのアムハラ文字が音節文字ですが、アムハラ文字で同じ子音に別の母音がつくものは共有している部分を持っているのに対し、ひらがな・カタカナにはそれがありません。
　†子音音素には /p, t, k, b, d, g, m, n, s, h, z, w, j, r[ɾ] / の他に†特殊音素 /Q, N, R/ (それぞれ†促音「っ」、†撥音「ん」、†長音「ー」を示しています) があります。 促音は後続する子音 (主に無声破裂音) の調音の閉鎖を1拍分保つ

もので（河童 [kappa]、買った [katta]、閣下 [kakka]）、撥音は主に後続する子音の†調音位置に†同化した†鼻音を発音するものです（三倍 [sambai]、三台 [sandai]、三階 [saŋkai]）。/ti, tu/ は†破擦音 [tɕi, tsɯ] で発音されます（タティトゥテトでなく、タチツテトですね）。近年は†外来語音の「ティ」や「トゥ」（チーム vs. ティーム、ワンツースリー vs. ワントゥースリー）も使われて†対立しているので、破擦音音素をさらにもう 1 つ立て、「チ」「ツ」を /ti, tu/ とは解釈せず、/ci, cu/ とする解釈もあります（すると音素はさらに 1 つ増えることになります）。現代の話し手の多くはもはや失っていますが、[oːɡaɾasɯ]「大ガラス（硝子）」と [oːŋaɾasɯ]「大鳥」のような†最小対を認め、いわゆる†ガ行鼻濁音の音素 /ŋ/ を立てる説や、長音音素 /R/ を立てない説などもあります。母音は /i, e, a, o, u/ の 5 つで、/u/ は唇の丸めが強くなく、もっぱら [ɯ] で発音されます。母音（特に /i/ と /u/）は†無声子音の間や語頭語末で†無声化します（[kɯ̥sɯɾi]「薬」、[i̥kimasɯ̥ ~ ikimasɯ̥ ~ i̥kimasɯ̥]「行きます」）。†音節構造は (C₁)(S)V(C₂) で S に現れるのは /j/ のみ（キャキュキョなどの†拗音を形成します）、C₂ は特殊音素のみです。

　†アクセントの高低が意味の区別に役立っています（火が vs. 日が、雨 vs. 飴、箸が vs. 橋が vs. 端が、電気 vs. 伝記、父さん vs. 倒産）。動詞や形容詞は 2 つのパターンしかありませんが（上線が高い部分です：よ‾ろ‾こぶ vs. は‾た‾らく、うれ‾し‾い vs. あ‾か‾るい ~ あ‾か‾る‾い）、名詞は n 拍の名詞なら n + 1 のパターンがあります（‾か‾みさま、て‾し‾ごと、し‾ず‾け‾さ、い‾ち‾が‾つ = が、は‾は‾お‾や = ‾が（つまり、†助詞がついて下がる語と下がらない語があります）。

形態論

　†形態的手法には主に†接尾辞を用いますが、†重複（山々、人々、など）や†複合（車 - いす、など）もよく使われています。

　名詞における複数の標示は義務的でなく、もっぱら人間名詞にのみ -tati, -ra, -domo が用いられます（ただし指示代名詞の「これら」、「それら」は物を示します）。†格は†付属語で示され、=ga, =o, =ni, =de, =to, =yori, =kara, =made などがあります。そのほかに副助詞（=dake, =sika, =koso）や係助詞

（=wa, =mo）と呼ばれる付属語があって、†情報構造等を示します（象の鼻は 長い vs. 象は 鼻が 長い）。副助詞や係助詞は†とりたてとして扱われることもあります。

　=no は名詞と名詞の関係（例えば、ore=no hon）を示すという点で、他の格とは違っています。=no が示す名詞と名詞の関係には、きわめてさまざまなものがあります（例えば、先生の絵、3時のおやつ、自動車の運転、机の上、バラの花びら、長い髪の女、1杯の水、社長の田中さん、など）。=ga と交替する =no（雨 {が／の} 降る日）や、名詞相当の語句を形成する =no（オレのはどれ）もあります。

　数詞には漢語の一、二、三、と†和語のひとつ、ふたつ、みっつ、がありますが、和語の方は 10（とお）までしか使われません（ほかには「はたち」や「みそか」、「ちとせ」（千歳）などの語の中に古い和語の数詞が残存しているだけです）。†助数詞による類別があり、有生／無生、形状などによって、〜匹、〜頭、〜台、〜本、〜枚、〜冊、などを使い分けます。［数詞＋助数詞］の位置は、名詞の前とは限りません（5本のペンを買った／ペン5本を買った／ペンを5本買った）。

　動詞は大きく五段動詞（子音語幹動詞）と一段動詞（母音語幹動詞）の2種類に分かれ、さらに不規則変化の2つの動詞（サ変 suru、カ変 kuru）があります。日本語母語話者は五段動詞と一段動詞の違いをふだん意識していませんが、aseru, kiru のような形の動詞は、aser-anai「焦らない」、kir-anai「切らない」のような変化形を示すもの（五段動詞）と、ase-nai「（色）褪せない」、ki-nai「着ない」のような変化を示すもの（一般動詞）に分かれます（†命令形もはっきり異なります：kir-e vs. ki-ro。「切る」と「着る」ではアクセントも違います）。†自動詞と†他動詞の形は異なっていることが多く（開く vs. 開ける、消える vs. 消す、など）、他動詞の動作は基本的に人間から（人間／）物に対して行われ、逆は不自然になります（例えば「この薬があなたを治すだろう」のような文は不自然）。

　動詞は†連接と†テンス（見-る、見-た）、†モダリティ（見-ろ、見-よう、など）によって変化します。連接には他の述語に続く†連用的な諸形（-(i)nagara, -(i)te, -(r)eba, -(i)tara）や、名詞に続く†連体形などがあり、特にいわゆる†条件形には4種類の使い分けがあります（戦うと勝つ、戦えば勝つ、

戦ったら勝つ、戦うなら勝つ）。

　動詞の文法的な†派生には†使役 -(s)ase-、†受身 -(r)are- のような†態の接辞があって、［使役 - 受身］の順序で接続します（食べ - させ - られ - た）。持ち主の受身「財布を盗まれた」や自動詞の受身「雨に降られて濡れてしまった」があることも特徴的です。

　連用形に続く†補助動詞（〜し合う、〜し始める、〜し出す、など）やテ形に続く補助動詞（〜てみる、〜ておく、〜てしまう、〜てくる、など）がたくさんあって、しかも多用されます。特に「〜ている」は動詞によって†進行（走っている）や結果状態（落ちている）を示し、きわめて多用されます。†やりもらいの補助動詞には†人称（より正確にはウチとソト）に関する使い分けがあります（「読んであげた」'I read it for him. vs.「読んでくれた」'He read it for me.'）。「いる」と「ある」の違いがあることは珍しく、本書の他の27言語にはこのような†対立を持つ言語はほかにありません（海に魚がいる vs. 魚屋に魚がある）。複雑な†敬語を持つ言語は朝鮮語、チベット語、ジャワ語など世界にはたくさんあり、決して珍しいことではありませんが、一連の謙譲語（申し上げる、お - 手伝い - する、など）の体系があることは特徴的と言えます。

　なお本書の『星の王子さま』のテキストの分析では、「変化しない部分を語幹、変化する部分を接尾辞（もしくは語尾）」とみる原則を徹底しています。例えば、hanas-ite「話して」, hanas-imas-u「話します」, hanas-imas-en「話しません」, hanas-u「話す」, hanas-eba「話せば」, hanas-e「話せ」, hanas-ana-i「話さない」, hanas-ana-katta「話さなかった」のように分析しています。これは日本語教育などでよく使われている方法で、現在の日本語の状況をよりシンプルに捉えるのに適した分析方法の1つです。一方、hanas-a-nai（「話さ」（未然形）＋ない）、hanas-i-masu（「話し」（連用形）＋ます）のような分析は採用しませんでした。こちらは学校文法で習うやり方であり、古文への導入などには適しています。したがって本書の分析では連用形や未然形というものは現れないということになります。

星の王子さま

hosino oRzisama

27

さて、いまとなってみると、もう、たしかに六年まえのことです……。

[sate imato natte miɾɯto moː taɕikani ɾokɯnemmaeno kotodesɯ]

さて	いまと	なって	みると	もう	たしかに	六年まえの	ことです
sate	ima=to	naQ-te	mi-ɾɯ=to	moR	tasika=ni	roku-neN-mae=no	koto=des-u
さて	今-QUOT	なる-SEQ	見る-NPST-COND	もう	確かだ-ADVF	六-年-前-GEN	こと-〜だ-POL-NPST

ぼくは、この話を、まだ、だれにもしたことがありません。

[bokɯwa kono hanaɕio mada daɾenimo ɕita kotoga aɾimaseɴ]

ぼくは	この	話を	まだ	だれにも	した	ことが	ありません
boku=wa	kono	hanasi=o	mada	dare=ni=mo	s-ita	koto=ga	ar-imas-eN
僕-TOP	この	話-ACC	まだ	誰-DAT-CUM	する-ADNF.PST	こと-NOM	ある-POL-NEG

その後、ぼくにあった友人たちは、ぼくが生きているのを見て、たいへんよろこびました。

[sono go bokɯni atta zɯːʑintatɕiwa bokɯga ikite iɾɯnoo mite taiheɴ jorokobimaɕita]

その	後	ぼくに	あった	友人たちは	ぼくが	生きて	いるのを	見て
sono	go	boku=ni	aQ-ta	yuRziN-tati=wa	boku=ga	iki-te	i-ru=no=o	mi-te
その	後	僕-DAT	ある-ADNF.PST	友人-PL-TOP	僕-NOM	生きる-SEQ	いる-ADNF.NPST-DN-ACC	見る-SEQ

たいへん	よろこびました
taiheN	yorokob-imas-ita
大変	喜ぶ-POL-PST

ぼくは、かなしかったのですけれど、友人たちには、〈なにしろ、つかれてるんでね……〉といっていたものです。

[bokɯ wa kanaɕikattanodesɯkeɾedo zɯːʑintatɕiniwa nani ɕiro tsɯkaɾeteɾɯndeneto itte itamonodesɯ]

ぼくは	かなしかったのですけれど	友人たちには	なにしろ
boku=wa	kanasi-kaQta=no=des-u=keredo	yuRziN-tati=ni=wa	nanisiro
僕-TOP	悲しい-ADNF.PST-DN-〜だ-NPST-CONC	友人-PL-DAT-TOP	なにしろ

つかれてるんでねと　　　いって　　　いたものです
tukare-te (i-)ru=N=de=ne=to　　　iQ-te　　　i-ta=mono=des-u

疲れる -SEQ いる -ADNF.NPST-DN=～だ -SFP=QUOT　言う -SEQ　いる -ADNF.PST=もの=～だ .POL-NPST

いまとなっては、かなしいには、かなしいのですが、いくらかあきらめがつきました。

[imato nattewa kanaɕiiniwa kanaɕiinodesɯga ikɯraka akiramega tsɯkimaɕita]

いまと　　なっては　　　かなしいには　　　かなしいのですが　　　いくらか
ima=to　　naQ-te=wa　　kanasi-i=ni=wa　　　kanasi-i=no=des-u=ga　　ikura-ka

今 =QUOT　なる -SEQ=TOP　悲しい -ADNF.NPST=DAT=TOP　悲しい -ADNF.NPST=DN=～だ -NPST=CONC　いくら -INDEF

あきらめが　つきました
akirame=ga　tuk-imas-ita

諦め =NOM　　つく -POL-PST

といったところで……すっかりあきらめがついた、というわけではありません。

[to itta tokorode sɯkkari akiramega tsɯitato iɯ wakedewa arimaseɴ]

と　　いった　　ところで　　すっかり　　あきらめが　　ついた、と　　いう　　わけでは
to　　iQ-ta　　tokoro=de　　suQkari　　akirame=ga　　tu-ita-to　　i-u　　wake=de=wa

QUOT　言う -ADNF.PST　所 =LOC　すっかり　諦め =NOM　つく -PST=QUOT　言う -ADNF.NPST　訳 =LOC=TOP

ありません
ar-imas-eN

ある -POL-NEG

でも、王子さまが、じぶんの星に帰ったことは、よく知っています。

[demo oːʑisamaga dʑibɯnno hoɕini kaetta kotowa jokɯ ɕitte imasɯ]

でも　王子さまが　じぶんの　星に　帰った　ことは　よく　知って　います
demo　oRzi-sama=ga　zibuN-no　hosi=ni　kaeQ-ta　koto=wa　yo-ku　siQ-te　i-mas-u

でも　王子 -HON=NOM　自分 =GEN　星 =DAT　帰る -ADNF.PST　こと =TOP　よい -ADVF　知る -SEQ　いる -POL-NPST

なぜなら、夜があけたとき、どこにも、あのからだが見つからなかったからです。

[nazenara joga aketa toki dokonimo ano karadaga mitsɯkaranakattakaradesɯ]

なぜなら　夜が　あけた　とき　どこにも　あの　からだが
naze-nara　yo=ga　ake-ta　toki　doko=ni=mo　ano　karada=ga

なぜ =COND　夜 =NOM 明ける -ADNF.PST　時　どこ =DAT=CUM　あの　体 =NOM

見つからなかったからです
mitukar-ana-kaQta=kara=des-u

見つかる -NEG-PST=CSL=～だ .POL-NPST

たいして、重いからだではなかったのです……。

[taiɕite omoi karadadewa nakattanodesɯ]

たいして	重い	からだでは	なかったのです
taisite	omo-i	karada=de=wa	na-kaQta=no=des-u
たいして	重い-ADNF.NPST	体-LOC=TOP	ない-ADNF.PST-DN=～だ.POL-NPST

ぼくは夜になると、空に光っている星たちに、耳をすますのがすきです。

[bokɯwa jorɯni narɯto sorani hikatte irɯ hoɕitatɕini mimio sɯmasɯnoga sɯkidesɯ]

ぼくは	夜に	なると	空に	光って	いる
boku=wa	yoru=ni	nar-u=to	sora=ni	hikaQ-te	i-ru
僕-TOP	夜-DAT	なる-ADNF.NPST=COND	空-DAT	光る-SEQ	いる-ADNF.NPST

星たちに	耳を	すますのが	すきです
hosi-tati=ni	mimi=o	sumas-u=no=ga	suki=des-u
星-PL=DAT	耳-ACC	澄ます-ADNF.NPST=DN=NOM	好き=～だ.POL-NPST

まるで五億の鈴が、鳴りわたっているようです……

[marɯde gookɯno sɯzɯga nariwatatte irɯjoːdesɯ]

まるで	五億の	鈴が	鳴りわたって	いるようです
marude	go-oku=no	suzu=ga	nariwataQ-te	i-ru=yoR=des-u
まるで	五・億-GEN	鈴-NOM	鳴り渡る-SEQ	いる-ADNF.NPST=EQU=～だ.POL-NPST

ところで、どうでしょう。

[tokorode doːdeɕoː]

ところで	どうでしょう
tokorode	doR=des-yoR
ところで	どう=～だ.POL-INFER

こんな、たいへんなことがあるのです。

[konna taiheɴ na kotoga arɯnodesɯ]

こんな	たいへんな	ことが	あるのです
koNna	taiheN=na	koto=ga	ar-u=no=des-u
こんな	大変-ADNF	こと-NOM	ある-ADNF.NPST=DN=～だ.POL-NPST

ぼくは、王子さまの注文で、口輪の絵をかいたのですが、それに、皮ひもをつけることを忘れたのです。

[bokɯwa oːʑisamano tɕɯːmonde kɯtɕiwano eo kaitanodesɯga soreni kawahimoo tsɯkerɯ kotoo wasɯretanodesɯ]

ぼくは	王子さまの	注文で	口輪の	絵を	かいたのですが
boku=wa	oRzi-sama=no	tyuRmoN=de	kutiwa=no	e=o	ka-ita=no=des-u=ga
僕 =TOP	王子 -HON=GEN	注文 =INS	口輪 =GEN	絵 =ACC	書く -ADNF.PST=DN=〜だ .POL-NPST=CONC

それに	皮ひもを	つける	ことを	忘れたのです
sore=ni	kawahimo=o	tuke-ru	koto=o	wasure-ta=no=des-u
それ =DAT	皮ひも =ACC	つける -ADNF.NPST	こと =ACC	忘れる -ADNF.PST=DN=〜だ .POL-NPST

だから、王子さまは、とてもヒツジに口輪をはめさせるわけに、いかなかったでしょう。

[dakara oːʑisamawa totemo hitsɯʑini kɯtɕiwao hamesaserɯ wakeni ikanakattadeɕoː]

だから	王子さまは	とても	ヒツジに	口輪を	はめさせる	わけに
da=kara	oRzi-sama=wa	totemo	hituzi=ni	kutiwa=o	hame-sase-ru	wake=ni
〜だ =CSL	王子 -HON=TOP	とても	羊 =DAT	口輪 =ACC	はめる -CAUS-ADNF.NPST	訳 =DAT

いかなかったでしょう
ik-ana-kaQta=des-yoR
行く -NEG-PST=〜だ .POL-INFER

そこで、ぼくは、〈王子さまの星の上では、いったい、どんなことが、もちあがったかしら。

[sokode bokɯwa oːʑisamano hoɕino ɯedewa ittai donna kotoga motɕiagattakaɕira]

そこで	ぼくは	王子さまの	星の	上では	いったい	どんな
soko=de	boku=wa	oRzi-sama=no	hosi=no	ue=de=wa	iQtai	doNna
そこ =LOC	僕 =TOP	王子 -HON=GEN	星 =GEN	上 =LOC=TOP	一体	どんな

ことが	もちあがったかしら
koto=ga	motiagaQ-ta=kasira
こと =NOM	持ちあがる -PST=SFP

ヒツジが花をくったかもしれない……〉などと考えています。

[hitsɯʑiga hanao kɯttakamo ɕirenainadoto kaŋgaete imasɯ]

ヒツジが	花を	くったかも	しれないなどと	考えて	います
hituzi=ga	hana=o	kuQ-ta=ka=mo	sir-e-na-i=nado=to	kaNgae-te	i-mas-u
羊 =NOM	花 =ACC	食う -PST=Q=CUM	知る -POT-NEG-NPST=APPR=QUOT	考える -SEQ	いる -POL-NPST

日に　よると、ぼくは、〈 そんな　ことが　あるものか。
hi=ni　yor-uto　boku=wa　　soNna　　koto=ga　　ar-u=mono=ka
日-DAT　よる-COND　僕-TOP　　そんな　　こと-NOM　ある-ADNF.NPST-もの-Q

王子さまは、夜に　なると、いつも　たいせつな　花に　覆いガラスを
oRzi-sama=wa　yoru-ni　nar-uto　itu=mo　　taisetu=na　hana-ni　ooigarasu=o
王子-HON-TOP　夜-DAT　なる-COND　いつ-CUM　大切だ-ADNF　花-DAT　覆いガラス-ACC

かけて、　ヒツジが　　よりつかないように、　よく　　目を　くばって
kake-te　　hituzi=ga　　yorituk-ana-i=yoRni　　yo-ku　　me=o　kubaQ-te
かける-SEQ　羊-NOM　　寄り付く-NEG-ADNF.NPST-PURP　よい-ADVF　目-ACC　配る-SEQ

いるのだ……〉と　思う　ことが　あります。
i-ru=no=da=to　　omo-u　koto=ga　ar-imas-u
いる-ADNF.NPST-DN-〜だ-QUOT　思う-ADNF.NPST　こと-NOM　ある-POL-NPST

すると、ぼくは　安心　します。
s-uruto　boku=wa　aNsiN　s-imas-u
する-COND　僕-TOP　安心　する-POL-NPST

そ　して、　空の　星が　みな、さも　たのしそうに　笑うのです。
so　s-ite　sora=no　hosi=ga　mina　samo　tanosi=soR-ni　wara-u=no=des-u
そう　する-SEQ　空-GEN　星-NOM　皆　さも　楽しい-PROS-ADVF　笑う-ADNF.NPST-DN-〜だ.POL-NPST

また、 日に　　よっては、〈　一度や　　そこら、　うっかり　　する　　ときが
mata　hi=ni　yoQ-te=wa　iti-do=ya　sokora　uQkari　s-uru　toki=ga
また　日=DAT　よる=SEQ=TOP　一-CL=や　そこら　うっかり　する-ADNF.NPST　時=NOM

　　あるものだが、　　そ　したら、　もう、おしまいだ。
　　ar-u=mono=da=ga　so　s-itara　moR　osimai=da
ある-ADNF.NPST=もの=〜だ=CONC　そう　する-COND　もう　おしまい=〜だ

王子さまは、　ある　　日の　　晩方、覆いガラスを　　　かける　　ことを
oRzi-sama=wa　aru　hi=no　baNgata　ooigarasu=o　kake-ru　koto=o
王子-HON=TOP　ある　日=GEN　晩方　覆いガラス=ACC　かける-ADNF.NPST　こと=ACC

忘れたか、　そうで　なけりゃ、ヒツジが、　夜　　そっと　外へ
wasure-ta=ka　soR-de　na-kerya　hituzi=ga　yoru　soQto　soto=e
忘れる-PST=Q　そう=LOC　ない-COND　羊=NOM　夜　そっと　外=ALL

出たのだ……〉と　　　思う　　　ことも　あります。
de-ta=no=da=to　omo-u　koto=mo　ar-imas-u
出る-ADNF.PST=DN=〜だ=QUOT　思う-ADNF.NPST　こと=CUM　ある-POL.NPST

そう　なると、　鈴が　みな、　涙に　　なって　　しまうのです！……
soR　nar-uto　suzu=ga　mina　namida=ni　naQ-te　sima-u=no=des-u
そう　なる-COND　鈴=NOM　皆　涙=DAT　なる-SEQ　しまう-ADNF.NPST=DN=〜だ.POL-NPST

まったく、ふしぎな　　ことなのです。
maQtaku　husigi=na　koto=na=no=des-u
まったく　不思議=ADNF　こと=ADNF=DN=〜だ.POL-NPST

あの　王子さまを　愛して　　　いる　　　あなたがたと、ぼくに　とっては、
ano　oRzi-sama=o　ais-ite　i-ru　anata-gata=to　boku=ni　toQ-te=wa
あの　王子-HON=ACC　愛する-SEQ　いる-ADNF.NPST　あなた-PL.HON=COM　僕=DAT　とる-SEQ=TOP

ぼくたちの　知らない、　どこかの　ヒツジが、どこかに　咲いて　　いる
boku-tati=no　sir-ana-i　doko=ka=no　hituzi=ga　doko=ka=ni　sa-ite　i-ru
僕-PL=GEN　知る-NEG-ADNF.NPST　どこ=INDEF=GEN　羊=NOM　どこ=INDEF=DAT　咲く-SEQ　いる-ADNF.NPST

バラの　花を、　たべたか、たべなかったかで、この　世界に　　ある
bara=no　hana=o　tabe-ta=ka　tabe-na-kaQta=ka=de　kono　sekai=ni　ar-u
バラ=GEN　花=ACC　食べる-PST=Q　食べる-NEG-PST=Q=INS　この　世界=DAT　ある-ADNF.NPST

ものが、 なにもかも、 ちがって しまうのです……
mono=ga nani=mo ka=mo tigaQ-te sima-u=no=des-u
もの-NOM 何-CUM あれ-CUM 違う-SEQ しまう-ADNF.NPST=DN=～だ.POL-NPST

空を ごらんなさい。
sora=o goraN=nasa-i
空-ACC ご覧-なさる-IMP

そ して、 あの ヒツジは、 あの 花を たべたのだろうか、
so s-ite ano hituzi=wa ano hana=o tabe-ta=no=dar-oR=ka
そう する-SEQ あの 羊-TOP あの 花-ACC 食べる-ADNF.PST=DN=～だ-INFER-Q

たべなかったのだろうか、 と 考えて ごらんなさい。
tabe-na-kaQta=no=dar-oR=ka=to kaNgae-te goraN=nasa-i
食べる-NEG-ADNF.PST=DN=～だ-INFER=Q=QUOT 考える-SEQ ご覧-なさる-IMP

そう したら、 世の なかの ことが みな、 どんなに 変わるものか、
soR s-itara yo=no naka=no koto=ga mina doNna=ni kawar-u=mono=ka
そう する-COND 世-GEN 中-GEN こと-NOM 皆 どんな-ADVF 変わる-ADNF.NPST=もの-Q

おわかりに なるでしょう……
o-wakar-i=ni nar-u=des-yoR
HON-わかる-NMLZ=DAT なる-NPST=～だ.POL-INFER

そ して、 おとなたちには、 だれにも、 それが どんなに だいじな ことか、
so s-ite otona-tati=ni=wa dare=ni=mo sore=ga doNna=ni daizi=na koto=ka
そう する-SEQ 大人-PL-DAT=TOP 誰-DAT=CUM それ-NOM どんな-ADVF 大事-ADNF こと-Q

けっして わかりっこ ないでしょう。
keQsite wakar-iQko na-i=des-yoR
けっして わかる-NMLZ ない-NPST=～だ.POL-INFER

これが、 ぼくに とっては、 この 世の 中で 一ばん 美しくって、 一ばん
kore=ga boku=ni toQ-te=wa kono yo=no naka=de iti-baN utukusi-kuQte iti-baN
これ-NOM 僕-DAT とる-SEQ=TOP この 世-GEN 中-LOC 一-ORD 美しい-SEQ.EMP 一-ORD

かなしい 景色です。
kanasi-i kesiki=des-u
悲しい-ADNF.NPST 景色=～だ.POL-NPST

前の　　ページに　　　あるのと、　　　おなじ　景色ですけれど、　みなさんに
mae=no　peRzi=ni　ar-u=no=to　onazi　kesiki=des-u=keredo　mina=saN=ni
前-GEN　ページ-DAT　ある-ADNF.NPST=DN=COM　同じ　景色-～だ.POL-NPST=CONC　皆-HON=DAT

よく　　　お見せ　　しようと　　思って、　もう　　一度　　かきました。
yo-ku　o-mise　s-iyoR=to　omoQ-te　moR　iti-do　kak-imas-ita
よい-ADVF　HON-見せる.NMLZ　する-VOL=QUOT　思う-SEQ　もう　一-CL　書く-POL-PST

王子さまが、　この　　　地球の　　上に　すがたを　見せて、　それから　また、
oRzi-sama=ga　kono　tikyuR=no　ue=ni　sugata=o　mise-te　sore=kara　mata
王子-HON=NOM　この　地球=GEN　上-DAT　姿-ACC　見せる-SEQ　それ=ABL　また

すがたを　消したのは、　　ここなのです。
sugata=o　kes-ita=no=wa　koko=na=no=des-u
姿-ACC　消す-ADNF.PST=DN=TOP　ここ-ADNF=DN=～だ.POL-NPST

もし、あなたがたが、　いつか　アフリカの　砂漠を　旅行　なさるような　ことが
mosi　anata-gata=ga　itu=ka　ahurika=no　sabaku=o　ryokoR　nasar-u=yoR=na　koto=ga
もし　あなた-PL.HON=NOM　いつ-INDEF　アフリカ-GEN　砂漠-ACC　旅行　なさる-NPST=INFER=ADNF　こと=NOM

あったら、すぐ、ここだな、　と　わかるように、　この　景色を　　よく　　見て
aQ-tara　sugu　koko=da=na=to　wakar-u=yoRni　kono　kesiki=o　yo-ku　mi-te
ある-COND　すぐ　ここ-～だ=SFP=QUOT　わかる-ADNF.NPST=PURP　この　景色-ACC　よい-ADVF　見る-SEQ

おいて　ください。
o-ite　kudasa-i
おく-SEQ　くださる-IMP

そ　して、　もし、　この　ところを、　　お通りに　　　なるようでしたら、
so　s-ite　mosi　kono　tokoro=o　o-toor-i=ni　nar-u=yoR=des-itara
そう　する-SEQ　もし　この　ところ-ACC　HON-通る-NMLZ=DAT　なる-ADNF.NPST=INFER=～だ.POL-COND

おねがいですから、　おいそぎに　　ならないで　ください。
o-negai=des-u=kara　o-isogi=ni　nar-ana-i=de　kudasa-i
HON-願い-～だ.POL-NPST=CSL　HON-急ぐ.NMLZ=DAT　なる-NEG-NPST=LOC　くださる-IMP

そ　して、　この　星が、　ちょうど、　あなたがたの　頭の　　上に　　くる
so　s-ite　kono　hosi=ga　tyoRdo　anata-gata=no　atama=no　ue=ni　k-uru
そう　する-SEQ　この　星-NOM　ちょうど　あなた-PL.HON=GEN　頭-GEN　上-DAT　来る-ADNF.NPST

ときを、　おまち　　ください。
toki=o　o-mat-i　kudasa-i
とき-ACC　HON-待つ-ADVF　くださる-IMP

その　とき、　子どもが、　あなたがたの　そばに　きて、　笑って、　金色の　髪を
sono　toki　kodomo=ga　anata-gata=no　soba=ni　k-ite　waraQ-te　kiNiro=no　kami=o
その　時　子供-NOM　あなた-PL.HON=GEN　そば-DAT　来る-SEQ　笑う-SEQ　金色-GEN　髪=ACC

して　いて、　なにを　きいても、　だまりこくって　いるようでしたら、
s-ite　i-te　nani=o　ki-ite=mo　damarikokuQ-te　i-ru=yoR=des-itara
する-SEQ　いる-SEQ　何-ACC　聞く-SEQ=CUM　黙りこくる-SEQ　いる-ADNF.NPST=INFER=～だ POL-COND

あなたがたは、　ああ、　この　人だな、　と、　たしかに　　お察しが
anata-gata=wa　aR　kono　hito=da=na=to　tasika=ni　o-saQs-i=ga
あなた-PL.HON=TOP　ああ　この　人-～だ=SFP=QUOT　確か-ADVF　HON-察する-NMLZ=NOM

つくでしょう。
tuk-u=des-yoR
つく-NPST=～だ POL-INFER

そう　したら、　どうぞ、　こんな　かなしみに　しずんで　いる　　ぼくを
soR　s-itara　doRzo　koNna　kanasimi=ni　sizuN-de　i-ru　boku=o
そう　する-COND　どうぞ　こんな　悲しみ-DAT　沈む-SEQ　いる-ADNF.NPST　僕=ACC

なぐさめて　ください。
nagusame-te　kudasa-i
慰める-SEQ　くださる-IMP

王子さまが　もどって　きた、　と、　一刻も　　早く　手紙を　かいて
oRzi-sama=ga　modoQ-te　k-ita=to　iQkoku=mo　haya-ku　tegami=o　ka-ite
王子-HON=NOM　戻る-SEQ　来る-PST=QUOT　一刻=CUM　早い-ADVF　手紙=ACC　書く-SEQ

ください……
kudasa-i
くださる-IMP

内藤濯 (1962) (tr.)『星の王子さま』東京：岩波書店．pp.127-131.

28言語でこんにちは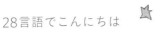

それぞれの表現について、どのような構成になっているかが分かるように逐語訳を付けています
が、それだけだと全体の意味が分かりにくい場合は（　　）内に訳を示してあります。「ありがとう」
の方も同様です。

英語	Good afternoon		good「良い」+ afternoon「午後」
ドイツ語	Guten Tag		guten「良い」+ Tag「日を」
フランス語	Bonjour		bon「良い」+ jour「日」
イタリア語	Buongiorno		buon「良い」+ giorno「日」
スペイン語	Buenos días		buenos「良い」+ días「日」
ポルトガル語	Bom dia		bom「良い」+ dia「日」
ロシア語	Здравствуйте	[zdravstvujte]	здравствовать「元気でいる」の命令形
ポーランド語	Dzień dobry		dzień「日を」+ dobry「良い」
チェコ語	Dobrý den		dobrý「良い」+ den「日を」
中国語	你好	[ní hǎo]	你「君」+ 好「良い」（「君は元気です（か？）」）
朝鮮語	안녕하세요?	[annyeng haseyyo]	안녕하다「安寧だ」の尊敬形（「お元気ですか？」）
モンゴル語	Сайн байна уу?	[sajn bajna uu]	сайн「良い」+ байна「～だ」+ уу「～か？」
フィリピン語	Magandang hapon		magandang「良い」+ hapon「午後」
マレーシア語	Selamat tengah hari		selamat「平和な」+ tengah「半ば」+ hari「日」
インドネシア語	Selamat siang		selamat「平和な」+ siang「昼」
カンボジア語	ជម្រាបសួរ	[comriːəp suːo]	ជម្រាប「申し上げる」+ សួរ「尋ねる」
タイ語	สวัสดี ครับ / ค่ะ	[sawàtdi: kʰráp/ kʰâʔ]	สวัส「吉祥」+ ดี「良い」+ ครับ/ค่ะ「(丁寧助辞)」

525

ラオス語	ສະບາຍດີ	[sabā:ɪ di:] /sabåaydïi /	ສະບາຍ「安らぎ・安寧」+ ດີ「良い」
ベトナム語	Xin chào		xin「請う」+ chào「〜させて下さい」
ビルマ語	မင်္ဂလာပါ	[miɴɡālàbà]	パーリ語　maṅgalā「吉祥」
ベンガル語	নমস্কার	[nɔmoʃkar]	サンスクリット語　namas「尊敬」+ kāra「行為」(ヒンドゥー教徒)
	আসসালামু আলাইকুম	[assalamu alaikum]	アラビア語 (イスラム教徒)
ヒンディー語	नमस्ते	[namaste]	サンスクリット語　namas「尊敬」+ te「君に」
ウルドゥー語	السلام علیکم	[assalām alaikum]	アラビア語
ペルシア語	سلام علیکم	[salām alaykom]	アラビア語
アラビア語	السلام علیکم	[assalāmu ʿalaykum]	as=「(定冠詞)」+ salāmu「平和」+ ʿalay-「〜に」+ -kum「君たち」(「平和が君たちに」)
トルコ語	Merhaba		アラビア語　marḥaban「ようこそ」
ウズベク語	Ассалому алайкум	[assalomu alaykum]	アラビア語
日本語	こんにちは	[koNnitiwa]	(「今日は (ご機嫌いかがですか)」)

28言語でありがとう

英語	Thank you			thank「感謝する」+ you「あなたに」
ドイツ語	Danke (schön)			danke「感謝する」+ schön「とても」
フランス語	Merci			merci「慈悲」
イタリア語	Grazie			ラテン語　grātia「善意、感謝」
スペイン語	Gracias			ラテン語　grātiās「善意、感謝 (複数)」
ポルトガル語	Obrigado	(男性)		obrigar「義務付ける」の過去分詞
	Obrigada	(女性)		
ロシア語	Спасибо	[spasibo]		古語　съпаси「助けろ」+ богъ「神」

ポーランド語	Dziękuję		dziękować「感謝する」の1人称単数現在
チェコ語	Děkuji		děkovat「感謝する」の1人称単数現在
中国語	谢谢	[xièxie]	谢「感謝する」の畳語
朝鮮語	감사해요	[kamsa hayyo]	감사「感謝」＋ 해요「します」
モンゴル語	Баярлалаа	[bajarlalaa]	баярлах「喜ぶ」＋ -лаа「(直接過去)」
フィリピン語	Salamat		アラビア語　salāmat「健康」
マレーシア語	Terima kasih		terima「受け取る」＋ kasih「愛情」(「愛情を受け取ってください」)
インドネシア語	Terima kasih		terima「受け取る」＋ kasih「愛情」(「愛情を受け取ってください」)
カンボジア語	អរគុណ	[ʔɔː kun]	អរ「喜ぶ」＋ គុណ「恩、恵み」
タイ語	ขอบคุณครับ / ค่ะ	[kʰɔ̌ɔp kʰun kʰráp / kʰâʔ]	ขอบ「応える」＋ ＋ ครับ / ค่ะ「(丁寧助辞)」
ラオス語	ຂອບໃຈ	[kʰɔ̌ɔp cǎi]	ຂອບ「応える」＋ ໃຈ「心」
ベトナム語	Cám ơn		漢字語　cảm ơn [感恩]
ビルマ語	ကျေးဇူးတင်ပါတယ်	[cézú tixbàdè]	ကျေးဇူး「恩を」＋ တင်ပါတယ်「積む」
ベンガル語	ধন্যবাদ	[dhonnobad]	サンスクリット語 dhanya「祝福された」＋ vāda「言葉」
ヒンディー語	धन्यवाद	[dhanyawād]	サンスクリット語 dhanya「祝福された」＋ vāda「言葉」
ウルドゥー語	شکریہ	[sukriya]	アラビア語
ペルシア語	متشکرم	[motashakeram]	motashaker「感謝している」＋ -am「(1人称単数語尾)」
アラビア語	شكرا	[sukran]	شكرا「感謝」
トルコ語	Teşekkür ederim		teşekkür「感謝」＋ etmek「する」のアオリスト1人称単数
ウズベク語	Раҳмат	[rahmat]	раҳмат「思いやり」
日本語	ありがとう	[arigatoR]	ありがたい

28言語で数えてみよう

インド・ヨーロッパ語族の言語

	1	2	3	4	5	6	7	8	9	10
英 語	one	two	three	four	five	six	seven	eight	nine	ten
ドイツ語	eins	zwei	drei	vier	fünf	sechs	sieben	acht	neun	zehn
フランス語	un	deux	trois	quatre	cinq	six	sept	huit	neuf	dix
イタリア語	uno	due	tre	quattro	cinque	sei	sette	otto	nove	dieci
スペイン語	uno	dos	tres	cuatro	cinco	seis	siete	ocho	nueve	diez
ポルトガル語	um	dois	três	quatro	cinco	seis	sete	oito	nove	dez
ロシア語	один [odin]	два [dva]	три [tri]	четыре [četyre]	пять [pjat']	шесть [šest']	семь [sem']	восемь [vosem']	девять [devjat']	десять [desjat']
ポーランド語	jeden	dwa	trzy	cztery	pięć	sześć	siedem	osiem	dziewięć	dziesięć
チェコ語	jeden	dva	tři	čtyři	pět	šest	sedm	osm	devět	deset
ベンガル語	এক [æk]	দুই [dui]	তিন [tin]	চার [car]	পাঁচ [pāc]	ছয় [chɔy]	সাত [sat]	আট [at]	নয় [nɔy]	দশ [dɔs]
ヒンディー語	एक [ek]	दो [do]	तीन [tin]	चार [cār]	पाँच [pãc]	छह [chah]	सात [sāt]	आठ [āth]	नौ [nau]	दस [das]
ウルドゥー語	ایک [ek]	دو [do]	تین [tin]	چار [cār]	پانچ [pãc]	چھ [chah]	سات [sāt]	آٹھ [āth]	نو [nau]	دس [das]
ペルシア語	یک [yek]	دو [do]	سه [se]	چهار [čahār]	پنج [panj]	شش [šeš]	هفت [haft]	هشت [hašt]	نه [noh]	ده [dah]

シナ・チベット語族の言語、および漢語の影響が強く及んでいる言語

	1	2	3	4	5	6	7	8	9	10
中国語	一 [yī]	二 [èr]	三 [sān]	四 [sì]	五 [wǔ]	六 [liù]	七 [qī]	八 [bā]	九 [jiǔ]	十 [shí]
日本語 (漢語)	イチ [iti]	ニ [ni]	サン [saN]	シ [si]	ゴ [go]	ロク [roku]	シチ [siti]	ハチ [hati]	キュウ [kyuR]	ジュウ [zyuR]
朝鮮語 (漢語)	일 [il]	이 [i]	삼 [sam]	사 [sa]	오 [o]	육 [ywuk]	칠 [chil]	팔 [phal]	구 [kwu]	십 [sip]

タイ語	หนึ่ง [nùɯ̀ŋ]	สอง [sɔ̌ɔŋ]	สาม [sǎam]	สี่ [sìi]	ห้า [hâa]	หก [hòk]	เจ็ด [cèt]	แปด [pɛ̀ɛt]	เก้า [kâaw]	สิบ [sìp]
ラオス語	ໜຶ່ງ [nɯ̀ŋ]	ສອງ [sɔ̌ɔŋ]	ສາມ [sǎam]	ສີ່ [sìi]	ຫ້າ [hâa]	ຫົກ [hòk]	ເຈັດ [cèt]	ແປດ [pɛ̀ɛt]	ເກົ້າ [kâw]	ສິບ [sìp]
ビルマ語	တစ် [tiʔ]	နှစ် [hniʔ]	သုံး [tóuɴ]	လေး [lé]	ငါး [ŋá]	ခြောက် [chauʔ]	ခုနှစ် [khùɴniʔ]	ရှစ် [ʃiʔ]	ကိုး [kó]	တစ်ဆယ် [tàshɛ̀]
日本語 (和語)	ひとつ [hitotu]	ふたつ [hutatu]	みっつ [miQtu]	よっつ [yoQtu]	いつつ [itutu]	むっつ [muQtu]	ななつ [nanatu]	やっつ [yaQtu]	ここのつ [kokonotu]	とお [toR]
朝鮮語 (固有語)	하나 [hana]	둘 [twul]	셋 [seys]	넷 [neys]	다섯 [tases]	여섯 [yeses]	일곱 [ilkop]	여덟 [yedelp]	아홉 [ahop]	열 [yel]

アルタイ諸言語

	1	2	3	4	5	6	7	8	9	10
モンゴル語	нэг [neg]	хоёр [xojor]	гурав [gurav]	дөрөв [döröv]	тав [tav]	зургаа [zurgaa]	долоо [doloo]	найм [najm]	ес [jøs]	арав [arav]
トルコ語	bir	iki	üç	dört	beş	altı	yedi	sekiz	dokuz	on
ウズベク語	бир [bir]	икки [ikki]	уч [uch]	тўрт [to'rt]	беш [besh]	олти [olti]	етти [yetti]	саккиз [sakkiz]	тўққиз [to'qqiz]	ўн [o'n]

オーストロネシア語族の言語

	1	2	3	4	5	6	7	8	9	10
フィリピン語	isa	dalawa	tatlo	apat	lima	anim	pito	walo	siyam	sampu
マレーシア語	satu	dua	tiga	empat	lima	enam	tujuh	lapan	sembilan	sepuluh
インドネシア語	satu	dua	tiga	empat	lima	enam	tujuh	delapan	sembilan	sepuluh

オーストロ・アジア語族の言語

	1	2	3	4	5	6	7	8	9	10
カンボジア語	មួយ [muəy]	ពីរ [pii]	បី [bəy]	បួន [buən]	ប្រាំ [pram]	ប្រាំមួយ [pram muəy]	ប្រាំពីរ [pram pii]	ប្រាំបី [pram bəy]	ប្រាំបួន [pram buən]	ដប់ [dap]
ベトナム語	một	hai	ba	bốn	năm	sáu	bảy	tám	chín	mười

	1	2	3	4	5	6	7	8	9	10
アラビア語	واحد [wāhidun]	اثنان [itnāni]	ثلاثة [talātatun]	أربعة [ˈarbaˈatun]	خمسة [kamsatun]	ستة [sittatun]	سبعة [sabˈatun]	ثمانية [tamāniyatun]	تسعة [tisˈatun]	عشرة [ˈašaratun]

あとがき

　「星の王子さま」は、本書の第2部28章で引用した、内藤濯氏の日本語訳で創案されたタイトルです。原書をたどれば「小さな王子さま」となりますが、日本の読者には「星の王子さま」として長年親しまれてきました。そのため本書でもこの書名を使用させていただきました。内藤濯氏のお孫さんは風間ゼミで学び東京外国語大学を卒業されました。このことにも不思議なご縁を感じずにはおれません。

　本書の刊行に至るまでには、たいへんたくさんの方にご協力をいただきました。原稿の作成やチェックに関わってくださった風間ゼミOB・OGの皆様、特に張盛開さん、下地理則さん、吉岡乾さん、大塚行誠さん、山田洋平さん、黄慧さん、ハン・ピルナムさん、チェ・ヒギョンさん、日高晋介さん、ホリロさん、岡本進さん、菱山湧人さん、パトリシオ・バレラアルミロンさん、佐田陸さんに深くお礼申し上げます。お名前をすべてあげることはできませんが、さらに風間ゼミのたくさんの学部生・卒業生の方々に助けていただきました。心より感謝申し上げます。「まえがき」に記しましたように、本書はゼミ生のレポートをもとに作成を始めました。ですので編著者も「風間ゼミ」にしたかったのですが、諸事情により私たちの名前で出すこととなりました。

　やはり原稿をチェックしてくださった外語大の同僚や知り合いの研究者である藤縄康弘先生、山本真司先生、秋廣尚恵先生、川上茂信先生、黒澤直俊先生、匹田剛先生、金指久美子先生、森田耕司先生、加藤晴子先生、南潤珍先生、山本恭裕先生、野元裕樹先生、コースィット・ティップティエンポン先生、野平宗弘先生、岡野賢二先生、丹羽京子先生、萬宮健策先生、吉枝聡子先生、長渡陽一先生、島田志津夫先生、喜田拓実さんに深くお礼申し上げます。ご本人の希望によりここにはお名前をあげることはできませんが、さらに多くの他の先生からのご協力を

いただきました。ですから本書は外語大言語文化学部の総力によって作られたものと言っても過言ではないと思います。先生方のご協力に心より深くお礼申し上げます。東京外国語大学出版会の岩崎稔編集長、小田原澪副編集長にはたいへんお世話になりました。読みやすくデザインしてくださった細野綾子さん、組版を担当してくださった株式会社シャムス、貴重な校正のコメントをくださった小林丈洋さんにも感謝いたします。いろいろな点で作成・編集にすごく手間のかかる本書が刊行できたのも、上記の方々のご尽力があってのことです。ありがとうございます。

　啓蒙書としての本書の性格上、個々の情報について、学術論文のようにすべて詳しくその典拠を示していないことについては、参考にさせていただいた本の著者の方々のご宥恕をいただければ幸いです。ただし本書における誤謬は一切筆者の責に帰するものです。誤謬や不明瞭な記述が残らないよう最善を尽くしたつもりではありますが、なにぶん対象は広く、個々の言語のしくみは深遠であるため、なお不十分な点は多々あると思います。忌憚のないご意見・ご叱正をいただければ幸いです。近未来にさらにより良い入門書に改訂できるよう、研鑽を重ねてゆきたいと考えております。本書を通じて、世界の言語や言語学に関心や興味を持ってくださる方が一人でも増えることを強く祈念いたします。

2021年3月20日
風間伸次郎・山田怜央

索引

風間伸次郎　　かざま・しんじろう

1965年東京都生まれ。東京外国語大学大学院総合国際学研究院教授。1992年北海道大学大学院文学修士取得。専門はアルタイ諸言語の現地調査による記述研究、言語類型論。2009年度金田一京助博士記念賞受賞。主要業績は『ナーナイの民話と伝説 1 ~13』『ウデヘ語テキスト 1~6』など。啓蒙書には『世界のなかの日本語 ④くらべてみよう、言葉と発音』『世界のなかの日本語 ⑤くらべてみよう、文のしくみ』(ともに小峰書店)がある。

山田怜央　　やまだ・れお

1988年北海道生まれ。東京外国語大学非常勤講師。東京外国語大学でフランス語を専攻し、風間ゼミで学ぶ。2020年東京外国語大学大学院総合国際学研究科言語文化専攻修了、学術博士。専門はアイルランド語。その他、ヨーロッパ諸語全般、特にケルト諸語、ロマンス諸語、ゲルマン諸語。

28言語で読む「星の王子さま」
世界の言語を学ぶための言語学入門

2021年3月30日　初版第1刷発行
2023年3月30日　　　第4刷発行

編著者	風間伸次郎　山田怜央
発行者	林　佳世子
発行所	東京外国語大学出版会
	〒183-8534　東京都府中市朝日町 3-11-1
	TEL　042-330-5559
	FAX　042-330-5199
	E-mail　tufspub@tufs.ac.jp
装丁・割付	細野綾子
本文組版	株式会社シャムス
印刷・製本	モリモト印刷株式会社

© 2021, Shinjiro KAZAMA, Leo YAMADA
ISBN978-4-904575-87-1
Printed in Japan

『28 言語で読む「星の王子さま」』
附録音声
ネイティブ・スピーカーの発音で聞いてみよう！

本書のテキストを、28 言語の母語話者が読み上げました。
第 2 部各章の本文冒頭、音声表記を付した文を朗読しています。
「星の王子さま」でもっとも有名なフレーズ
「大切なものは目に見えない」は、各言語訳の聞き比べができます。
28 言語の音素、「こんにちは」「ありがとう」、数詞も、
テキストと対照しながら視聴してください。

- ・28 言語による「星の王子さま」*
- ・28 言語で「大切なものは目に見えない」*
- ・28 言語の特徴　対照一覧表（音声）
- ・28 言語でこんにちは
- ・28 言語でありがとう
- ・28 言語で数えてみよう

*『28 言語で読む「星の王子さま」』読者限定で公開しています。

https://wp.tufs.ac.jp/tufspress/lp_hoshi_01/